CW00661860
I AM NOT A NUMBER
ISBN 0-9546697-0-3
9 780954 669706 >
TYDW I DDIM YN RHIF

Libby Peter, Moose's Toothpaste V5, Cwm Glas Bach, Llanberis Pass/Dyffryn Peris. Photo/Ffoto: Ray Wood

Guidebook Disclaimer

Boulder problems can change unpredictably; holds can break and landings can change, especially at tidal venues. All boulderers must rely on their own ability and experience to gauge the difficulty and seriousness of any boulder problem. Bouldering is an inherently dangerous activity.

Neither the author, editor or publisher of this guidebook accept any liability whatsoever for injury or damage caused to (or by) climbers, third parties, or property, arising from its use. Whilst the content of the guide is believed to be accurate, no responsibility is accepted for any error, omission, or mis-statement. Users must rely on their own judgement and are recommended to insure against injury to person and property and third party risks.

Ymwadiad Arweinlyfr

Gall problemau bowldro newid yn anrhagweladwy; gafaelion yn torri a'r glanfeydd newid, yn enewdig yn y mannau llanwol. Rhaid pob dringwr ddibynnu ar eu profiad a'u medr i fesur anhawster a pherygl unrhyw broblem bowldro. Mae bowldro yn hanfodol yn weithgaredd peryglus.

Nid yw'r awdur, golygydd na chyhoeddwyr yr arweinlyfr hwn yn derbyn unrhyw fath o atebolrwydd o gwbl dros unrhyw niwed neu ddifrod i (neu gan) dringwyr, trydydd person, neu eiddo, a ddigwyddir o'i ddefnydd. Tra yr ydym yn coelio y bod cynnwys yr arweinlyf yn gywir, ni dderbynnir unrhyw gyfrifoldeb dros unrhyw wall, diffyg neu camarweiniad. Rhaid i ddefnyddwyr dibynnu ar eu barn ac yr ydym yn awgrymu'n gryf iddynt yswirio yn erbyn anaf i berson ac eiddo a menter trydydd person.

North Wales Bouldering

by

Simon Panton

Published by Northern Soul
February 2004
RRP £18.95

Design: Mark Lynden/Matrix10.net
Translation: Iwan Arfon Jones/Mesora
Printed: A1 Press

www.northwalesbouldering.com

The translation work for this guide was sponsored by Snowdonia-Active.

Snowdonia-Active is a non-profit organisation core funded by the Welsh Development Agency and Gwynedd Council. Snowdonia-Active's aims include promoting environmentally and culturally sensitive, adventure tourism in Snowdonia. For more details visit www.snowdonia-active.com

ISBN 0-9546697-0-3
British Library Cataloguing in Publication Data
A catalogue record for this book is available from the British Library

Contact: simonpanton@northwalesbouldering.com

Bowldro Gogledd Cymru

gan

Simon Panton

Cyhoeddi gan Northern Soul
Chwefror 2004
PAC £18.95

Cynllun: Mark Lynden/Matrix10.net
Cyfieithwyd: Iwan Arfon Jones/Mesora
Argraffwyd: A1 Press

www.northwalesbouldering.com

Noddwyd cyfieithu'r arweinlyfr hwn gan Eryri-Bywiol.

Corff dielw yw Eryri-Bywiol wedi ei arianu'n graidd gan Awdurdod Datblygu Cymru a Chyngor Sir Gwynedd. Un o nodau Eryri-Bywiol yw cefnogi twristiaeth antur yn Eryri sy'n ymwybodol o'r amgylchedd a diwylliant yr ardal. Er mwyn gwybodaeth ychwanegol ymwelwch a www.eryri-bywiol.com

Rhif Llyfr Rhyngwladol 0-9546697-0-3
Catalogio Llyfrgell Prydeinig wrth Data Cyhoeddi
Mae cofnod catalog i'r llyfr hwn ar gael o'r Llyfrgell Prydeinig

Cysylltwch â: simonpanton@northwalesbouldering.com

CONTENTS/CYNHWYSIAD

Introduction/Cyflwyniad

Llanberis Pass/Dyffryn Peris

Ogwen Valley/Dyffryn Ogwen

Outlying Areas/Ardaloedd Pellenig

Coastal Crags/Clogwyni Arfordirol

Map 1 :
North Wales Area
Ardal Gogledd Cymru

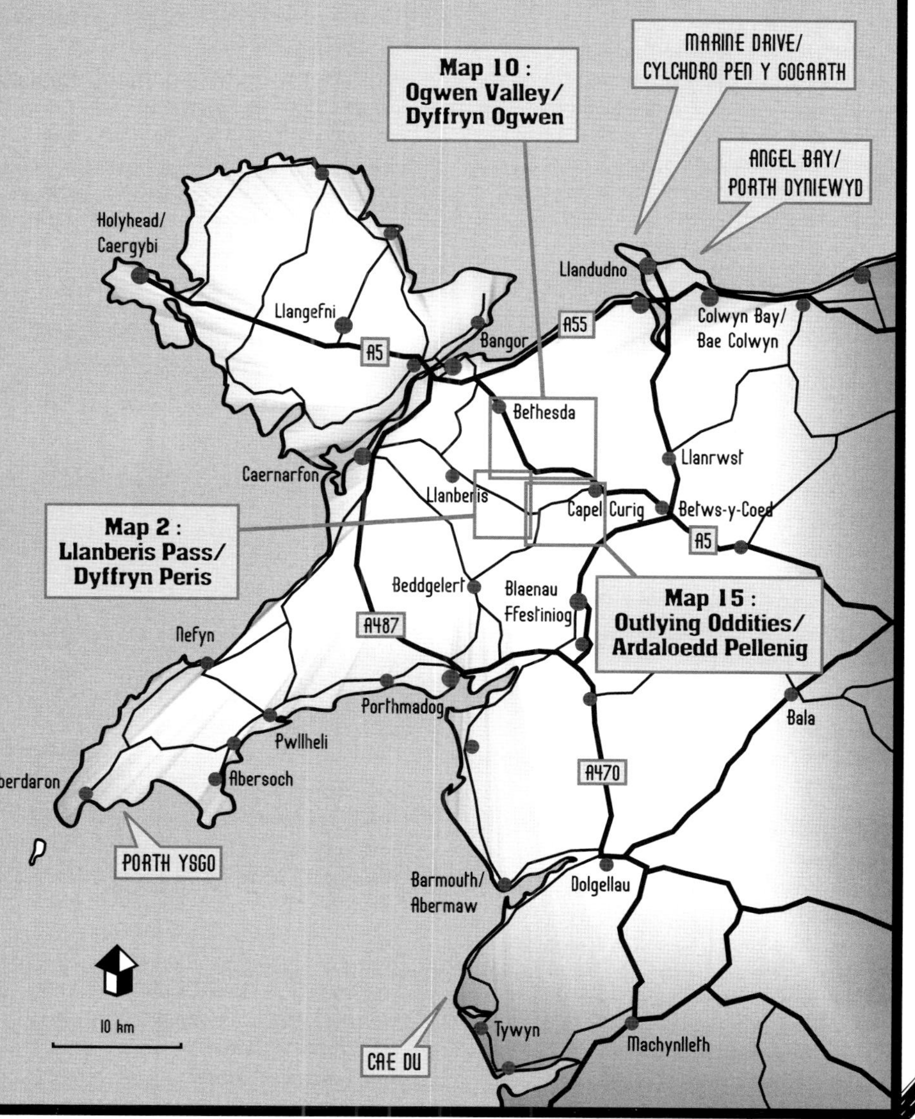
Map 10 : Ogwen Valley/ Dyffryn Ogwen
MARINE DRIVE/ CYLCHDRO PEN Y GOGARTH
ANGEL BAY/ PORTH DYNIEWYD
Holyhead/ Caergybi
Llangefni
A5
Bangor
A55
Llandudno
Colwyn Bay/ Bae Colwyn
Bethesda
Caernarfon
Llanberis
Capel Curig
Betws-y-Coed
Llanrwst
A5
Map 2 : Llanberis Pass/ Dyffryn Peris
Beddgelert
Blaenau Ffestiniog
Map 15 : Outlying Oddities/ Ardaloedd Pellenig
A487
Nefyn
Porthmadog
Pwllheli
Abersoch
Aberdaron
PORTH YSGO
A470
Bala
Barmouth/ Abermaw
Dolgellau
10 km
Tywyn
Machynlleth
CAE DU

GENERAL INTRODUCTION

To boulder in North Wales is a privilege and a pleasure.

Where else in the UK would you find so many fantastic boulder problems in such magnificent and varied locations?

The richness and diversity of experience on offer is quite a wonder. There is a distinct and often wildly differing ambience to be found at the numerous boulders and micro crags described herein. The raw beauty of the landscape, both up in the mountains and along the coastal fringes, is intoxicating. Catch the intense summer evening light on the shadow-cast craggy sides of the Llanberis Pass, or the winter sunset rays shining bright across the sea-bound horizon at Porth Ysgo, and you will know a special place.

It is this contrast of mountain and coast; a diversity of seasonal choice that marks the value and importance of bouldering in North Wales. The full spectrum of difficulty and style can be found here, throughout the year; whether you are looking for a steady circuit of quality problems or a hardcore test piece. Whether it is remote solitude and exploration, or roadside competition and banter; adrenalising highballs, or brutal modern sit down starts. Whether it is dynamic one-move wonders; or complex, head stressing redpoints; thin technical skill problems, or basic power tests.

Whatever it is that rocks your boat, you will find it here in abundance.

Truly the North Wales crags have something for all, in all seasons and in all but the very worst weather. (Even if it rains there are crags that stay dry!)

This guide gives coverage to a remarkable canon of classic boulder problems (1000 in total) throughout the North Wales area. It is not completely definitive, but all major venues and significant problems located within approximately one hour's drive of Llanberis are included. Many of the problems described herein are a product of the revolutionary summer of 97, when the Llanberis scene was gripped by a hitherto unknown frenzy of bouldering development and

CYFLWYNIAD CYFFREDINOL

Braint a phleser yw bowldro yng Ngogledd Cymru.

Ble arall yn y DU fedrwch chwi ddarganfod cymaint o broblemau bowldro anhygoel mewn sefyllfaoedd mor amrywiol a godidog?

Mae'r cyfoeth ac amrywiaeth o brofiadau sydd ar gael yn cyfleu teimladau llawn rhyfeddod. Yn aml ceir awyrgylch arbennig ym mhob un o'r safleoedd bowldero a micro-craig a ddisgrifir, ac weithiau yn hollol annhebyg i unman arall. Tra bod harddwch y tirlun, ynteu yn y mynyddoedd neu ar hyd yr arfordir, yn ein ysbrydoli. Naill ai ar noson braf o Haf gyda golau grymus yr haul yn taflu cysgodion o amgylch llethrau creigiog Nant Peris neu'n machlyd ym Mhorth Ysgo gyda phelydrau egwan disglair y Gaeaf yn disgleirio ar draws y môr. Ble arall fyddech yn canfod man mor arbennig?

Mae'r cyferbynid a geir rhwng arfordir a mynydd; yr amrywioldeb tymhorol yn dynodi gwerth bowldro yng Ngogledd Cymru. Fe allwch ddarganfod yr holl sbectrwm o fodd ac anhawster yma, drwy'r flwyddyn: os ydych yn chwylio am gylchdaith cyson o broblemau o ansawdd neu brawf digyfaddawd. Naill ai unigrwydd anghysbell ac archwyliaeth, neu gystadleuaeth ochrffordd a herian; uchelgeilliau adrenaleiddiol, nodcochion dirdynnol, problemau tenau technegol, neu brofion pwer sylfaenol.

Beth bynnag sy'n eich cynhyrfu, fe fyddech yn eu darganfod yma yn eu digon.

Yn wir mae clogwyni Gogledd Cymru yn cynnig rhywbeth i bawb, ym mhob tymor ac ym mhob math o dywydd. (Hyd yn oed os yw'n bwrw mae rhai clogwyni'n aros yn sych!)

Mae'r areweinlyfr yn cwmpasu rhestr rhyfeddol o broblemau bowldro clasurol (cyfanswm o 1000) drwy Ogledd Cymru. Nid yw'n hollol ddiffiniol, ond mae pob safle pwysig a phroblem nodweddiadol sydd i'w cael o fewn rhyw awr o Lanberis yn gynwysiedig. Cynhyrchion o'r Haf chwyldroadol 97 yw llawer o'r problemau a ddisgrifir, cyfnod pan oedd 'byd' Llanberis mewn cyffro datblygiad bowldro heb gymhariaeth a mae'r arweinlyfr yn gais i adlewyrchu ysbryd ac egni'r cyfnod (o

Jerry Moffatt, Jerry's Roof V9, Photo/Ffoto: Ray Wood

this is very much an attempt to capture the spirit and energy of those times (interestingly more than 80% of the problems in the graded list on pages 266-275 are post 95). In keeping with this notion, the text and diagrams build upon the foundations of the previously published Northern Soul fanzines, although a vast amount of updating and improving has been carried out, particularly with regard to the coverage of easier (V0- to V2) problems. It is hoped that this text will provide a useful stepping-stone into the world of bouldering for those new to the game of climbing. Furthermore it is hoped that that a revival of interest will be stimulated in the time-served, yet now most likely time-pressed veteran climbers of North Wales.

Such was the frenetic pace of development in recent years several previously undocumented crags have been included. No doubt this trend will continue and future revamps of the book will be required.

There is a logical split between the mountain and coastal areas in North Wales that fits well with the shift of the seasons. Although it is possible to climb on the mountain crags throughout the year, the winter months yield fewer days when conditions are good. Throughout December, January and February the Llanberis Pass and the Ogwen Valley are typically beset with rain, snow and freezing temperatures, although the occasional window of cold dry weather may give an opportunity for a fruitful visit. The flip side of this situation is the surprisingly good friction that can be found on shaded mountain crags and boulders in the midst of the summer heat haze.

Out on the coast, the tidal crags are at their best in the winter/spring, when the algae on the sea-washed rocks dies away; the clean boulders dry a good deal quicker, allowing the latent frictional qualities of the rock to emerge. The difference in weather conditions between the mountains and the coast is often dramatic. Even if it is really tipping it down in Llanberis, a visit to the Llandudno Ormes or Porth Ysgo is always worth the gamble. It should be born in mind that the strength of the wind is the single most important factor with

ddiddordeb mae mwy na 80% o'r problemau yn y rhestr graddol ar dudalenau 266-275 wedi 95). Yn cadw gyda'r syniad, mae'r testun a'r diagramau yn sylfaenol ar rai a gyhoeddwyd yn y ffanlyfrau Northen Soul, ond mae llawer o newid a gwelliannau wedi eu cwbwlhau, enwedig yn y graddau haws (V0- i V2). Y gobaith yw y bydd y testyn yma'n rhoi agoriad i mewn i'r 'byd' bowldro i'r rhai sy'n newydd i'r sbort o ddringo. Heblaw hynny, yr ydym yn gobeithio y bydd adnewyddiad mewn diddordeb ymysg dringwyr profiadol Gogledd Cymru.

Mor gyflym a mae datblygiad wedi bod yn y blynyddoedd diweddar mae'r sawl clogwyn newydd wedi eu cynnwys. Mae'n sicr y bydd y tuedd yn parhau a bydd angen ail-wneud yr arwenlyfr.

Yng Ngogledd Cymru fe welir rhaniad rhesymegol rhwng y mynyddoedd ac ardaloedd arfordirol sy'n gweu i mewn yn dda gyda'r tymhorau. Tra bo dringo'n bosibl drwy'r flwyddyn ar y creigiau mynyddig, mae'r misoedd Gaeafol yn rhoi llai o ddyddiau pryd mae'r cyflyrau yn dda. Glaw, eira a thymereddau rhewi sydd i'w cael fel arfer yn Dyffryn Peris a Dyffryn Ogwen drwy Rhagfyr, Ionawr a Chwefror tra bu ambell cyfnod oer sych yn rhoi siawns o ymweliad cynhyrchiol. Ochr arall y sefyllfa yw'r ffrithiant dda a allwn ddarganfod ar y clogwyni a chlogfaeni cysgodol yng nghanol poethni'r Haf.

Allan ar yr arfordir, mae'r clogwyni llanwol ar eu gorau yn y Gaeaf a'r Gwanwyn, pan fydd yr alga ar y creigiau morol wedi marw allan; mae'r clogfaeni glân yn sychu allan yn gynt, a gadael i asawdd ffrithiol cudd y creigiau ymddangos. Yn aml mae'r gwahaniaeth rhwng tywydd y mynyddoedd a'r arfordir yn syfrdanol. Hyd yn oed os oes tywydd mawr yn Llanberis mae taith i Landudno neu Porth Ysgo werth y fenter. Rhaid cofio mai nerth y gwynt yw'r ffactor pwysicaf wrth feddwl am gyflwr sefyllfa arfordirol. Mwyaf crai yw'r gwynt, y sychach yw'r clogwyni: os yw hi'n dawel a thrymaidd disgwilwch graig tamp sebonig.

ENERAL INTRODUCTION

egard to conditions at a coastal venue. The resher the wind, the drier the crag: if it is still nd muggy, then expect damp, soapy rock.

summary, the best tactic is to go to the ountains when you can, and to the coast when ou can't. And thus, with a bit of luck and the odd mart decision, you should find dry rock and good onditions every time you go out.

here are a couple of all-weather venues in the rea, and whilst Parisella's Cave and Carreg ylldrem may not suit all tastes, they are a odsend on persistent rain-fouled days.

CYFLWYNIAD CYFFREDINOL

I orffen, y tacteg gorau i'w i fynd i'r mynyddoedd pan y gallwch, ac at yr arfordir os na allwch. Felly, gyda ychydig o lwc ac ambell benderfyniad galluog, fe ddylwch ddarganfod craig sych a chyflyrau da pob tro y mentrwch allan.

Mae yna gwpl o safleoedd pob-tywydd yn yr ardal, a thra bo Ogof Parisella a Charreg Hylldrem ddim yn plesio pawb, maent yn fendith ar ddiwrnodau glaw cyson.

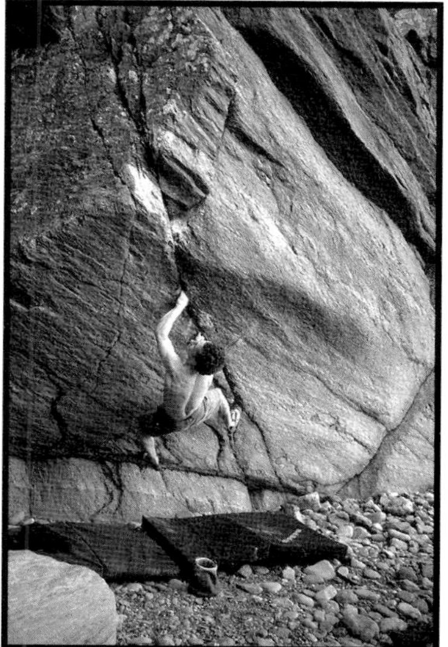

Mark Katz
Cae Du Crack V7
Coastal Crags/Clogwyni Arfordirol
Photo/Ffoto: Simon Panton

Simon Panton,
Boysen's Groove V3/4
Llanberis Pass/
Dyffryn Peris
Photo/Ffoto: Ray Wood

THE 10 COMMANDMENTS

The rise in popularity of bouldering has come at a price. Although many of the disrespectful antics evident on the Pennine crags have yet to spread to North Wales, we cannot afford to be complacent. I have seen previously tranquil and untouched places of beauty despoiled by idiots who drop litter. Quite how anybody can believe it is okay to leave cigarette butts, finger tape and drink cans behind at a crag is beyond me. But still they do.

We should all learn to tread a little more lightly, making sure that we leave the crags and boulders - that we love so dearly - as we would like to find them. That means picking up any rubbish that we find, cleaning excessive chalk from the rock and challenging anybody we see wrecking the place.

The following 10 Commandments should be taken as the rules by which the future access to, and safeguarding of the North Wales bouldering crags can be assured.

1. No chipping whatsoever.
2. No blow torching, even at coastal venues. If you come across a wet hold, dry it with a towel, or come back on a windy day when it will have dried out naturally.
3. No wire brushing. Use a nylon brush if you are cleaning a new line.
4. Use less chalk and brush/wash away tick marks or excessive build up at the end of your session.
5. Do not drop litter at the crag, and take home any that you find.
6. Do not leave carpet patches at the crag. Not only are they an eyesore, but they quickly become sodden, and thus useless. They also kill off the vegetation that they cover.
7. No use of resin (pof).
8. No gluing or hold stabilisation. If a hold breaks off, then so be it.
9. Use a bouldering pad to decrease the impact on the vegetation at the base of popular problems.
10. No gardening of indigenous vegetation.

Y 10 GORCHYMUN

Rhaid talu dros dwf ym mhoblogrwydd bowldro. Tra bod llawer o'r giamocs amharchus sydd i'w weld ar glogwyni'r Penwynion ddim wedi ymestyn i Ogledd Cymru, ni allwn fod yn hynanfodlon. Yr wyf wedi gweld mannau tawel a digyffwrdd prydferth yn cael eu difetha gan ynfydion yn gollwng sbwriel. Sut y gall unrhyw berson feddwl y bod hi'n gywir i adael bonion sigaret, tâp bys a caniau diod ar ôl ger y clogwyn yn ddiarth i mi. Ond dal i wneud y maent.

Y mae hi'n bwysig ein bod yn dysgu i gamu'n ysgafnach, a sicrhau ein bod yn gadael y clogwyni a chlogfaeni - yr ydym yn caru - fel y buasant yn hoffi. Mae hyn yn golygu casglu sbwriel yr ydym yn darganfod, glanhau unrhyw ormodedd o sialc oddi ar y graig a herio unrhyw berson ydym yn gweld yn difetha'r man.

Ystyriwch y 10 Gorchymun isod fel rheolau i sicrhau mynediad yn y dyfodol, a fel ffyrdd i amddiffyn clogfaeni bowldro Gogledd Cymru.

1. Dim naddu o gwbl.
2. Dim chwythlampio, hyd yn oed yn y mannau arfordirol. Os ydychyn dod ar draws gafael gwlyb, sychwch gyda thwal, neu dowch nol ar ddiwrnod gwyntog pan y mae wedi sychu allan yn naturiol.
3. Dim brwsh gwifren. Defnyddiwch brwsh neilon os ydych yn glanhau llinell newydd.
4. Defnyddiwch llai o sialc a glanhawch marciau tic neu gormodedd o sialc ar ddiwedd eich cyfnod.
5. Peidiwch a gadael sbwriel, ac ewch a unrhyw sbwriel gartref.
6. Peidiwch a gadael clwtiau carped. Nid yn unig ydynt yn hyll, ond maent yn glychu'n gyflym, a felly yn ddi-werth. Hefyd, maent yn lladd y llystyfiant drwy gorchuddio.
7. Peidiwch a defnyddio resin (pof).
8. Dim Gludo neu sefydlogi gafael. Os yw'r gafael yn torri, felly mae pethau.
9. Defnyddiwch pad bowldro i leihau'r gwasgedd ar y llystyfiant ar waelod problemau poblogaidd.
10. Dim garddio o unrhyw lystyfiant.

:RVATION AND ACCESS ISSUES

}eneral rule, rocks that are good for ng, are not usually good for plants, and vice . Plants of conservation interest typically like :nt rich, friable rocks with plenty of loose ; and pockets, such as the rocks on the back e Devil's Kitchen in Cwm Idwal. Most ional climbing cliffs are therefore not cally rich, but where they are and where is a conflict between climbing and :rvation interests, agreements are generally ed out. With so many new bouldering sites developed, there is the potential for damage. :ver, this is unlikely as most vegetation on the ers will be common grasses and heathers, here is always the chance that a site with ferns, mosses or lichens or arctic-alpine s may be developed. It may seem excessive to oncerned about mosses and lichens, but donia is an important place for these and hold some rare species.

concentration of people around a bouldering will result in more intense use than at more tional climbing sites and therefore an eased potential for damage to surrounding :tation. Some of the boulders are in relatively shy ground, which can quickly become trashed eroded as climbers wander between problems crash land from difficult ones. The use of ; can help to reduce damage, to the ronment as well as to the climber, but if a icular site is becoming badly wrecked, then e well thought out, but simple management niques could make life easier for the climber help prevent further erosion. Talking to the lowner, or National Park, National Trust or ntryside Council for Wales warden could vide a solution and the BMC Access Fund can :n pay for, or contribute to, the costs of h work.

you are in any doubt about a site you are eloping or visiting, then let Barbara Jones untryside Council for Wales) know and she will ne out and have a quick look at the site to see t does have any botanical interest or likely

MATERION CADWRAETH A MYNEDIAD

Fel rheol nid yw creigiau sy'n addas i dringo yn dda i blanhigion, a vice versa. Mae'r planhigion gwarchodol fel arfer yn tyfu ar greigiau bregus llawn maeth caen rhydd a phocedog, tebyg i'r creigiau yng nghefn Twll Du yng Nghwm Idwal. Nid oes llawer o gyfoeth llysieuol ar y rhan fwyaf o glogwyni dringo traddodiadol, ond ble y maent a ble mae gwrthdaro rhwng dringo a chadwraeth, y mae cytundebau wedi eu sefydlu. Gyda chymaint o safleoedd bowldro yn cael eu datblygu, mae potensial o ddifrodi. Ond, nid yw hyn yn arferol oherwydd glaswellt a grug cyffredin yw'r rhan fwyaf o'r llysdyfiant ar y clogfaeni. Ond y mae'r posibilrwydd y bydd safle gyda rhedyn, mwsoglau, neu chen prin neu blanhigion arctig-alpaidd yn cael ei ddatblygu. Fe all deimlo braidd yn ormodol i boeni dros fwsoglau a chen, ond y mae Eryri yn safle pwysig i'r rhain ac y mae rhai rhywogaethau prin.

Gall crynodiad o bobl o gwmpas man bowldro arwain at gor-ddefnydd llawer trymach na safleoedd dringo traddodiadol, ac felly gynyddu'r potensial o ddifrod i'r llysdyfiant oddi amgylch. Lleolir rhai clogfaeni ar dir cymharol gorsiog, sydd yn tueddu cael ei ddifrodi a'i erydu wrth i ddringwyr gerdded rhwng y problemau neu lanio'n drwm oddi ar y rhai caletach. Y mae defnydd o fatiau yn gymorth i leihau anaf, i'r dringwr a'r amgylchedd hefyd, ond os oes un man yn cael ddifrodi'n llwyr, fe all technegau rheolaeth syml gymorth i'r dringwr a lleihau difrod yn y dyfodol. Mae'n bosibl cael ateb drwy siarad gyda'r perchenogion, y Parc Cenedlaethol, Ymddiriedolaeth Genedlaethol neu warden Cyngor Cefngwlad Cymru ac yn aml fe all Cronfa Mynediad y BMC dalu am, neu gyfranu at gostau y gwaith.

Os oes gennych unrhyw amheuaeth ynglyn â safle yr ydych am ddatblygu neu ymweld, cysylltwch a Barbara Jones (Cyngor Cefngwlad Cymru) ac mi fydd hithau'n barod i ddod allan a chael cip olwg o'r safle i weld os oes unrhyw ddiddordeb llysieuol materion rheolaeth tebygol yn y man. Y siawns ydi na fydd, ond yn hytrach na chreu problemau yn hwyrach, os ydych wedi difetha neu management issues. Chances are that it won't, but rather than cause problems later if you are found to have damaged or destroyed rare plants, why not sort it out to start with. Barbara is a climber and so will look at the problem sympathetically, but she isn't heavily into bouldering and so won't steal your prize projects! She can be contacted at the CCW on 01248 385500.

The inclusion in this guidebook of a crag, individual boulder or boulder field does not mean that any member of the public has a right of access to the said climbing venue. In some cases information has been provided regardless of the access situation, either with respect to the historical development of the area or in the hope that a specific access situation will improve in the future. Before approaching any of the crags described herein please read the introduction and access notes for each individual venue.

The majority of bouldering venues in North Wales have well established access agreements, but it pays to remember that a previously favourable relationship with a landowner can quickly turn sour if visitors fail to behave in a respectful fashion. With this in mind, please do not damage walls or fences. Park sensibly and do not block driveways or gates, do not disturb livestock and keep dogs under control.

ddinistrio llysdyfiant prin, pam ddim ystyried diogelu pethau ar y dechrau. Mae Barbera yn dringo ac felly mi fydd hi'n edrych ar y sefyllfa gyda chydymdeimlad, ond nid yw hi'n am ddech bowldro a ni fydd Barbera am ddwyn eich prosiectau gorau. Cysylltwch a hi yn y CCC ar 01248 385500.

Nid yw cynhwysiad clogwyn, clogfaen unigol ne faes clogwyn yn yr arweinlyfr hwn yn cyfeirio unrhyw hawl mynediad gan y cyhoedd at y man dringo a ddisgrifir. Mewn rhai mannau mae gwybodaeth wedi ei roi heb ystyried y sefyllfa mynediad; naill ai fel cyfeiriad at ddatblygiad hanesyddol yr ardal neu yn y gobaith y bydd sefyllfa mynediad yn gwella yn y dyfodol. Cyn ceiso cyrraedd unrhyw clogwyn a ddisgrifir yr ydym yn gobeithio eich bod am ddarllen cyflwyn a nodiadau mynediad i bob safle unigol.

Y mae'r mwyafrif o safleoedd bowldro yng Ngogledd Cymru â chytundebau mynediad sefydlog ond mae'n talu cofio y gall cydweithrediad da gy pherchennog tir suro'n gyflym os nad yw ymwelwyr yn ymddwyn yn barchus. Felly, o ystyried hyn peidiwch a difetha waliau neu ffens. Parciwch yn ofalus a pheidiwch a atal lonydd neu gatiau, peidiwch ag aflonyddu anifeiliaid a cadwch cwn mewn trefn.

Photo/Ffoto: Ray Wood

Adam Wainwright, Jawbreaker V5, Porth Ysgo; Photo/Ffoto: Ray Wood

Martin Crook, The Dash V2/3, Ynys Ettws, Photo/Ffoto: Ray Wood

BOULDERING: HITTING THE MAINSTREAM

Bouldering is in flight at the moment, yet there was a time in the not too distant past when it was viewed by the conservative majority of North Wales based climbers as - at worst - an insignificant pursuit, and - at best - a vaguely useful training aid for 'real' climbing (whatever that is?). The bright sparks have always known different, but their insightful methods and attitudes were ignored by the complacent masses. This all changed in the mid-to-late 90s when Pennine/ international attitudes to bouldering were finally absorbed into the North Wales zeitgeist, and nowadays the notion of going bouldering just for the sake of it has been well and truly accepted.

Indeed, it is no longer considered that unusual to pursue bouldering to the exclusion of other climbing styles. This underground subculture has hit the mainstream and is now given considerable coverage by the climbing media. Many of the high profile 'rock stars' of the last 2 decades (Jerry Moffatt, Ben Moon, Malcolm Smith) have all but given up on roped climbing, choosing instead to focus their energies on the pure art of bouldering. Bouldering guides, bouldering videos and dedicated bouldering websites have flourished, and with each passing year, the scene goes from strength to strength. This guide is surfing on a wave enthusiasm that can be felt right from the very top end performers, down to the grass roots base of fanatics; an ever growing tribe who share a deep passion for the art of bouldering.

BOWLDRO YN CYRRAEDD Y PRIF-FFRWD

Mae bowldro ar ei anterth ar y funud, ond dim ond ychydig yn ôl yr oedd yna gyfnod pan yr oedd yn cael ei ystyried gan y mwyafrif o ddringwyr yng Ngogledd Cymru fel - ar y gwaethaf - gweithgaredd di nod neu - ar y gorau - cymorth ymarfer defnyddiol i ddringo iawn (beth bynnag ydyw hynny). Mae'r deheuig wedi gwybod yn wahannol ers oes, ond yr oedd eu moddion ac agweddau craff yn cael eu anwybyddu gan y torf hunanfodlon. Newidiodd hyn oll yng nghanol y 90au pan o'r diwedd roedd derbyniad o agweddau rhyngwladol/Penwynion tuag at bowldro yng Ngoledd Cymru, ac erbyn heddiw mae'r syniad o fynd i fowldro yn hollol dderbyniol. Yn wir, nid yw hi'n awr yn anghyffredin i ddewis bowldro yn lle mathau eraill o ddringo. Mae'r is-ddiwylliant tanddaearol wedi cyrraedd y prif-ffrwd a mae e' nawr yn derbyn llawer o sylw gan y cyfryngau dringo. Gyda llawer o'r sêr dringo y 2 ddegawd diweddar (Jerry Moffat, Ben Moon, Malcom Smith) bron iawn wedi rhoi'r gorau i dringo rhaffol, a dewis sianelu eu hegni tuag at y celfydd pur o fowldro. Gydg arweinlyfrau bowldro, fideos a safleoedd bowldro arbennig ar y We yn ffynnu, mae 'byd' bowldro yn cryfhau o flwyddyn i flwyddyn. Mae'r arweinlyfr hwn yn ceisio adlewyrchu brwdfrydedd y perfformwyr gorau, i lawr at gefnogwyr sylfaenol ffanatigaidd; llwyth sy'n tyfu'n fwy fwy a sy'n rhannu cariad mawr tuag at y celf o fowldro.

OULDERING GEAR

n the face of it, bouldering is perhaps the least quipment-orientated discipline within climbing. onetheless there are a multitude of minor kit ems that will make your bouldering sessions in his area more enjoyable and productive.

ock shoes

oo obvious to be worth stating, but you might vish to consider the extravagance of taking a ofter pair for smeary moves, and a stiffer pair or edgey moves. Just a thought really.

halk bag

he smaller conventional type is useful on ontinuous circuits or long problems where it is ossible to re-chalk. Many boulderers use the large ucket style bags that are left at the base of the roblem. It's a good idea to place a stabilising stone the bag to stop it being blown over by the wind. he bucket bags are more stable, and thus less kely to fall over and spill chalk, but it is best to efill them a little and often. A large body of chalk ill start to absorb moisture over time and can ad to the dreaded 'toothpaste chalk syndrome'. lost people use block or loose chalk, but a chalk all will be found useful for drying damp sea vashed holds. Obviously, unsightly chalk use should e minimised at non-tidal crags.

othing

nything that allows good freedom of movement nd keeps you comfortable in the weather onditions of the day. Obviously modern technical brics are best because they will be lighter and ey will dry faster if you get caught out in rain. warm duvet jacket is useful to keep your uscles warm in between attempts on a problem. lightweight waterproof shell is also a sensible ption, particularly if you are up in the mountains. hat and gloves are also worth having on windy cold days.

OFFER BOWLDRO

Ar y wyneb, bowldro yw'r disgyblaeth dringo lleiaf offer-ddibynol. Tra bod hyn yn gywir, bydd angen darnau mân o offer i chwi fwynhau a gwella eich sesiwn bowldro yn yr ardal.

Esgidiau dringo

Braidd yn rhy amlwg i'w nodi, ond tybed os ddylech feddwl am fynd a phâr meddal er mwyn symudiadau gwyrol a phâr anystwyth er mwyn symudiadau cyriol. Awgrymiad yn unig.

Sach sialc

Sachau bychan confensiynol sy'n dda ar gylchdeithiau parhaol neu broblemau hir lle mae'n bosibl ail-sialcu. Ond mae llawer o fowldwyr yn defnyddio'r sach mawr bwcedig, sy'n cael ei adael ar waelod y broblem. Syniad da yw rhoi carreg sefydlogi yn y bag i'w rwystro rhag chwythu drosodd mewn gwynt. Mae'r bagiau bwced yn fwy sefydlog, nid ydynt yn disgyn drosodd a cholli sialc mor aml, felly gwell ail-lenwi'n aml ond â ychydig. Fe all corff mawr o sialc ddechrau amsugno lleithder a mewn amser arwain at y 'syndrom sialc pâst-dannedd' arswydus. Mae'r rhan fwyaf yn defnyddio sialc bloc neu rydd, ond byddai pelen sialc yn ddefnyddiol i sychu allan gafeilion tamp morol. Wrth gwrs fe ddylid lleihau gor-ddefnydd sialc hyll ar glogwyni ddi-lanw.

Dillad

Unrhyw beth sy'n galluogi symudiadau rhwydd a sy'n cadw chwi'n gyfforddus yng nghyflyrau'r tywydd ar y dydd. Wrth gwrs fe fydd tecstilau technegol cyfoes yn well oherwydd maent yn ysgafnach ac yn sychu'n gynt os ydych yn cael eich dal gan y glaw. Siaced duvet cynnes i gadw'ch cyhyrau'n gynnes rhwng ceisiadau ar broblem. Mae plisg-ddiddosi ysgafn yn syniad da, yn enwedig os ydych yn mynd i'r mynyddoedd. Het a menig cynnes yn ddefnyddiol ar ddiwrnodau oer neu wyntog.

BOULDERING GEAR

Brushes

Nylon toothbrushes, or paintbrushes are the accepted tool for cleaning excess chalk from holds. They will also suffice for cleaning dirty holds on new or neglected problems. A telescopic walking pole (with a toothbrush taped to the end) is commonly used to brush out-of-reach holds. Wire brushes should never be used.

Bouldering Pads

Highly recommended for most venues in this guide. Aside from saving you from breaking bones on a rocky landing, a boulder pad is often useful for keeping your feet dry on damp or boggy landings. It also helps to protect the landing areas from erosion. Some pads have absorbent top surface materials that are good for drying wet rock shoes, but a small towel is a useful addition. This can also help to dry damp holds on tidal crags.

Miscellaneous

Non-stretch Strappal finger tape for tendon injuries and temporary flapper repairs. A large pair of nail clippers. Fine grained sand paper for sanding flapper-prone/inconsistent skin. Vitamin E skin cream, to encourage re-growth and repair during multi day trips. A hand warmer for those bitter cold winter days. Midge repellent, a real lifesaver for those summer evenings in the mountains. A copy of the tide tables. A lightweight head torch for late evening retreats from remote crags. A full water bottle, obviously for drinking, but also for washing excessive chalk and tick marks away at the end of your session. A decent pair of walking boots for approaching any of the non-roadside crags in the mountains. A small rucksack for carrying all these essential items, and of course, your butties/biscuits and camera.

Talent

Perhaps the most useful commodity known to man. If you can tap into a reliable source of this, then you've got it made.

OFFER BOWLDRO

Brwshis

Brwsh dannedd neilon, neu brwshis paent yw'r offer derbyniol i lanhau gormodedd o sialc oddi ar afeilion. Maent hefyd yn ddigonol er mwyn glanhau gafeilion budr ar broblemau newydd neu ddiymgeledd. Yn aml defnyddir polyn cerdded telesgopig (gyda brwsh dannedd wedi ei dapio ato) i lanhau gafeilion allan o gyrraedd. Peidiwch â defnyddio brwsh gwifren.

Padiau Bowldro

Yn ddefnyddiol dros ben yn y rhan fwyaf o leoedd yn yr arweinlyfr. Heblaw eich achub rhag torri esgyrn ar lanfa creigiog, mae mat bowldro yn ddefnyddiol i gadw eich traed yn sych. Hefyd, maent yn rhoi cymorth amddiffynnol i'r glanfa rhag erydiad. Mae gan rhai matiau arwynebedd amsugnol sy'n dda i sychu esgidiau dringo gwlyb, ond bu lliain bychan yn ddefnyddiol. Hefyd, gellir defnyddio'r lliain i sychu allan gafeilion gwlyb ar glogwyni llanwol.

Amrywiol

Tâp bys di-ymestyn Strappal rhag anafiadau i'r gewynnau ac i drwsio fflapau dros dro. Pâr o glipwyr ewinedd mawr. Papur llyfnu graen main er mwyn llyfnu croen angyson/tueddu fflapio. Hufen croen fitamin E, i hybu ail dyfiant croen yn ystod teithiau aml-ddiwrnod. Gwresogydd llaw er mwyn dyddiau oerias y Gaeaf. Chwistrell gwybed, er mwyn goroesi'r mynyddoedd ar nosweithiau'r Haf. Copi o'r tablau llanw. Tortsh pen ysgafn er mwyn ffoi yn y hwyrnos o greigiau anghysbell. Potel ddwr llawn wrth gwrs i yfed, ond hefyd i olchi unrhyw ormodedd o sialc a marciau nod ffwrdd ar ddiwedd eich sesiwn. Pâr o esgidiau cerdded da er mwyn cyrraedd unrhyw un o'r clogwyni ddi-ochrffordd yn y mynyddoedd. Sach deithio bychan i gludo'r eitemau hanfodol yma i gyd ac wrth gwrs eich tamaid a'ch camera.

Dawn

Y nwydd mwyaf defnyddiol i ddyn. Os medrwch dapio i mewn i ffynhonell cyson o hwn, yr ydych yn sicr o lwyddo.

HAPPY LANDINGS

Landing safely from a boulder problem is quite an art. Try and anticipate the projected and likely flight path resultant from failure. This isn't always so easy to predict, although with growing experience you should be able to suss out the correct padding arrangements without too much trouble. It is worth remembering that whilst a high (say 6 metres) fall onto a flat padded surface is probably okay, a low level slip onto an awkward or uneven landing might result in broken bones or serious injuries.

The main area where even well-seasoned boulderers tend to fail is in the basic act of spotting. If you are stood on the ground beneath a wildly slapping and out of control climber, have you really thought out exactly what you are going to do 'if' (or perhaps 'when') they blow it and come crashing back to earth? You should not underestimate the potential violence of a fall, even from a low position. A strong climber who explodes backwards from a bunched up undercut sequence, will do so with a terrific amount of force; as a responsible spotter you are obliged to ensure that you are best prepared and sufficiently braced to deal with this eventuality.

Of course there does come a point on a highball problem when the falling climber will do more damage to you, than you will save them with your flailing catch attempts. Often the best tactic is to try and guide the falling climber into the padded area, keeping them in an upright position if possible.

The main thing is to pay attention and remember that on occasion holds do break unexpectedly.

GLANIO'N GYWIR

Mae glanio'n ddiogel oddi ar broblem bowldro yn dipyn o grefft. Ceisiwch rhagddisgwyl y disgyniad ar ôl methiant. Nid yw'n fater hawdd bob tro, ond gyda mwy o brofiad fe ddylech weithio allan y trefn padio heb ormod o anhawster. Un pwynt pwysig i'w gofio yw tra bod disgynfa o'r uchel (tua 6 metr) ar wyneb gwastad wedi ei badio'n gywir fel arfer yn iawn, fe all disgynfa isel ar dir lletchwith neu anwastad orffen mewn anafiadau cas neu doriadau esgyrn.

Un ardal sylfaenol ble mae hyd yn oed bowldwyr profiadol yn tueddu i fethu ei wneud yn gywir yw gwylio. Os ydych yn sefyll ar y llawr o dan ddringwr sy'n palfu'n wyllt ac yn afreolus, ydych chwi wedi gweithio allan yn union beth ydych am wneud 'os' (neu'n hytrach 'pryd') mae'n colli e' ac yn cwympo'n nôl i'r llawr? Peidiwch â bychanu potensial byrbwyll cwymp hyd yn oed o safle isel. Gall ddringwr pwerus ffrwydro'n ôl oddi ar ddilyniad cwrcwd tandor gyda llawer o egni; fel gwyliwr cyfrifol mae o i fyny i chwi sicrhau eich bod yn barod (ac yn gwplws) i ddelio gyda'r gwymp.

Wrth gwrs mae yna bwynt ar broblemau uchelgeilliol ble bydd y dringwr sy'n disgyn am wneud mwy o ddifrod i chwi, na fyddech chwi yn osgoi iddynt hwy drwy geisio eu dal. Yn aml, y tacteg gorau yw i geisio arwain y dringwr sy'n disgyn at y man padio a'i cadw nhw mewn ystum syth os yn bosibl.

Y prif bwynt yw cadw llygad barcud a chofio bod gafeilion yn torri weithiau.

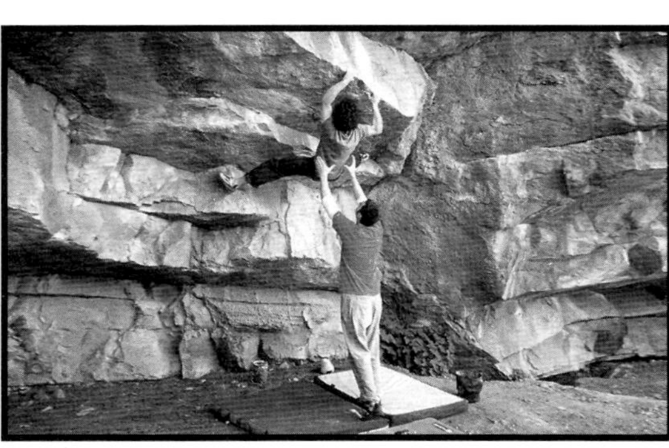

Mark Katz
Bellpig V8+
Marine Drive/Cylchdro Pen y Gogarth
Photo/Ffoto: Simon Panton

THE DEFINITION OF A BOULDER PROBLEM

Writing this guide I have been forced to consider the definition of a boulder problem. Whilst the boundary between micro routes and bold, boulder problems has been increasingly blurred by the advent of bouldering pads, there does appear to be a collective understanding of the general boundaries. An element of danger, or worry is to be expected on certain problems, but serious injury or death is unlikely (although possible) from an awkward fall.

A boundary that is considerably more difficult to define, is that between the 'eliminate' and the 'true' line. Consider the following definitions:

1. The True Line: an independent boulder problem that has no rules and much individual character. In essence, a problem where the line of least resistance is pursued.

2. The Eliminate: a clever, intricate, body specific and egotistical invention, whereby the path of ascent is dictated by a specific use/non-use of certain hand and foot holds. In essence, a problem where difficulty is pursued, rather than avoided.

DIFFINIAD PROBLEM BOWLDRO

Wrth ysgrifennu'r arweinlyfr hwn 'rwyf wedi cael fy ngorfodi i ystyried union diffiniad problem bowldro. Tra bo'r ffin rhwng dringfeydd micro a phroblemau bowldro wedi tywyllu braidd gyda dyfodiad padiau bowldro, mae dealltwriaeth o'r ffinoedd cyffredinol yn parhau. Rhaid derbyn bod elfen o berygl neu bryder ar rai problemau, ond nid yw anaf difrifol neu farwolaeth yn debygol (er yn gwbl posibl) oddi ar ddisgynfa lletchwith.

Ffin sydd llawer iawn anos i'w ddiffinio yw'r un rhwng y 'dilead' a'r llinell 'gywir'. Meddyliwch am y diffiniadau canlynol:

1. Y Llinell Gywir: problem bowldro unigol sydd heb reolau a sy'n llawn cymeriad annibynol. Yn fyr, problem ble mae'r llinell haws yn cael ei dilyn.

2. Y Dilead: Dyfais medrus, cywrain, corff penodol a egotistaidd: ble mae llwybr y dringo'n cael ei reoli gan ddefnydd/di-ddefnydd o rai gafaelion a throedleoedd. Yn fyr, problem ble mae anhawster yn cael ei ddilyn, yn hytrach na'i osgoi.

Simon Panton, Rampless V8, Photo/Ffoto: Ray Wood

DEFINITION OF A BOULDER PROBLEM

In reality the rule-laden 'eliminate' problem is a thing of the past. It does serve a useful purpose on space-limited artificial climbing walls, but outside on real crags and boulders a different ethic has come to dominate the way we boulder. The eliminate is seen in modern circles as something of a dinosaur, an extinct and ugly concept. Crags such as Carreg Hylldrem where eliminate style problems were pursued with vigour throughout the 80s, are now considered to be old fashioned by the cognoscenti. Local climbers will always work out hard eliminates to ease the boredom of revisiting the same venues time and time again. Yet these personal, and no doubt hugely creative pieces of choreography should really be left unrecorded. Surely, half the fun of a session at Hylldrem is working out new test pieces?

In the end there are just too many classic independent problems in existence to justify describing in detail every last eliminate problem at the crag.

The widespread acceptance of the concept of the 'true' line and the demise of the cult of the eliminate, signifies a coming of age for Welsh bouldering; a legitimisation of a pursuit viewed in years past as arbitrary or trivial. 'True' lines such as *Boysen's Groove*, *Caseg Groove* or *Jerry's Roof* are the real ambassadors for this scene. They are as important to Welsh climbing culture as the Idwal Slabs, *Vector* or *Positron*, and in time these magnificent boulder problems will receive their rightful blessings of respect.

The sit down start is a modern concept. It has attracted a degree of ridicule from the misinformed masses, however its contribution to the expansion of hard bouldering cannot be denied. In the right situation it can extend and improve a stand up line. Often a heightist starting position on a stand up line can be negated with the addition of a sit down start. Good sit down starts are obvious; usually a prominent jug, or set of complimentary holds marks the pull on point. Sometimes it may be necessary to hand press the floor with one hand to gain lift off, but this tends to mark the starting position as unworthy.

Clearly some problems are better left as stand up

DIFFINIAD PROBLEM BOWLDRO

Yn wir mae'r broblem dileol rheol-ddwys yn arferiad sy'n perthyn i'r oes o'r blaen. Y mae'n ddefnyddiol ar wal ddringo artiffisial cyfyngol, ond y tu allan ar glogwyni iawn a chlogfaeni mae etheg arall wedi dominyddu ein hagwedd at fowldro. Mae'r dilead yn cael ei ystyried fel deinosor, cysyniad hyll a darfodedig yng nghylchau bowldro cyfoes. Ar glogwyni fel Carreg Hylldrem, ble ddatblygwyd yr arddull dilead yn gryf drwy'r 80au, maent nawr yn cael eu barnu'n hen ffasiwn gan y gwybodusion. Mi fydd dringwyr lleol yn dal i weithio ar dileadau caled i leihau diflastod ei hymweld gyda'r un safleoedd dro ar ôl thro. Ond fe ddylir gadael y darnau dawnsluniol a chreadigol personol hyn yn ddi-gofnodedig. Wrth gwrs, hanner yr hwyl mewn sesiwn yn Hylldrem yw gweithio ar brofion newydd.

Yn y diwedd mae yna ormodedd o broblemau clasurol unigol ar gael i gyboli â disgrifio mewn manylder pob un dilead ar glogwyn.

Mae'r derbyniad eang o'r syniad llinell 'gywir', a ddiwedd y cwlt dilead, yn golygu bod bowldro yng Nghymru wedi ei cyrraedd llawn oed; fel cyfreithloniad o weithgaredd a welir yn y blynyddoedd a aeth heibio fel fod yn fympwyol a ddisylw. Llinellau 'cywir' fel *Boysen's Groove*, *Caseg Groove* neu *Jerry's Roof* yw'r llysgenhadon cywir i'r byd yma. Maent mor bwysig i ddiwylliant dringo Cymreig a mae Rhiwiau'r Caws, *Vector* neu *Positron*; a mewn amser fe fydd y problemau bowldro godidog hyn yn derbyn eu iawn parch.

Cysyniad modern yw dechrau o'r eistedd. Tra bo'r llwyth camhysbys wedi ei watwar; ni all wadu ei gyfraniad at dyfiant bowldro caled. Yn y sefyllfa cywir fe all ehangu a gwella llinell o'r sefyll. Yn aml mae posib negyddu safle dechrau o'r sefyll uchderol gyda ychwanegiad o gychwyniad llawr. Amlwg yw dechreuad o'r eistedd da, fel arfer crafanc amlwg, neu casgliad o afeilion cydfynd i ddynodi'r man tynnu. Weithiau rhaid pwyso llaw i'r llawr i ddechrau'r symudiad, ond mae hyn yn tueddu i ddynodi'r man dechrau fel un annheilwng.

Mae hi'n amlwg bod rhai problemau'n well i'w gadael fel dechreuadau o'r sefyll; y cychwyniad

DEFINITION OF A BOULDER PROBLEM

lines; the sit down start adding little in the way of character or appropriate difficulty to the original. Arbitrary add-ons of this type have been omitted from the text

Low starts and crouching starts are another blurring of the clean-cut definition of a true line. Ideally they should be avoided in deference to the stronger character of a proper stand up or sit down starting position, however in certain rare cases they do lead to a better boulder problem. If this is the case then this how they will appear in the text.

With regard to the issue of quality, greater coverage is given to the more important crags and problems. Generally speaking a topo or diagram is indicative of a good crag. Obscure 'local' crags will usually only receive a written description, and only then if they are deemed to be of reasonable significance. That said, there are many classic gems situated far from the honey pot locations awaiting discovery by the curious explorer. The quality rating stars will help guide people towards the worthy problems. 3 star problems are top class and justify the ardour of any approach, however tiring, boggy or difficult it may be. 2 star problems are only noted as such if they are truly exceptional, whilst 1 star problems are good, but perhaps do not justify, on their own, a specific visit.

As to the argument about whether to use stars or not: whilst I can see that on many of the traditional North Wales route crags damage has

DIFFINIAD PROBLEM BOWLDRO

llawr yn ychwanegu dim at gymeriad neu anhawster y broblem wreiddiol. Ni fydd yr ychwanegiadau hyn i'w lluosog yn y testun.

Aneglurdeb arall i ddiffiniad o beth yw llinell cywir yw'r dechreuadau isel a dechreuadau cwrcwd. Yn ddelfrydol fe ddylid eu osgoi mewn parch at gymeriad cryfach dechreuad o'r sefyll neu o'r eistedd iawn; ond weithiau mewn rhai achosion prin maent yn arwain at broblem bowldro gwell. Os yw hyn yn digwydd fe fyddent yn ymddangos yn y testyn.

Wrth edrych ar y mater o ansawdd, rhaid nodi bod mwy o wybodaeth yn cael ei roi ar y clogfaeni a'r problemau pwysicach. Fel arfer mae topo neu ddiagram yn arwyddocaol o glogwyn da. Tra bod clogwyni 'lleol' anhysbus fel arfer yn derbyn disgrifiad ysgrifenedig yn unig, a dim ond os ydynt yn cael eu hystyried o ansawdd rhesymol. Ond wedi dweud hynny mae yna sawl perl sydd wedi eu lleoli ymhell o'r mannau mêl yn disgwyl i gael eu darganfod gan yr archwiliwr ymchwilgar. Fel cymorth i arwain pobl at broblemau o werth yr ydym yn defnyddio graddfa sêr i ddynodi ansawdd. Mae problem 3 seren yn un o'r ansawdd gorau ac yn ddigon i gyfiawnhau unrhyw drafferthion i'w gyrraedd, dim ots pa mor flinedig, corsiog neu anodd. Dim ond os ydynt yn ardderchog nodir y problemau 2 seren. Mae 1 seren yn dynodi problem da, ond dim yn ddigon i gyfiawnhau ymweliad ar ben ei hunan.

Ynglyn â'r ddadl dros defnyddio sêr neu beidio, tra bo difrod wedi dilyn drwy sianelu dringwyr tuag

Gavin Foster
Crook Roof V5
Ynys Ettws
Photo/Ffoto: Simon Panton

DEFINITION OF A BOULDER PROBLEM

been done by funnelling all the traffic towards a small number of classics, a different trend is evident in the bouldering scene. Most people seem to gravitate towards the easy access crags regardless of the quality of the problems. For example, the Utopia boulder is quite polished along the base, yet 5 minutes walk up the hill, the superb Wavelength block is - aside from that fatherless foothold on the eponymous problem - not polished at all. In the specific case of boulder problems in the North Wales area, I believe that star ratings can have a positive effect. I hope that the more discerning users of the guide will be tempted by the promise of fresh and quality problems away from the usual circuits, thus easing the pressure on the roadside crags and enriching the experience of those who make the effort to explore.

In the rush to develop new areas, certain individuals have allowed themselves to be blinded by their own enthusiasm. Consequently some of the areas that were visited during checking work were not thought to be worthy of full descriptions. Their existence is referenced, and bored locals may wish to search them out. Similarly I have been surprised by the number of people who still fail to understand the difference between an eliminate and a true line. Certain outstanding/historically important eliminates have been included in the text, but these are exceptions to the rule. I have on occasion given space to 'neo-true' problems, i.e. ones that are partially defined by an accepted rule (such as: "traverse the face, staying below the top break"). However, in an attempt to avoid the page count reaching epic War and Peace proportions this has been kept to a minimum.

There is nothing wrong with developing obscure crags or climbing eliminates, but, as much as this book is a record of bouldering developments, it is ultimately directed at the occasional visitor. It can only represent the best that North Wales has to offer.

So to those poor souls who find their pride and joy omitted, I offer my apologies. I applaud your enthusiasm and hope that you can forgive my elitist stance.

DIFFINIAD PROBLEM BOWLDRO

at nifer fychan o glasuron Gogledd Cymru, mae tueddiad gwahanol i'w weld yn y byd bowldro. Mae'r rhan fwyaf yn disgyrchu tuag at y clogwyni hawdd i'w cyrraedd, heb waeth beth yw ansawdd y problemau. Er enghraifft, mae gwaelod clogfaen Wtopia braidd yn gaboledig, tra bo'r bloc ardderchog Tonfedd, tua 5 munud i fyny'r allt, ddim yn gaboledig o gwbl heblaw'r troedfa di-dad ar y problem eponymaidd. Ynglyn â'r achos priodasol o ddifetha problemau bowldro yng Ngogledd Cymru yr wyf yn credu y bu cyfraddau sêr yn cael effaith cadarnhaol. Yr wyf yn gobeithio y budd defnyddiwyr deallus o'r arweinlyfr hwn yn cael eu denu gan yr addewid o broblemau crai ac o ansawdd uchel i ffwrdd o'r cylchredon cyffredin ac felly yn lleihau'r gwasgedd ar y clogwyni ochr ffordd a chyfoethogi profiadau y rhai sy'n gwneud yr ymdrech i'w darganfod.

Yn y rhythr i ddatblygu ardaloedd newydd, mae rhai unigolion wedi eu dallu gan eu brwdfrydedd. Felly nid oedd rhai ardaloedd ymwelwyd â hwy yn ystod y cyfnod casglu o ansawdd digon da i gael eu disgrifio'n llawn. Mae eu presenoldeb yn cael eu dynodi, a gall lleolwyr eu darganfod. Hefyd, mae'r nifer sydd dal ddim yn deall y gwahaniaeth rhwng dilead a llinell cywir wedi fy syfrdanu. Mae rhai dileadau ardderchog/hanesyddol i'w gweld yn yr arweinlyfr, ond rhain yw'r eithriadau. Yr wyf weithiau wedi rhoi lle yn y testyn i broblemau 'neo-gywir' h.y. rhai sydd wedi eu diffinio'n rannol gan reolau derbyniol (fel tramwywch y wyneb, yn cadw o dan y toriad uchaf). Ond mewn cais i leihau'r twf yn yr arweinlyfr, a'i rwystro rhag gyrraedd maint War and Peace, mae hyn wedi ei gadw i'r lleiafswm.

Nid oes unrhyw beth yn anghywir gyda datblygu clogwyni tywyll neu ddringo dileadau, ond, tra bo'r llyfr hwn yn adlewyrchiad o ddatblygiad bowldro, ei bwrpas i'w roi gwybodaeth i'r ymwelwyr ysbeidiol. Dim ond y gorau sydd ar gael yng Ngogledd Cymru all ymddangos.

Felly, i'r rhai na welir eu difyrrwch pennaf yn y testun, yr wyf yn ymddiheuro. Yr wyf yn cymeradwyo eich brwdfrydedd a gobeithio y maddeuwch imi fy agwedd elitaidd.

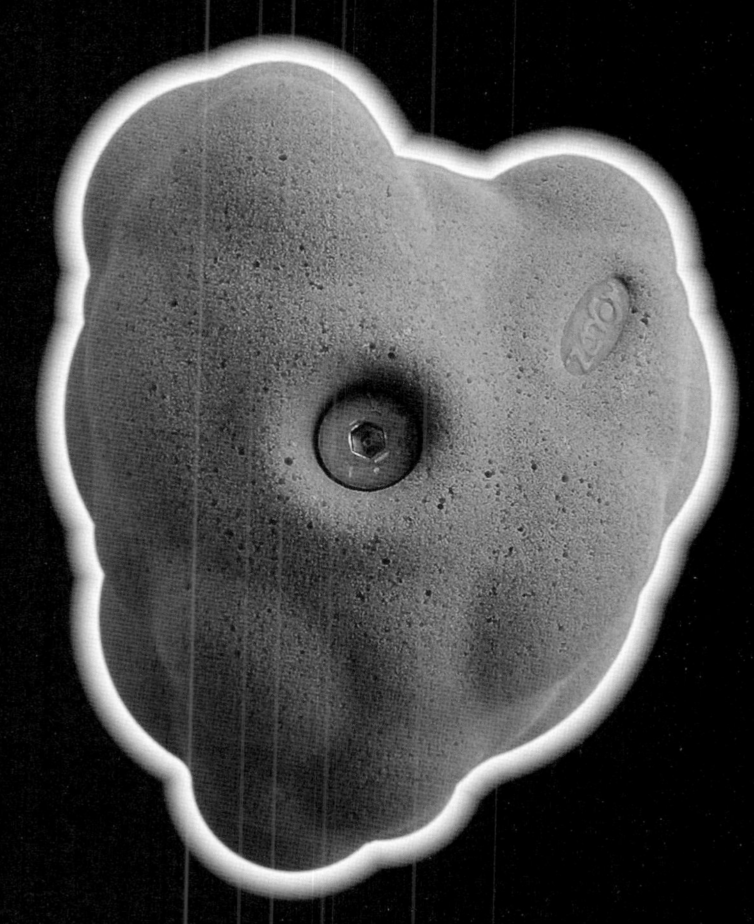

GRADING

Currently the 2 dominant grade systems used across the world are the American V grades and the French Fontainebleau system. This guide uses the V grade system originally developed by John the 'Vermin' Sherman for Hueco Tanks, the world famous bouldering crag in the state of Texas. Both of these linear, numerical systems supersede the limited and inappropriate British technical grade system. The British technical grade serves only to pinpoint the difficulty of the hardest move in any given sequence. Unfortunately this is of little use to the complexities of modern bouldering.

Clearly the summary difficulty of completing any given boulder problem has little to do with this simplistic and misleading appraisal. The accumulative difficulty and debilitating strenuousity of a sequence of moves cannot be expressed without referencing the overall 'feel' of a problem. On some problems the moves may be easy to work in isolation, however, come the redpoint link, a different story will unfold. A slight power-wobble on a preceding move can leave fingers misplaced and unable to deal with the next. On sustained problems the simple truth is that you need to be stronger than the hardest moves, if you are to have any chance of making the final link.

So why not use Font grades (you might ask)? Resistance to the use of the French system is understandable. It does not seem to work very well up to 7a (V6). It seems to be bogged down with too much historically competitive and thus widely varying grading; so much so that any honest individual will struggle to discern the difference between grades as disparate as 5+ and on occasion 6b+. The V grade system is much clearer and reliable throughout the grades.

Another problem with the application of the Font system comes with the issue of the traverse versus the up problem. In general a Font 7a traverse will be easier to complete than an up problem of the same grade. This may be explained by the 'workability' of traverses, whereby crux moves can be isolated and duff sequences quickly analysed and dropped in favour of the most

GRADDIO

Y 2 system graddio sy'n dominyddu'n fyd eang yw'r graddau V Americanaidd a'r system Fontainbleau Ffrangeg. Yn yr arweinlyfr yr ydym yn defnyddio'r system V, a gafodd ei ddatblygu'n wreiddiol gan John 'Vermin' Sherman, er mwyn Hueco Tanks, y clogwyn bowldro fyd enwog yn nhalaith Texas. Mae'r ddau system yn llinol, rhifyddol yn disodli'r system technegol Prydeinig sy'n anaddas a chyfyngol. Mae'r gradd technegol Prydeinig yna i binpwyntio anhawster y symudiad caletaf mewn unrhyw ddilyniad. Yn anffodus nid yw hyn yn llawer o werth yng nghymlethdod bowldro modern.

Mae'n eglyr nid yw'r system gor-syml camarweiniol yma llawer i wneud â chyfanswm anhawster wrth gwblhau unrhyw broblem bowldro. Ni allwn gyfleu anhawster cynyddol a dycnwch gwanychol casgliad o symudiadau heb gyfeirio at 'teimlad' cyflawn y broblem. Ar rai problemau mater hawdd yw hi i 'weithio' ar y symudiadau yn unigol, ond, wrth geisio'r cyswllt nodgoch, stori arall a geir. Sigliad pwer bychan ar symudiad gynt a mae'r bysedd yn gamosodol ac yn methu delio a'r un nesaf. Ar broblemau cynaledig y gwir yw bod rhaid fod yn gryfach na'r symudiadau anos, os oes yna unrhyw siawns i wneud y cyswllt diweddglo.

Felly, pam ddim graddau Font (y gofynwch)? Mae'r gwrthwynebiad i'r system Ffrengig yn ddealladwy. Nid yw yn gweithio yn rhy dda hyd at 7a (V6). Ni all gael gwared o effaith graddio cystadleuol hanesyddol ac felly gwasgarog; i ddweud y gwir fe gewch anhawster weithiau i wahaniaethu rhwng graddau mor chwal a 5+ ac ar adegau 6b+. Mae'r gradd V yn eglurach ac yn gyson trwy'r graddau.

Problem arall gyda defnydd o'r system Font, yw'r mater o'r tramwyiad yn erbyn y broblem i fyny. Yn gyffredinol mi fydd tramwyiad Font 7a yn haws i'w gwblhau na phroblem o'r un gradd i fyny. Mae yn bosibl esbonio'r gwahaniaeth oherwydd 'Gweithiadwyder' tramwyiadau, lle gall unigoli symudiadau craidd gael gwared o ddyliniadau di-werth a derbyn y modd gorau. Ar broblem i fyny, yr unig siawns bydd i arbrofi dylyniad

GRADING

efficient method. On an up problem the only chance you will get to experiment with a new sequence on the crux, is in extremis after a series of undoubtedly taxing moves. Obviously success requires an involved period of repeated attempts, always starting from scratch. Consequently, it is likely that the up problem will take you longer to do, but is it any harder than the traverse? Traverses may be easy to work, but you still have to come up with the goods and make that final successful redpoint link.

It seems likely that once you have the crag wired, that these stylistically polar problems would actually cause you a similar level of distress. After all, a boulder problem is not graded for the on-sight attempt, rather with regard to the fine tune of trickery; a magic code, best extracted from a willing local expert (don't worry, there are many of these shady characters skulking around the place).

Nonetheless, in Fontainebleau the local Bleausards do not give equal status to the traverse and the up problem. Confusingly they maintain that there is a palpable difference. Unfortunately the application of this rule is not consistent at all. Some traverses feel hard for the grade; some feel easy and some up problems are actually long roof problems or diagonal lines.

Perhaps it is the difference in style; many problems in Fontainebleau are extremely technical and tricky, much more so than even the sandstone and gritstone crags of England. Perhaps we regular, yet 'alien' visitors to the Forest have failed to understand the subtle nature of the Fontainebleau method? Yes, our problems are tricky, and on occasion indecipherable, but there is

Ray Wood, The Bogey V5, Dinas Mot
Photo/Ffoto: Simon Panton

GRADDIO

newydd ar y craidd, yw mewn eithafrwydd ar ôl cyfres o symudiadau difrifol o anodd. Yn amlwg mae llwyddiant angen cyfnod o ail geisio, pob tro yn dechrau o'r gwaelod. Y tebygolrwydd yw y bydd cwblhad y broblem i fyny yn hirach i ddod, ond a yw'r symudiadau'n galetach na'r tramwy? Tra bo'r tramwyiadau yn haws gweithio rhaid dal dod i ben gyda'r cysylltiad nodgoch llwyddiannus.

Mae hi'n debygol mai unwaith yr ydych yn hollol gyfarwydd a'r clogwyn, y bydd y problemau steil gwrthgyferbynniol fel hyn yn rhoi anhawster cyffelyb. Wrth gwrs, nid yw problem bowldero wedi ei raddio at ymdrech 'ar-weld', ond gyda llygad ar ymarferiad cyfrwysder, côd cyfareddol i'w ddarganfod gyda cymorth arbenigwr lleol (peidiwch a poeni, mae yna ddigon o'r cymeriadau tywyll hyn ar gael yn y cyffuniau).

Yn anffodus nid yw'r Bleausards yn Fontainbleau yn rhoi statws cyfartal i'r tramwyiad a'r problem i fyny. Yn gymysglyd braidd maent yn dal at y syniad y bod yna wahaniaeth rhwng y ddau.

Yn anffodus nid ydynt yn cadw at eu rheol. Mae rhai tramwyiadau yn teimlo'n galed am y gradd; eraill llawer gwaith haws a mae rhai problemau i fyny yn broblemau to hir neu llinellau lletraws.

Tybed os gwahaniaeth mewn steil ydyw; mae llawer o broblemau Fontainbleau yn rhai technegol a cyfrwys iawn, llawer mwy na chlogwyni grit neu thywodfaen Lloegr hyd yn oed. Tybed os ydym fel ymwelwyr cyson ond 'diarth' i'r goedwig yn methu deallt natur method Fontainbleau.

Ydi mae ein problemau yn gyfrwys, a weithiau yn annarllenadwy, ond nid yw'r galwad cyson am

GRADING

always that constant necessity of power inherent in a British boulder problem that cannot be satisfactorily expressed by the fickle Font grade.

It seems that despite the geographical closeness of Fontainebleau, that the North Wales scene (and indeed the UK as a whole) is destined to go with the US V grade system instead.

V8+

Recent attempts to match the V grade and Fontainebleau grade systems have caused much disagreement, particularly around the V8 - V9, Font 7b - 7c area. I have argued of late for the introduction of an extra V grade to balance out the mismatch of comparative grades. If a workable parity is to be found between the 2 systems I believe that an additional grade of V8+ - to represent Font 7b+ - needs to be accepted by the bouldering community.

So far there has been some acceptance, and some resistance to the V8+ grade across the different scenes in the UK. Whatever happens in the future guidebooks to areas, such as the Peak and Yorkshire, it is probable that the V8+ grade will stick in North Wales. Most climbers operating in the North Wales area have been using V8+ to grade new and old problems for a few years now.

GRADDIO

bwer sy'n rhan o broblem bowldro Prydeinig yn cael ei adlewyrchu'n gywir yn graddau anwadal Font. Tra bod yna agosrwydd daearyddol i Fontainbleau, y mae'n debygol y bydd 'byd' bowldro Gogledd Cymru (a gweddill y DU) am ddilyn system graddio V yr UD.

V8+

Mae'r ceisiadau diweddar i gymharu'r graddau V i'r system graddau Fontainbleau wedi creu sawl anghydfod, yn enwedig o gwmpas y V8 - V9, Font 7b - 7c. Yr wyf wedi dadlau'n ddiweddar dros gyflwyno gradd V ychwanegol, er mwyn cydbwyso y camgymhariaeth yn y graddau. Os yw'r cymhariaeth rhwng y 2 system am weithio, yr wyf yn credu y bydd rhaid i'r gymuned bowldro dderbyn y gradd ychwanegol V8+ i ddynodi Font 7b+.

Hyd at hyn fe welir ychydig o dderbyniad, ac ychydig o wrthwynebiad o'r gradd V8+ o gwmpas y gawahanol ardaloedd bowldro ym Mhrydain. Beth bynnag sydd am ddigwydd yn y dyfodol yn arweinlyfrau'r Peak a Swydd Efrog, mi fydd y gradd V8+ yn debygol o aros yng Ngogledd Cymru. Mae'r gradd V8+ wedi ei ddefnyddio lawer gan ddringwyr sy'n gweithredu yng Ngogledd Cymru i broblemau hen a newydd am flynyddoedd nawr.

Grade Comparison Table/Tabl Cymhariaeth Gradd

V grade	Font	V grade	Font
V0–	Font 3	V8	Font 7b
V0	Font 4	V8+	Font 7b+
V0+	Font 4+	V9	Font 7c
V1	Font 5	V10	Font 7c+
V2	Font 5+	V11	Font 8a
V3	Font 6a/6a+	V12	Font 8a+
V4	Font 6b/6b+	V13	Font 8b
V5	Font 6c/6c+	V14	Font 8b+
V6	Font 7a	V15	Font 8c
V7	Font 7a+		

LLANBERIS PASS

This rugged mountain valley contains the highest concentration of problems in the whole area, with numerous classic problems throughout the grade range. For most visitors, this craggy, boulder strewn place represents the starting point of their acquaintance with bouldering in North Wales.

The easy access Cromlech Boulders provide an excellent warm up (or a devastating burn out if you stay too long!) for the wonders that can be found across the way on the southern, dark side of the Pass. Here on the Wavelength hill side the rock quality improves vastly, and so do the views as you rise up to the meadow below Diffwys Ddwr (Craig y Rhaeadr).

There is also a wealth of esoteria and quiet micro crags hidden throughout the length of this magical valley that await the attention of the curious bouldering connoisseur.

DYFFRYN PERIS

Dyffryn mynyddig clogyrnog sy'n gartref i'r crynhoad mwyaf o broblemau yn yr ardal, gyda nifer o broblemau clasurol drwy'r amrediad graddau. I'r mwyafrif o ymwelwyr, y man clegyrog, clogfaen wasgar hwn yw dechreuad eu cydnabyddiaeth a bowldro yng Ngogledd Cymru.

Mae mynediad rhwydd Clogfaeni'r Cromlech yn rhoi cynhesiad da (neu llosgfa difethol os ydych yn aros yn rhy hir!) i'r rhyfeddodau sydd i'w darganfod yr ochr arall, ar lechweddi deheuol, ochr tywyll y dyffryn. Yma ar lethrau Tonwedd mae ansawdd y graig yn gwella'n aruthrol, ac hefyd y golygfeydd, wrth i chwi godi tuag at y ddôl o dan Diffwys Ddwr (Craig y Rhaeadr).

Hefyd, cewch gyfoeth o esoteria a chlogwyni micro yng nghudd ar hyd y dyffryn nodedig hwn, yn disgwyl sylw arbenigwyr bowldro chwilgar.

Photo/Ffoto: Simon Panton

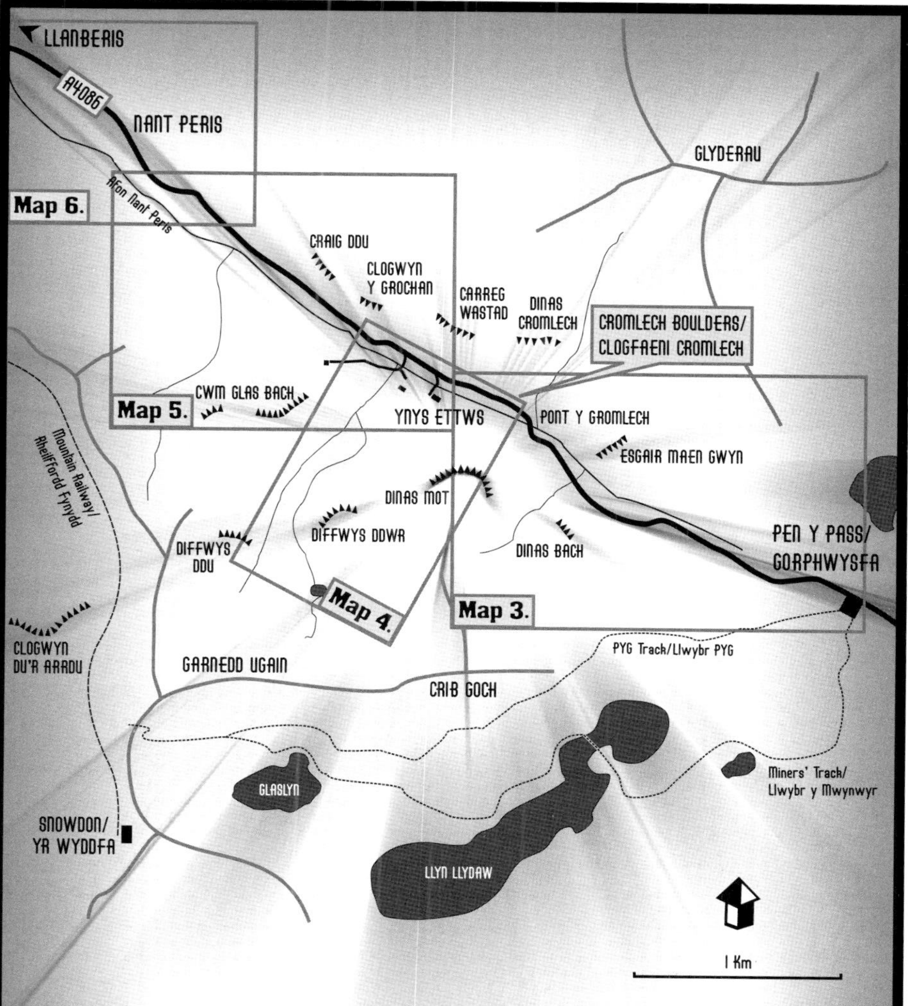

MAP 2 : Llanberis Pass/Dyffryn Peris

Gŵyl Ffilm Mynydd Llanberis
Photo:/Ffoto: Adrian Parsons
Llanberis Mountain Film Festival

LLAMFF

Wales' National Mountain Film Festival
Gŵyl Ffilm Mynydd Cenedlaethol Cymru

February or March every year	Chwefror neu Mawrth pob blwyddyn
Dates and details:	Dyddiadau a manylion:

www.llamff.co.uk / tel: 08707 606 515

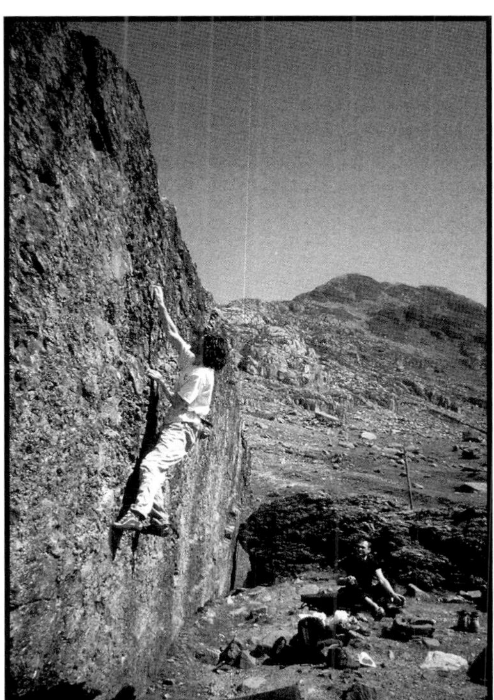

Ray Wood, Ramp Lefthand V2, Photo/Ffoto: Simon Panton

CROMLECH BOULDERS

The Cromlech Boulders will always be popular; the roadside access, the sheer density of problems throughout the grades and the alarming abundance of arm blasting link ups and traverses serve to ensure regular attendance from locals and visitors alike. Situated right in the heart of the dramatic Llanberis Pass, the aspect is nothing less than breathtaking, particularly on a summer evening. Consequently many local climbers come here after work, either just to hang out and climb, or for a quick warm up before moving off to try a current project elsewhere in the valley.

Access: pull up at the long layby (100 metres from the river bridge at Pont y Gromlech) opposite the massive roadside blocks. Take a compass bearing for the aforementioned boulders and march confidently across the road, taking care to look both left and right first.
Well done, you've made it!

CLOGFAENI CROMLECH

Ni cheir poblogrwydd mor gadarn â sydd tuag at Clogfaeni'r Gromlech. Naill ai oherwydd eu agosrwydd at y ffordd, y dwysedd mawr o broblemau drwy'r graddau neu'r amrywiaeth o broblemau tramwyo a chysylltiedig chwyth fraich; ceir digon yma i ddenu ymwelwyr a lleolwyr droeon. Hefyd, mae'r safle yng nghanol Dyffryn Peris, gyda golygfeydd aruthrol o amgylch, yn enwedig ar noson braf o Haf yn atyniad i lawer. Felly, gwelir nifer o ddringwyr lleol yn cyrraedd ar ôl eu gwaith, naill ai i ddringo, i hel straeon, neu i gynhesu i fyny cyn mynd i ffwrdd a gwneud prosiect mewn man arall yn y dyffryn.

Mynediad: parcio yn yr arhosfan hir (100m o'r bont ym Mhont y Gromlech) gyferbyn a'r clogfaeni anferth wrth ochr y ffordd. Cymrwch gyfeiriad cwmpawd at y clogfaeni, cerddwch yn gyflym ar draws y ffordd, wedi edrych i'r chwith a'r dde yn gyntaf wrth gwrs. Da iawn, yr ydych yna!

cromlech: ROADSIDE

cromlech: OCHRFFORDD

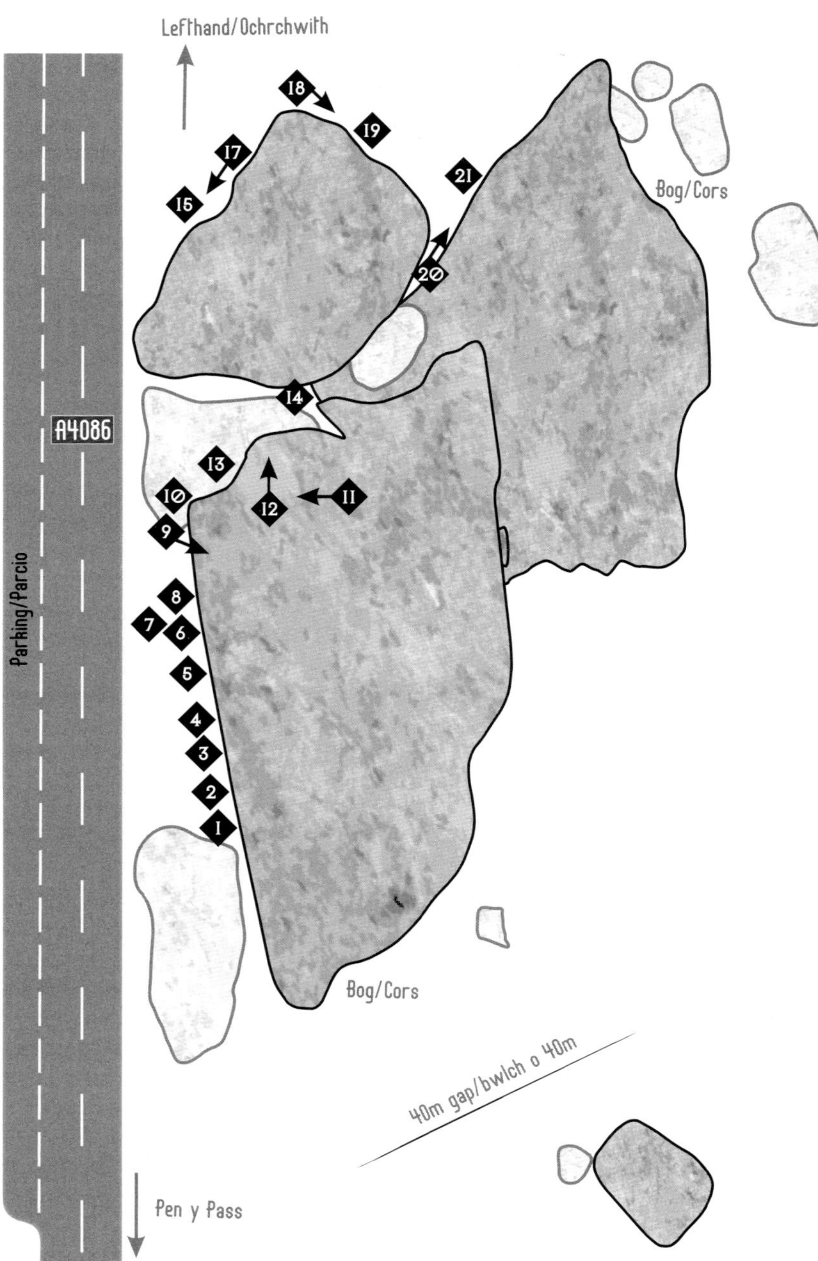

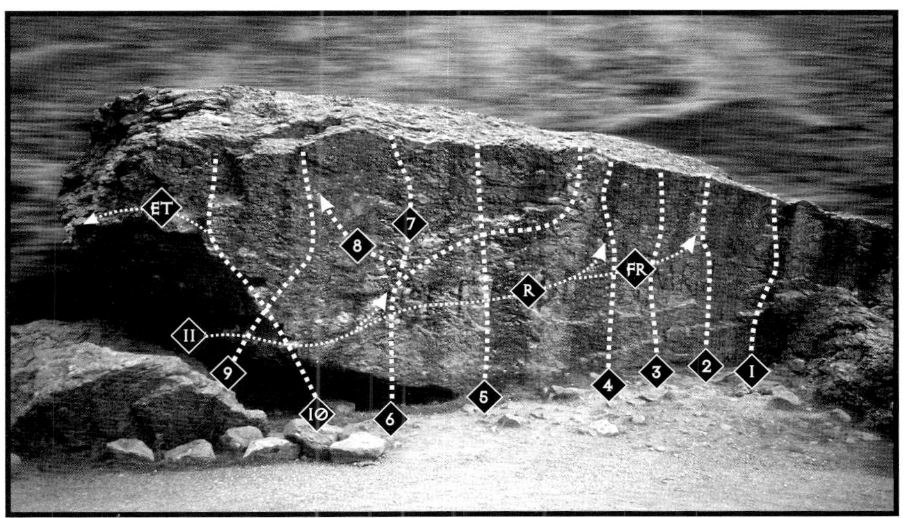

cromlech: ROADSIDE

1. Roadside Righthand V2 ⌘ From a sit down start, reach up right to good edge and rock up left to high edge, match and grasp the juggy top.

2. The Edge Problem V5 ⌘⌘⌘ A pair of well-chalked edges, just reachable from the ground allow access to a thin diagonal pocket higher up the wall. All that remains is the hard finishing moves and the applause of your friends as you mantel the top. The sit down start bumps the grade to V6, whereas *Leo's Dyno* V6 flies directly to the top from the pair of well-chalked edges.

3. Johnny's Wall V6 ⌘⌘ A side pull mono (taken with the right hand) marks the start of this thin, finger trashing test piece. The sit down start goes at V7.

4. Pocket Wall V3 ⌘⌘ Layback up from the big diagonal pocket to edges up left, finish direct avoiding *The Ramp*. Variations: V2 drift left into the finishing holds of *The Ramp*. V4/5 Power straight up above the pocket to a hard finish. V4 Sit down start on opposing layaways down to the left. Go up to a finger pocket with your right and pull over the top into the edges of the original problem. Copping out onto *The Ramp* is V3.

cromlech: OCHRFFORDD

1. Roadside Righthand V2 ⌘ Dechrau o'r eistedd, ymestyn i'r dde at ymyl dda a siglo i fyny i'r chwith at ymyl uchel, cydrannu i gael gafael y brig crafangol.

2. The Edge Problem V5 ⌘⌘⌘ Par o gyrion, prin o fewn cyrraedd y llawr, ac yn aml yn llawn sialc, yn galluogi poced tenau croeslin i ddod o fewn gafael. Nawr cwblhewch y symudiadau caled i orffen a thrawstio'r brig gan dderbyn cymeradwyaeth eich ffrindiau. Mae dechrau o'r eistedd yn rhoi hwb i'r gradd i V6, tra bod *Leo's Dyno* V6 yn neidio'n syth am y brig o'r par o ymylon.

3. Johnny's Wall V6 ⌘⌘ Mae'r ochdyn mono (gyda'r llaw dde) yn dynodi dechrau y darn prawf bys difetha hwn. Dechrau o'r eistedd i yn codi'r gradd i V7.

4. Pocket Wall V3 ⌘⌘ Ôl-wthiwch i fyny o'r boced fawr groeslinol i'r ymylon i fyny ar y chwith, gorffen yn syth ac osgoi *The Ramp*. Amrywiadau: V2 gwyro i'r chwith i orffen fyny *The Ramp*. V4/5 Pweru yn syth i fyny o'r boced gyda diweddiad caled. V4 Cychwyniad llawr i lawr i'r chwith, gyda dau afael gorffwrdd wrthwynebol i ddechrau. Ewch i fyny am boced bys gyda'ch llaw dde a wedyn yr ymylon ar y gwreiddiol. Symud i'r chwith I *The Ramp* yn V3.

cromlech: ROADSIDE

5. Ramp Central V2 ⌘⌘ Straight up through the centre of *The Ramp* to the top. Feels a bit airy at the top.

6. The Ramp V1 ⌘⌘⌘ The magnificent ramp feature followed in it's entirety from a hard start at the left hand end. A V2/3 variation finish continues traversing the top of the wall to *problem 1*.

7. Ramp Lefthand V2 ⌘⌘ Long elegant moves straight up the wall from the start of *problem 6*.

8. Throbbin's Wall V5 ⌘ Hard moves lead diagonally left up into the finish of *problem 9*.

9. V3/4 ⌘ Step in from the boulder on the left and climb the scary wall to a sloping top out.

10. Roadside Arete V4/5 ⌘⌘ From a sit down start with a heel hook on the sloping shelf, follow the steep arête, pulling into the scoop at the top. Spotter recommended.

11. The Roadside links. A series of stamina testing problems branch out across the Roadside face from a sitting start at the back of the cave: **Cave Route V6** ⌘⌘ The easiest, most logical escape line links the sloping shelf traverse into *problem 10*. Superb steep and sustained climbing leads to the top of the boulder. **The Elementary Traverse V7** ⌘ Follow *CR* to the top of the arête, then hand traverse the slopey cave lip back left all the way, eventually rocking out left to finish. **Roadside Basic V7** ⌘⌘ From the end of the slopey shelf swing round onto the front face and gain the ramp and finish as for *problem 6* or *7*. **Rampless V8** ⌘⌘ This continues *RB*, staying low, avoiding the ramp feature with some great moves across the pocketed wall into, and up *problem 4*. **Full Roadside V9** ⌘⌘ The final link continues the *Rampless* traverse, with some fingery moves to gain and finish up *problem 2*. A real monster!

12. Diesel Power V11 ⌘ From a hanging position on the sloping shelf, power out across the roof to the distant lip. Evil.

13. V0 Pull through the lip of the roof left of the arête.

cromlech: OCHRFFORDD

5. Ramp Central V2 ⌘⌘ Yn syth drwy ganol *The Ramp*. Teimlo braidd yn agored ger y brig.

6. The Ramp V1 ⌘⌘⌘ Dilyn y ramp nodweddiadol gwych yn gyfan gwbl, dechrau caled ar y chwith. Ceir estyniad V2/3 sy'n tramwyo brig y clogfaen at *problem 1*.

7. Ramp Lefthand V2 ⌘⌘ Symudiadau cain ac hir yn syth i fyny o ddechrau *problem 6*.

8. Throbbin's Wall V5 ⌘ Symudiadau caled yn arwain i'r chwith i orffen i fyny *problem 9*.

9. V3/4 ⌘ Camwch i fewn o'r garreg ar y chwith a dringo'r wal frawychus i orffen ar y brig gwyrol.

10. Roadside Arete V4/5 ⌘⌘ Dechrau o'r eistedd gyda bachyn sodli ar y silff gwyrol, dilyn y crib serth a thynnu i fewn i'r cafn. Argymelli'r cael gwyliwr.

11. Cysylltiadau Ochrffordd. Cyfres o broblemau profi nerth yn ymestyn allan ar draws wyneb y mur Ochrffordd, yn dechrau gyda chychwyniad llawr yng nghefn yr ogof. **Cave Route V6** ⌘⌘ Y llinell amlycaf a hawsaf sy'n dianc allan ar hyd y silff gwyrol tuag at, ac i ddilyn, *problem 10*. Dringo ardderchog a chyson at frig y clogfaen. **The Elementary Traverse V7** ⌘ Dilyn *CR* i gopa'r crib, wedyn llaw-dramwyo gwefus wyrol yr ogof yn ôl i'r chwith gyda throsigliad allan i'r chwith i orffen. **Roadside Basic V7** ⌘⌘ O ddiwedd y silff gwyrol siglo rownd ac allan ar y wyneb blaen i gyrraedd y ramp a gorffen fel *problem 6* neu *7*. **Rampless V8** ⌘⌘ Mae hwn yn ymestyn *RB*, yn aros yn isel ac osgoi'r ramp gyda sawl symudiad ardderchog ar draws wal llawn pocedi ac i orffen i fyny *problem 4*. **Full Roadside V9** ⌘⌘ Y cysylltiad diweddglo, yn ymestyn *Rampless*, gyda symudiadau bysol dros ben i orffen i fyny *problem 2*. Bwystfil braich-ffrwydrol.

12. Diesel Power V11 ⌘ O ddechrau ar grog ar y silff gwyrol; pwerwch allan ar draws y to tuag at y gwefus.

13. V0 Tynnwch drwy wefus y gordo i'r chwith o'r crib.

Leo Houlding,
Heel Hook Traverse V4,
Photo/Ffoto: Mark Reeves

cromlech: ROADSIDE

14. V0 ⌘ From a sit down start, attack the steep juggy exit from this dark (and occasionally smelly) pit.

15. The Scoop V0 ⌘ Mantel the juggy lip of the pocketed scoop. A sit down start is possible at V4 and numerous eliminate problems can be worked out.

16. Scoop Lip V4 ⌘ Traverse the lip left to right, rocking out at the righthand end.

17. Scoop Traverse V8+ ⌘⌘ Superb, powerful pocket-locking sequence. From a sit down start position on the left, initial awkward crouching moves lead right across the base of the steep bay. Rise up to take a mono ring with your left hand (crux), before swinging right along the lip as for the end of *problem 16*.

18. Heel Hook Traverse V4 ⌘⌘ Obvious line, taken from a low start on the right, and finishing up or around the left arête.

19. V2 ⌘ Pull directly through the centre of the *HHT* onto the upper slab.

20. Pocket Traverse V3 ⌘ Traverse the wall and finish up *problem 24*. The V5 extension into *problem 25* is quite unnerving.

21. V0– ⌘ The flake line.

cromlech: OCHRFFORDD

14. V0 ⌘ Dechrau o'r eistedd ac ymosodwch ar yr allanfa serth, llawn crafangau, o'r pwll tywyll (a weithiau drewllyd) hwn.

15. The Scoop V0 ⌘ Trawstiwch wefus crafangol y cafn pocedog. Mae cychwyniad llawr yn bosib, tuag at V4; a nifer o broblemau dileol hefyd.

16. Scoop Lip V4 ⌘ Tramwywch wefus y carn o'r chwith i'r dde, trosiglo allan ar y diwedd.

17. Scoop Traverse V8+ ⌘⌘ Dilyniad pwerus pocedgloi ardderchog. Dechrau o'r eistedd ar y chwith, mae symudiad cwrcwd anodd yn arwain allan i'r dde ar draws gwaelod y bae serth. Codwch i dderbyn y cylch mono gyda'r llaw chwith (craidd), cyn siglo allan i'r dde fel *problem 16*.

18. Heel Hook Traverse V4 ⌘⌘ Y llinell amlwg, dechrau'n isel ar y dde ac yn gorffen rownd neu i fyny'r crib chwith.

19. V2 ⌘ Tynnwch yn syth drwy ganol *HHT* i orffen ar y llech uchod.

20. Pocket Traverse V3 ⌘ Tramwywch y wal a gorffennwch i fyny *problem 24*. Mae'r estyniad V5 i fewn i *broblem 25* braidd yn frawychus.

21. V0– ⌘ Y llinell caenog.

cromlech: ROADSIDE

cromlech: OCHRFFORDD

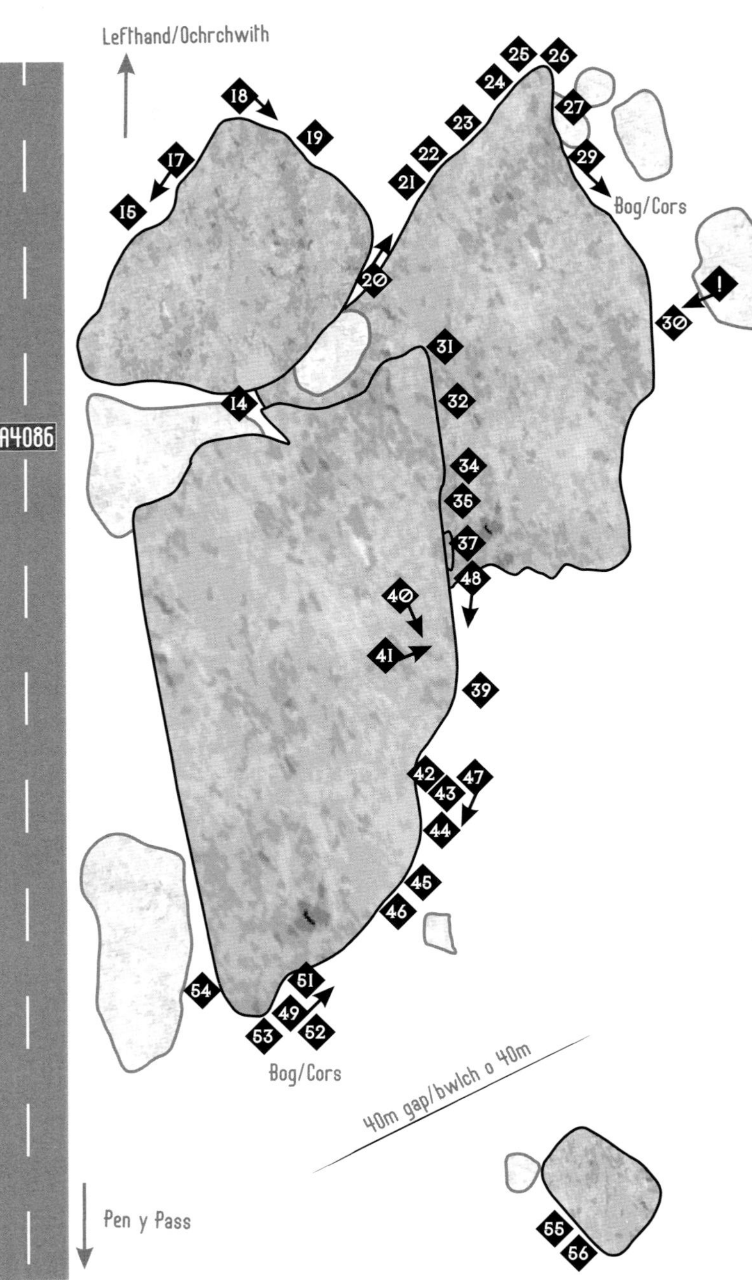

cromlech: ROADSIDE

22. V1 Climb the wall left of the flake on slopers.

23. V2 ⌘ Up the wall past the 2 finger pocket.

24. Moose's Problem V3/4 ⌘⌘ From a sit down start on jugs, pull up right on edges past a good hold to the top. Smart moves. (The V4 link into *problem 23* is also good.)

25. The Slopes V3 ⌘⌘ From the boulder on the left, lean onto the steep wall, grasp the slopes and move decisively for the top.

26. The Prow V3 ⌘ From a sit down start, attack the steep prow directly. A fun V4 link into *problem 25* is also possible.

27. V3 ⌘ A sit down start left of the prow precedes some fairly steep and forceful ground.

28. V4 The same sit down start as *problem 27*, but follow the leftward leading weakness into similar steep territory.

29. Bog Traverse V4 ⌘⌘ Traverse the ramp above the 'occasional' bog right to left into a juggy finish. A couple of problems break up the steepness from the ramp (V6 on the right and V8 on the left), but neither is particularly good.

30. The Blunt V4 ⌘⌘ An awkward sit down start allows the lip of the roof and the thin blunt flake line thereafter to be gained. The moves to the top are still tricky and will spit the careless back to the ground. A replica of the *Seal Song* jump at Gogarth can be made from the adjacent boulder.

31. Backside Arete V0– ⌘ Juggy arête.

32. Backside Wall V0 ⌘⌘ Sweet moves up the wall left of the arête.

33. V0– ⌘ Layback up at the right side of the low porthole.

34. V0– ⌘ Rock up onto the ledge left of the low porthole.

35. V0 ⌘ Climb steeply out of the alcove right of the flake crack.

36. V? Struggle through the offwidth flake crack to emerge on top of the boulder. Perverse.

37. The Shelf V0+ ⌘⌘ Rock up onto the shelf and with the aid of some tiny dinks, press hard for the top.

cromlech: OCHRFFORDD

22. V1 Dringwch y wal i'r chwith o'r caen ar wyrafaelion.

23. V2 ⌘ I fyfy'r wal heibio'r poced deufys.

24. Moose's Problem V3/4 ⌘⌘ Cychwyniad llawr ar grafangau, ewch i fyny i'r dde ar ymylon heibio un gafael da i'r brig. Symudiadau da. (Mae'r cysylltiad V4 i mewn i *broblem 23* yn dda hefyd.)

25. The Slopes V3 ⌘⌘ O'r garreg ar y chwith, pwyswch yn erbyn y wal serth, gafaelwch yn y gwyrafaelion ac ewch at y brig yn gyflym.

26. The Prow V3 ⌘ Dechrau o'r eistedd ac ymosodwch ar y cribflaen yn syth. Posibl cael cysylltiad hwylus i mewn i *broblem 25* hefyd.

27. V3 ⌘ Mae'r cychwyniad llawr i'r chwith o'r cribflaen yn rhagflaenu tir serth a phwerus.

28. V4 O'r un dechrau ar eistedd â *27*, ond dilyn gwendid sy'n ymestyn i'r chwith i gyrraedd ardal serth eto.

29. Bog Traverse V4 ⌘⌘ Tramwywch y ramp, uwch y gors ysbeidiol, o'r dde i'r chwith i orffen ar grafangau. Ceir cwpl o broblemau yn ymestyn yn serth o'r ramp, V6 ar y dde a V8 ar y chwith, ond nid ydynt yn arbennig o dda.

30. The Blunt V4 ⌘⌘ Ceir dechrau o'r eistedd anodd cyn i wefus y bargod a'r llinell caen tenau ddod o fewn gafael. Mae'r symudiadau at y brig yn anodd hefyd ac yn barod i luchio'r diofal yn ôl i'r llawr. Fe all wneud naid tebyg i'r *Seal Song* yng Ngogarth oddi ar y garreg wrth ymyl.

31. Backside Arete V0– ⌘ Crib crafangol.

32. Backside Wall V0 ⌘⌘ Symudiadau pert i fyny'r wal i'r chwith o'r crib.

33. V0– ⌘ Ôl -gripian i fyny i'r dde o'r portwll isel

34. V0– ⌘ Trosiglwch i fyny i'r sil i'r chwith o'r portwll isel.

35. V0 ⌘ Dringo allan yn serth o'r gilfach i'r dde o'r hollt fflochiog.

36. V? Brwydrwch drwy'r hollt ffloch anlled i ddod allan ar ben y clogfaen. Daliwch ati!

37. The Shelf V0+ ⌘⌘ Trosiglwch i fyny ar y silff a gyda defnydd dinciau bychan pwyswch am y brig.

cromlech: ROADSIDE

38. Shelf Lefthand V0 ✠ Move up to the left side of the shelf, exiting left, or following the arête to finish.

39. V3 ✠ Hang jugs on the lip and tussle over. Looks easy, doesn't it?

40. Cromlech Roof Crack V6/7 ✠✠ From a hanging start at the extreme right side, follow the crack leftwards with conviction, finishing as for *problem 39*. A variation V7/8 finish breaks back right along the lip to gain *problem 38*.

41. Sleep Deprivation V8 ✠ Pull on at a set of opposition holds, one move back into the cave from the middle of the *CRC*, then power straight through, past the crack, pulling directly onto the upper face.

42. V2 ✠ The juggy alcove taken from a sit down start, exiting direct or slightly rightwards.

43. V1 ✠ Start as for *problem 42*, but pull out left and continue steeply to the top.

44. V1 ✠ Pull into the shallow depression at head height and finish direct, just left of problem 43.

45. V0 ✠ Layback up to the large pocket and rock back left onto the ledge at head height.

46. V0 From the slight recess, rock up and exit leftwards into easier ground.

47. V3 ✠ From the same sit down start as *problem 42* follow the easiest (i.e. higher) line across to finish up *problem 46*. A pumpy extension across the sloping shelf is harder (V4).

48. The Full Backside Low Traverse V8+ ✠✠ Another epic stamina monster! Start at the base of *problem 38*. Follow the lip of the roof left into the alcove of *problem 42*, taking the lowest possible option all the way to finish up *problem 53*. Easier higher variants are possible (for example, a V5/6 finish up *problem 39*), but this version gives the best link.

49. The Pump Traverse V4/5 ✠✠ From a sit down start on the flat ledge beneath the prow traverse right staying low for 10 metres, moving up to an easier line at a slight recess, before dropping back down into the juggy alcove and exiting via *problem 42*.

cromlech: OCHRFFORDD

38. Shelf Lefthand V0 ✠ Symudwch i fyny i'r chwith o'r silff, i ddod allan ar y chwith, neu dilyn y crib i orffen.

39. V3 ✠ Hongiwch grafangau ar y gwefus a brwydrwch drosodd. Tydi o'n edrych yn hawdd?

40. Cromlech Roof Crack V6/7 ✠✠ Dechrau ar grog ar yr ochr dde, dilyn yr hollt i'r chwith a gorffen fel *problem 39*. Ceir amrywiad gorffen V7/8 yn torri'n ôl i'r dde ar hyd y gwefus hyd at *problem 38*.

41. Sleep Deprivation V8 ✠ Tynnwch ar set o afaelion cyferbyniol, un symudiad yn ôl i mewn i'r ogof yng nghanol *CRC*, wedyn pwerwch yn syth allan, heibio'r hollt, a thynnu'n syth i fyny'r wyneb uwch.

42. V2 ✠ Y cilfach crafangog, gyda chychwyniad o'r llawr, gorffen yn syth neu i'r dde ychydig.

43. V1 ✠ Dechrau fel *problem 42* ond symud allan i'r chwith a mynd yn serth at y brig.

44. V1 ✠ Tynnwch i fewn i'r pant bas penuchel a gorffen yn syth ychydig i'r chwith o 43.

45. V0 ✠ Ôl-wthiwch i fyny at y poced mawr a trosiglwch yn ôl ar y sil penuchel i'r chwith.

46. V0 O'r cilan bychan, trosiglwch i fyny ac ewch i'r chwith at ddringo haws.

47. V3 ✠ O'r un dechrau ar eistedd â *42*, dilyn y llinell haws (yr un uwch) ar draws i orffen i fyny *problem 46*. Mae'r ehangiad pwmpiog ar draws y silff goleddol yn galetach (V4).

48. The Full Backside Low Traverse V8+ ✠✠ Bwystfil stamina arall. Dechrau wrth waelod *problem 38*. Dilyn gwefus y to i'r chwith i gilfach *problem 42*, wedyn cymrwch yr opsiwn isaf pob tro yr holl ffordd i orffen i fyny *problem 53*. Ceir sawl amrywiad haws uwch (er enghraifft un V5/6 sy'n gorffen i fyny *problem 39*) ond hwn yw'r llinell gyswllt orau.

49. The Pump Traverse V4/5 ✠✠ Dechrau o'r eistedd ar y sil gwastad o dan y cribflaen, tramwywch i'r dde, cadw'n isel am 10 metr, symud i fyny at linell haws, wrth y cil bas, cyn disgyn yn ôl i lawr i mewn i'r alcof crafangol a dengid allan fel *problem 42*.

cromlech: ROADSIDE

50. Pump Traverse Low V5/6 ✖✖ As for *problem 49*, but drop down low after 10 metres at the slight recess, rejoining the original line in the juggy alcove. The obvious extension rightwards across the lip of the cave to finish up *problem 38* is a particularly gruelling affair at V8.

51. Bog Flake V0 ✖ The obvious flake right of the prow. Approach via the stepping stones in the mud.

52. Prow Righthand V2 ✖ From the same sit down start as *problem 49*, move up the right side of the the steep prow.

53. Prow Lefthand V3 ✖✖ From the same sit down start again, climb up around the left side of the prow. Truly splendid.

54. Hidden Wall V3 ✖✖ A sit down start (left hand: pocket, right hand: flatty) leads into yet more sublime, powerful climbing. Slightly spoilt by the encroaching boulder, but otherwise a total classic.

55. The Sting V8 ✖ A sit down start: left hand on lowest crimp, right hand laybacking the groove. Various methods exist. A slight line exists to the left at V5.

56. V7 Another sit down start to the right, moving up into the undercut feature.

cromlech: OCHRFFORDD

50. Pump Traverse Low V5/6 ✖✖ Fel *problem 49*, ond disgyn i lawr yn isel ar ôl 10 metr, wrth y cil bas, ac ail gysylltu a'r llinell gwreiddiol yn y cilfach crafangog. Mae'r estyniad amlwg i'r dde ar hyd gwefus yr ogof i orffen i fyny *38* yn fater blinedig ac yn V8.

51. Bog Flake V0 ✖ Y caen amlwg i'r dde o'r cribflaen. Ewch ato ar hyd cerrig sarn yn y llaid.

52. Prow Righthand V2 ✖ O'r un cychwyniad llawr â *phroblem 49*, symudwch i'r dde o'r cribflaen serth.

53. Prow Lefthand V3 ✖✖ O'r un cychwyniad llawr eto, dringwch i fyny a rownd at ochr chwith y cribflaen. Ardderchog.

54. Hidden Wall V3 ✖✖ Dechreuad o'r eistedd (llaw chwith: poced, llaw dde: llorafael) yn arwain unwaith eto at ddringo pwerus aruchel. Clasurol heb os amhariaeth y garreg.

55. The Sting V8 ✖ Dechrau o'r eistedd: llaw chwith ar y crych isaf, llaw dde yn ôl-gripian y rhych. Amryw o ffyrdd i'w wneud. Ceir llinell V5 i'r chwith.

56. V7 Dechrau o'r eistedd unwaith eto i lawr ar y dde, symudwch i fyny'r nodwedd tandor.

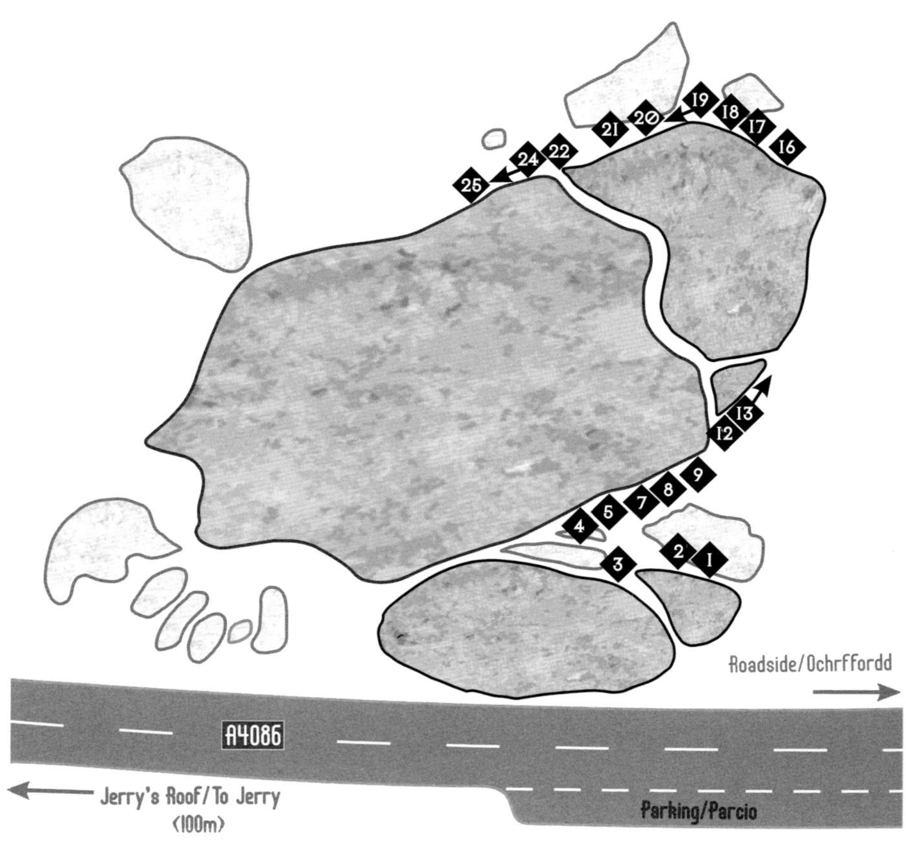

cromlech: LEFTHAND

1. V3 ⌘ From a sit down start on a creaking flake pull out left to small edges.

2. V2 ⌘ A sit down start on the same creaking flake leads up right past the pocket.

3. Bull's Problem V5 ⌘⌘ A sit down start leads up and left to slopey layaways. A committing and tricky sequence gains the top. Mats and spotters are advisable on this unsung gem.

4. V6 ⌘ A sit down start on an undercut feature, precedes powerful and painful moves up the severe wall.

5. V5 ⌘ From a sit down start on the rounded diagonal hold, fierce crimping leads to the top.

cromlech: OCHRACHWITH

1. V3 ⌘ O ddechreuad o'r eistedd ar y caen gwichiol tynnwch allan i'r chwith at gyrion bychan.

2. V2 ⌘ Dechreuad o'r eistedd ar yr un caen gwichiol sy'n arwain i'r dde heibio poced.

3. Bull's problem V5 ⌘⌘ Mae cychwyniad llawr yn arwain i'r chwith at orffyrddion gwyrol. Ceir dilyniad mentrol cyfrwys i orffen. Matiau a gwyliwyr yn gall ar y perl anenwog hon.

4. V6 ⌘ Dechrau o'r eistedd oddi ar nodwedd tandor cyn gwneud symudiadau nerthol poenys i fyny'r mur brwnt.

5. V5 ⌘ Ar ôl dechrau o'r eistedd ar afael lletgroes crwn mae crychio ffyrnig yn arwain at y brig.

cromlech: LEFTHAND

6. The Lefthand Traverse V5 ⌘⌘
Traverse rightwards from the start of *problem 5* through an initial crimpy section, and past a powerful and tricky hold sharing scenario at the arête, to gain and finish up *BC*.

7. V1 From the juggy side pull that marks the start of *Loose Canon* move up left, then direct to finish.

8. Loose Canon V5 ⌘ A cool dyno eliminate from the obvious juggy side pull to a distant jug over the lip.

9. V1 Move up awkwardly to a high positive finger hold.

10. V1 Another awkward start to gain a high positive hold

11. V4 ⌘ From a sit down start at the base of *BC*, swing out left and tussle with unhelpful holds on the hanging arête to gain easier ground. A slightly harder direct sit down start to the arete is possible.

12. Brown's Crack V1 ⌘⌘⌘ The striking crack line. A historical classic. (sit down start: V2)

13. Sub Society V11 ⌘ The desperate low level, left to right traverse of the steep triangle wall right of *BC*.

14. Superior Air V8 ⌘ A wild eliminate, dynoing up rightwards from the layaway pockets on *SS* to the high jug in the centre of the face.

15. V0– ⌘ The flake crack.

16. V0 Pull up and move left onto the ledge on the left.

17. V2 ⌘ Climb the tricky undercut wall left of *problem 18*.

18. V1 ⌘⌘ Direct over the bulge into the faint scoop on layaways.

19. Ultimate Retro Party V8 ⌘⌘ A sit down start (undercuts and side pulls) on the block that marks the change in ground level, gives access to a powerful and sustained left to right traverse of the cave lip. A minor modern classic.

20. Room To Swing A Katz V6 A sit down start that breaks through the first section of *URP* to gain the easy ground above.

cromlech: OCHRCHWITH

6. The Lefthand Traverse V5 ⌘⌘
Tramwywch i'r dde o ddechrau'r *broblem 5*, drwy adran crychiol i ddechrau, i fynd heibio sefyllfa rhannu gafel pwerus a chyfrwys wrth y crib i gyrraedd ac i orffen i fyny *BC*.

7. V1 O'r ochdyn crafangol sy'n dynodi dechrau *Loose Canon* symudwch i fyny i'r chwith, wedyn gorffen yn syth

8. Loose Canon V5 ⌘ Dilead deino gwych o'r ochafael crafangol amlwg i grafanc pell dros y gwefus.

9. V1 Symudiadau lletchwith at afael bys cadarn uchel.

10. V1 Dechrau lletchwith arall at afael cadarn uchel.

11. V4 ⌘ O ddechreuad o'r eistedd ar waelod *BC*, pendylwch allan i'r chwith a chwffiwch gyda gafaelion gwael y crib crog i gyrraedd tir haws. Posibl gwneud yn syth o gychwyniad llawr.

12. Brown's Crack V1 ⌘⌘⌘ Y llinell hollt nodedig. Clasurol hanesyddol. (V2 os yn dechrau o'r eistedd)

13. Sub Society V11 ⌘ Y tramwiad lefel-isel dyrys, chwith i'r dde, o'r wal triongl serth i'r dde o *BC*.

14. Superior Air V8 ⌘ Dilead gwyllt, deino i fyny i'r dde oddi ar pocedi gorffwrdd ar *SS* i'r crafanc uchel yng nghanol y wyneb.

15. V0 ⌘ Yr hollt floch.

16. V0 Tynnwch i fyny ac ewch i'r chwith at y sil.

17. V2 ⌘ Dringwch y mur cyfrwys tandorrog i'r chwith o *broblem 18*.

18. V1 ⌘⌘ Yn syth dros y chwydd i mewn i'r pant b s ar orffyrddion.

19. Ultimate Retro Party V8 ⌘⌘ Dechrau o'r eistedd (tanafaelion ac ochdynnau) ar y bloc sy'n dynodi y newid yn lefel y ddaear; yn rhoi tramwyiad chwith i'r dde nerthol a pharhaus ar hyd gwefus yr ogof. Problem gyfoes is-glasurol.

20. Room To Swing A Katz V6 Dechreuad o'r eistedd sy'n torri drwy rhan gyntaf *URP* i dir hawdd uwchben.

cromlech: LEFTHAND

21. V3 ⌘ Straight up through the traverse of *URP* from a stand up.

22. V2 ⌘ Follow the juggy edge of the offwidth crack from a sit down start.

23. V4 ⌘ From a sit down start, climb up the right edge of the same crack (avoiding all holds out left) and move up onto the upper face with tricky moves, either direct, or out right.

24. Lefthand Back Traverse V5 ⌘⌘ Follow the lip of the steep ground out right from the crack, make a hard rock up and right to a distant hold after 3 metres. Continue traversing on more amenable holds until easy ground is reached at the far right side of the boulder.

25. Backshot V5/6 ⌘ From a sit down start (left hand: side pull/undercut, right hand: slopey pocket) slap wildly to the slopey lip (with either hand) and pull immediately rightwards through the crux of *LBT*. A V5 finish into the top of *problem 23* is also possible.

cromlech: OCHRCHWITH

21. V3 ⌘ Yn syth i fyny drwy tramwyiad *URP* o'r sefyll.

22. V2 ⌘ Dilyn ffin crafangol yr hollt anlled ar ôl cychwyniad llawr.

23. V4 ⌘ Ar ôl dechrau o'r eistedd, dilyn ochr dde yr un hollt (yn osgoi unrhyw afael ar y chwith) a symudwch allan ar y wyneb uwch gyda symudiadau cyfrwys; naill ai'n syth, neu i'r dde.

24. Lefthand Back Traverse V5 ⌘⌘ Dilyn gwefus y tir serth allan i'r dde o'r hollt, gwnewch trosigliad caled i fyny i'r dde at afael pell ar ôl 3 metr. Daliwch i dramwyo ar afaelion gwell hyd at dir hawdd ar ochr dde y clogfaen.

25. Backshot V5/6 ⌘ Ar ôl dechrau o'r eistedd (llaw chwith: ochdyn/tandor, llaw dde: poced gwyrol) palfiwch yn wyllt at y wefus wyrol (naill llaw) a thynnwch yn syth i'r dde drwy crux *LBT*. Mae diweddiad V5 i fyny *problem 23* yn bosib hefyd.

Ray Wood, Ultimate Retro Party V8, Photo/Ffoto: Simon Panton

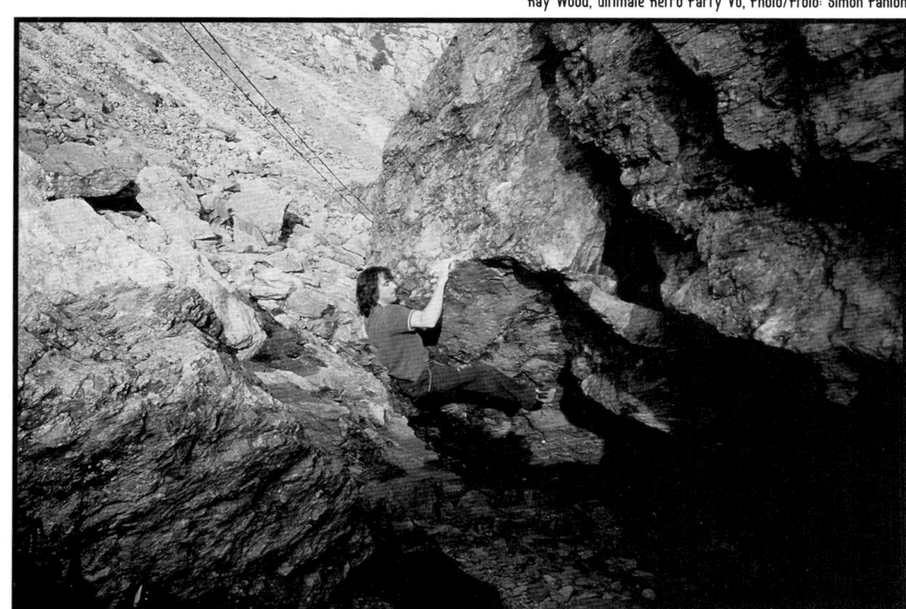

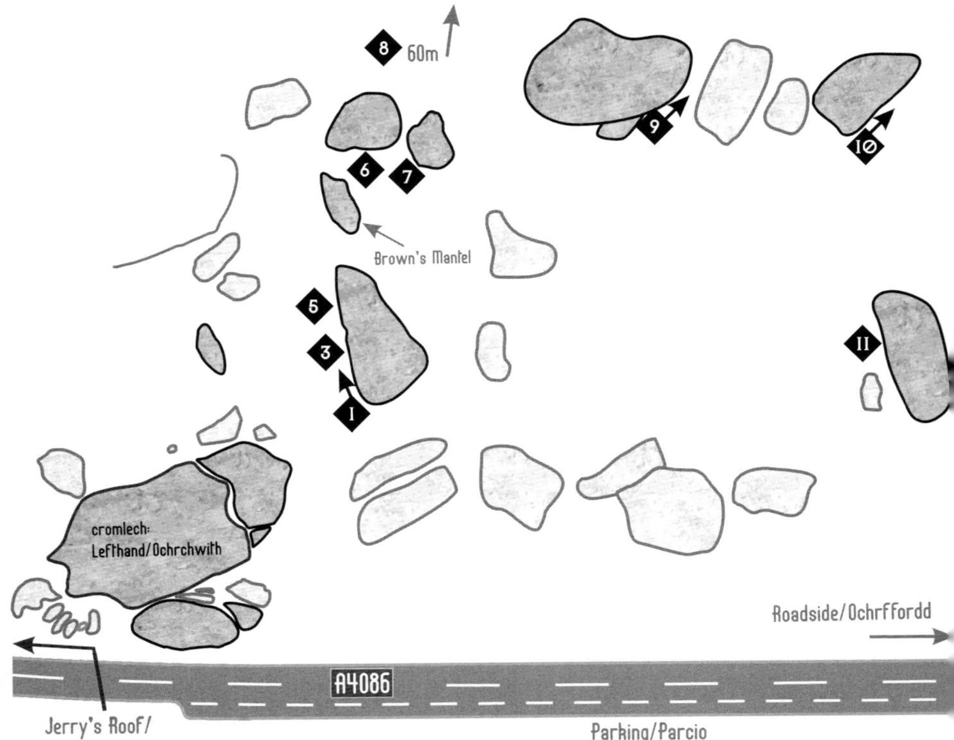

cromlech: CENTRAL

The central cluster of boulders that lie on the hillside between the 2 main areas provide a brace of easy problems and a small circuit of mid grade testers.

1. V0+ ⌘ Traverse the base of the wall, finishing into *problem 4*.

2. V0 ⌘ Climb the wall past the spiky jug.

3. V0 ⌘ Gain the juggy ramp and swing right to the top. (Avoid the flake on the left)

4. V0– ⌘ From a standing position on the flake bear left to the top.

5. V0+ ⌘ The undercut bulge is tricky to start. Even trickier is the burly V5 sit down start.

6. V0+ Bear leftwards past steep shattered rock.

7. V0 Follow the leftward trending line. A V3 sit down start is possible.

cromlech: CANOLOG

Y clwstwr canolog o glogfaeni sy'n gorwedd ar lethrau'r mynydd rhwng y ddau brif ardal. Maent yn rhoi casgliad o broblemau haws a chylchdaith o brofion canol radd.

1. V0+ ⌘ Tramwywch waelod y wal a gorffen ar *broblem 4*.

2. V0 ⌘ Dringwch y wal heibio'r crafanc pigog.

3. V0 ⌘ At y ramp crafangog a siglwch i'r dde at y brig (osgoi'r ffloch ar y chwith).

4. V0– ⌘ Ar ôl dechrau o'r sefyll ar y caen ewch i'r chwith at y brig.

5. V0+ ⌘ Mae'r chwydd tandor yn galed i ddechrau. Mae'r Dechreuad o'r eistedd cadarn V5 yn anos fyth.

6. V0+ Ewch i'r chwith heibio creigiau serth drylliog.

cromlech: CENTRAL

8. Pantonesque V5/6 ⌘⌘ A long pumpy traverse of the steep pocketed face that rises up the hill, starting left of the recess. Avoid the top and try and save some juice for the crux section at the three quarter mark.

9. Wire Brush Crack V5 ⌘⌘ Start on the low boulder on the left. Lean out into the crack and follow it down around the nose with difficulty, then all the way up the other side of the cave.

10. Cross Fader V5 ⌘ From a sit down start at the left end, follow the thin seam/crack across the overhanging face, avoiding the top until you reach the right arête. A V6 sit down start eliminate - avoiding jugs out right - strikes a line through the middle of the traverse.

11. Arachnophobia V8 ⌘ From a sit down start (left hand: poor undercut, right hand: big undercut) move powerfully up past a slopey pinch to gain the lip. A right hand V4 sit down start traverses in to the same finish.

Further up right, above the Roadside cluster a prominent block yields a handful of worthwhile problems in the V0-1 range.

cromlech: CANOLOG

7. V0 Dilyn y llinell sy'n tueddu i'r chwith. Posib dechrau o'r eistedd V3.

8. Pantonesque V5/6 ⌘⌘ Tramwyiad hir pwmpiog y wyneb pocedog serth sy'n codi i fyny'r allt, dechrau i'r chwith o'r cilan. Osgoi'r brig a cheisiwch gadw ychydig o nerth at y rhan craidd 3/4 ffordd.

9. Wire Brush Crack V5 ⌘⌘ Dechrau ar y clogfaen isel ar y chwith. Pwyswch ar draws i'r hollt a dilynwch ef i lawr ac o gwmpas y trwyn gyda anhawster, wedyn yr holl ffordd i fyny ochr arall yr ogof.

10. Cross Fader V5 ⌘ Dechrau o'r eistedd ger y pen chwith, dilynwch yr agen/hollt tenau ar draws y wyneb yngrhog, yn osgoi'r brig nes cyrraedd y crib ar y dde. Ceir dilead V6 yn dechrau o'r eistedd, sy'n osgoi crafangau allan i'r dde, yn mynd yn syth drwy ganol y tramwyiad.

11. Arachnophobia V8 ⌘ Dechrau o'r eistedd (llaw chwith: tandor gwael, llaw dde: tandor mawr) symudwch i fyny yn nerthol heibio gwasgiad gwyrol i gyrraedd y gwefus. Ceir cychwyniad llawr V4 ochr-dde yn tramwyo i mewn i'r un diweddiad.

Ymhellach i fyny i'r dde, uwch y clwstwr ochrffordd mae bloc amlwg yn rhoi llond llaw o broblemau gwerthfawr yn yr amrediad V0-1.

Noel Craine, Wire Brush Crack V5, Photo/Ffoto: Simon Panton

PASS ODDITIES

1. 100 metres from the Cromlech Roadside Block on the same side of the road there are 3 boulders of minor interest. On the first boulder (i.e. the one closest to the road) there is a sit down start problem utilising a flake and an undercut. The left hand finish is V3/4, whilst the right is V4. Up the hill from here you will find 2 long blocks. On the left hand block there is a right to left V3 eliminate traverse (no hands on top) of the thin slabby face. The steep bottom prow goes from a sit down start at V2. On the right hand block there is a pumpy V4 right to left traverse of the boulder, starting at the streamside arête and finishing at the top left hand side. This can be reversed from a sit down start in the low cave on the left at a slightly harder grade.

2. Further up the Pass, on the opposite side to Clogwyn Blaen Coed *(Marlene On The Wall)* 3 slabby outcrops lie just above the road, in a row and facing down the valley. Numerous obscure micro routes and technical problems can be found here, but the best 2 are worth searching out. On the lowest bluff the diagonal seam at the right side is a classic V5, whilst at the left hand side of the middle bluff you will find a sublime V4 (thin layaways to an obvious hold, then the top).

3. At a similar distance from the road, but 2-300 metres further up the Pass lies the prominent Noel's Boulder. Numerous problems have been done on this jumble of blocks. If the central prow had a dry flat landing it would be hailed as a classic V4. Unfortunately it doesn't.

4. There are a number of isolated, but worthwhile problems close to Pen y Pass. The obvious highball seam on a prominent slab just above the start of the PYG track is a surprisingly tricky and scary V4. Further minor problems exist both up and below the PYG track.

5. Up behind the Youth Hostel a steep block sticks out of the hill side. The left arête is snappy and high (E4 perhaps), but the peg scarred crack on the right is a stunning, bold V4 called *Yeeha*.

6. Following the red dot marked path up and left from here for 3-400 metres will lead you to a V4 left to right traverse of a steep block on the right.

HYNODION Y DYFFRYN

1. 100 metr o floc Cromlech Ochrffordd, yr un ochr o'r ffordd, ceir 3 clogfaen o is-ddiddordeb. Ar y clogfaen gyntaf (yr un agosa at y ffordd) mae yna broblem cychwyniad llawr sy'n defnyddio caen a thandor. Mae'r gorffeniad chwith yn V3/4, tra bod yr un dde yn V4. I fyny'r allt o'r man fe welir 2 floc hir. Ar y bloc chwith ceir tramwy dilead (dim dwylo ar y brig) V3 o'r dde i'r chwith ar hyd y wyneb llechog tenau. Mae'r cribflaen serth ar y gwaelod yn mynd am V2 gyda chychwyniad llawr. Ar y bloc dde ceir tramwy pwmpiog V4 o'r dde i'r chwith, yn dechrau ar y crib ger y ffrwd ac yn gorffen wrth frig yr ochr chwith. Ychydig yn galetach, mae posibl mynd yn wrthol i hyn, gyda dechreuad llawr yn yr ogof isel ar y chwith.

2. Yn uwch i fyny Dyffryn Peris, gyferbyn â Clogwyn Blaen Coed *(Marlene on the Wall)*, gwelir 3 brigiad llechog ychydig uwch y ffordd, mewn rhes ac yn wynebu i lawr y dyffryn. Gallwch ddarganfod niferoedd o broblemau technegol a dringfeydd micro astrus, ond mae'r 2 orau yn werth eu darganfod. Ar y clogwyn isaf, mae'r agen lletgroes ar yr ochr dde yn V5 clasurol, tra ar ochr chwith y clogwyn canolig mi welwch V4 ddyrchafedig (gorffyrddion tenau at afael amlwg, wedyn y brig).

3. Tua'r un pellter o'r ffordd ond ryw 2-300 metr yn uwch i fyny'r dyffryn yw safle Clogfaen Noel. Ceir nifer o broblemau ar y cymysgedd o flociau hyn. Pe bai glanfa gwastad sych gan y cribflaen canolig, fe fyddai'n cael ei galw'n V4 glasurol. Yn anffodus nid yw.

4. Yn agos i Gorffwysfa fe allwn ddarganfod sawl problem unigol buddiol. Mae'r agen uchelgaill ar y llechen amlwg ychydig uwchben dechrau llwybr PYG yn V4 syfrdanol o gyfrwys ac ofnus. Ceir nifer o broblemau llai pwysig uwch ac o dan y llwybr PYG.

5. I fyny y tu ôl i'r Hostel Ieuenctid mae bloc serth yn estyn allan o'r llethr. Mae'r crib chwith yn fras ac yn uchel (E4 tybed), ond mae'r hollt peg-greithiog beiddgar ar y dde yn V4 syfrdanol o'r enw *Yeeha*.

6. Dilynwch y llwybr dotiau coch i fyny ac i'r chwith am 3-400 metr i gyrraedd tramwy chwith i dde V4 ar glogfaen serth ar y dde. Ychydig ym

PASS ODDITIES

Further on, close to the main path a thin, slightly rising break (left to right) goes at V4. Other problems can be found if you look around.

HYNODION Y DYFFRYN

mhellach, yn agos at y prif lwybr mae toriad tenau sy'n esgyn ychydig (chwith i'r dde) yn rhoi V4. Ceir nifer o broblemau eraill yn yr ardal os chwiliwch amdanynt.

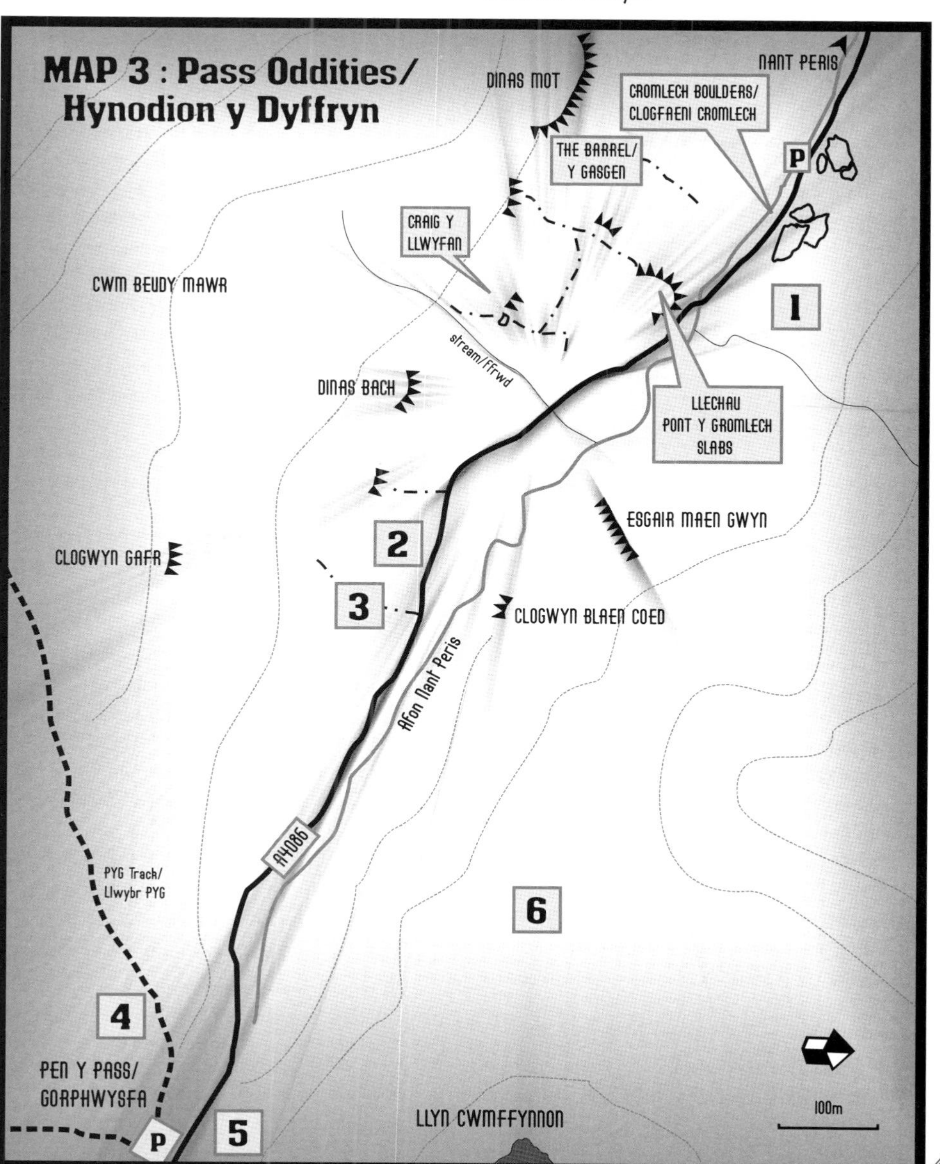

LLECHAU PONT Y GROMLECH

Lleoliad traddodiadol, gyda sawl problem clasurol cyffrous. Yn agos i'r ffordd, mae'r slabiau i'w gweld uwchben y bont, 100 metr heibio prif arhosfan y Gromlech. Mae'r graig yn lân ond mae'r mannau glanio braidd yn gyfrwys mewn rhai mannau, wrth ystyried uchder y problemau. Tra bod problem glasurol y graig, *The Seam*, gydag ardal lanio sy'n berffaith wastad, fe fydd y rhan fwyaf o bobl yn gwerthfawrogi pad wedi'i osod yn ofalus(a gwyliwr mawr wrth law). Mae'r dringo yn tueddu i fod yn lechog ac yn dechnegol; dipyn o gyferbyniaeth i brofion y Gromlech gerllaw.

Mynediad: o brif arhosfan y Gromlech, naill ai cerdded ar hyd y ffordd i fynd drwy'r giât ger y bont i gyrraedd y slabiau; neu, croeswch yr afon a thueddwch i'r chwith dros y gamfa ffram A.

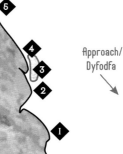

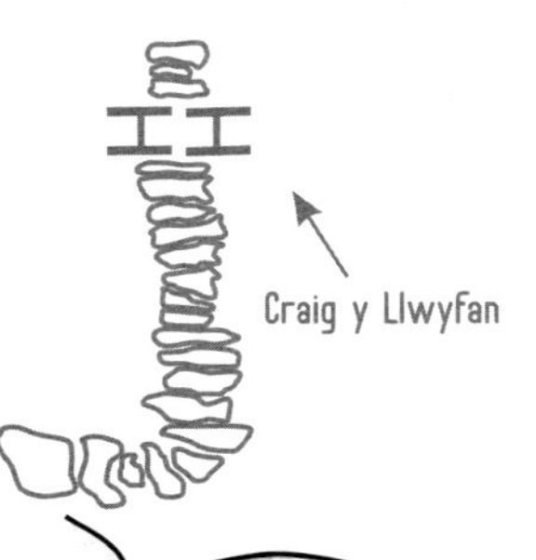

Easy slab/
Llech hawdd

8
7
6
5
4
3
2
1
9

The Barrel/Y Gasgen

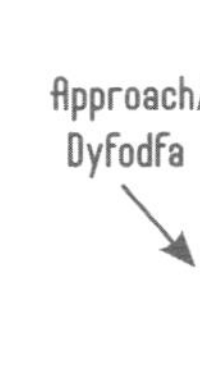

PONT Y GROMLECH SLABS

A traditional venue featuring several classic, exciting problems. Located close to the road, the slabs are clearly seen above the river bridge 100 metres beyond the main Cromlech layby. The rock is clean but the landings are a bit tricky in places, considering the height of the problems. Although the crag classic, *The Seam* has a perfect flat landing zone, most people will appreciate the presence of a carefully placed pad (and perhaps a big handy spotter). The climbing tends to be slabby and technical; quite a contrast from the nearby Cromlech test pieces.

Access: from the main Cromlech layby, either walk up the road and go through the gate by the river bridge to reach the slabs, or cross the river and bear leftwards over an A frame stile.

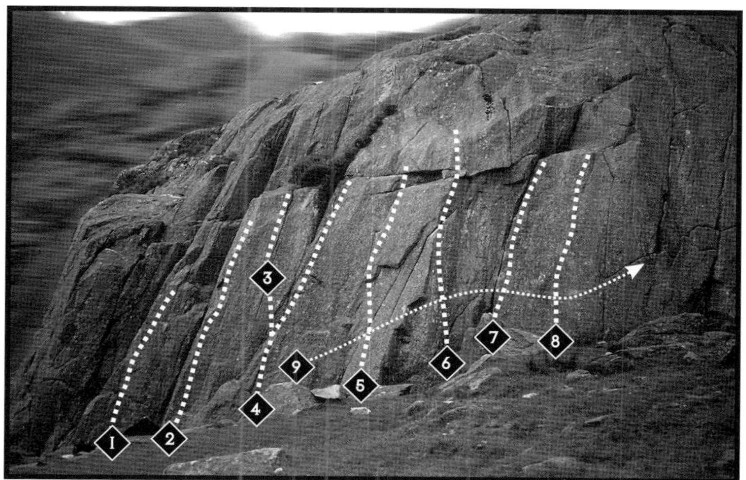

PONT Y GROMLECH SLABS

1. V0+ ✖ The slabby rib leading to the ledge. Descend the V0- crack/groove just right.

2. V4 ✖✖ The scary, high rib with a prominent undercut at 4 metres height, finishing with a long move to a high crack. Perhaps worthy of an E grade?

3. V2 Gain and climb the thin flake crack in the wall from the narrow groove. All done rather worryingly above a potentially crippling flake. Not a great problem.

4. V1 ✖✖ Layback the arête formed by the edge of the crack/groove thing, finishing boldly either left or right at the top.

5. V2 ✖✖ Thin moves (either direct, or stepping in from the right) bar access to the immaculate hanging flake; scuttle up it with a sense of urgency confounded by the lack of footholds. A minor classic.

6. V3 ✖ Gain the flake in the arête after tricky starting moves and continue boldly past the horn.

7. V1 ✖✖ Follow the crack left of the blank slabby wall, staying cool on the finishing moves.

8. The Seam V3 ✖✖✖ The centre of the immaculate slabby wall. Start by gaining the mini layaway rib from a two-finger pocket, and continue to the top with conviction. An astonishingly good boulder problem.

LLECHAU PONT Y GROMLECH

1. V0+ ✖ Y asen lechog sy'n arwain at y sil. Dowch lawr yr hollt/rhych V0- ychydig i'r dde.

2. V4 ✖✖ Yr asen uchel brawychus gyda thandor amlwg wrth 4 metr, i orffen gyda symudiad hir at hollt uchel. Gwerth gradd E tybed?

3. V2 Ewch at a dringwch yr hollt caen tenau yn y wal o'r rhych main. Yn bryderus, y cwbl uwch ffloch a phosibilrwydd niweidio. Nid yw'n broblem dda.

4. V1 ✖✖ Ôl-wthiwch y crib a ffurfiwyd gan ffin y peth hollt/rhych, gorffen yn eiddgar naill ai i'r chwith neu i'r dde at y brig.

5. V2 ✖✖ Symudiadau tenau (yn syth neu dod i fewn o'r dde) sy'n rhwystro mynediad at y caen crog drwsiadus; i fyny'r caen gyda brys a rwystrwyd gan ddiffyg traedleoedd. Problem is-glasurol.

6. V3 ✖ Dechreuwch gyda symudiadau cyfrwys ac ewch at y caen yn y crib; gorffen yn eiddgar heibio'r corn.

7. V1 ✖✖ Dilyn yr hollt i'r chwith o'r wal llechog gwag, cadw'n ddigynnwrf ar y symudiadau gorffenedig.

8. The Seam V3 ✖✖✖ Canol y wal llechog gwag drwsiadus. Dechrau drwy afael yn asen gorffwrdd bychan o boced deufys ac ewch am y brig gyda chred. Problem bowldro anhygoel o dda.

Pete Robins, The Seam V3, Photo/Ffoto: Gav Foster

PONT Y GROMLECH SLABS

9. V5 ✠✠ An intense and initially baffling left to right, low level traverse of the crag with the difficulty kicking in from *problem 4* onwards (NB. Avoid the low grassy ramp beneath *problem 6*). Increasingly technical and insecure moves lead past *problems 5, 6* and *7*, finishing desperately along the base of *The Seam* wall into the descent line, or more spectacularly (hard V5) up *The Seam* itself.

Pont y Gromlech Righthand

50 metres right of the A frame over the wall on the right, there is another small crag. Various highball lines can be found here, but perhaps of most interest to modern boulderers is the small wall just left of centre. **Johnny's Problem V4** ✠ takes the arête of the micro groove on the left side of the clean vertical wall. Avoid the ledges out left and mantel out right at the top. **The Compressor V5** ✠ is a right to left traverse of the base of the wall.

LLECHAU PONT Y GROMLECH

9. V5 ✠✠ Tramwyiad angerddol ac yn astrus i ddechrau, yn mynd o'r chwith i'r dde ar lefel isa'r clogwyn, gyda'r anawsterau yn dod ar ôl *problem 4* (NB Osgoi'r ramp isel glaswelltog o dan *problem 6*). Symudiadau fwy fwy technegol ac anniogel yn arwain heibio *problemau 5, 6* a *7*, i orffen yn enbyd ar hyd gwaelod wal *The Seam* i'r llinell dodlawr, neu'n fwy drawiadol (V5 caled) i orffen i fyny *The Seam*.

Pont y Gromlech Ochr Dde

Tua 50 metr i'r dde o'r gamfa ffram A dros y wal ar y dde, mae yna glogwyn bychan arall. Yma ceir nifer o linellau uchelgeilliol, ond o fwy o ddiddordeb i fowldrwyr cyfoes yw'r pared bychan ychydig i'r chwith o'r canol. **Johnny's Problem V4** ✠ yn cymryd crib y cafn micro ar ochr chwith y wal fertigol lân. Yn osgoi'r siliau allan i'r chwith a thrawstio allan i'r dde tua'r brig. **The Compressor V5** ✠ yw'r tramwyiad dde i'r chwith ar hyd gwaelod y wal.

CRAIG Y LLWYFAN

Although only developed in very recent times, this crag has yielded a surprising number of interesting and varied problems.

Access: From the main Cromlech layby cross the river and bear leftwards to the Pont y Gromlech slabs. At the right side of the main slabby wall go over the A frame stile and follow the sheep track, eventually dropping down to cross the drystone wall on the right via the large wedged boulder. Bear leftwards up the rocky hill side to reach the small broken crag with a long low barrel shaped boulder *(MYOFM)* at it's right side, and a large jutting block *(LK)* stuck in a wall at it's left side.

1. Mr. you're on fire Mr V8 ⌘⌘ From a standing position on the low block at the right side of the bulging face, lean into the steepness, dropping powerfully down into the low break, before working leftwards past a series of woeful slopers to a gut wrenching foot swing and a final exasperating slappy sequence to gain the sanctuary of better holds above the diagonal flake.

2. V4 ⌘ Tussle with the unhelpful undercut flake line from a sit down start.

CRAIG Y LLWYFAN

Dim ond yn ddiweddar iawn y datblygwyd y clogwyn, ond roedd llawer o broblemau diddorol ac amrywiol.

Mynediad: o brif arhosfan y Gromlech, croeswch yr afon a thueddwch i'r chwith at Llech Pont y Gromlech. Ar ochr dde y brif wal llechog ewch dros y gamfa ffram A a dilynwch llwybr defaid, sy'n disgyn i lawr yn y diwedd, i groesi wal gerrig ar y dde heibio'r clogfaen daliedig mawr. Anelwch i'r chwith i fyny llethr creigiog i gyrraedd clogwyn bychan toriedig gyda chlogfaen isel hir ffurf casgen *(MYOFM)* ar ei ochr dde, a bloc bargodol mawr *(LK)* yn glud i'r wal ar ei ochr chwith.

1. Mr. you're on fire Mr V8 ⌘⌘ Dechrau o'r sefyll ar y bloc isel ar ochr dde y pared chwydd, pwyswch i'r serthrwydd, a disgyn yn nerthol i lawr i'r toriad isel, cyn gweithio i'r chwith heibio cyfres o wyrafaelion gofidus at sigliad troed bol ysigiol a diwedd gyda dilyniad cythruddol palfu i gyrraedd lloches gafaelion gwell uwch y caen lletraws.

2. V4 ⌘ Cwffiwch gyda'r caen linell tandor ddigymorth ar ôl cychwyniad llawr.

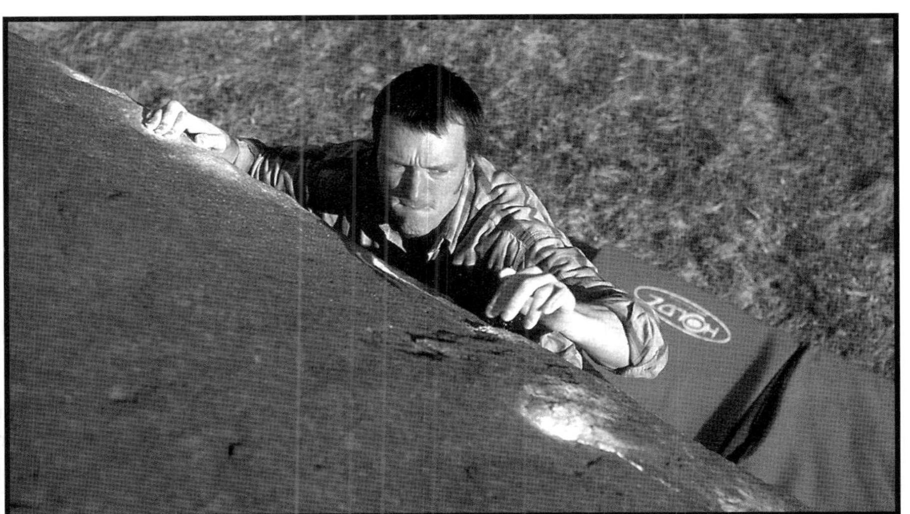

Simon Panton, Mr, you're on fire Mr V8, Photo/Ffoto: Ray Wood

CRAIG Y LLWYFAN

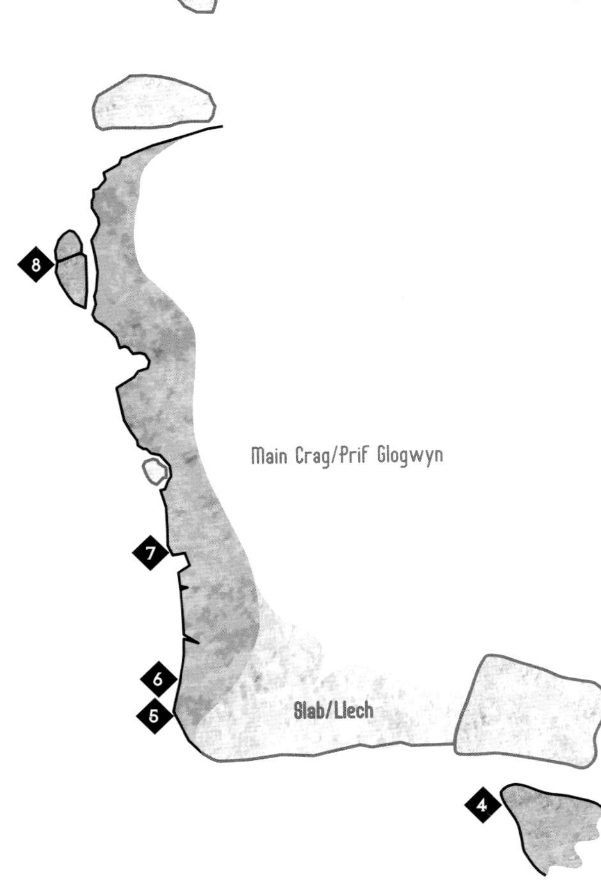

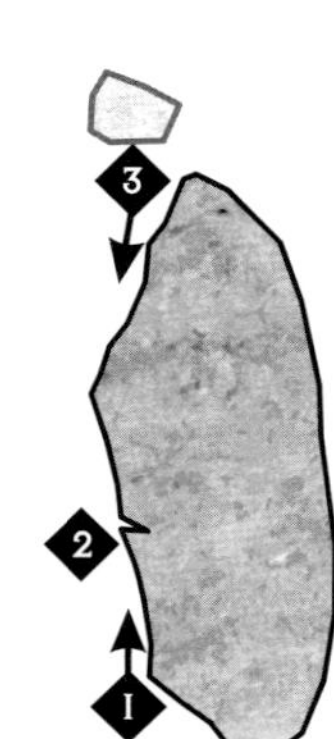

CRAIG Y LLWYFAN

CRAIG Y LLWYFAN

3. Crooky's Traverse V5 ⌘ An intense, technical traverse of the block. Start at the left arête (a sit down is possible), move along the top to gain the back hand flake line, descending to the lower horizontal seam that leads with difficulty into the diagonal flake. Continue the line rising above the steepness to easy slabby ground. Unfortunately the problem is not a true line of weakness, and it is possible to escape the joys of the crux section by moving upwards to the top.

4. Throbbin's Arete V6 ⌘⌘ The hanging fin proves to be very challenging.

5. V2 ⌘ Layback the right arête of the clean wall.

6. Peter's Crack V5 ⌘⌘ Desperate, thin starting moves up the diagonal seam/crack lead to better holds and a thankful escape to the right arête. The cracks and grooves to the left are arguably too high to be considered as boulder problems.

7. Envy V5/6 ⌘⌘ Layback up the hanging arête, just right of the luminous green streak. Another minor classic.

8. Flake Crack V1 ⌘ The sit down start to the crack is very good indeed.

9. Emyr's Arete V7 ⌘⌘ From a sit down start, using the obvious fat quartz pinch, power upwards and rightwards, eventually gaining better holds and the top of the boulder.

10. Lizard King V8–10 ⌘⌘ The original V10 method went from a sit down start on crimps in the right hand diagonal seam, before moving up to another set in the next diagonal seam, gaining a prominent fingery pinch with your right and snatching an elusive, but positive letterbox hold just over the lip, and finishing leftwards. Subsequently the line was repeated by slapping from the second set of crimps to the sloping arête with the left hand, walking feet up the ramp and pressing out the right hand crimp to gain the letterbox with the left hand. A further low alternative finish was also added at V8. Traverse left from the second set of crimps and drop down into the juggy ramp that leads out left to the horn.

11. V0– ⌘ Mantel the horn feature.

CRAIG Y LLWYFAN

3. Crooky's Traverse V5 ⌘ Tramwyiad technegol grymus y bloc. Dechrau wrth y crib chwith (posibl o'r eistedd), symudwch ar hyd y brig i ddod at y llinell caen cefn, disgynwch i'r agen llorweddol is sy'n ymestyn yn galed i'r caen lletraws. Parhawch ar y llinell i godi dros y serthni at dir llech hawdd. Yn anffodus nid yw'r broblem yn linell cywir ac mae'n bosib osgoi'r darn craidd drwy symud i fyny at y brig.

4. Throbbin's Arete V6 ⌘⌘ Mae'r asgell crog yn dipyn o sialens.

5. V2 ⌘ Ôl-wthiwch crib dde y wal lân.

6. Peter's Crack V5 ⌘⌘ Symudiadau dechrau caled tenau i fyny'r hollt/agen lletraws i gyrraedd gafaelion gwell a'r dianc diolchgar allan i'r crib dde. Mae'r holltau a'r rhychau ar y chwith braidd yn rhy uchel i'w hystyried fel problemau bowldero.

7. Envy V5/6 ⌘⌘ Ôl-wthiwch y crib a'r grog, ychydig i'r dde o'r strimyn gwyrdd llachar. Problem is-glasurol arall.

8. Flake Crack V1 ⌘ Mae'r dechreuad o'r eistedd i'r hollt yn un ardderchog.

9. Emyr's Arete V7 ⌘⌘ Cychwyniad llawr, yn defnyddio'r wasgfa tew cwarts amlwg, pwerwch i fyny ac i'r dde, i ddod at afaelion gwell a brig y clogfaen.

10. Lizard King V8–10 ⌘⌘ Aeth y V10 gwreiddiol o gychwyniad llawr ar grychion yn yr agen lletraws dde, cyn symud i fyny at set arall yn yr agen lletraws nesa a chyrraedd pinsiad bys amlwg gyda'ch dde a chipio'r 'twll llythyr' annaliadwy ond cadarnhaol ychydig uwch y wefus, a gorffen i'r chwith. Yn ddiweddarach ail-ddringwyd y llinell drwy balfio'r crib gwyrol gyda'r llaw chwith o'r ail set o grychion, cerdded y traed i fyny a phwyso allan gyda'r llaw dde i gyrraedd y 'twll llythyr' gyda'r llaw chwith. Hefyd, fe roddwyd gorffeniad dewisol isel V8. Tramwywch i'r chwith o'r ail set o grychion a disgynnwch i lawr i'r ramp crafangol sy'n ymestyn allan i'r chwith at y corn.

11. V0– ⌘ Trawstiwch y corn nodweddol.

THE BARREL

This is of course the obvious horizontal cigar/ barrel shaped face (clearly seen from the road) in the complex of boulders right of the path leading up to Dinas Mot. Just down the hill a long low bulge provides a good warm up (V2ish) for the main event, however the other large blocks prove disappointing upon closer inspection. The left side of the face is high and the sloping landing disqualifies the lines here as boulder problems (even if you landed on your pad, you'd still go surfing down the hill, no doubt crunching bones on the way!). Consequently most attention is focussed on the steep right hand section. Here lie several celebrated problems.

Access: from the main Cromlech layby cross the river and follow the wall (swapping to the left side via an A Frame) to gain a zig zag path leading up to Barrel Face.

1. Barrel Groove V8+ ✱✱ From a sit down start hanging the low break, power up the faint groove past barely adequate holds. (The reverse link of *TBT* into this problem rates V11)

2. The Barrel Traverse V8+ ✱✱ From the same start as *BG*, flex leftwards along the break line, past a powerful, slopey crux section, before finishing up *problem 5*. A modern classic.

3. The Minimum V6/7 ✱✱ Take the right hand most undercut with your left and reach a small crimp with your right. Slap for the top with conviction. There are 2 traverse starts: V8 Link from the *TBT* start, V8+ Link from the reverse of *TBT*; both are excellent.

4. Bulling 747 V6 ✱ Take the undercut on *TM* with your right, reaching up left and matching poor holds at the end of the thin break, before slapping to the sloping ledge. Similar traverse links, as for *TM* are possible.

5. V3 ✱✱ Undercut up to gain the thin break, shuffle right and move up quickly to a good hold on the sloping ledge.

6. V4 ✱✱ From a sit down start on the low sloping ledge on the left, pull up and move right, matching a good undercut and reaching to the thin break. Traverse right to finish as for *problem 5*.

Y GASGEN

Wrth gwrs hwn yw'r wyneb amlwg ffurf casgen/sigâr llorweddol (i'w gweld o'r ffordd) yn y cymysgiad o glogfaeni i'r dde o'r llwybr sy'n ymestyn i fyny at Dinas Mot. Ychydig i lawr yr allt mae chwydd hir isel yn rhoi cynhesiad da (tua V2) cyn y prif ornest, yn anffodus mae'r blociau mawr eraill braidd yn siomedig. Mae ochr chwith y wyneb yn uchel ac mae'r man glanio gwyrol yn anghymwyso'r llinellau hyn fel problemau bowldro (hyd yn oed os ydych yn disgyn ar eich pad fe fyddech yn sicr o sglefrio lawr y llethr, a chrychu esgyrn ar eich ffordd!). Felly mae'r rhan fwyaf o sylw yn mynd at yr ochr dde serth. Yma ceir sawl problem enwog.

Mynediad: o brif arhosfan y Gromlech, croeswch yr afon a dilyn y wal gerrig (newid i'r ochr chwith gyda'r gamfa ffram A) i gyrraedd llwybr igam-ogam yn arwain at wyneb y Gasgen.

1. Barrel Groove V8+ ✱✱ Dechrau o'r eistedd a hongian y toriad isel, pwerwch i fyny'r rhych bas heibio gafaelion prin ddigon. (Mae'r ôl-gyswllt o *TBT* i mewn i'r broblem hwn yn graddio fel V11)

2. The Barrel Traverse V8+ ✱✱ O'r un dechrau â *BG*, ystwythwch i'r chwith ar hyd y toriad, heibio adran craidd gwyrol, pwerus cyn gorffen i fyny *problem 5*. Un clasurol cyfoes.

3. The Minimum V6/7 ✱✱ Y tandor mwya' i'r dde gyda'ch llaw chwith ac estynwch at y crych bychan gyda'r dde. Palfiwch am y brig gyda sicrwydd. Mae yna ddau ddechreuad tramwy: un cyswllt V8 o ddechrau *TBT*, cyswllt V8+ o ôl-gyswllt *TBT*; mae'r ddau yn ardderchog.

4. Bulling 747 V6 ✱ O'r tandor ar *TM* gyda'ch llaw dde, estyn i'r chwith a cydrannu gafaelion gwael ar ddiwedd y toriad tenau, cyn palfu at y sil gwyrol. Cysylltiadau tramwyol yn debyg i *TM* yn bosibl.

5. V3 ✱✱ Tandorwch i fyny i gyrraedd y toriad tenau, fflewtian i'r dde a symud i fyny'n gyflym at afael da at y sil gwyrol.

6. V4 ✱✱ Dechrau o'r eistedd o'r sil gwyrol isel ar y chwith, tynnwch i fyny a symwch i'r dde, cydrannu tandor da ac estyn y toriad tenau. Tramwywch i'r dde i orffen fel *problem 5*.

THE BARREL

7. Got me over... V6 ⌘ Climb up the left side of the faint scoop (starting from the good undercut on *problem 6*), with a reachy move to high slopers from the break.

8. Looking down... V5 ⌘ Just left again (and just right of the mossy streak), undercut up from the break to high slopers and dinks. Pretty bold stuff.

About 30 metres left across the scree slope below Dinas Mot, a steep face gives a superb sit down problem: **The Bogey V5** ⌘⌘. A further 70 metres across the scree a large roofed boulder can be seen. **Gav's Big Problem V6/7** ⌘⌘ traverses the lip from a sit down start at the right side, with an easier variant breaking onto the upper slab above the central finger jug. **Hot for Teacher V7** ⌘ is a powerful problem that traverses out left from the back of the cave (sit down start: right hand on the low diagonal slot) to an uncertain (i.e. desperate exit). Some care is required on the unstable scree slope below the front of the boulder.

Y GASGEN

7. Got me over... V6 ⌘ Dringwch ochr chwith y cafn aneglur (dechrau o'r tandor da ar *broblem 6*), gyda symudiad estyniadol o'r toriad at wyrafaelion uchel.

8. Looking down... V5 ⌘ Ychydig i'r chwith (ac union i'r dde o'r strimyn mwsoglyd) tandorwch i fyny o'r toriad i wyrafaelion uchel a dinciau. Go fentrus.

Tua 30 metr i'r chwith ar draws y llethr sgri o dan Dinas Mot, mae wyneb serth yn rhoi problem dechreuad o'r eistedd ardderchog: **The Bogey V5** ⌘⌘. 70 metr ymhellach ar draws y sgri mae clogfaen a tho mawr. **Gav's Big Problem V6/7** ⌘⌘ yn tramwyo'r gwefus o ddechreuad o'r eistedd ar yr ochr dde, gyda amrywiad haws yn torri i mewn i'r llech uwch uwchben y crafanc bys canolig. **Hot for Teacher V7** ⌘ problem pwerus sy'n tramwyo allan i'r chwith o gefn yr ogof (dechrau o'r eistedd: llaw dde ar y rhic lletraws isel) at allanfa ansicr (h.y. lletchwith). Angen gofal gyda'r llethr sgri ansefydlog o dan blaen y clogfaen.

Mark Katz, Mr Fantastic V12?, Photo/Ffoto: Simon Panton

JERRY'S ROOF

One of the most hardcore venues around; home to a classic late 80s test piece *(Jerry's Roof)* and the magnificent *Pool Of Bethesda*, which, with the addition of *Malc's Start* is one of the hardest problems in Britain.

Access: 100 metres along the road towards Ynys Ettws from the main Cromlech boulders, a large overhanging block sits directly above the road on the Cromlech side. There is a layby a further 30 metres towards Ynys Ettws.
(See Map 2 on page 29, Map 3 on page 47)

1. The Cable Guy V8 ✵ From the low jugs at the left arête of the steep face, follow the lip of the steep ground boldly, all the way to finish as for *POB*.

2. Pool Of Bethesda V12 ✵✵✵ From the surprisingly ample finger jug, some how gain and hold the large porthole feature and pull through to the high pocket. **Malc's Start V13** swings in from the left, starting as for *TCG* and *JR*. The direct sit down start remains an unclimbed link, although the moves up to the finger jug, past a nasty mono have been done.

TO JERRY

Un or safleoedd mwyaf digyfaddawd; cartref un o'r clasuron diwedd yr 80au *(Jerry's Roof)* a'r godidog *Pool of Bethesda*, sydd, gyda ychwanegiad *Malc's Start* yn un o broblemau caletaf ym Mhrydain.

Mynediad: 100 metr tuag at Ynys Ettws o'r prif glogfaeni'r Cromlech, mae bloc bargodol mawr yn eistedd yn syth uwchben ochr Cromlech y ffordd. Ceir arhosfan 30 metr bellach at Ynys Ettws.
(Gweler Map 2 ar dudalen 29, Map 3 ar dudalen 47)

1. The Cable Guy V8 ✵ O'r crafangau isel ar crib chwith y wyneb serth, dilyn gwefus y tir serth yn fentrus yr holl ffordd i orffen fel *POB*.

2. Pool of Bethesda V12 ✵✵✵ O'r bys crafanc annisgwyl o fawr, ceisiwch rhyw ffordd oi gyrraedd a dal afael yn y nodwedd portwll mawr a thynnwch drwyddo i'r poced uchel. **Malc's Start V13** yn pendilo i mewn o'r chwith , dechrau fel *TCG* a *JR*. Mae'r cychwyniad llawr unionsyth dal i'w gysylltu'n llawn, ond mae'r symudiadau i fyny at bys crafanc heibio'r mono ffiaidd wedi cael ei wneud.

JERRY'S ROOF

3. Jerry's Roof V9 ✱✱✱ From the same start as *TCG*, drop rightwards past a big sloper to a low jug, before moving up and right into the diagonal line of holds (or alternatively, traverse straight across to the same point). Yard through the depressingly hard crux section to gain the slabby arête out right. Move up the lip for a few anxious moves before rocking out right; a glorious, but unnerving finish. Now tear all your clothes off, jump in the river and go and get hideously drunk!

4. Bus Stop V9 ✱✱ From a sit down start on the undercut feature, power rightwards, then upwards, taking the pocket on *JR* with your left, before exiting rightwards onto the slab. A V10 variation reverses the *MF* crux, before finishing up *JR*.

5. Johnny's Problem V7/8 A slight line that yields a surprisingly good problem. Pull on just left of the arete (left: *BS* edge, right: undercut just below), slap up left to the large pocket before exiting rightwards round onto the slab.

6. Mr Fantastic V12 ? ✱✱ This links *JR* into *BS* via some very powerful moves beneath the crux of *JR*. A crucial foothold broke off recently and although the moves have been done, the full link has yet to be made.

TO JERRY

3. Jerry's Roof V9 ✱✱✱ O'r un dechrau â *TCG*, disgynwch i'r dde heibio wyrafael mawr at crafanc isel, cyn symud i fyny ac i'r dde at linell lletraws o afaelion. Llathenwch drwy'r darn craidd sobor o galed i gyrraedd y crib llech allan i'r dde. Ewch i fyny'r gwefus am rhai symudiadau anesmwyth cyn siglo allan i'r dde at orffeniad godidog, ond brawychus. Rhwygwch eich dillad i ffwrdd, neidiwch i fewn i'r afon ac ewch i feddwi'n chwil gaib.

4. Bus Stop V9 ✱✱ O'r dechreuad llawr amlwg ar y nodwedd tandor, pwerwch i'r dde, wedyn yn syth, cymryd poced *JR* gyda'ch chwith cyn mynd allan i'r dde at y llech. Amrywiad V10 yn wrthol drwy craidd *MF*, cyn gorffen i fyny *JR*.

5. Johnny's Problem V7/8 Llinell bychan sy'n rhoi problem da. Tynnwch ymlaen yn union i'r chwith y crib (chwith: ymyl *BS*, dde: tandor, ychydig o dan), slapiwch i'r chwith at y poced mawr cyn dengid allan i'r dde at y llechan.

6. Mr Fantastic V12 ? ✱✱ Yn cysylltu *JR* a *BS* heibio symudiadau nerthol o dan craidd *JR*. Torrodd troedle hanfodol yn ddiweddar, tra fod y symudiadau wedi cael eu gwneud, nid yw'r cysylltiad llawn wedi cael ei ddringo.

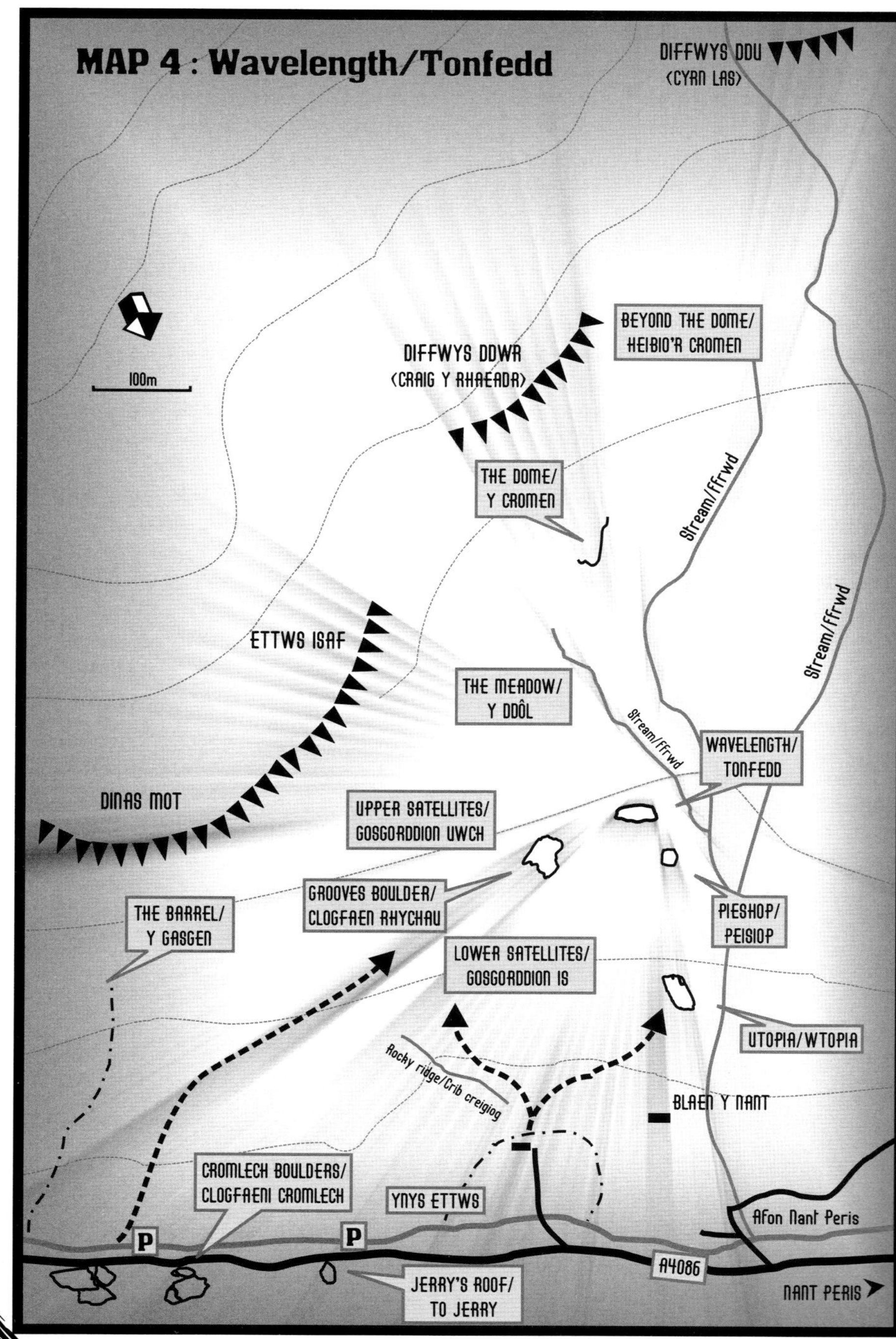

MAP 4 : Wavelength/Tonfedd
DIFFWYS DDU
(CYRN LAS)
100m
DIFFWYS DDWR
(CRAIG Y RHAEADR)
BEYOND THE DOME/
HEIBIO'R CROMEN
THE DOME/
Y CROMEN
Stream/ffrwd
Stream/ffrwd
ETTWS ISAF
THE MEADOW/
Y DDÔL
Stream/ffrwd
WAVELENGTH/
TONFEDD
DINAS MOT
UPPER SATELLITES/
GOSGORDDION UWCH
GROOVES BOULDER/
CLOGFAEN RHYCHAU
THE BARREL/
Y GASGEN
PIESHOP/
PEISIOP
LOWER SATELLITES/
GOSGORDDION IS
UTOPIA/WTOPIA
Rocky ridge/Crib creigiog
BLAEN Y NANT
CROMLECH BOULDERS/
CLOGFAENI CROMLECH
YNYS ETTWS
Afon Nant Peris
P
P
A4086
JERRY'S ROOF/
TO JERRY
NANT PERIS

WAVELENGTH

Wavelength is the collective name given to the succession of smaller areas and boulders leading up the hillside behind Ynys Ettws, all the way to the base of Diffwys Ddwr (Craig y Rhaeadr). It is without doubt one of the best places to boulder in the whole of North Wales. The quality of the problems and the atmospheric position combined, make for a heady brew of bouldering pleasure. The landings are generally excellent, although a mat is often useful just to keep your feet dry on the occasional boggy areas *(Supa Dupa Fly, Arse Soul, Zen Arcade, The Dome)*. The rock type varies, but there is an abundance of Volcanic Tuff and rough Rhyolite that offers superb friction and wonderful intricate features such as the Wavelength itself.

Best visited late on a sunny summer day when the contrast of the vivid sunset colours and dark, stretching shadows is absolute; a stunning backdrop for some of the finest bouldering in the whole area.

Access: for all areas park in the layby close to Jerry's Roof (i.e. 100 metres from the entrance to Ynys Ettws).

TONFEDD

Tonfedd yw'r enw cyfunol ar yr olyniaeth o ardaloedd llai a glogfeini sy'n ymestyn i fyny'r llechwedd y tu ôl i Ynys Ettws, yr holl ffordd at Diffwys Ddwr (Craig y Rhaeadr). Yn sicr, un o'r lleoedd gorau i fowldro yng Ngogledd Cymru. Mae ansawdd y problemau ac awyrgylch y sefyllfa yn cyfuno i greu bowldro mwynol. Yn gyffredinol mae'r glanfeydd yn ardderchog, tra bod mat yn ddefnyddiol i gadw eich traed yn sych yn y rhai sefyllfaoedd gwlyb *(Supa Dupa Fly, Arse Soul, Zen Arcade, Y Cromen)*. Mae'r math o graig yn amrywiol, ond fe geir llawer o'r Twff Volcanig a Rhyolit sy'n rhoi ffrithiant ardderchog a nodweddion astrus anhygoel fel y Tonfedd ei hunan.

Yn hwyr ar ddiwrnod braf o Haf yw'r amser gorau i ddod, pan mae lliwiau disglair yr haul yn machlud a'r cysgodion tywyll yn ymestyn ar draws y dyffryn; yn rhoi cefndir syfrdanol i fowldro gorau'r ardal.

Mynediad: i bob un ardal, parciwch yn yr arhosfan sy'n agos at To Jerry (h.y. 100 metr o'r mynedfa i Ynys Ettws).

View of the Wavelength hillside from the road/Golygfa o lethrau Tonfedd o'r ffordd

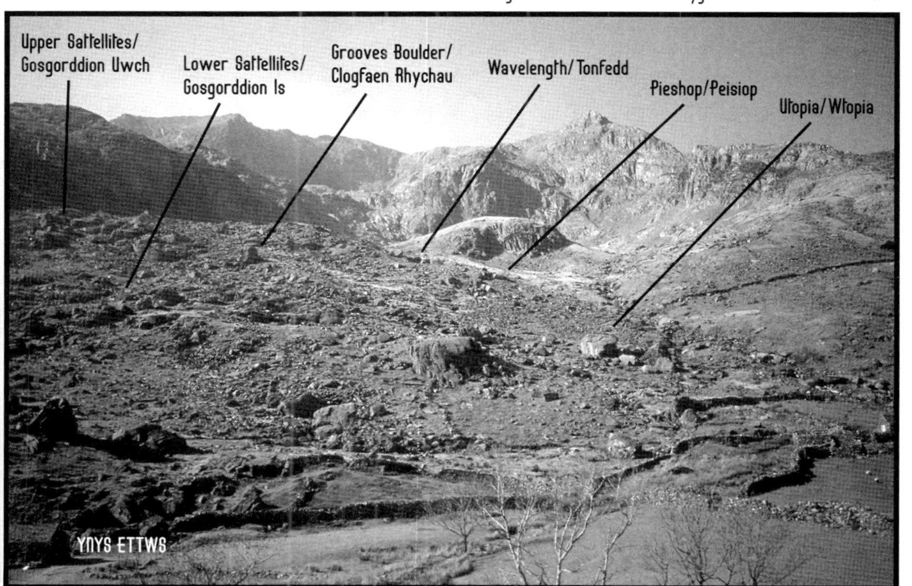

tonfedd: CLOGFAENI YNYS ETTWS

Casgliad o broblemau ochrffordd, mynediad hawdd, yn cynnwys prawf 'hen ysgol' ac ychydig o berlau cyfoes.

Mynediad: mae'r clogfaeni yn gorwedd yn union wrth ymyl arhosfan Ynys Ettws ar y naill ochr o'r afon a'r llall.

Ynys Ettws

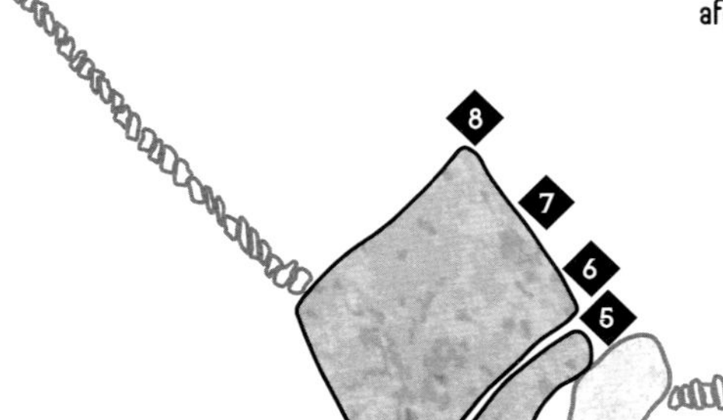

Nant Peris

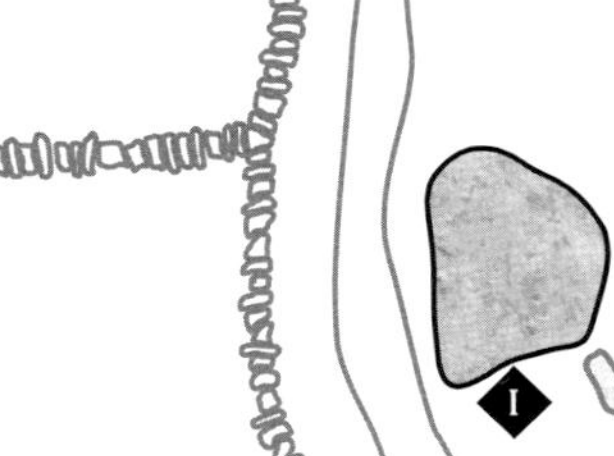

2
3
Afon Nant Peris

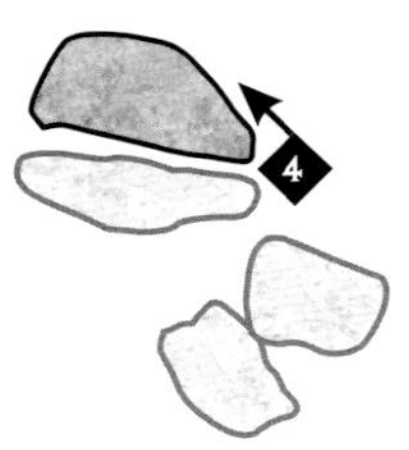

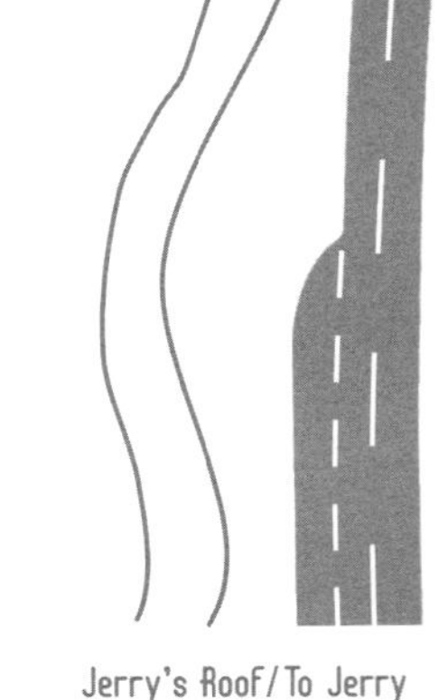

wavelength: YNYS ETTWS BOULDERS

A collection of easy access, roadside problems, including an old school test piece and a few modern gems.

Access: the boulders lie immediately adjacent to the Ynys Ettws layby, on either side of the river.

Jerry's Roof/To Jerry

wavelength: YNYS ETTWS BOULDERS

1. The Crook Roof V5 ⌘⌘ An awkward sit down start on a sidepull jug, leads into an unlikely crystal locking sequence on the upper face.

2. The Dash V2/3 ⌘ The thin wall can also be climbed from a sit down start at V4ish.

3. Dash Arete V1 ⌘

4. Fear of a Slopey Planet V6 ⌘⌘ The obvious grit like traverse (left to right), finishing up the faint rib at the right side of the boulder. There is a minor V2/3 fun mantel from a hanging start halfway along the traverse.

5. V1 ⌘ The offwidth crack taken from a sit down start.

6. V8 ⌘ A slightly eliminate, but nonetheless worthwhile line, up the wall right of the offwidth crack. From a sit down start, holding the base of the crack with your left, move desperately up and right to the slopey lip.

7. Boysen's Roof V3/4 ⌘⌘ More of an overhanging crack than a roof. The sit down start increases the difficulties significantly to V7.

8. V3 ⌘ A sit down start leads up the arête, with a left or right hand finishing option.

tonfedd: CLOGFAENI YNYS ETTWS

1. The Crook Roof V5 ⌘⌘ Dechreuad llawr anodd ar grafanc ochafael, yn arwain at dilyniad cloi crisial anamlwg ar y wyneb uwch.

2. The Dash V2/3 ⌘ Gellir dringo'r mur tenau gyda Dechreuad o'r eistedd hefyd, sy'n V4.

3. Dash Arete V1 ⌘

4. Fear of a Slopey Planet V6 ⌘⌘ Y tramwyad amlwg tebyg i grit (chwith i'r dde) yn gorffen i fyny'r asen anamlwg ar ochr dde'r clogfaen. Mae yna trawst hwyl V2/3 sy'n dechrau ar grog hanner ffordd ar hyd y tramwyiad.

5. V1 ⌘ Yr hollt anlled ar ôl cychwyniad llawr.

6. V8 ⌘ Dilead braidd, ond llinell werth ei wneud, i fyny'r wal i'r dde o'r hollt anlled. Dechrau o'r eistedd, yn gafael gwaelod yr hollt gyda'r llaw chwith, symudwch i fyny av i'r dde yngaled at y gwefus gwyrol.

7. Boysen's Roof V3/4 ⌘⌘ Hollt bargodol yn hytrach na tho. Mae'r cychwyniad llawr yn codi'r safon yn syfrdanol i V7.

8. V3 ⌘ Cychwyniad llawr yn arwain i fyny'r crib, gyda dewis i orffen naill ai i'r dde neu'r chwith.

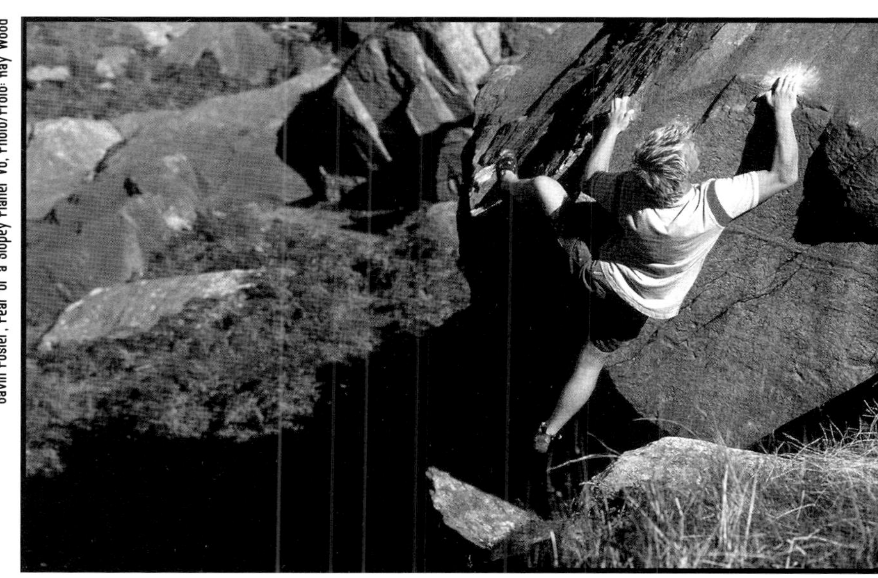

Gavin Foster, Fear of a Slopey Planet V6, Photo/Ffoto: Ray Wood

tonfedd: WTOPIA

Mae'r bloc, maint ty, a'r clogfaeni o gwmpas wedi profi'n boblogaidd iawn oherwydd eu sefyllfa mynediad hawdd a'r amrywiaeth o broblemau ardderchog isel i ganol radd.

Mynediad: o tu ôl i Ynys Ettws ewch i fyny i'r chwith, a chroesi nant fechan ac un arall mwy wrth i'r clogfaen ddod o fewn golwg.

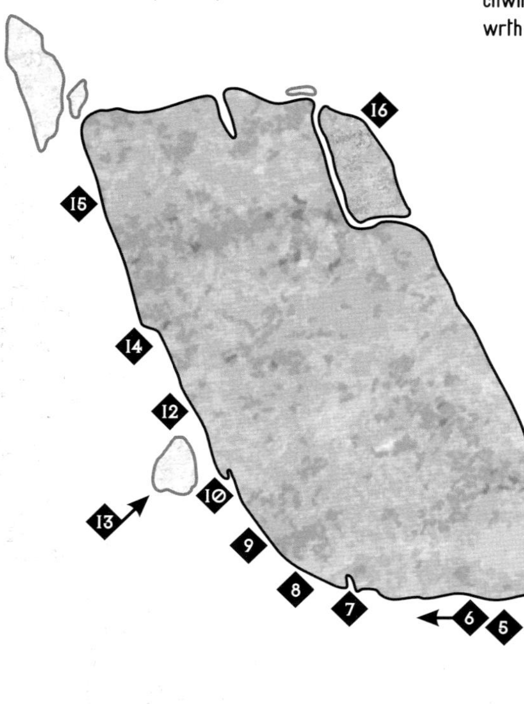

wavelength: UTOPIA

The large house sized block and surrounding boulders have proved popular both by virtue of their ease of access and the abundance of fine problems in the low to mid grade range.

Access: from the back of Ynys Ettws bear rightwards, crossing a small stream at first, then a larger one as the boulder comes into view.

wavelength: UTOPIA

1. Slapshot V4 ⌘ From an awkward sit down start at the right side, work leftwards, mantelling out left of the arête.

2. V1 ⌘ Mantel the sloping shelf direct.

3. Minor Threat V4 A sit down start (right hand: sloper, left hand: poor undercut).

4. Midget Gem V5 ⌘ From a sit down start (right hand: slopey 'thing', left hand: 2 finger pocket) make a frustrating deadpoint to a slopey ripple on the lip.

5. Utopia Righthand V5 ⌘⌘ Follow the overhanging crack up into a committing layback move for the high break, which leads with a degree of excitement rightwards onto the upper slab. Superb.

6. Utopia Traverse V5/6 ⌘⌘ A classic test of finger stamina. From a sit down start on horizontal jams, follow the easiest low level line all the way past the ledge on *UG* to a thin finish into the left arête. Lose a grade if you go up for a rest on the good holds on *The Flake*. A good link for those that found the traverse an easy proposition, is to finish up *ULH* at V7. Also of note is **Utopia Reverse** a wild and pumpy V7 that links into *problem 8*, before aping rightwards on slopers into the top of *URH*.

tonfedd: WTOPIA

1. Slapshot V4 ⌘ Ar ôl cychwyniad llawr anodd ar yr ochr dde, gweithiwch i'r chwith a thrawstiwch allan i'r chwith o'r crib

2. V1 ⌘ Trawstiwch y silff gwyrol yn unionsyth.

3. Minor Threat V4 Dechrau o'r eistedd (llaw dde: wyrafael, llaw chwith: tandor gwael).

4. Midget Gem V5 ⌘ Cychwyniad llawr (llaw dde: peth gwyrol, llaw chwith: poced deufys) ceisiwch farnodi'r crych gwyrol ar y gwefus.

5. Utopia Righthand V5 ⌘⌘ Dilynwch yr hollt bargodol i symudiad ôl-wthio penderfynol at y toriad uchel, sy'n arwain braidd yn frawychus i'r dde at y llech uwch. Gwych.

6. Utopia Traverse V5/6 ⌘⌘ Prawf clasurol nerth bys. Ar ôl dechrau o'r eistedd gyda chloeon llorweddol, dilynwch y llinell is haws yr holl ffordd heibio'r sil ar *UG* i orffeniad tenau i mewn i'r crib chwith. Collwch radd os ydych yn mynd i fyny at afaelion da ar *The Flake*. Cysylltiad da i'r rhai sy'n cael y tramwyiad yn hawdd yw i orffen i fyny *ULH* am V7. Hefyd o nod yw **Utopia Reverse**, V7 gwyllt a pwmpiol sy'n cysylltu â *phroblem 8* cyn abu i'r dde ar wyrafaelion i mewn i ben *URH*.

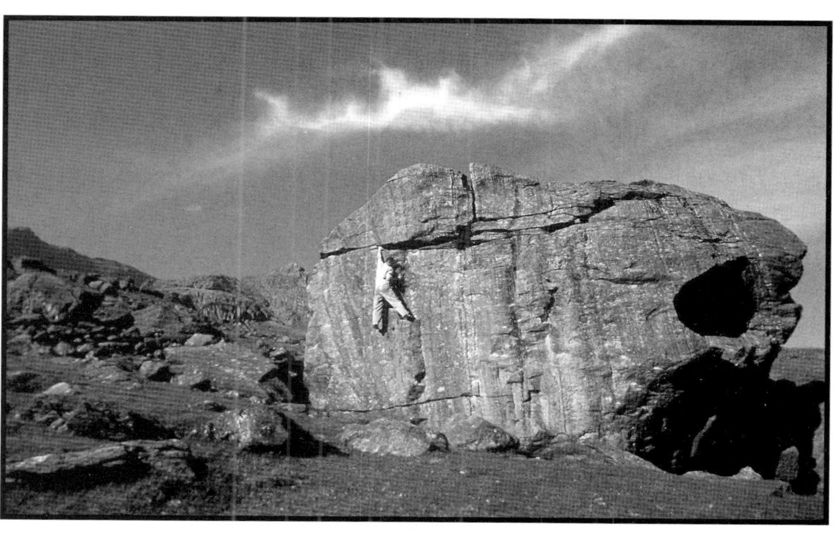

Chris Davies, Utopia Groove V2, Photo/Ffoto: Ray Wood

wavelength: UTOPIA

7. The Crack V0 ✠✠ Pull into the niche and exit onto the upper face boldly.

8. V5 ✠ From a sit down start (avoiding the cracks to the right), move powerfully up and right to the sloping shoulder on the edge of the niche on *The Crack*. This provides a neat exit or descent, although the best finish is to join the *UR* traverse at V6.

9. The Pebble V6 ✠✠✠ The pebble has long since departed, but this alluring highball line still succumbs to those with the necessary skill and bottle.

10. The Flake V0– ✠✠✠ Straightforward, but airy climbing leads up the flake with a kink left into the second crack at the top.

11. V5/6 ✠ Semi eliminate problem up dimples just left of *The Flake* from a sit down start on the low square hold.

12. Utopia Central V4 ✠✠ From the sit down start on the square hold, climb directly up the pocketed seam to the ledge. (V3 from a stand up position.)

13. Johnny's Jump ✠✠✠ Run at the crag, launching from the top of the small boulder, hit the top of the square hold with your right foot and catch the ledge on *The Groove*. A couple of harder variations on this theme are possible: the first hits the square hold with the left foot, before flying rightwards to the top of the flake, whilst the second launches straight up the wall to the top ledge!

14. The Groove V2 ✠✠✠ Climb the obvious feature to the top break, where a bold exit leftwards is possible. The direct finish is a scary V4/5. the sit down start has many variations (V3-4) and a ridiculous V7 dyno from the sloper to the ledge.

15. Utopia Lefthand V4/5 ✠✠ A frustrating deadpoint to a small sloper and finger ramp from head high edges in the break. A slight eliminate, but the move is superb. Only V3 if holds are used out left.

16. Back Arete V0– ✠ A pleasant problem taken either on the left or right.

tonfedd: WTOPIA

7. The Crack V0 ✠✠ Tynnwch i mewn i'r cilfach ac ymadael yn fentrus at y wyneb uwch.

8. V5 ✠ Dechrau o'r eistedd (osgoi'r holltau i'r dde), symudwch yn nerthus i fyny ac i'r dde at ysgwydd gwyrol ger ymyl cilfach ar *The Crack*. Mae hwn yn rhoi ymadawiad taclus neu ddringo lawr, y gorffeniad gorau yw i gysylltu â thramwyiad *UR* am V6.

9. The Pebble V6 ✠✠✠ Mae'r cerrigyn wedi hen fynd, ond mae'r llinell uchelgeilliol deniadol dal yn ildio i'r rhai gyda'r medr a'r glewder.

10. The Flake V0– ✠✠✠ Dringo digymhleth ond agored yn arwain i fyny'r caen gyda symudiad i'r chwith i mewn i'r ail hollt tuag at y brig.

11. V5/6 ✠ Problem hanner-dileol i fyny panylau ychydig i'r chwith o *The Flake* ar ôl dechrau o'r eistedd ar y gafael sgwar isel.

12. Utopia Central V4 ✠✠ Dechrau o'r eistedd ar y gafael sgwâr isel, dringwch yn unionsyth i fyny'r haen pocedog at y sil. (V3 dechrau sefyll)

13. Johnny's Jump ✠✠✠ Rhedwch am y graig, lansiwch oddi ar frig clogfaen bychan, tarwch brig y gafael sgwâr gyda'ch troed dde a dal y sil ar *The Groove*. Posibl cael cwpl o amrywiadau anos: y cyntaf yn taro'r gafael sgwâr gyda'r troed chwith, cyn hedfan i'r dde at frig y caen; yr ail yn neidio'n syth i fyny'r wal at y sil uwch!

14. The Groove V2 ✠✠✠ Dringwch y rhych amlwg i'r toriad uwch, ble mae hi'n bosibl gwneud ymadawiad mentrus i'r chwith. Gorffen yn unionsyth yn V4/5 brawychus. Sawl cychwyniad o'r llawr (V3-4) a deino hurt V7 o'r wyrafael i'r sil.

15. Utopia Lefthand V4/5 ✠✠ Marnod llesteiriol at wyrafael bychan a ramp bys o gyrion bychan penuchel yn y toriad. Dilead braidd ond mae'r symudiad yn un gwych. Dim ond V3 gyda'r gafaelion ar y chwith.

16. Back Arete V0– ✠ Problem pleserus naill ai ar y dde neu'r chwith.

Sam Cattell, Dog Shooter V4, Sheep Pen Boulders/Clogfaeni y Gorlan, Photo/Ffoto: Ray Wood

wavelength: PIESHOP

Aside from being a good landmark for those wishing to find Wavelength from the Utopia block, Pieshop does have a number of amusing problems and a couple of desperates worthy of investigation.

Access: looking up the hill from Utopia you can't really miss the huge roof feature. This is the Pieshop.

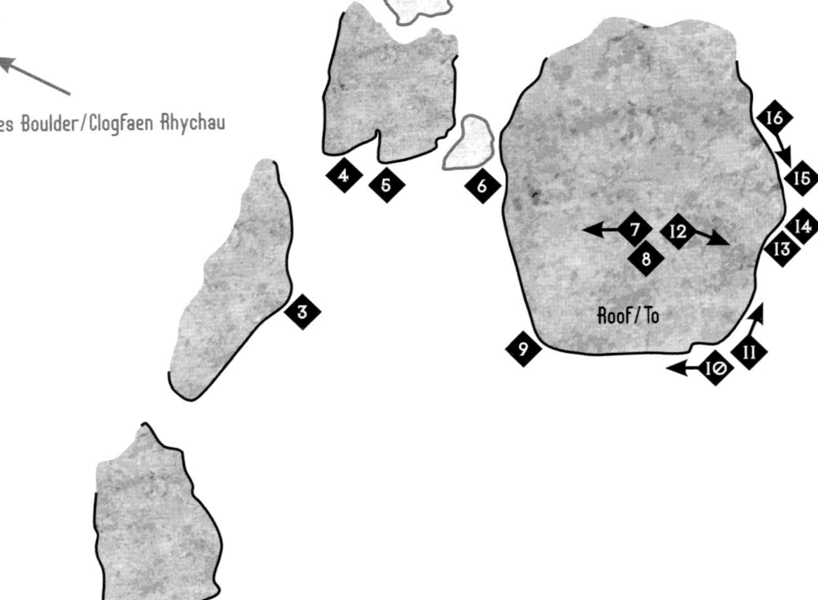

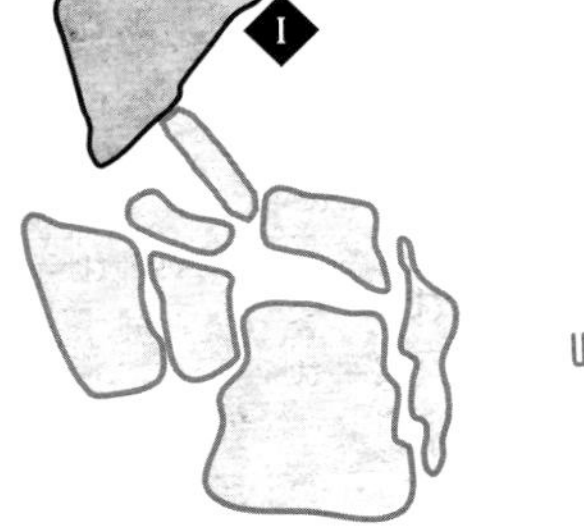

tonfedd: PEISIOP

Heblaw bod yn ddirnod da i'r rhai sy'n ceisio darganfod Tonfedd o floc Wtopia, mae gan Peisiop nifer o broblemau difyr a chwpl o rai byrbwyll sy'n werth eu ceisio.

Mynediad: wrth edrych i fyny'r allt o Wtopia fedrwch chwi ddim methu'r nodwedd bargodol anferth. Hwn yw Peisiop.

wavelength: PIESHOP

1. Happy Snapper V4 ⌘ From a sit down start (good, low side pull for left hand, keep your feet off the low shelf) yard up the left side of the steep arête on creaking holds. V2 from a stand up.

2. Gettin' The Chop V3 ⌘ Obvious left to right traverse from a sit down start (with feet on the low block on the left) at the left arete.

3. Paul's Arete V1 ⌘ Much harder (V3) if done from a sit down start.

4. V2 Short prow taken from a sit down start.

5. Ham Thwack V2 ⌘ A sit down start to undercut arête.

6. V0 Juggy sit down start.

7. Pythagoras V10 ⌘ From a sit down start position, with your feet on the rock plinth in the centre of the huge roof, follow holds to the lip where a devious sequence allows a low level escape out left into *problem 5*.

8. Humble Pie Disorder V11 ⌘⌘ Cross the roof as per *Pythagoras* and make powerful direct moves to finish. A classic hard line. (This supersedes the original problem, *Love Pie* V10, which started from a sit down start at the edge of the large roof.)

tonfedd: PEISIOP

1. Happy Snapper V4 ⌘ Dechrau o'r eistedd (ochdyn isel da i'r llaw chwith, cadw eich traed i ffwrdd o'r silff isel) llathenwch i fyny ochr chwith y crib serth ar afaelion gwichlyd. V2 o'r sefyll.

2. Gettin' The Chop V3 ⌘ Tramwyiad amlwg chwith i'r dde ar ôl cychwyniad llawr (gydach traed ar y bloc isel ar y chwith) o'r crib chwith.

3. Paul's Arete V1 ⌘ Llawer caletach (V3) os yn dechrau o'r eistedd.

4. V2 Y cribflaen byr gyda cychwyniad llawr.

5. Ham Thwack V2 ⌘ Cychwyniad llawr i'r crib tandor.

6. V0 Dechreuad o'r eistedd crafangol.

7. Pythagoras V10 ⌘ Dechrau o'r eistedd, gyda'ch traed ar y garreg gwadn yng nghanol y to anferth, dilynwch gafaelion at y gwefus ble mae dilyniad trofaus yn galluogi i chwi ddianc allan yn isel i mewn i *broblem 5*.

8. Humble Pie Disorder V11 ⌘⌘ Croeswch y to fel *Pythagoras* a gwnewch symudiadau unionsyth pwerus i orffen. Llinell caled clasur. (Mae hwn yn disodli'r problem gwreiddiol *Love Pie* V10, a ddechreuodd o'r eistedd ger ffin y to mawr)

Mark Katz, Pythagoras V10, Photo/Ffoto: Chris Davies

Chris Davies, Humble Pie Disorder VII, Photo/Ffoto: Dave Noden

wavelength: PIESHOP

9. V2 ⌘ The hanging nose is more involved than you might think.

10. Kebab Legs V3 ⌘ Traverse left from jug to into *problem 8*.

11. Rampant Slapper V4 ⌘ Traverse right from the same jug all the way, to exit 'pumped out of your box' at the quartz vein. A real 'rumpy pumper'.

12. Pie Eyed V8+ ⌘ From the same starting block as *Pythagoras* bear rightwards for the lip and top out with moves left of *CSS*.

13. Chip Shop Slapper V3 ⌘ Hang the break left of *TP*, slap the top and grind that mantel.

14. The Pieman V3 ⌘ Hang the letterbox to start, exit direct.

15. The Nasty Pastie V4 A sit down start into thin moves.

16. Rampant Kebab V5 ⌘ Reverse *AS* into *KL*. Another 'quivering rumpy pumperoo'.

tonfedd: PEISIOP

9. V2 ⌘ Y trwyn ar grog, yn gymlethach nac y mae'n ymddangos.

10. Kebab Legs V3 ⌘ Tramwywch allan i'r chwith o grafanc i mewn i *broblem 8*.

11. Rampant Slapper V4 ⌘ Tramwywch i'r dde o'r un crafanc, yr holl ffordd i ymadael yn fraich ffrwydrol ger y gwythien cwarts. Pwmp crwmp go iawn.

12. Pie Eyed V8+ ⌘ O'r un bloc dechrau â *Pythagoras* ewch i'r dde at y gwefus a brigo allan ar symudiadau i'r chwith o *CSS*.

13. Chip Shop Slapper V3 ⌘ Hongian y toriad i'r chwith o *TP*, palfio'r brig a rhygnu'r trawst.

14. The Pieman V3 ⌘ Hongian y twllythyr i ddechrau, ymadael yn unionsyth.

15. The Nasty Pie V4 Dechreuad llawr i symudiadau tenau.

16. Rampant Kebab V5 ⌘ Yn wrthol o *AS* i mewn i *KL*. Pwmp crwmp cryn arall.

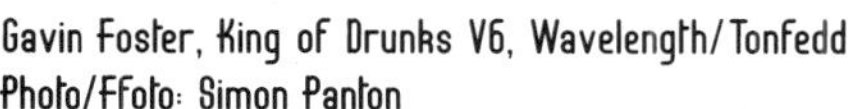

Gavin Foster, King of Drunks V6, Wavelength/Tonfedd
Photo/Ffoto: Simon Panton

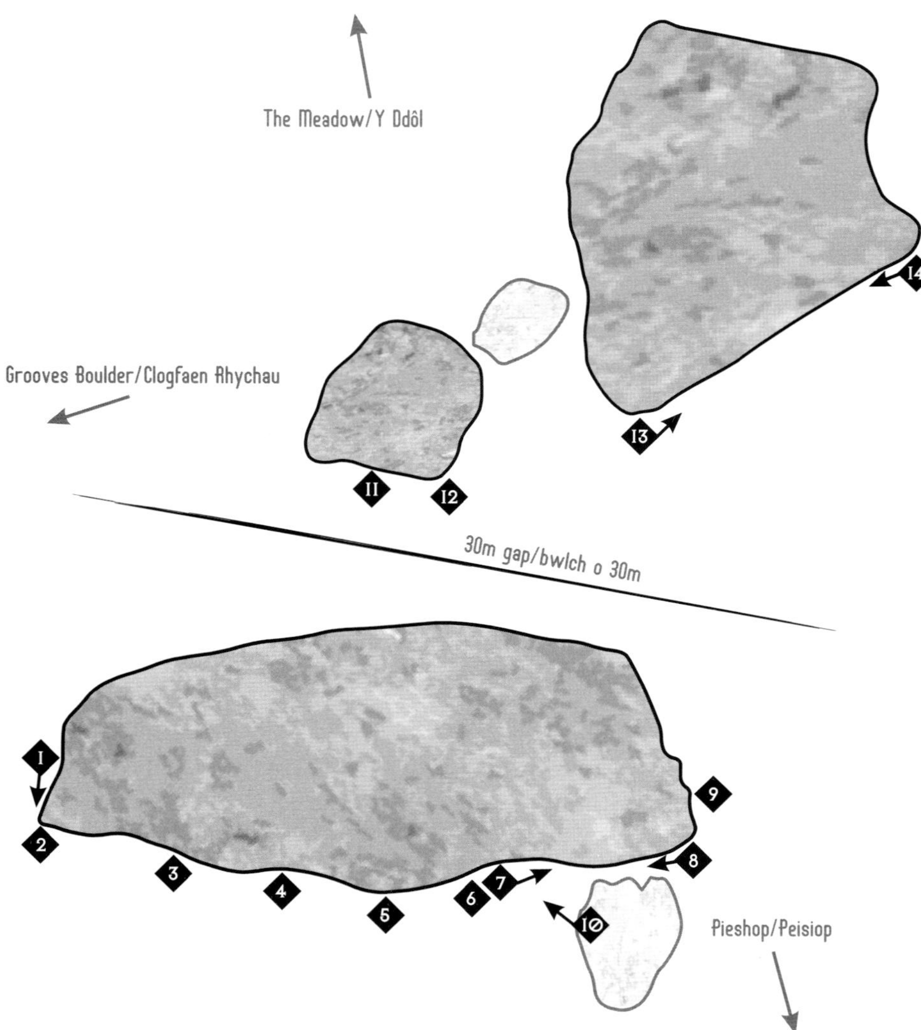

WAVELENGTH

The Wavelength block represents the benchmark in quality for this area; a definitive classic boulder, replete with numerous classy problems and good manageable landings.

Access: although clearly visible from the road, the Wavelength boulders cannot be seen as you walk up from the Utopia block. They are hidden by the rise of the hillside around the Pieshop area and only come into view as you walk over the top.

TONFEDD

Bloc Tonfedd yw meincnod ansawdd yr ardal; yn ddiffiniad o glogfaen clasurol, llawn problemau clasurol gyda glanfeydd hydrin.

Mynediad: mae'n hawdd dynodi'r clogfaeni o'r ffordd, ond wrth gerdded i fyny o Wtopia nid ydynt iw gweld. Chwydd yr allt o gwmpas Peisiop sy'n eu cuddio, ac ni ddânt i'r amlwg nes i chwi gerdded drosodd.

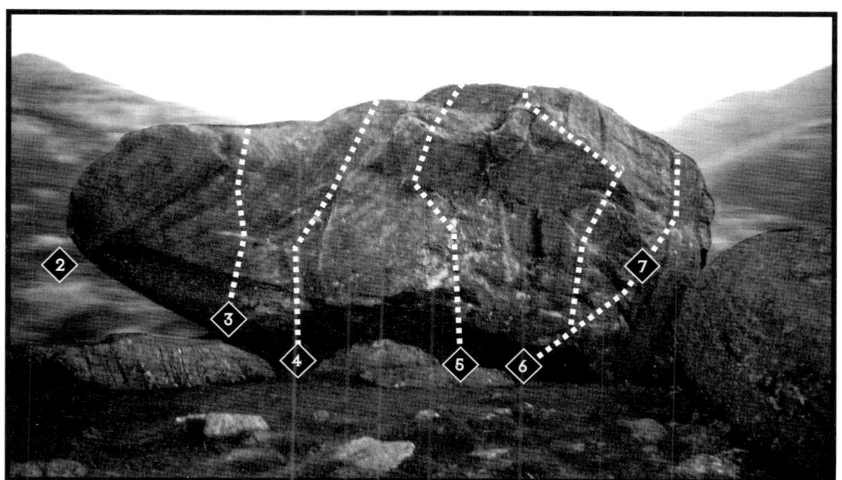

WAVELENGTH

1. Gav's Sitter V6 ⌘ A powerful and unlikely sit down start to *SA*. (left hand: slopey pinch, right hand; dink)

2. Scoop Arete V1 ⌘⌘ A beautiful little feature.

3. The Shelf V3 ⌘⌘ Start from a hanging position at the left side of the shelf.

4. The Groove V4 ⌘⌘⌘ Press awkwardly up into the groove and somehow (try a knee) continue to the top. A technical gem.

5. Wavelength Central V2 ⌘⌘ Twin pockets and a fat layaway show the way. The excellent V5 sit down start (obviously) avoids the rock shelf underneath. **Hellraiser V5** ⌘ is a killer eliminate just right: right hand: mono, left hand: small edge at same height, slap for the top.

6. King Of Drunks V6 ⌘⌘⌘ From a sit down start (left hand: diagonal sidepull) power up to gain a finger jug, swerve left from here to distant slopers and a golf ball jug. Pure Class.

7. Wavelength V8+ ⌘⌘ Start as for *KOD*, but swing right, locking the flatty hold to the diagonal finger ramp and snatching frantically up a series of edges to gain the sloping top. A spotter and a pad reduces the worry of crunching on the encroaching block.

TONFEDD

1. Gav's Sitter V6 ⌘ Cychwyniad llawr pwerus ac annisgwyl i *SA* (llaw chwith: pinsiad gwyrol, llaw dde: dinc).

2. Scoop Arete V1 ⌘⌘ Nodwedd bychan braf.

3. The Shelf V3 ⌘⌘ Dechrau ar grog ar ochr chwith y silff.

4. The Groove V4 ⌘⌘⌘ Pwyswch yn lletchwith i mewn i'r rhych a rhyw ffordd (ceisiwch penglin) ewch am y brig. Perl technegol.

5. Wavelength Central V2 ⌘⌘ Pocedi dwbwl a gorffwrdd tew sy'n dynodi'r ffordd. Mae'r cychwyniad llawr V5 yn ardderchog ac (yn amlwg) osgoi'r silff isel o dan. **Hellraiser V5** ⌘ lladdfa o ddilead ychydig i'r dde (llaw dde: mono, llaw chwith: cyr bychan tua'r un uchder) palfiwch am y brig.

6. King of Drunks V6 ⌘⌘⌘ Dechrau o'r eistedd (llaw chwith: ochymyl lletraws) pwerwch i fyny at grafanf bys, gwyrwch i'r chwith at wyrafaelion pell a chrafanc pelen golff. Cwbl clasurol.

7. Wavelength V8+ ⌘⌘ Dechrau fel *KOD*, ond siglwch i'r dde, cloi'r llorafael i'r ramp bys lletraws a cipion wyllt i fyny cyfres o yrion i gyrraedd y brig gwyrol. Bydd gwyliwr a phad yn lleihau'r pryderon o grychu ar y blociau gerllaw.

WAVELENGTH

8. King of Drunks Righthand V6 ⌘⌘ From an awkward sit down at the right arête, climb leftwards into the original problem.

9. V0 ⌘ Climb up the heavily featured wall just right of the arête.

10. Crazy jump to golf ball jug.

11. SP Wall V1 ⌘ Direct up the centre of the wall.

12. Small Potato Arete V0+ ⌘⌘ Rounded features on the arête ease the passage to the top. (A powerful sit down start goes at V5.)

13. Wedgie Lefthand V4 ⌘⌘ From a low start at the left arête, traverse up and rock on at the apex.

14. Wedgie Righthand V4 ⌘⌘ Swing in from the right to gain the top of *WL*.

TONFEDD

8. King of Drunks Righthand V6 ⌘⌘ O ddechreuad o'r eistedd lletchwith o dan y crib dde dringwch i'r chwith at y broblem wreiddiol.

9. V0 ⌘ Dringwch y mur llawn nodwedd ychydig i'r dde o'r crib.

10. Naid wallgo at crafanc pelen golff.

11. SP Wall V1 ⌘ Unionsyth yng nghanol y mur.

12. Small Potato Arete V0+ ⌘⌘ Mae'r nodweddion crwn ar y crib yn hwyluso cyrraedd y brig. (Dechreuad o'r eistedd V5 pwerus.)

13. Wedgie Lefthand V4 ⌘⌘ O ddechreuad isel ar y crib chwith tramwywch i fyny a throsiglwch ar yr apig.

14. Wedgie Righthand V4 ⌘⌘ Siglwch i mewn o'r dde i gyrraedd gorffeniad *WL*.

Gavin Foster, Paul's Bulge V4, Grooves Boulder/Clogfaen Rhychau, Photo/Ffoto: Simon Panton

Mark Lynden, Boysen's Groove V3/4, Grooves Boulder/Clogfaen Rhychau, Photo/Ffoto: Simon Panton

View of the Sattellites hillside from the approach (See topo on page 76)/Golygfa o lethrau Gosgorddion o'r dyfodfa (Gweler topo ar dudalen 76)

wavelength: GROOVES BOULDER

There are numerous interesting problems, and even a couple of high solos on the front face, but most folk are drawn to the central feature: *Boysen's Groove*: one of the most famous boulder problems in North Wales.

Access: this prominent block lies 100 metres across the hill side to the left of the Wavelength boulder. (See photo on page 73.)

tonfedd: CLOGFAEN RHYCHAU

Ceir nifer o broblemau difyr, a chwpl o linellau solo uchel ar y wyneb flaen, ond y nodwedd canolig *Boysen's Groove* sy'n denu'r rhan fwyaf o bobl: un o broblemau enwocaf Gogledd Cymru.

Mynediad: bloc amlwg sy'n gorwedd 100m ar draws yr allt i'r chwith o glogfaen Tonfedd. (Gweler ffoto ar dudalen 73.)

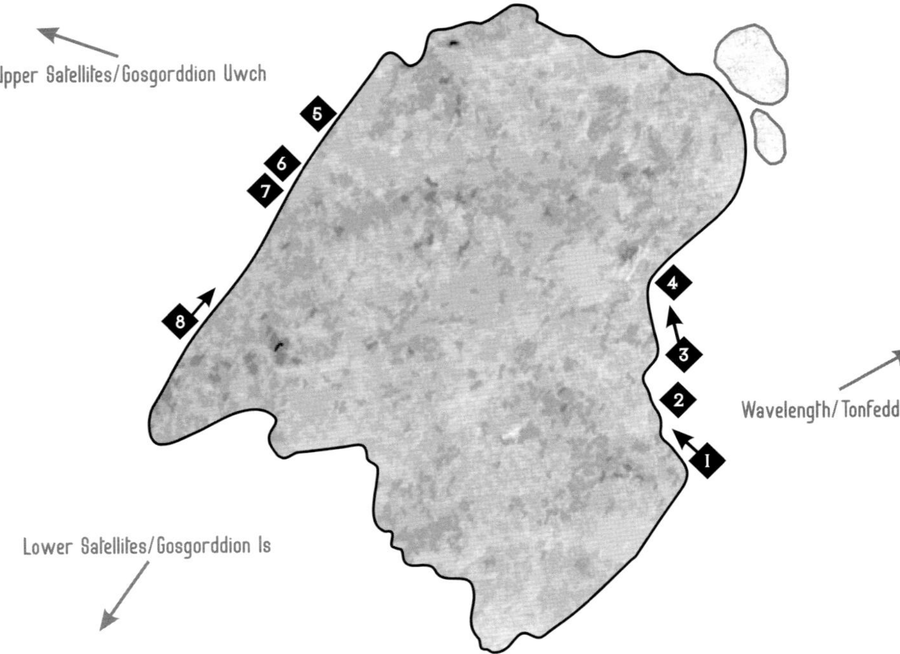

1. Deep Throat Donut V5 ⌘ A sit down start on a low layaway on the left arête of the bowl. Up to jugs, then back right to finish up *BG* (or along *TW*). An easier continuation up the arête is possible, but watch out for snappy holds. (NB. The problem was originally done from the base of the low, capped groove, avoiding the juggy niche by the arête.)

2. Boysen's Groove V3/4 ⌘⌘⌘ A much photographed classic. Despite the name, first climbed by Paul Pritchard during the 97 goldrush. A desperate sit down start has been done at V6ish.

1. Deep Throat Donut V5 ⌘ Dechrau o'r eistedd ar gorffwrdd isel ar crib chwith y bowlen. I fyny i grafangau, wedyn yn ôl i'r dde i orffen i fyny *BG* (neu ar hyd *TW*). Mae ehangiad haws i fyny'r crib, ond cymrwch ofal o afaelion bregus. (NB. Cafodd ei wneud yn wreiddiol o waelod y rhych capiog isel, ac osgoi'r cilfach crafangol ger y crib.)

2. Boysen's Groove V3/4 ⌘⌘⌘ Clasur ffotogenig. Yn groes i'r enw, fe'i ddringwyd yn gyntaf gan Paul Pritchard yn ystod rhythraur 97. Ceir cychwyniad o'r llawr byrbwll tua V6.

wavelength: GROOVES BOULDER

3. The Witch V7 ✖✖ A powerful traverse right from the jug on *BG*. A variation start: **The Witches Knickers V8** ✖ slaps into the crux of the original from a super low sit down start with right hand on the undercut.

4. Groove Righthand V4/5 ✖✖ Gain the good edge at the top of the alcove, finish left into *BG*, or right onto the slab. *The Witch/ GRH* link goes at V5/6.

5. Paul's Bulge V4 ✖✖ From a sit down start, move up past the chest high break to reach the enigmatic edge, then work out how to continue. A real gem.

6. Six Pack V5 ✖ Pull on with a high small dish for the left and right in a low V slot, slap up to a sloper and pull left into *PB*.

7. How's Yer Plummin' V4 ✖ Start with both hands in the V slot, move out right to the ramp and finish leftwards into *PB*.

8. The Ramp V4 ✖ Follow the ramp all the way.

tonfedd: CLOGFAEN RHYCHAU

3. The Witch V7 ✖✖ Tramwyiad pwerus i'r dde o'r crafanc ar *BG*. **The Witches Knickers V8** ✖ Yn slapio i fewn i graidd y gwreiddiol o ddechreuad o'r eistedd isel iawn (llaw dde ar tandor).

4. Groove Righthand V4/5 ✖✖ Cyrraedd yr ymyl da ar frig yr alcof, gorffen i'r chwith i mewn i *BG*, neu i'r llech ar y dde. Cei'r cyswllt *The Witch/GRH* fel V5/6.

5. Paul's Bulge V4 ✖✖ Dechrau o'r eistedd symudwch i fyny heibio'r toriad brest uchel i gyrraedd ymyl enigmatig, wedyn gweithiwch allan sut i fynd ymlaen. Perl llwyr.

6. Six Pack V5 ✖ Tynnwch i fyny gyda dysgl uchel bychan i'r chwith a'r dde mewn rhicyn V isel, palfiwch i fyny am wyrafael a thynnwch i'r chwith i mewn i *PB*.

7. How's Yer Plummin' V4 ✖ Dechrau gyda'r ddwy law yn y rhicyn V, symudwch allan i'r dde at y ramp a gorffen i'r chwith i mewn i PB.

8. The Ramp V4 ✖ Dilyn y ramp yr holl ffordd.

Nige Harris, The Witch V7, Photo/Ffoto: Fay Edwards

wavelength: LOWER SATELLITES

A disparate collection of boulders strewn across the hillside directly behind Ynys Ettws. Many fine problems exist in this unjustifiably ignored area.

Access: the boulders are described as if approached in a circular circuit from the back of Ynys Ettws. (See the photo on page 73.)

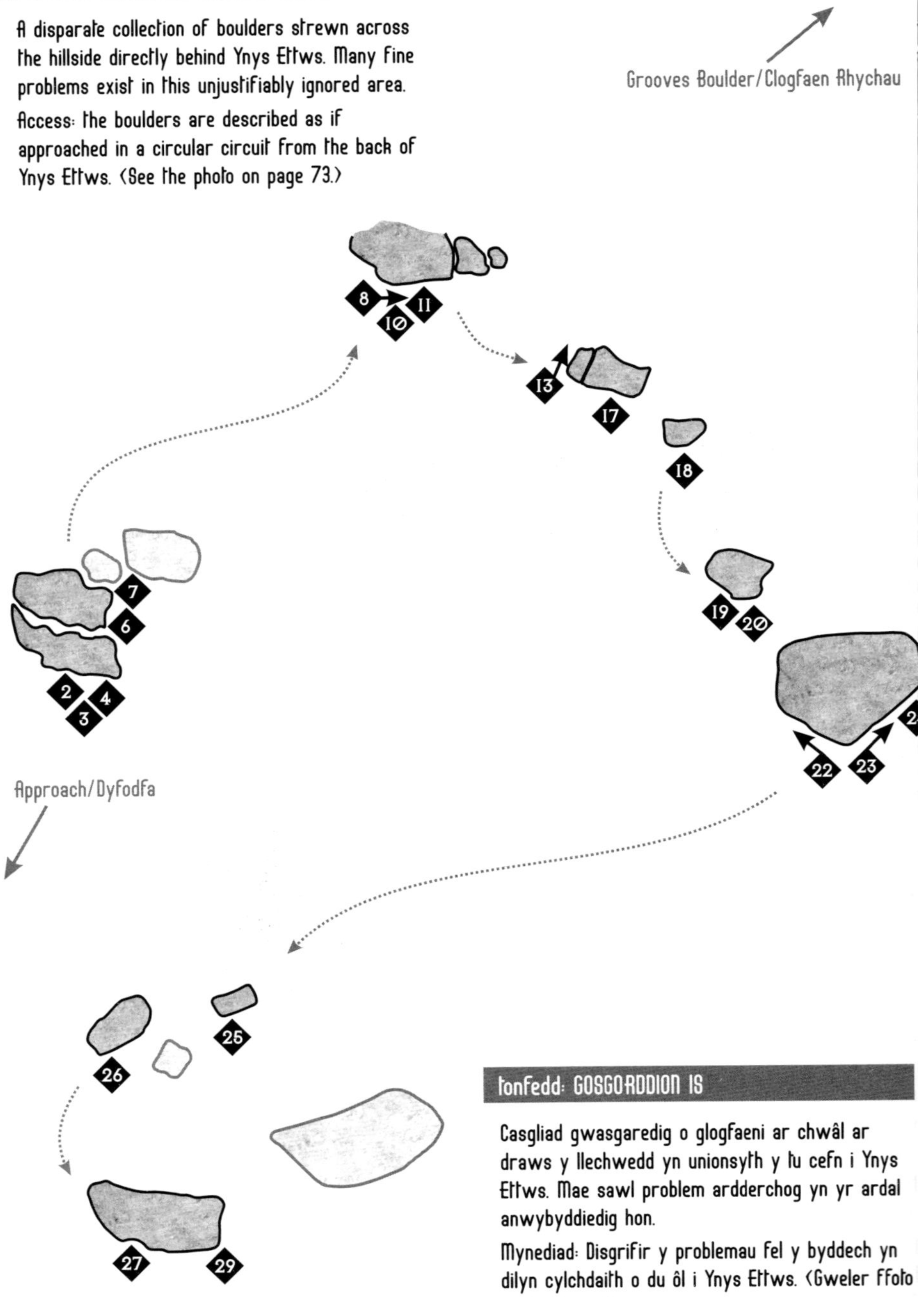

Grooves Boulder/Clogfaen Rhychau

8 10 11

13 17

18

7 6

2 3 4

19 20

22 23

Approach/Dyfodfa

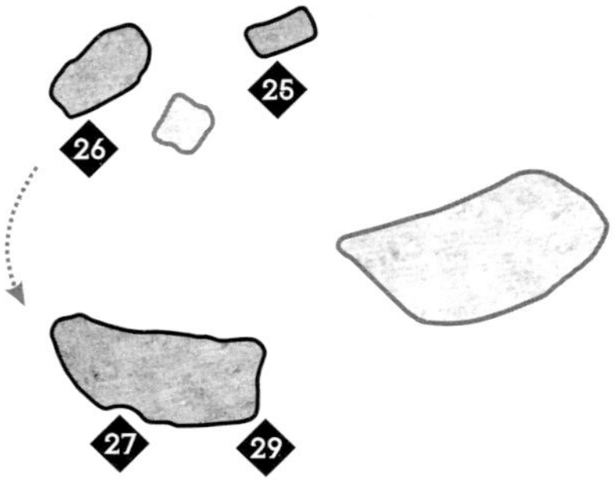

tonfedd: GOSGORDDION IS

Casgliad gwasgaredig o glogfaeni ar chwâl ar draws y llechwedd yn unionsyth y tu cefn i Ynys Ettws. Mae sawl problem ardderchog yn yr ardal anwybyddiedig hon.

Mynediad: Disgrifir y problemau fel y byddech yn dilyn cylchdaith o du ôl i Ynys Ettws. (Gweler ffoto ar dudalen 73.)

wavelength: LOWER SATELLITES

1. Klem's Traverse V4 ✠ Head up the right side of the diagonal ridge pointing toward Dinas Mot (ignoring the first cluster of disappointing boulders), arriving quickly at a long boulder with a steep front face. The traverse starts at the left arête, then follows the lip of the steepness all the way. A harder (V5) variant drops low onto the small ramp beneath the lip to deal with a powerful cruxy finish. If you haven't warmed up yet, it may be better to do this at the end of the circuit.

2. Ninja Cut V0+ ✠✠ Continue up the right side of the ridge, contouring round the hillside to the right past a cluster of Hawthorn trees, bearing rightwards up the hill to arrive at the large block, split by a hidden crevasse in the middle. A thin start gives access to the crack feature on the valley side face.

3. Split Ends V0+ ✠ An eliminate line up the wall betwixt *NC* and *SRG*.

4. Split Rock Groove V0– ✠✠ The delightful groove line just left of the arete.

5. Split Rock Traverse V1 ✠ Traverse left from *SRG* around the arête to a tricky finish to gain the crevasse. (NB. The top is out of bounds.)

6. Supa Dupa Fly V1 ✠✠ Gain the hanging slab with hard moves through the bulge.

7. Ice Hockey Haircut V3 ✠ From a sit down start on a jug, move up and left into the hanging flake groove.

8. The Appauling Traverse V3 ✠✠ Walk diagonally up the hill for 30 metres, to the foot of a steep block. From low jugs left of the arête, swing rightwards along the rising diagonal break to a thrilling exit.

9. The Low Traverse V5 ✠ Start as for *TAT*, but drop down and follow the lower break rightwards past the wide crack, pulling up and out to finish on the right.

10. The Crack V0+ ✠✠ The crack above the break is superb.

11. Appauled V4 ✠✠ From a horizontal finger jam (left hand) move optimistically up to the top break via a dink. Finish rightwards as per *TAT*. A magic piece of climbing if you get it right.

tonfedd: GOSGORDDION IS

1. Klem's Traverse V4 ✠ Ewch i fyny ochr dde y gefnen lletraws sy'n cyfeirio at Dinas Mot (anwybyddwch y clwstwr cyntaf o glogfaeni siomedig), i gyrraedd clogfaen hir yn gyflym gyda phared flaen serth. Dechreuwyd y tramwyiad ar y crib chwith, dilyn gwefus y serthrwydd yr holl ffordd. Mae'r amrywiad caletach (V5) yn disgyn i lawr at y ramp bychan isel o dan y wefus i gwffio gyda gorffen craidd pwerus. Os nad ydych wedi cynhesu, gwell ei adael tan ddiwedd y cylchdaith.

2. Ninja Cut V0+ ✠✠ Ymlaen i fyny ochr dde y gefnen wedyn cyfuchlinio ar draws yr allt heibio clwster o'r Ddraenen Wen, wedyn tueddwch i fyny i'r dde i fyny'r allt i gyrraedd bloc mawr gydag agendor mawr cuddiedig yn ei ganol. Mae dechrau tenau yn galluogi mynediad i'r nodwedd hollt sy'n wynebu ochr y dyffryn.

3. Split Ends V0+ ✠ Llinell dileol rhwng *NC* a *SRG*.

4. Split Rock Groove V0– ✠✠ Y llinell rhych hyfryd ychydig i'r chwith o'r crib.

5. Split Rock Traverse V1 ✠ Tramwyo i'r chwith o *SRG* o gwmpas y crib i orffen lletchwith i gyrraedd yr agendor. (NB. Mae'r brig yn waharddiedig.)

6. Supa Dupa Fly V1 ✠✠ Cyrhaeddwch y llech ar grog gyda symudiadau caled drwy'r chwydd.

7. Ice Hockey Haircut V3 ✠ Dechrau o'r eistedd ar grafanc, symud i fyny ac i'r chwith i mewn rhych caen ar grog.

8. The Appauling Traverse V3 ✠✠ Cerddwch i fyny'r allt yn letgroes am 30 metr at waelod bloc serth. O'r crafangau isel i'r chwith o'r crib, siglwch i'r dde ar hyd y toriad lletgroes sy'n codi at ymadawiad cyffrous.

9. The Low Traverse V5 ✠ Dechrau fel *TAT*, ond disgynnwch i lawr a dilyn y toriad is i'r dde heibio'r hollt lydan, a thynnu i fyny ac allan i orffen i'r dde.

10. The Crack V0+ ✠✠ Mae'r hollt uwch y toriad yma yn ardderchog.

11. Appauled V4 ✠✠ O fys glo llorweddol (llaw chwith) symudwch yn obeithiol i fyny at y toriad uwch heibio dinc. Gorffen ffwrdd i'r dde fel *TAT*. Dringo hudol os ydych chwi'n ei ddatrus.

wavelength: LOWER SATELLITES

12. Appauling V6 ⌘ A worthwhile eliminate: from just left of the wide crack, pull up from jams to a pair of small slopey edges, then slap leftwards into the top of *TAT*. All holds right of the arête are out of bounds.

13. Mark's Gritty Sitter V4 ⌘ 20 metres across (and down) the hill side, a neat little sit down start problem can be found. From the right arête of the small steep face, swing left along the slopey lip and exit via the crack feature.

14. Pants V3 ⌘ Follow *MGS* to the good small edge, then rock up onto the top.

15. V0+ ⌘ The cracks in the arête.

16. V1 ⌘ The slab just to the right. The off-width crack is out of bounds.

17. V0– ⌘ The slab right of the offwidth crack.

18. Trouty's Sitter V4 ⌘ An awkward sit down start leads to a tussle with the slopey nose. (V3 from a hanging position on the lip)

19. Up Bombay V0+ ⌘⌘ The bulging arête on the steep little block a further 30 metres down the hill side (i.e. just up and left of the *Sugar Chunk* block.)

20. V0 ⌘ Reach the good hold and pull into the faint scoop left of the jagged arête.

21. V2 The jagged arête taken from a sit down start. From the same start a V5 traverse *(Bombay Roll)* breaks left around the front of the boulder, finishing left of *UB*. This can also be done in reverse.

22. Sugar Chunk V1 ⌘ The large block with a distinct quartz face. Traverse across the quartz face to the arête. A V3 extension drops down and apes along the low lip, pulling out at the end.

23. Sweetness V3 ⌘⌘ From a sit down start just right of the edge of the quartz face, move up and traverse right on slopers, following the thin break to the bitter end.

24. V3 ⌘ The obvious sit down start, moving directly through the traverse line to high, but gradually easing ground.

25. V0+ ⌘⌘ The left arete of pebbley boulder.

tonfedd: GOSGORDDION IS

12. Appauling V6 ⌘ Dilead buddiol: o ychydig i'r chwith o'r hollt lydan, tynnwch i fyny o gloion at pâr o ymylon gwyrol bychain, wedyn palfiwch i'r chwith i ben *TAT*. Mae pob gafael i'r dde o'r crib yn waharddedig.

13. Mark's Gritty Sitter V4 ⌘ 20 metr ar draws (ac i lawr) yr allt, cewch broblem cychwyniad llawr bach taclus. O crib dde y wyneb bach serth, siglwch i'r chwith ar hyd y wefus gwyrol a gadael drwy ddefnyddio yr hollt.

14. Pants V3 ⌘ Dilyn *MGS* i'r ymyl bychan da a throsiglwch i fyny at y brig.

15. V0+ ⌘ Yr holltau yn y crib.

16. V1 ⌘ Y llech ychydig i'r dde. Mae'r hollt anlled yn waharddiedig.

17. V0– ⌘ Y llech i'r dde o'r hollt anlled.

18. Trouty's Sitter V4 ⌘ Dechreuad o'r eistedd lletchwith yn arwain at frwydr gyda thrwyn gwyrol. (V3 o sefyllfa ar grog ar y wefus)

19. Up Bombay V0+ ⌘⌘ Y crib chwydd ar y bloc bach serth 30 metr ymhellach i lawr yr allt (h.y. ychydig i fyny ac i'r chwith o floc *Sugar Chunk*.)

20. V0 ⌘ Cyrraedd y gafael da a thynnwch i mewn i'r cafn bas i'r chwith o'r crib danheddog.

21. V2 Y crib danheddog gyda chychwyniad llawr. O'r un dechreuad mae tramwyiad V5 *(Bombay Roll)* yn torri allan i'r chwith ar draws blaen y clogfaen, a gorffen i'r chwith o *UB*. Mae'n posibl gwneud hwn yn wrthol hefyd.

22. Sugar Chunk V1 ⌘ Y bloc mawr gyda'r mur cwarts amlwg. Tramwywch ar draws y mur cwarts at y crib. Mae ymestyniad V3 yn disgyn i lawr ac yn abu ar draws y wefus isel, a tynnu allan ar y pen.

23. Sweetness V3 ⌘⌘ O ddechrau o'r eistedd ychydig i'r dde o ochr y mur cwarts, symudwch i fyny a thramwyo af wyrafaelion, dilynwch y toriad tenau reit i'r diwedd.

24. V3 ⌘ Y cychwyniad llawr amlwg, yn symud yn unionsyth drwy'r tramwyiad i dir uchel ond yn mynd yn haws.

25. V0+ ⌘⌘ Crib chwith y clogfaen carregog.

wavelength: LOWER SATELLITES

26. V0+ ✠✠ The blunt arête with a reachy/ tricky start.

27. In the Attic V4 ✠✠ Head diagonally left down into the depression, to the obvious block with a steep front face 10 metres left of 'pebbledash' boulder. From a sit down start on the low edge, slap frantically up the central groove feature.

28. Cellar Swings V5 ✠✠ Swing right from *ITA* along the lip to finish up the right arête.

29. Toxicity V6 ✠ The right arête taken from a sit down start.

tonfedd: GOSGORDDION IS

26. V0+ ✠✠ Y crib di-awch gyda dechreuad estynol lletchwith.

27. In the Attic V4 ✠✠ Ewch yn lletgroes i lawr i'r pant, i'r bloc wyneb blaen serth 10 metr i'r chwith o'r clogfaen 'gro chwip'. Cychwyniad llawr ar yr ymyl isel, palfu'n wyllt i fyny'r rhych canolig.

28. Cellar Swings V5 ✠✠ Pendylu i'r dde o *ITA* ar hyd y wefus i orffen i fyny ar y dde.

29. Toxicity V6 ✠ Y crib dde ar ôl dechreuad llawr.

Gavin Foster, Supa Dupa Fly V1, Photo/Ffoto: Simon Panton

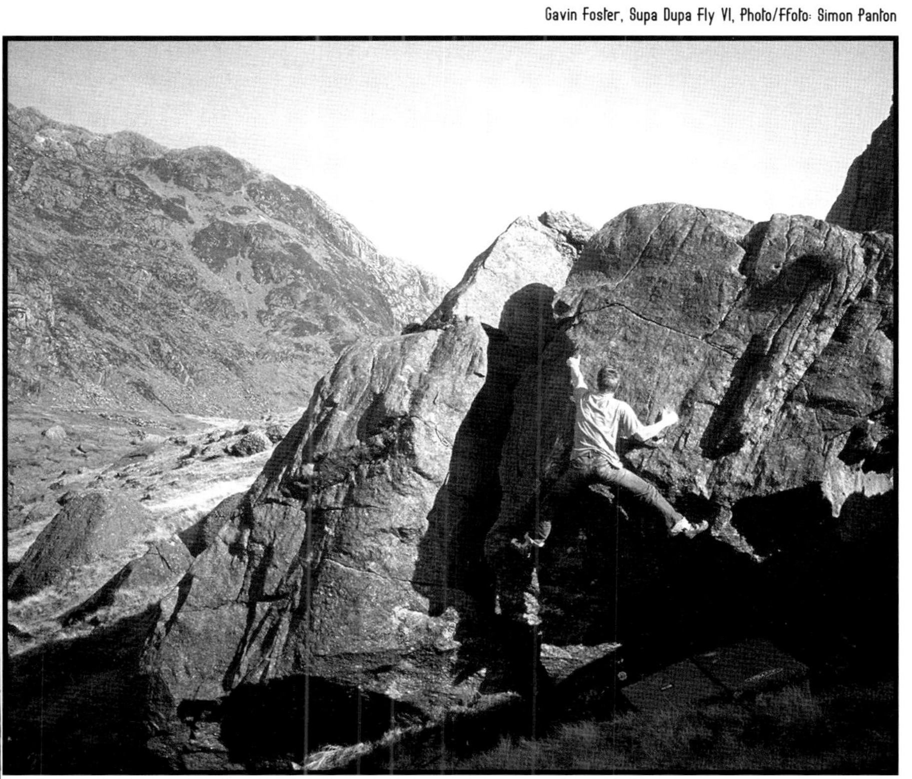

wavelength: UPPER SATELLITES

A small circuit of memorable problems that deserve more traffic.

Access: The circuit starts up behind and left of the Grooves Boulder. (See photo on page 73.)

tonfedd: GOSGORDDION UWCH

Cylchdaith bychan o broblemau cofiadwy sy'n haeddu mwy o ddefnydd.

Mynediad: Mae'r cylchdaith yn dechrau i fyny y tu ôl ac i'r chwith o'r Glogfaen Rhychau. (Gweler ffoto ar dudalen 73.)

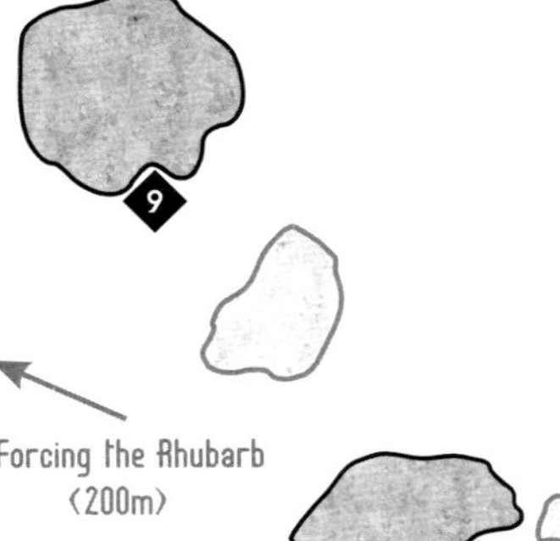

6
7
8

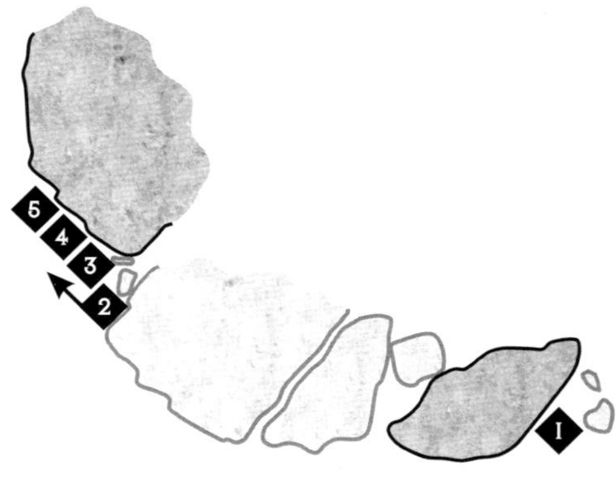

Lower Satellites/Gosgorddion Is

Grooves Boulder/Clogfaen Rhychau
(30m)

1. Message To Rudy V8 ⌘ A sit down start line on the steep face 30 metres from the back of the Grooves Boulder.

2. Motor Away V5/6 ⌘ Further leftwards there is a high slabby wall with a corner at it's left side and another, steeper wall leading up leftwards. *MA* traverses the steeper wall from the corner, past the start of *The Ramp* to powerful rockover moves up into a higher traverse line.

1. Message To Rudy V8 ⌘ Llinell dechrau o'r eistedd ar y wyneb serth 30 metr o gefn y Clogfaen Rhychau.

2. Motor Away V5/6 ⌘ Ymhellach i'r chwith ceir wal llechog uchel gyda chornel ar ei chwith a wal arall serthach yn ymestyn i fyny i'r chwith. Mae *MA* yn tramwyo'r wal serthach o'r gornel, heibio dechrau *The Ramp* i symudiadau trosiglo pwerus i fyny at linell tramwyo uwch.

wavelength: UPPER SATELLITES

3. V4 ★ The steep wall just left of the corner, to gain the ramp system.

4. V4 ★ The crimpy wall direct into the ramp system.

5. The Ramp V2 ★★ Follow the ramp feature all the way to a bold finish, either direct or escaping right into the top of the corner.

6. Northern Soul V5 ★★ Up left lies a steep rounded boulder. The central line via strange pinch taken with your left hand. The sit down start is a painful V7.

7. The Confederate V8 ★★ From a sit down start sharing a fingery ledge (above the occasionally boggy landing), climb right then upwards on small awkward holds.

8. Arse Soul V6 ★★ From the same start, move out right to a small layaway (as above), but slap leftwards to a large sloping boss. Barndoor up to a hold on the arête. A very fine problem.

9. Kris' Groove V4 ★★★ The obvious overhanging groove on the otherwise snappy, quartz topped block located a mere stride or two up the hillside to the left. Classic.

10. Forcing The Rhubarb V5 ★ 200 metres to the left in the scree slope below the right side of Dinas Mot, past one or two minor blocks, lies a lone steep boulder. Take the obvious line right of centre from a sit down start in the cave on the front side of the boulder.

tonfedd: GOSGORDDION UWCH

3. V4 ★ Y wal serth ychydig i'r chwith o'r gornel i gyrraedd y system ramp.

4. V4 ★ Y wal crych yn unionsyth i mewn i'r system ramp.

5. The Ramp V2 ★★ Dilyn y ramp nodweddiadol yr holl ffordd i orffen yn fentrus; naill ai'n unionsyth neu dianc allan i'r dde i ben y gornel.

6. Northen Soul V5 ★★ I fyny i'r chwith gwelir clogfaen crwn serth. Y llinell ganolig heibio gwasgfa rhyfedd gyda'r llaw chwith. Mae'r cychwyniad llawr yn V7 poenus.

7. The Confederate V8 ★★ Dechrau o'r eistedd yn rhannu sil bys (uwch y glanfa corsiog weithiau), dringwch i'r dde wedyn i fyny ar afaelion bychan lletchwith.

8. Arse Soul V6 ★★ O'r un dechreuad, symudwch allan i'r dde at gorffwrdd bychan (fel uchod), ond palfiwch i'r chwith at bwlyn mawr gwyrol. Gwgiwch i fyny at afael ar y crib. Problem da dros ben.

9. Kris' Groove V4 ★★★ Y rhych amlwg trosgrog ar y bloc pen cwarts bregus, ychydig i fyny'r allt ar y chwith. Clasurol.

10. Forcing the Rhubarb V5 ★ 200 metr i'r chwith yn y llechwedd sgri, o dan ochr dde Dinas Mot, heibio un neu ddau clogfaen pitw, fe welir clogfaen serth unig. Cymrwch y llinell amlwg i'r dde o'r canol ar ôl dechrau o'r eistedd yn yr ogof ar ochr flaen y clogfaen.

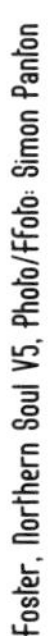

Gavin Foster, Northern Soul V5, Photo/Ffoto: Simon Panton

wavelength: THE MEADOW

tonfedd: Y DDÔL

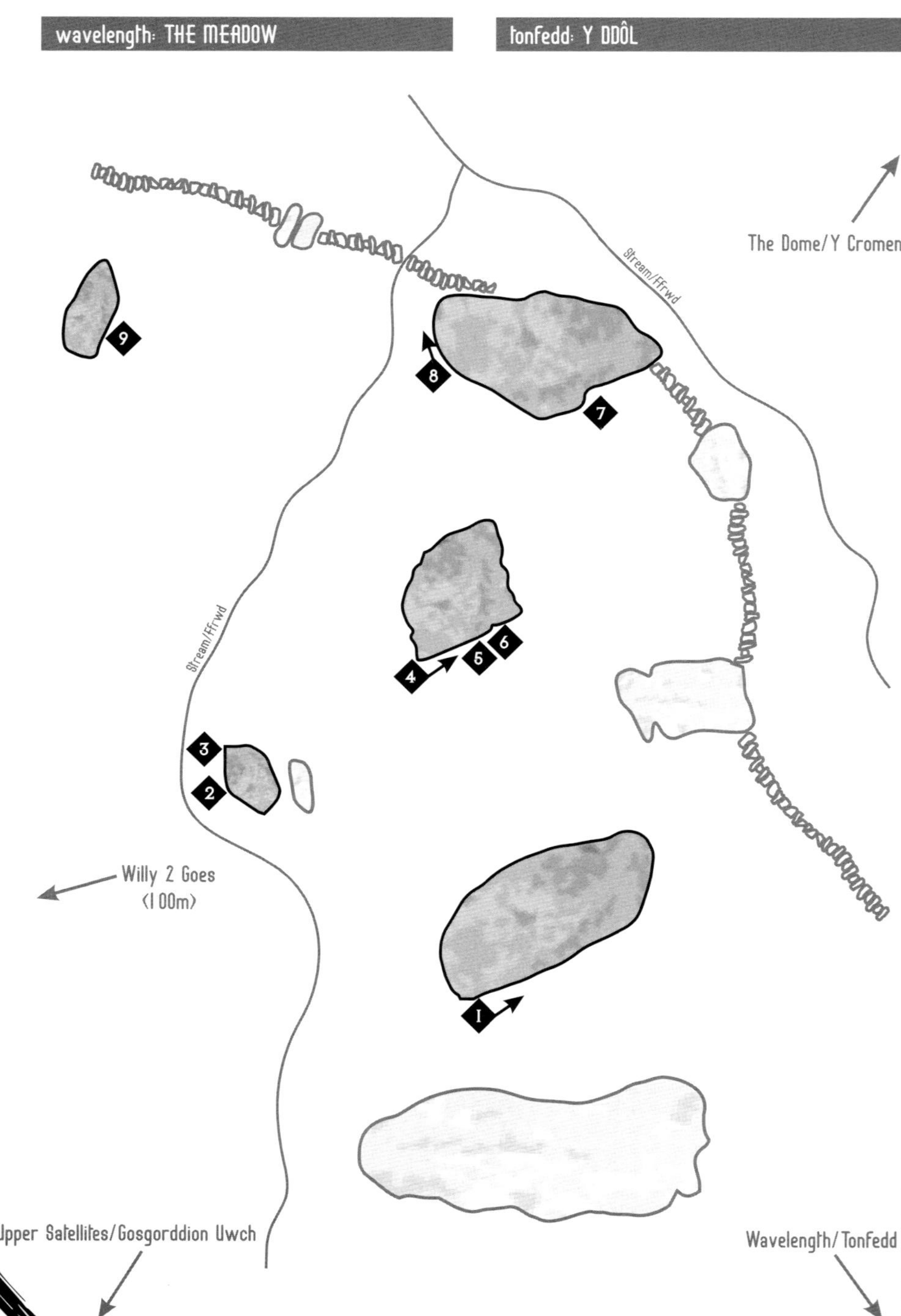

wavelength: THE MEADOW

The mix of problems here is both classic and hard; well worth the trek.

Access: a brief walk up the hill from the Wavelength boulder leads to a lush and atmospheric plateau beneath the magnificent backdrop of Diffwys Ddwr (Craig y Rhaeadr).

1. Zen Arcade V8+ ⌘⌘ Desperate, sustained, slopey as hell! Traverse right from finger jugs on the left past a very powerful crux section to a slight easing towards the right arête. Continue up right until it is possible to rock back onto the top of the boulder at a small groove feature. **Moose's Mantel V5** ⌘ Hang the jug just right of the arête, swing left for a metre or so, before heaving onto the slab.

2. V0 ⌘

3. V0 ⌘

4. Monkey Magic V6 ⌘⌘ From a sit down start at the base of the left arête, move up and hang a right across the face beneath the top break, reversing *KW* down to the sidepull hold, before moving into the bottom of *MC*. Climb this for a couple of moves, then exit rightwards across the blobby wall to easy ground.

5. Killer Weed V5 ⌘⌘ A classic eliminate. Take the wall left of the crack from a sit down start on the obvious sidepull hold.

6. Meadow Crack V2 ⌘⌘ Attack the immaculate crack line from a sit down start, exiting over the final overhang directly.

tonfedd: Y DDÔL

Mae'r cymysgedd o broblemau yma yn rai clasurol a chaled; werth y siwrne.

Mynediad: cerddwch am ychydig i fyny'r allt o glogfaen Tonfedd i gyrraedd llwyfandir atmosfferig glas o dan gefndir aruthrol Diffwys Ddwr (Craig y Rhaeadr).

1. Zen Arcade V8+ ⌘⌘ Lletchwith, cynaledig a gwyrol ofnadwy...! Tramwywch i'r dde o grafangau bys ar y chwith heibio man craidd pwerus i ddarn haws tua'r crib dde. Ymlaen i fyny i'r dde nes mae'n bosibl trosiglo yn ôl i frig y clogfaen ger nodwedd cafn bychan. **Moose's Mantel V5** ⌘ Hongian y crafanc ychydig i'r dde o'r crib, pendylwch i'r chwith tua metr, cyn tynnu i fyny ar y llech.

2. V0 ⌘

3. V0 ⌘

4. Monkey Magic V6 ⌘⌘ Dechrau o'r eistedd wrth waelod y crib chwith, symudwch i fyny a hongian un i'r dde o dan y toriad uwch, i lawr *KW* yn wrthol i'r ochdyn, cyn symud i waelod *MC*. Dringwch hwn am gwpl o symudiadau, wedyn ymadael i'r dde ar draws mur panylog i dir hawdd.

5. Killer Weed V5 ⌘⌘ Dilead clasurol. Y wal i'r chwith o'r hollt gyda chychwyniad llawr ar yr ochdyn amlwg.

6. Meadow Crack V2 ⌘⌘ Ymosod y hollt pur ar ôl dechrau o'r eistedd, ymadael yn uniongyrth drwy'r gordo diweddglo.

David Noden, Zen Arcade V8+, Photo/Ffoto: Chris Davies

wavelength: THE MEADOW

7. Meadow Roof V4 ✠✠ From a sit down start, power optimistically up the steep arête to the big sloper and continue with yet more conviction to the top, mantelling out left to finish. **Lotus V10** ✠✠ is a right hand variation finish that traverses right from the big sloper on spaced edges until good holds eventually allow access to the top. A further V3 variant breaks immediately left to the edge of the steep face and tackles the steep arête past a couple of insecure moves.

8. Gwion's Traverse V3 ✠ Follow the conspicuous traverse leftwards from a sit down start, rocking up onto easy ground to finish.

9. Meadow Groove V0 ✠✠ The flawless faint groove in the pocketed slab. V1 from a SDS.

10. Willy Two Goes V8 ✠✠✠ Across to the left (100 metres) a large red coloured slabby ramp dips down to meet the edge of the Meadow area. At the bottom left side, just left of the point where the dry stone wall meets the crag, and just right of the left edge of the ramp a thin and utterly classic slab problem exists. *WTG* smears desperately up to reach the thin hanging crack feature and easier ground. Traverse off left and reverse the easy arête to escape.

tonfedd: Y DDÔL

7. Meadow Roof V4 ✠✠ Dechrau o'r eistedd, pwerwch yn obeithiol i fyny'r crib serth at yr wyrafael mawr ac ymlaen gyda mwy o obaith am y brig, trawstio allan i'r chwith i orffen. **Lotus V10** ✠✠ amrywiad gorffen dde sy'n tramwyo i'r dde o'r wyrafael mawr ar gyrion gwasgarog nes dod at afaelion da i alluogi mynediad i'r brig. Amrywiad arall V3 yn torri allan i'r chwith yn syth wrth ochr y wyneb serth a chwffio'r crib serth heibio cwpl o symudiadau di-sefydlog.

8. Gwion's Traverse V3 ✠ Dilynwch y tramwyiad amlwg i'r chwith ar ôl dechrau o'r eistedd i drosiglo i fyny at dir hawdd i orffen.

9. Meadow Groove V0 ✠✠ Y rhych bas perffaith yn y llech pocedig. V1 os yn dechrau o'r eistedd.

10. Willy Two Goes V8 ✠✠✠ Ar draws i'r chwith (100 metr) mae llech mawr coch yn estyn i lawr i gyfarfod ffin ardal Meadow. Ar waelod yr ochr chwith, ychydig i'r chwith o ble mae'r wal gerrig yn cyfarfod a'r graig mae problem llech tenau clasurol. Mae *WTG* yn rhugo i fyny at waelod y nodwedd hollt grog a tir haws. Tramwywch i'r chwith ac ewch yn wrthol i lawr y crib hawdd.

Gavin Foster, Willy Two Goes V8, Photo/Ffoto: Simon Panton

wavelength: THE DOME

This intriguing glaciated dome offers a series of technical jewels on impeccable rock: very much in a grit style.

Access: reached in a brief stroll from the back of The Meadow.

tonfedd: Y CROMEN

Mae'r cromen rhewlifol diddorol yn rhoi nifer o gemau technegol ar graig dilychwin: ym modd grit.

Mynediad: iw gyrraedd yn gyflym o du ôl Y Ddôl.

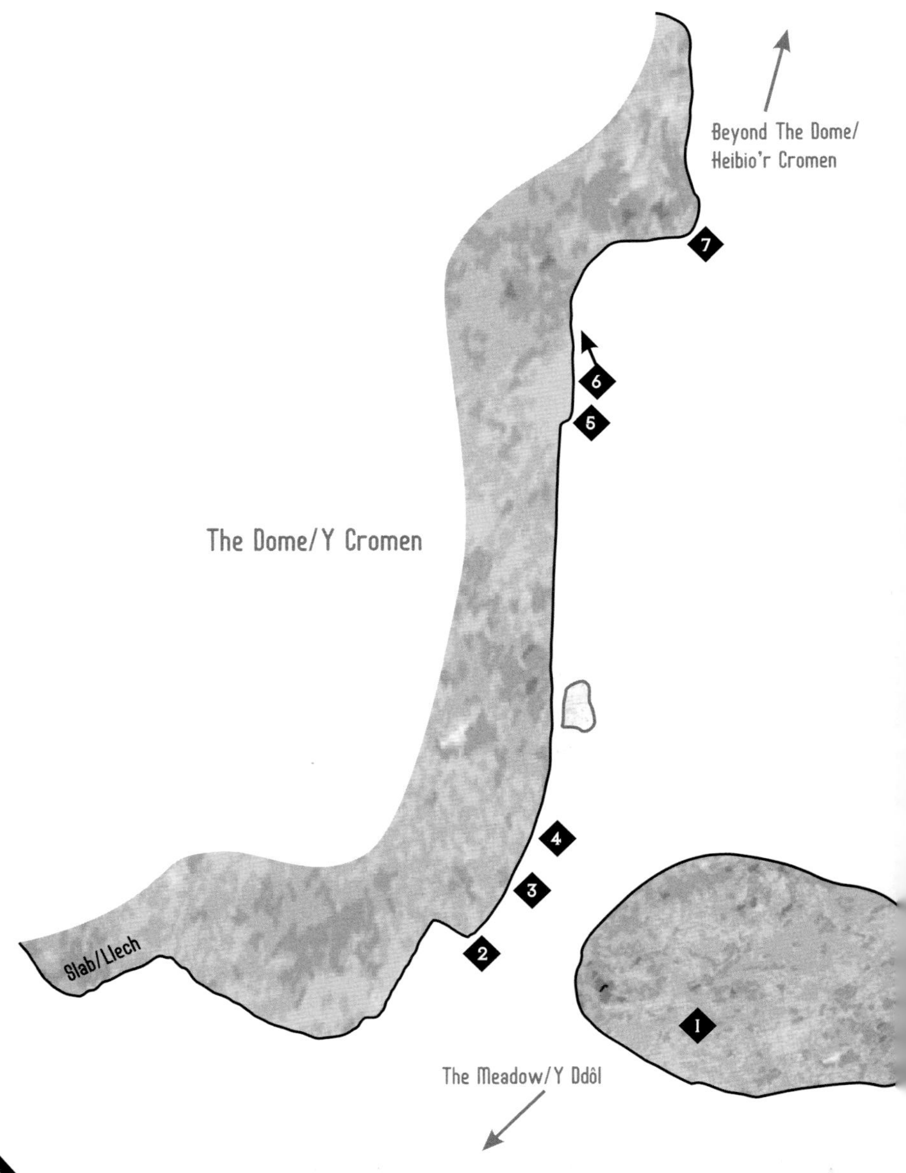

wavelength: THE DOME

1. Death Of An Idiot V1 ⌘⌘ Trace the diagonal line. The **Hughes Direct V1 ⌘** is obvious.

2. Nick's Arete V5 ⌘⌘ The blunt arête. If climbed using only holds close to the arête the grade is probably V7.

3. Welcome To Krell V3 ⌘⌘ Central line to slopey scoop.

4. Krell Righthand V1 ⌘ Thin crack, avoid jugs on the right.

5. Lordy, Lordy V4/5 ⌘⌘⌘ A tenuous, slopey classic.

6. Dome Head V1 ⌘ Follow the low ramp into the corner.

7. Lord Huntz V4 ⌘ Fun double dyno to slopey mantel.

tonfedd: Y CROMEN

1. Death Of An Idiot V1 ⌘⌘ Dilyn y llinell lletraws. Mae'r **Hughes Direct V1 ⌘** yn amlwg.

2. Nick's Arete V5 ⌘⌘ Y crib di-awch. Os dringir gyda'r gafaelion yn agos i'r cirb yn unig mae'n debycach i fod yn V7

3. Welcome to Krell V3 ⌘⌘ Llinell canolig i'r cafn gwyrol.

4. Krell Righthand V1 ⌘ Hollt tenau, osgoi'r crafangau ar y dde.

5. Lordy, Lordy V4/5 ⌘⌘⌘ Clasur gwyrol tenau.

6. Dome Head V1 ⌘ Dilyn y ramp isel i'r gornel.

7. Lord Huntz V4 ⌘ Deino dwbl difyr i'r trawst gwyrol

Gavin Foster, Lordy, Lordy V4/5, Photo/Ffoto: Simon Panton

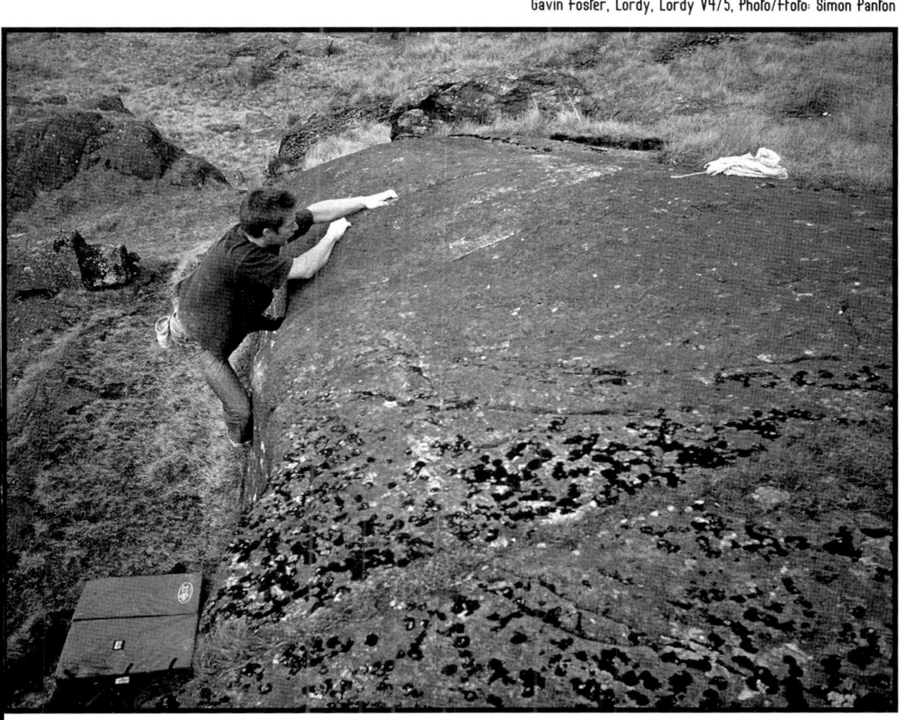

wavelength: BEYOND THE DOME

Isolation and atmosphere are assured up here; far from the madding throng esoteric gems await rediscovery.

Access: From the Dome bear rightwards to the righthand side of the base of Diffwys Ddwr (Craig y Rhaeadr), where a series of isolated boulders can be found trending in a diagonal linear fashion towards Diffwys Ddu (Cyrn Las).

The first and most worthwhile boulder lies in a prominent position directly below the right side of the big and usually wet crag (Dyffws Ddwr).

1. Tiger Tiger V5 ✠ Layaways up the left side of the steep front face of the boulder.

2. The Wolf V5 ✠✠ Undercut/layback up to the 'eyes' and continue with uncertainty to better holds (eventually). An unsung classic. The sit down start is possible at V6/7.

Further right (approx. 100m) is a an obvious slopey lip traverse.

3. The Slopes Of Hope V4 ✠ From the arête swing right along the lip, rocking out at the end. A direct sit down start to the arête goes at V8.

Further right again (approx. 50m) is a large 'pebbley' block with a steep front face.

4. 5 Knuckle Shuffle V8 ✠ Sit down start at the right side of the shallow cave. Power up left on poor holds.

5. Alfred McAlpine V5 ✠ A sit down start, just to the right.

Yet more esoterica can be found to the left of the steep path that runs up left of Diffwys Ddu (Cyrn Las) on a steep block with a large sloping shelf on the left. A number of minor problems exist on the occasional blocks scattered around the cwm below Diffwys Ddu, including a fun traverse on a boulder right by the path at the point where the gradient eases and the path reaches the base of the cwm.

Exploration of the Upper Cwm Glas area has so far proved to be disappointing, although some minor problems have been done above the left side of Diffwys Ddwr.

tonfedd: HEIBIO'R CROMEN

Mae unigrwydd ac argoel yn sicr yn y man yma, man i ail-ddarganfod gemau cudd ymhell o'r dorf.

Mynediad: o'r Cromen ewch i'r dde i ochr dde gwaelod Diffwys Ddwr (Craig y Rhaeadr), ble mae cyfres o glogfaeni unigol yn cyfeirio mewn llinell lletraws tuag at Diffwys Ddu (Cyrn Las).

Mae'r clogfaen gyntaf, a'r un gorau, yn gorwedd mewn safle amlwg yn syth o dan y clogwyn mawr, gwlyb fel arfer, Diffwys Ddu (Craig y Rhaeadr).

1. Tiger Tiger V5 ✠ Gorffyrddion i fyny ochr chwith wyneb sreth flaen y clogfaen.

2. The Wolf V5 ✠✠ Tandorwch/ôl-wthiwch i fyny at y llygaid ac ymlaen gyda phetrysrwydd at afaelion gwell (yn y diwedd). Clasur dirgel. Mae'r dechreuad o'r eistedd yn bosibl tua V6/7.

Ymhellach i'r dde (tua 100m) mae tramwyiad gwefus gwyrol amlwg.

3. The Slopes of Hope V4 ✠ O'r crib pendylwch i'r dde ar hyd y wefus, trosiglo allan ar y pen. Dechreuad o'r eistedd unionsyth i'r crib yn V8.

Ymhellach i'r dde eto (tua 50m) mae bloc

4. 5 Knuckle Shuffle V8 ✠ Cychwyniad llawr ar ochr dde o'r ogof bas. Pwerwch i fyny ar afaelion gwael.

5. Alfred McAlpine V5 ✠ Dechreuad o'r eistedd ychydig i'r dde.

Mae hyd yn oed mwy o esoteriga i'w darganfod i'r chwith o'r llwybr serth sy'n rhedeg i fyny i'r chwith o Diffwys Ddu (Cyrn Las) ar floc serth gyda silff mawr gwyrol ar y chwith. Ambell broblem isradd ar y blociau gwasgarog yn y cwm o dan Diffwys Ddu, yn cynnwys tramwyiad hwylus ar glogfaen wrth ymyl y llwybr ble mae'r graddiant yn lleihau ac mae'r llwybr yn cyrraedd gwaelod y cwm.

Tra bo rhai problemau isradd wedi eu darganfod i fyny ac i'r chwith o Diffwys Ddwr, siomedig iawn yw'r ymchwiliadau yng Nghwm Glas Uchaf.

Adam Wainwright, Lordy Lordy V4/5, The Dome/Y Cromenl, Photo/Ffoto: Ray Wood

PAC MAN BOULDERS

On the outskirts of Nant Peris (in the direction of Pen y Pass) an obvious split block can be seen perched on a shoulder just above the far side of the river. This micro venue has a small number of absorbing sit down style problems on exquisite fine grained, slopey rock.

Access: Follow the path from the back of the Vaynol pub in the village, crossing the bridge over the river. Turn left and walk along the path by the river, then head up and around the hill to arrive on the same level as the split block.

CLOGFAENI PAC MAN

Ar gyrion Nant Peris (i gyfeiriad Gorphwysfa) o'r ffordd fe welwch bloc hollt amlwg wedi ei eistedd ar ysgwydd ychydig uwch ochr bellaf yr afon. Mae'r lleoliad micro hwn â sawl problem o'r eistedd difyr ar graig gwyrol ardderchog.

Mynediad: Dilyn y llwybr o du ôl i tafarn y Vaenol, croeswch y bont dros yr afon. Trowch i'r chwith ar hyd y llwybr ger yr afon, wedyn ewch i fyny ac o gwmpas y bryn i ddod at y bloc hollt.

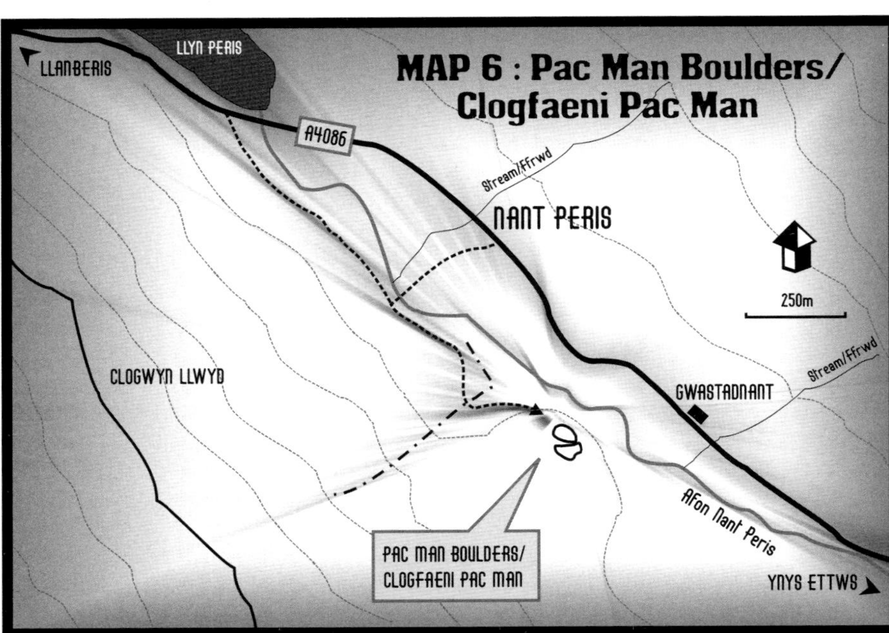

The main lines are:

1. Karma Sutra V5 ✠✠ From a sit down start beneath the bulge on the left hand block (just right of the exposed face), slap violently for the lip and traverse powerfully rightwards, gaining jugs and the top of the right arête.

2. Spoon Machine V10 A desperate 2 move wonder, moving into the crack feature from a specified sit down start position (left hand: low crimp, right hand: obvious horizontal finger slot).

Y prif linellau yw:

1. Karma Sutra V5 ✠✠ O'r dechrau o'r eistedd o dan y chwydd ar y bloc chwith (ychydig i'r dde o'r wyneb agored), palfu yn ffyrnig at y wefus a thramwywch yn bwerus i'r dde, i ennill crafangau ar frig y crib dde.

2. Spoon Machine V10 Rhyfeddod 2 symudiad enbyd, symud i mewn i'r nodwedd hollt o ddechreuad o'r eistedd penodol (llaw chwith: crych isel, llaw dde: rhicyn bys llorweddol amlwg)

PAC MAN BOULDERS

CLOGFAENI PAC MAN

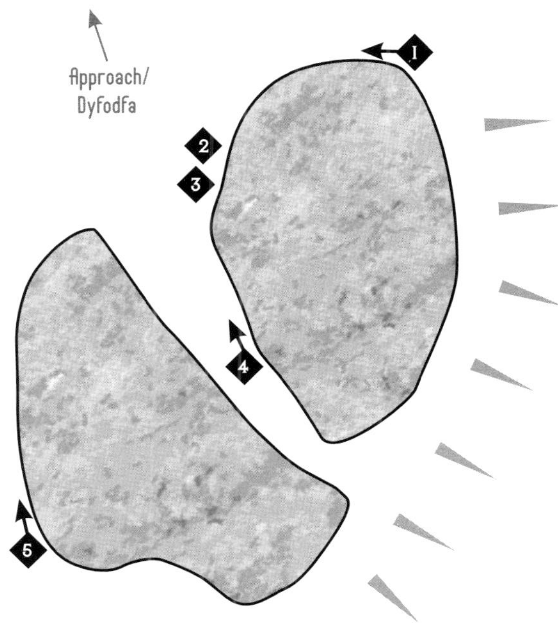

3. Queens V12 Another desperate micro sit down start squeezed in just to the right. From a big layaway right of the crack (with left hand in *SM* starting slot), snatch a high finger sloper with your left and slap into *PMA*.

4. Pac Man Arete V5 ⌘⌘ Follow the arc of the steep right arête from a low sit down start. A minor classic.

5. G Spotting V6 ⌘⌘ From a sit down start (left hand: crimps, right hand: fat pinch) down on the right side of the right hand block, power up leftwards into slopers and mantel out at a good side pull. A harder start can be contrived by starting matched on the low crimps.

Other lines do exist, some easy (such as the scoop right of *GS*), some thin and necky. Up on the hillside above, a collection of 'local' problems can be found for those who have grown bored of the more popular venues.

3. Queens V12 meicro Dechreuad o'r llawr enbyd arall wedi ei wasgu i mewn ychydig i'r dde. Oddir gorffwrdd mawr i'r dde o'r hollt (gyda'r llaw chwith yn rhicyn dechrau *SM*) cipiwch wyrafael bys uchel gyda'ch llaw chwith a phalfu i mewn i *PMA*.

4. Pac Man Arete V5 ⌘⌘ Dilyn crymlin y crib dde o'r dechreuad o'r eistedd isel. Is-glasurol.

5. G Spotting V6 ⌘⌘ Cychwyniad llawr (llaw chwith: crychion, llaw dde: gwasgiad tew) i lawr ar ochr dde y bloc dde, pwerwch i fyny i'r chwith at wyrafaelion a thrawstio allan ger ochdyn da. Gall wneud y dechrau yn galetach drwy gydrannu'r crychion.

Mae yna linellau eraill, rhai hawdd (fel y cafn i'r dde o *GS*), rhai tenau a mentrus. I fyny'r allt uwchben, cewch gasgliad o broblemau 'lleol' i'r rhai sydd wedi syrffedu â'r safleoedd poblogaidd.

further PASS ODDITIES

The Llyn Peris Walls: down by the lakeside beneath the layby on the tight S bend halfway between Nant Peris and Llanberis (OS Ref. 593 592). On the lower outcrop the left arête is **V2 ✠✠**, and the thin layaways on the blank wall to the right is **Fish Skin Wall V7 ✠✠**. Other minor problems exist on the upper tier.

Snowdon Lady Boulders: A collection of 'local' problems (with one or two lines worthy of the experienced visitors attention) located on the steep hillside above the tight S bend mentioned in the Llyn Peris Walls description (OS Ref. 592 588).

Access: park as for the Llyn Peris Walls, but cross the road and go through the gate. Trace the stream steeply up through the trees, where a fence line is followed leftwards to a prominent freestanding boulder with a roof on its left side. **True Playaz V8 ✠** takes the attractive arête from a sit down start, whilst a good micro V4/5 sit down start goes through the left side of the steepness to a nice rounded jug. Further up right, the front face of a tall pillar gives a good crimpy V3 and across and up to the left a necky line on an obvious wall goes at V7. Numerous other minor problems (some quite hard) are scattered around the hillside.

The Cloggy Boulder is the fittingly huge block of stone located down and right of the main crag, beyond the cluttered boulder field (OS Ref. 596 559). The main face is very impressive (5 metres high, 15 metres across and 20 degrees overhanging). Back in the 80s, in between sessions on the big cliff, Dave Towse and John Redhead climbed all the obvious up lines, but the traverse remains as an outstanding challenge.

The Coed Doctor Cutting is a narrow, 20 degree overhanging slate corridor hidden in the woods at the back of Llanberis (OS Ref. 573 605). It currently has 2 completed problems, but there is much potential for development. Follow Goodman Street up from Pete's Eats, turning right along a footpath into the woods 50 metres after the end of the houses. After 150 metres the path splits as the ground drops away.

mwy o HYNODION Y DYFFRYN

Waliau Llyn Peris: i lawr wrth y llyn o dan yr arhosfan ar y tro S tynn hanner ffordd rhwng Llanberis a Nant Peris (Cyf. AS 593 592). Ar y brigiad is mae'r crib chwith yn **V2 ✠✠**, a'r gorffyrddion tenau yn y wal gweilydd i'r dde yw **Fish Skin Wall V7 ✠✠**. Ar y brigiad uwch ceir sawl problem.

Clogfaeni 'Snowdon Lady': Casgliad o broblemau 'lleol' (gyda un neu ddau o werth i ymwelwyr profiadol) wedi eu lleoli ar y llechwedd serth uwch y tro S tynn yr ydym wedi eu grybwyll yn nisgrifiad Llyn Peris Walls (Cyf. AS 592 588). Mynediad: parciwch fel am Llyn Peris Walls, ond croeswch y ffordd ac ewch drwy'r giat. Dilyn y nant yn serth drwy'r coed at y ffens a dilynwch hwn i'r clogfaen ddiateg amlwg gyda to ar ei chwith. **True Playaz V8 ✠** yn cymryd y crib pert o gychwyniad llawr, tra bod dechreuad o'r eistedd micro da (V4/5) yn mynd ochr chwith y serthrwydd at crafanc crwn braf. Ymhellach i fyny i'r dde, mae wyneb blaen y piler tal yn rhoi V3 crychiog da ac ar draws ac i fyny ar y chwith mae yna linell mentrus i fyny'r wal amlwg V7. Nifer o broblemau bach eraill (rhai go galed) ar wasgar o gwmpas y llethr.

Clogfaen 'Cloggy' yw'r clogfaen anferth i lawr ac i'r dde o dan y clogwyn, heibio'r maes clogfaen dryslyd (Cyf. AS 596 559). Mae'r prif wyneb yn aruthrol (5 metr o uchder, 15 metr ar draws ac yn trosgrogi tua 20 gradd). Yn ôl yn yr 80au, rhwng sesiynau ar y clogwyn mawr, fe ddringodd Dave Towse a John Redhead pob un o'r llinellau amlwg i fyny, ond mae'r tramwyiad dal yn sialens neilltuol.

Torriad Coed Doctor yw'r coridor llechan cul sy'n trosgrogi 20 gradd yng nghudd yn y coed y tu ôl i Lanberis (Cyf. AS 573 605). Mae 2 broblem wedi eu cwblhau, ond mae yna siawns am lawer mwy. Dilynwch Heol Goodman i fyny o Pete's Eats, trowch i'r dde 50 metr wedi diwedd y tai. Ar ôl 150 metr mae'r llwybr yn hollti wrth i'r ddaear ddisgyn. Dilynwch y llwybr uwch drwy'r llwyn dwys, wedyn tueddu i'r chwith yn lletgroes i lawr yr allt tuag at pompren ar y llwybr is. Hanner ffordd i lawr

further PASS ODDITIES

Follow the higher path through a dense thicket, then bearing left diagonally down the slope towards a wooden bridge on the path below. At half height cut back up right into the narrow 5 metre high cutting. A rather wild V6 takes the visually appealing ramp line at the entrance, whilst a powerful and sustained V9 traverses rightwards across the base of the wall to jugs in the middle.

Fachwen: this historically interesting, yet ultimately disappointing venue has failed to capture the imagination of modern boulderers. No wonder really when you consider the dearth of truly memorable problems and the unpleasant, slippy, sharp rock. Despite all this, a circuit of the major lines on a sunny afternoon following a heavy twilight session (culminating in an obligatory pilgrimage to see Al Harris' eponymously named masterpiece) should prove a poignant enough experience to pierce the hazy fog of a post-party come down.

From the Caernarfon end of Llyn Padarn take the minor road to Fachwen; Electrocution Wall lies immediately adjacent to the road, just before the lay-by after which the road narrows and starts to climb up the hillside. **Electrocution Wall V2** ⌘ itself takes the central flake, the crack further right is V1. Beware the padded telegraph wire across the top of the wall, the tarmac landing and the heedless cars. If you walk up, trending left through the trees from the back of the adjacent lay-by you will arrive in about 100 metres at Split Rock. The roof crack facing you on arrival is the hideous **Fachwen Overhang V1/2** (from a sit down start), and the arete to its right the hospitalising **Perrin's Arete V2/3** ⌘. **Shorter's Overhang V3** ⌘ on a subsidiary boulder to the right is now slightly blocked by a tree, yet is still possible; other problems exist on the rest of the main formation. By following paths rightwards you will arrive at the most prominent feature in the Fachwen area. Lion Rock (OS ref. 566 624) is the obvious dome of white quartzy rock, with black streaks running down its short overhanging west face. A couple of problems can

mwy o HYNODION Y DYFFRYN

trowch nôl i fyny i'r dde i mewn i'r toriad cul 5 metr o uchder. V6 go wyllt sy'n cymryd y llinell ramp deiniadol wrth y mynedfa, tra bod V9 pwerus a chynaledig yn tramwyo i'r dde ar hyd gwaelod y wal i grafangau yn y canol.

Fachwen: nid yw'r lleoliad diddorol ei hanes, ond ychydig yn siomedig, wedi dal dychymyg bowldwyr modern. Dim rhyfedd i ddweud y gwir os ydych yn ystyried prinder y problemau cofiadwy, y graig ddiflas miniog, llithrig. Serch hynny, y bydd dilyn cylchdaith o'r brif linellau ar bnawn braf ar ôl sesiwn gyda'r nos (yn gorffen gyda pererindod at orchest eponymaidd Al Harris) yn ddigon o brofiad awchlym i dreiddio tarth niwlog disgyniad ôl-parti.

O ben Caernarfon o Lyn Padarn, cymrwch yr isffordd i Fachwen; mae Electrocution Wall yn syth wrth ochr y ffordd, ychydig o flaen yr arhosfan ar ôl y man lle mae'r ffordd yn culhau ac mynd i fyny'r allt. **Electrocution Wall V2** ⌘ yw'r caen canol, tra bod yr hollt i'r dde yn V1. Cymrwch ofal o'r wifren teliffon ar draws brig y wal, y glanfa tarmac a'r ceir di-sylw. Os cerddwch tua 100 metr a thueddu tua'r chwith drwy'r coed y tu ôl i'r arhosfan gerllaw fe ddowch at Split Rock. Yr hollt to sy'n eich wynebu wrth i chwi gyrraedd yw'r erchyll **Fachwen Overhang V1/2** (o ddechreuad o'r eistedd), a'r crib i'r dde yw ysbyteiddiol **Perrin's Arete V2/3** ⌘. Tra bod yna goeden rwystredig ar **Shorter's Overhang V3** ⌘, sydd ar glogfaen arall i'r dde, mae'n dal yn bosibl: cewch nifer o broblemau eraill ar y prif ffurfiant. Dilynwch llwybrau i'r dde ac fe ddowch at brif nodwedd ardal Fachwen. Lion Rock (Cyf. AS 566 624) yw y cromen o graig gwyn cwartslyd, gyda stribedau du yn rhedeg i lawr ei hwyneb trosgrog Gorllewinol. Mae yna gwpl o broblemau ar gael yma ond mae'r ddau linell pwysig yr ardal i'w cael llawer iawn ymhellach i fyny'r bryn prysgol yn syth o dan y mast teledu ac union y tu ôl i bentrefan Fachwen. (NB. Haws mynd yn ôl i'r ffordd i gyrraedd yr ardal yma.) Yma ceir **Harris' Arete V3/4** ⌘⌘ (Cyf. AS 574 621), a gafodd ei wneud yn y chwedegau, yng nghydd ger

further PASS ODDITIES

be done here, but the two most important lines hereabouts are located much further up, on the scrubby hillside beneath the television mast and directly behind the village of Fachwen. (NB. It is probably easier to return to the road to reach this area.) The elusive **Harris' Arete V3/4** ⌘⌘ (OS ref. 574 621), reputedly first done in the sixties, lies hidden, close to the lower wall that delineates the back of the village properties. **Accomazzo's Wall V3** ⌘⌘ (OS ref. 576 622) can be found about 50 yards below the mast and recognised by a diamond-shaped pod to the right of a small clean wall: The groove to its left is about the same grade. (NB. There is no formal access agreement to this last area. Visitors are advised to keep a low profile and to be careful not to damage any fences.) Finally, an hour or so of entertainment can be found on Yellow Wall, a clean, crimpy wall situated by the old Llanberis road on the other side of Llyn Padarn (OS Ref. 561 622).

mwy o HYNODION Y DYFFRYN

y wal isaf sy'n dynodi cefn daliadau'r pentrefan. Fe ddarganfyïr **Accomazzo's Wall V3** ⌘⌘ (Cyf. AS 576 622) tua 50 metr o dan y mast, ac yn amlwg o'r cil ffurf diamwnt i'r dde o'r wal glân byr. Mae'r rhych i'r chwith tua'r un gradd. (NB. Nid oes cytundeb mynediad ffurfiol i'r ardal olaf. Gwnewch yn sicr nid oes unrhyw ddifrod i'r waliau a cadwch yn ddistaw.) I orffen, mae posib cael awran o adloniant ar y Mur Melyn, wal glân wrth ochr yr hen ffordd i Lanberis, yr ochr arall i Lyn Padarn (Cyf. AS 561 622).

Will Perrin, Fachwen, Photo/Ffoto: Ray Wood

OGWEN VALLEY

Similarly grand and certainly as imposing as its famous neighbour the Llanberis Pass, the Ogwen Valley contains many fine bouldering venues, and some of the finest problems in the entire North Wales area. From the Bethesda circuit, past the Sheep Pen Boulders, George's Crack and across to Caseg Fraith there is a raft of classic modern boulder problems.

DYFFRYN OGWEN

Mor fawreddog ac yn sicr mor fawrwych a'i gymydog agos Dyffryn Peris, mae Dyffryn Ogwen yn gartref i nifer o leoedd bowldro da, a rhai o'r problemau gorau yng Ngogledd Cymru. O gylchdaith Bethesda, heibio Clogfaeni y Gorlan, Hollt George ac ar draws at Caseg Fraith, ceir llwyth o broblemau bowldro clasurol cyfoes.

Chris Davies, Sway On VII, Gallt yr Ogof. Photo/Ffoto: Ray Wood

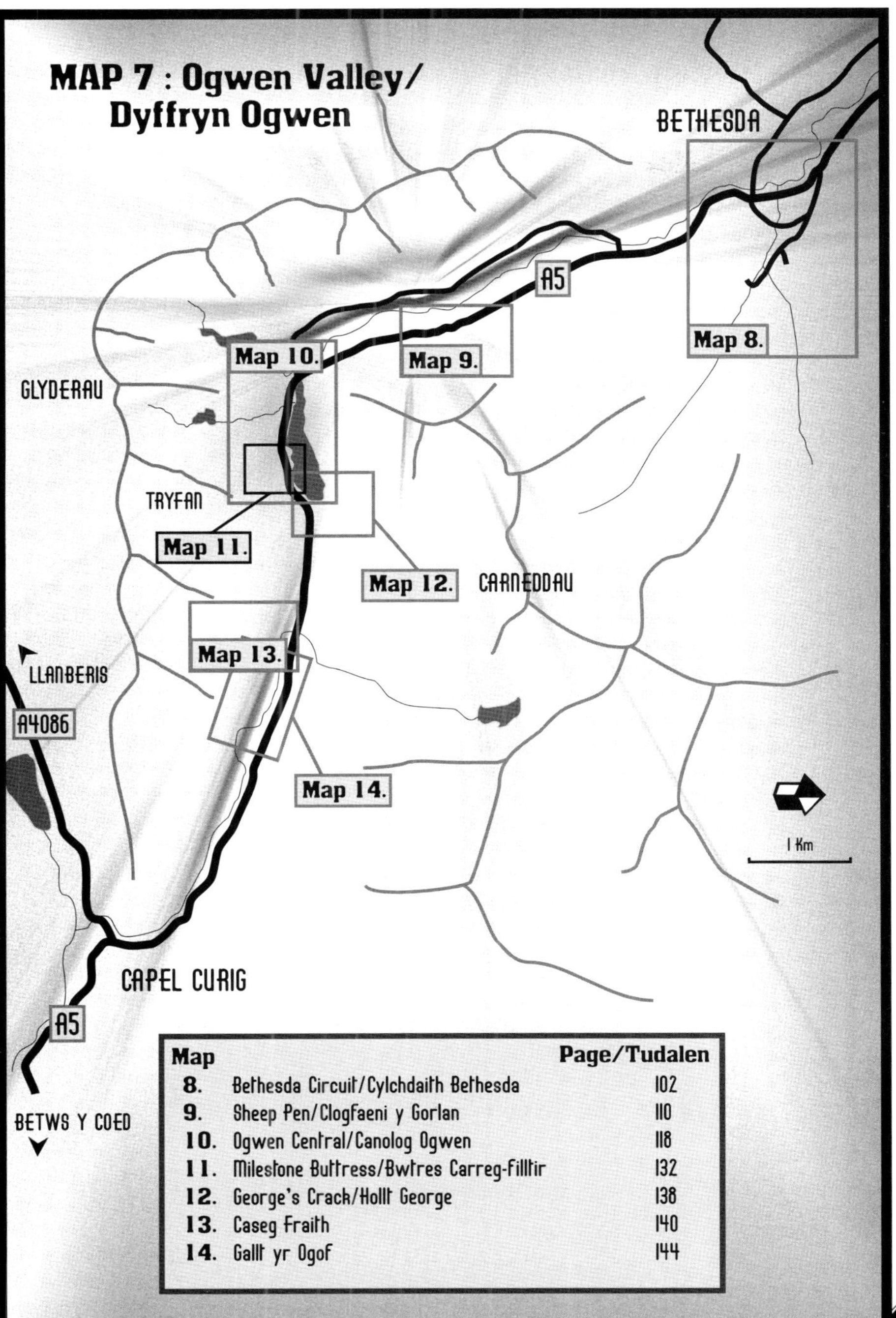

Map		Page/Tudalen
8.	Bethesda Circuit/Cylchdaith Bethesda	102
9.	Sheep Pen/Clogfaeni y Gorlan	110
10.	Ogwen Central/Canolog Ogwen	118
11.	Milestone Buttress/Bwtres Carreg-Filltir	132
12.	George's Crack/Hollt George	138
13.	Caseg Fraith	140
14.	Gallt yr Ogof	144

THE BETHESDA CIRCUIT

Three separate crags that can form a great circuit, albeit with a couple of minor location shifts along the way. This approach is recommended for the first time caller, as I'm sure that all subsequent visits will be focussed upon whichever classic test piece you failed to do at the Braichmelyn Boulder or The Caseg Boulders.

CYLCHDAITH BETHESDA

Tri clogwyn gwahanol a all ffurfio cylchdaith anfarwol, gyda ychydig o newidiadau mewn lleoliad ar ei hyd. Dyma'r ffordd orau i ymweld â'r clogfaeni am y tro cyntaf, ar ymweliadau hwyrach ewch yn syth at y prawf clasurol yr ydych wedi methu ei gwneud ar Glogfaen Braichmelyn neu Caseg.

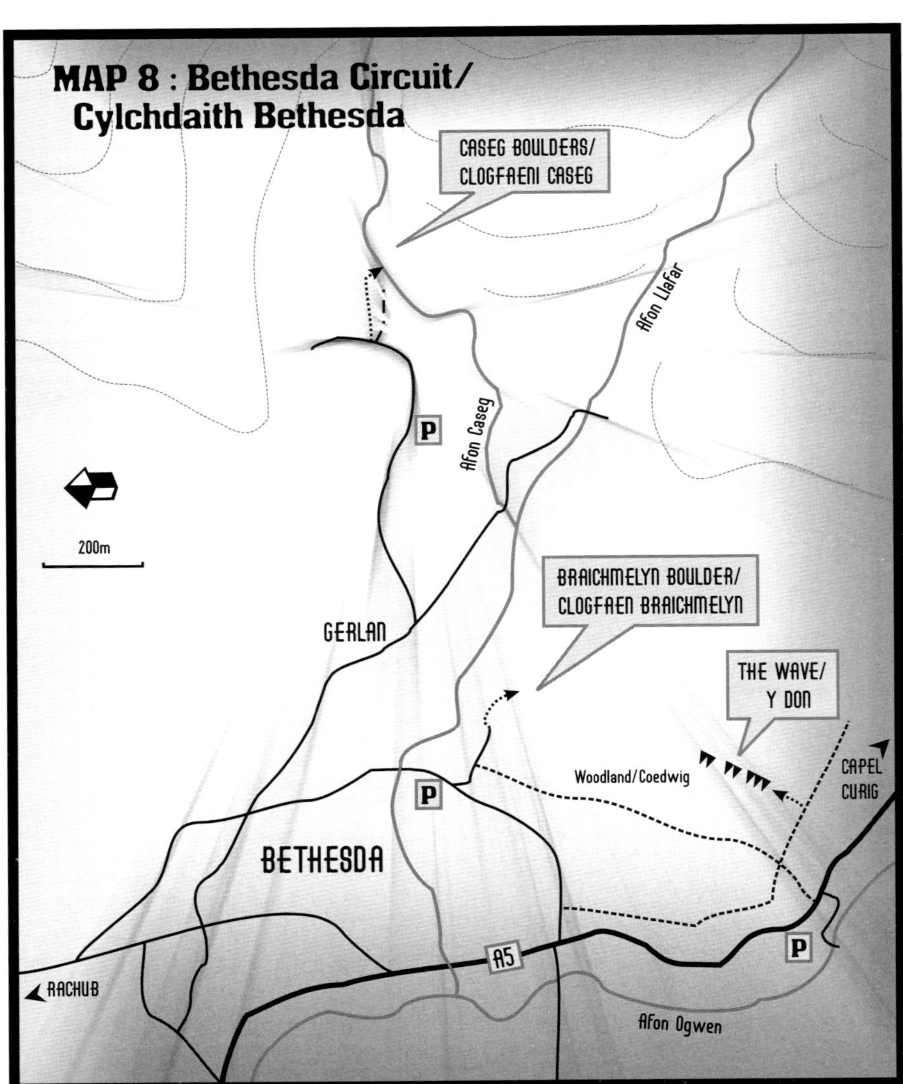

Mark Lynden, Problem 3 V0-, Caseg Boulders/Clogfaeni Caseg, Photo/Ffoto: Simon Panton

›ethesda circuit: THE WAVE

‹ fairly extensive, but ultimately disappointing ›utcrop buried deep in dense woodland. A brace of ›nildly engaging traverses can be found on the ›irst buttress (V5/6 - high, V3/4 - mid, V4 - low), ›nd occasional minor up lines lead you along the ›dge to the height dependant *Pebble Wall* V8 (?); ›he right wall of a square corner bay. Continuing ›eeper into the spooky Blair Witch landscape, you ›hould come across a cool low boulder beneath the ›dge. On the front face a very good V5 traverses ›ight to left, from a sit down start on the right, on ›ockets at first, then looping round the sloping lip ›f the boulder to easy ground on the other side. ›here are also some good-looking lines (with bad ›andings unfortunately) in a hidden crevasse behind ›he main crag hereabouts.

›ccess: drive/walk out of Bethesda (towards ›apel Curig), after the first bend park in the lay-›y on the right. Cross the road, following the path ›ver a track up to a clearing. Turn right and ›ollow the path for 100 metres. At the step in the ›ath (Silver Birch trees), turn left through a 'Nam-›ke bush scene to arrive slightly in awe at the ›ase of the statuesque frozen wave of rock that ›arks the start of the edge proper.

cylchdaith bethesda: Y DON

Brigiad cymharol eang, ond braidd yn siomedig, sydd yng nghudd mewn coedwig trwchus. Casgliad o dramwyiadau gweddol at y bwtres cyntaf (V5/6 - uchel, V3/4 - canolig, V4 - isel), a rhai llinellau i fyny isradd yn dod â chwi at yr uchder-ddibynol *Pebble Wall* V8 (?); wal ochr dde bae sgwar-gornel. Ewch yn ddyfnach i'r tirlun Blair Witch brawychus, a fe ddowch at glogfaen isel o dan yr ymyl. Ar y wyneb blaen mae yna V5 da yn tramwyo o'r dde i'r chwith, o ddechreuad o'r eistedd ar y dde, ar bocedi i ddechrau ac wedyn yn dolennu o gwmpad y gwefus gwyrol i dir hawdd yr ochr arall. Mae yna rhai llinellau da (gyda glanfeydd drwg yn anffodus) mewn agendor cuddiedig y tu ôl i'r prif clogwyn.

Mynediad: gyrrwch/cerddwch allan o Fethesda (tuag at Capel Curig), ar ôl y tro cyntaf parciwch yn yr arhosfan ar y dde. Croeswch y ffordd, a dilyn y llwybr ar draws lôn i fyny at lanerch. Trowch i'r dde a dilyn llwybr am 100 metr. Wrth y gris yn y llwybr (coed Bedw Arian), trowch i'r chwith, ac ewch drwy ddrysni aruthrol i gyrraedd gwaelod ton graig sy'n dynodi dechrau'r ymyl.

bethesda circuit: BRAICHMELYN BOULDER

A cartoon perfect vision; this remarkable piece of rock is the very nirvana that all dedicated crimpers dream of. A sheer face, cast with an array of delightfully small holds, looms above a fine grassy landing. The peaceful ambience of the surrounding sparsely wooded glade adds to the overwhelming feeling of tranquillity; a welcome distraction when your tips are screaming from the harsh rip of the crimps. If only this place had slopers, I don't think I'd climb anywhere else.

Access: from the kinked Mynydd Llandegai crossroads at the Capel Curig end of Bethesda turn up towards Gerlan. After 300 metres park sensibly (probably best close to the bridge over the river where the road widens) and turn back down Nant Graen (a small road leading off the main road). Follow the narrow road until it ends (100 metres), then walk down the right side of the house (as suggested by the footpath sign) and around the back of the house. Walk up the vague path through the woodland, bearing right towards the boulder (which is slightly hidden) after about 100 metres.

(NB. Also known as Super Boulder)

cylchdaith bethesda: CLOGFAEN BRAICHMELYN

Perffeithrwydd llwyr; carreg anhygoel union freuddwyd wynfyd pob crychwr cadarn. Wyneb serth, gyda wasgariad amrywiol o afaelion bychan pert, yn sefyll uwch ddisgynfa glaswelltog dda. Mae awyrgylch tawel y llanerch o amgylch yn cryfhau'r synnwyr o heddwch; difyrwch pleserus pan mae blaenau eich bysedd yn sgrechian ar ôl rhwyg bras y crychion. Ni fyddwn yn meddwl mynd i ddringo yn unman arall pe bai yna wyrafaelion ar gael yma.

Mynediad: o groesffordd Mynydd Llandegai, allan at Gapel Curig o Bethesda, trowch i fyny at Gerlan. Ar ôl 300 metr parciwch yn gall (yn agos i'r bont dros yr afon ble mae'r ffordd yn lletach sy'n debygol o fod orau) trowch yn ôl i lawr Nant Graen (lôn bychan yn ymestyn i ffwrdd o'r briffordd). Dilynwch y lôn gul nes iddi orffen (100 metr), wedyn cerddwch i lawr ochr dde y ty (fel a welir ar yr arwydd llwybr troed) ac o gwmpas cefn y ty. Cerddwch i fyny'r llwybr drwy'r goedwig, a thueddwch i'r dde at y clogfaen (sydd braidd yng nghudd) ar ôl 100 metr.

(NB. Hefyd yn cael ei alw "Super Boulder")

Gavin Foster, Central Wall V5, Photo/Ffoto: Simon Panton

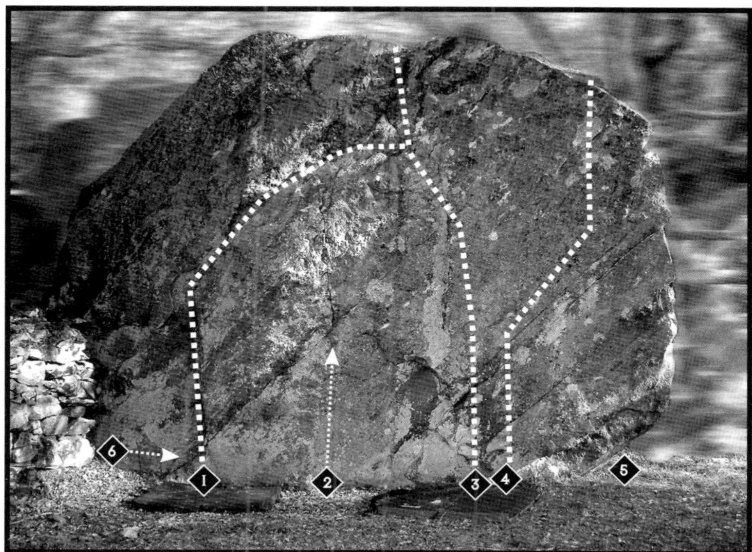

ethesda circuit: BRAICHMELYN BOULDER

1. The Ramp V2 ⌘⌘⌘ The attractive eature proves to be hardest near the start, lthough the finish is a little unnerving on first cquaintance. A harder left hand finish is possible.

2. The Crack/Klimov V6 ⌘ The thin crack s more a visual feature than a true line. The thin ntense wall (*Klimov*) just to the right gives better limbing, albeit at a slightly harder grade.

3. Central Wall V5 ⌘⌘⌘ Straight up at irst from the thin flake hold, bearing left to the anctuary of *The Ramp*. A classic, technical test iece. A slightly harder direct finish is possible.

4. Spring Juice V7 ⌘⌘ Thin moves lead up he wall left of the arête from the start of *CW*.

5. Braichmelyn Arete V1/V6 ⌘⌘ The rête (taken on it's left side) gives exquisite echnical moves to a prominent jug. Continue with he aid of a branch to the top. The sit down start s an outstanding and powerful V6. (NB. It is ossible to climb the arete on the right at V0)

6. The Traverse V8 ⌘⌘ Sustained esperation all the way, left to right, from the tart of *The Ramp* into *Braichmelyn Arete*. A harder ariant finish (V8+) links into *SJ*.

cylchdaith bethesda: CLOGFAEN BRAICHMELYN

1. The Ramp V2 ⌘⌘⌘ Y nodwedd atyniadol sy'n profi'n galed ar y dechrau, tra bod y diwedd braidd yn anesmwythol y tro cyntaf. Posibl dilyn gorffeniad chwith caletach.

2. The Crack/Klimov V6 ⌘ Mae'r hollt tenau yn fwy o nodwedd gweledig na llinell cywir. Mae'r wal tenau ychydig (*Klimov*) i'r dde yn rhoi dringo gwell, ond o radd caletach braidd.

3. Central Wall V5 ⌘⌘⌘ Yn syth i fyny i ddechrau o'r gafael caen tenau, a siglo i'r chwith at ddiogelwch *The Ramp*. Prawf technegol clasurol. Posibl diweddu yn syth ond yn galetach.

4. Spring Juice V7 ⌘⌘ Symudiadau tenau i fyny'r wal i'r chwith o'r crib o ddechrau *CW*.

5. Braichmelyn Arete V1/V6 ⌘⌘ Mae'r crib (ar ei ochr chwith) yn rhoi symudiadau technegol cain at y crafanc amlwg. Ewch gyda chymorth cangen at y brig. Mae'r dechreuad o'r eistedd yn V6 neilltuol a phwerus. (NB. Mae'n bosibl dringo'r crib ar y dde V0)

6. The Traverse V8 ⌘⌘ Cynaledig lletchwith yr holl ffordd, chwith i'r dde, o ddechrau *The Ramp* i mewn i *Braichmelyn Arete*. Mae diweddiad caletach (V8+) yn cysylltu *SJ*.

bethesda circuit: CASEG BOULDERS

Two fine blocks of stone nestled into the banks of the charming Afon Caseg. The rock is perfect and the lower boulder is home to one of the best, and some of the hardest problems in North Wales.

Access: just as you are leaving Gerlan, take the lefthand turning, parking sensibly at the last buildings on the road. Follow the road as it turns into a track for 200 metres to where it swings back left. Go through the gate on the right (on the apex of the bend) and walk past an old plough to reach (in 100 metres) the edge of the steep slope above the river. Drop down to the river, Harrison Ford your way across to the other side and behold the mighty Lower Caseg Boulder. The second boulder (problems 1-8) lies up stream; a mere giant's stride away (200 metres).

1. V0– ✱ The pleasing left arête of the slabby face.

2. V0 ✱ The thin slab 1 metre right of the arête.

3. V0– ✱✱ The central line; hardest at the top.

4. V0 ✱ The righthand line is perhaps the hardest on the slab.

5. Top Caseg Traverse V5 ✱✱ A steep traverse across the sheep pen wall from a sit down start on the left, moving around the arête and exiting up the wall.

6. V4 ✱ A very awkward, but cool sit down start.

7. V0+ ✱ The steady wall just to the right.

8. V3 ✱ A low start in the break.

9. V0 ✱ Monkey up the 2 aretes.

10. V0 ✱ The tricky groove.

11. V4 ✱ Traverse right beneath the top, from a hanging start at the left arête, to finish up *problem 10*.

12. V2 ✱ Tussle up the hanging prow. A contrived low start can be made at V5/6 to the left.

13. The Gimp V8 ✱✱ Thin, hard moves up the bulging wall.

14. Main Vein V10 ✱✱✱ The bulging rib right of the groove. A truly audacious line. The sit down start is an obvious challenge.

cylchdaith bethesda: CLOGFAENI CASEG

Dau garreg braf ar lannau'r nant cain Afon Caseg. Mae'r graig yn berffaith ac mae'r clogfaen is yn gartref i un o broblemau gorau, a rhai o'r caletaf, yng Ngogledd Cymru.

Mynediad: Union wrth ymadael â Gerlan, cymerwch y troad i'r chwith, parciwch yn gall wrth yr adeiladau olaf ar y ffordd. Dilynwch y ffordd, nes iddo droi'n lôn, am 200m i ble mae'n siglo'n ôl i'r chwith. Ewch drwy'r giât ar y dde (yng nghanol y tro) a cherddwch heibio hen aradr i gyrraedd (mewn 100m) ymyl y llethr serth uwch yr afon. Disgyn i lawr at yr afon, croeswch i'r ochr arall ac edrychwch ar y Clogfaen Caseg Is aruthrol. Mae'r ail glogfaen (problemau 1-8) ychydig yn uwch i fyny'r dyffryn, tua 200m i ffwrdd.

1. V0– ✱ Crib chwith pleserus y mur llechog.

2. V0 ✱ Y llech tenau 1 metr i'r dde o'r crib.

3. V0– ✱✱ Y llinell ganol, yn galed ger y brig.

4. V0 ✱ Y llinell dde, yr un caled y llech.

5. Top Caseg Traverse V5 ✱✱ Tramwyiad serth ar draws mur y gorlan o ddechreuad o'r eistedd ar y chwith, yn mynd heibio'r crib ac ymadael i fyny'r wal.

6. V4 ✱ Dechreuad o'r eistedd lletchwith ond gwych.

7. V0+ ✱ Y mur ychydig i'r dde.

8. V3 ✱ Dechreuad isel yn y toriad.

9. V0 ✱ Epawch i fyny'r 2 grib.

10. V0 ✱ Y rhych cyfrwys.

11. V4 ✱ Tramwyiad i'r dde o dan y brig, o ddechrau ar grog ar y crib chwith, i orffen i fyny *problem 10*.

12. V2 ✱ Cwffio i fyny'r cribflaen crog. Posibl dechrau'n isel ond ffuantus V5/6 ar y chwith.

13. The Gimp V8 ✱✱ Symudiadau tenau, caled i fyny'r wal chwyddog.

14. Main Vein V10 ✱✱✱ Yr asen chwydd i'r dde o'r rhych. Llinell hollol wallgo. Mae'r dechreuad o'r eistedd yn sialens amlwg.

bethesda circuit: CASEG BOULDERS

cylchdaith bethesda: CLOGFAENI CASEG

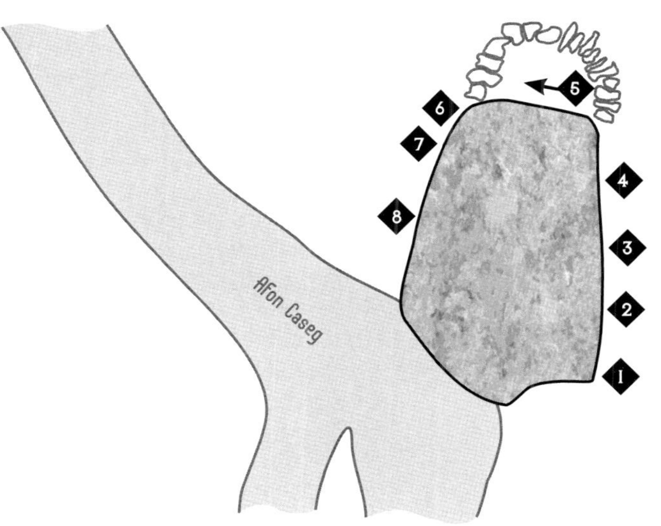

200m gap/bwlch o 200m

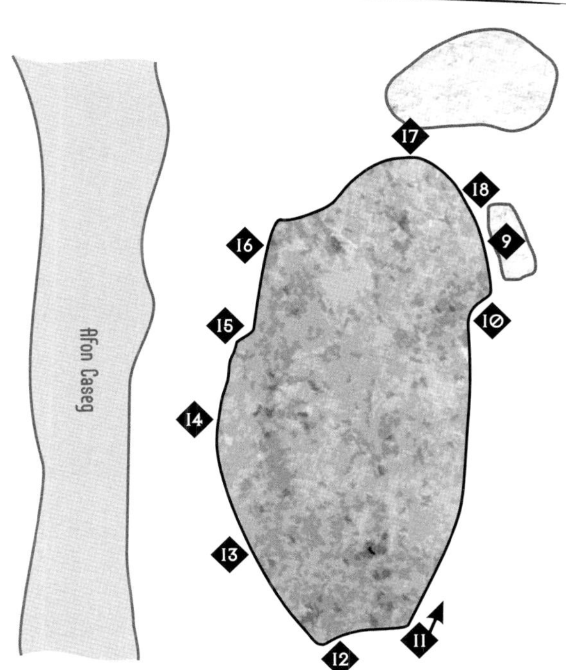

bethesda circuit: CASEG BOULDERS

15. The Caseg Groove V5 ⌘⌘⌘ The definitive classic; both exquisite and unlikely in execution. The sit down start has been ascended at a brutal VII grade.

16. This line has been climbed from a low specified starting position (on chest high side pulls) at V7, although the first ascensionist commented that the upper arête felt like doing a gritstone E3 micro route. Subsequent ascents have taken the easier finish, rocking out left onto the sloping shoulder. The sit down start remains unclimbed.

17. Don't Think Feel V8+ ⌘ Tackle the burly hanging prow from a sit down start.

18. V7 A slight line has been squeezed in on the left. Starting with your left hand just above the adjacent boulder, slap up to an edge and make a further dynamic move to good holds.

cylchdaith bethesda: CLOGFAENI CASEG

15. The Caseg Groove V5 ⌘⌘⌘ Diffiniad o glasur, yn wych ac yn annisgwyl mewn cyflawniad. Mae'r dechreuad o'r eistedd wedi ei ddringo fel gradd VII ciaidd.

16. Llinell V7 sydd wedi ei ddringo o ddechreuad isel (ochdynnau uchder brest), ond dywedodd y dringwr cyntaf ei fod yn cymharu'r crib uwch fel gwneud dringfa gritfaen micro E3. Mae eraill wedi cymryd yr allanfa haws, trosiglo allan i'r chwith i fyny at yr ysgwydd gwyrol. Nid yw'r dechreuad o'r eistedd wedi ei wneud eto.

17. Don't Think Feel V8+ ⌘ Ymosodwch ar y cribflaen cadarn o ddechreuad o'r eistedd.

18. V7 Llinell sydd wedi ei wasgu i mewn ar y chwith. Dechreuwch gyda'ch llaw chwith ychydig uwch na'r clogfaen cyfagos, palfiwch i fyny at ymyl a gwnewch symudiad arall deinamig at afaelion da.

Mark Katz, Caseg Groove V5, Photo/Ffoto: Ray Wood

project
PROJECT CLOTHING

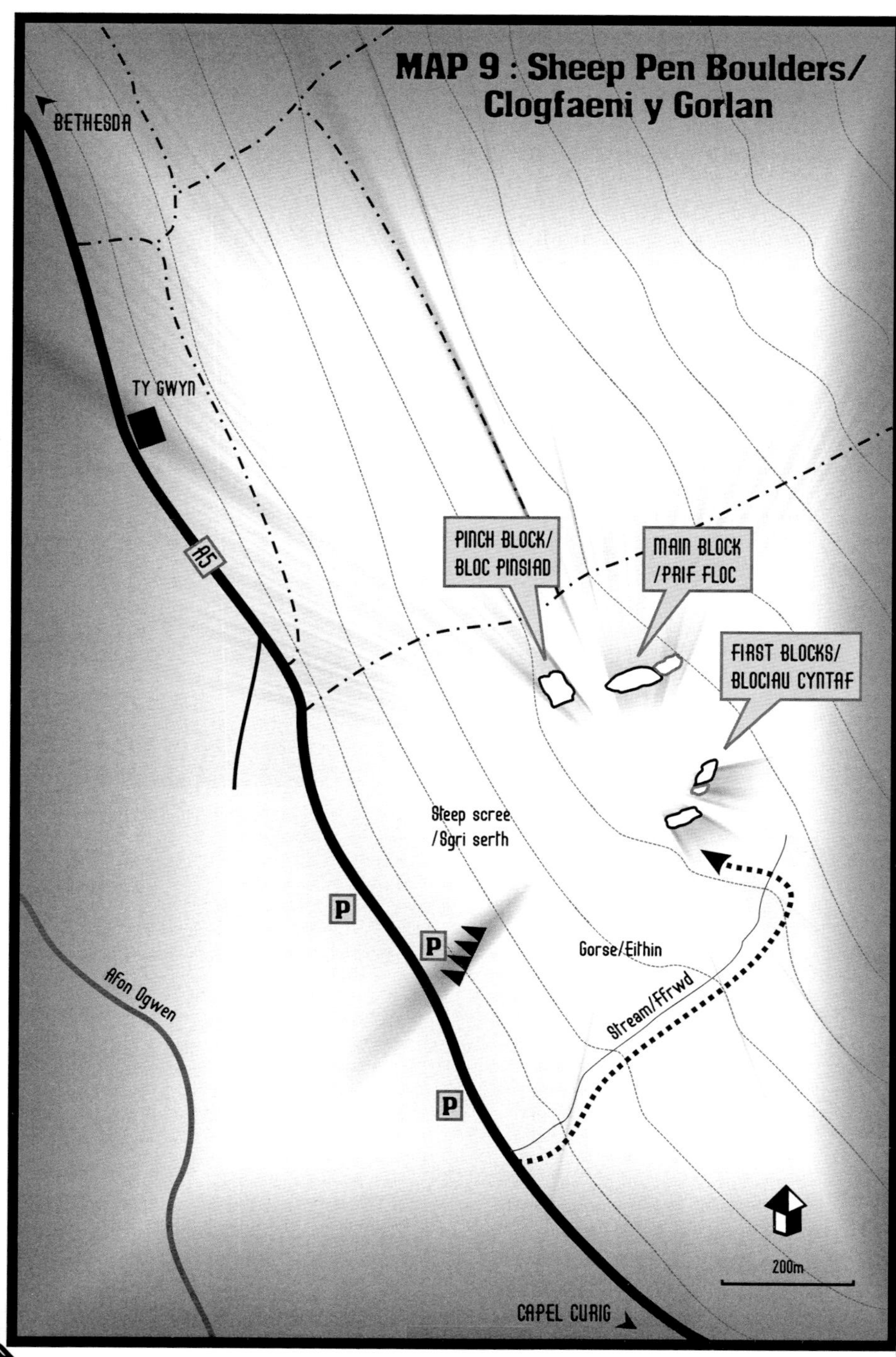
MAP 9 : Sheep Pen Boulders/
Clogfaeni y Gorlan
BETHESDA
TY GWYN
A5
PINCH BLOCK/
BLOC PINSIAD
MAIN BLOCK
/PRIF FLOC
FIRST BLOCKS/
BLOCIAU CYNTAF
Steep scree
/Sgri serth
Gorse/Eithin
Stream/Ffrwd
Afon Ogwen
P
P
P
200m
CAPEL CURIG

SHEEP PEN BOULDERS

A rather smart collection of boulders perched upon a tranquil grassy plateau atop a steep scree slope running down to the A5 road. The main boulder is very impressive indeed and numerous good quality mid grade problems abound on the smaller peripheral blocks.

Access: park in the smallest of the three laybys beneath the steep scree (i.e. the one closest to Ogwen Cottage) and walk steeply up the hill side, staying right of the Gorse slope. A couple of small blocks are passed, before it is possible to contour leftwards above the Gorse to arrive on the hidden grassy plateau.

CLOGFAENI Y GORLAN

Casgliad o glogfaeni go drwsiadus yn sefyll ar lwyfan glaswelltog uwchben llethr sgri sy'n rhedeg i lawr i ffordd yr A5. Mae'r prif glogfaen yn drawiadol dros ben ac mae nifer o broblemau canol radd ar y clogfaeni llai o amgylch.

Mynediad: parciwch yn yr arhosfan lleiaf o dri o dan y llethr sgri serth (h.y. yr agosach at Lyn Ogwen) a cherddwch yn serth i fyny'r llethr, a chadw i'r dde Eithin o'r allt. Ewch heibio cwpl o flociau bychan, cyn cyfuchlinio i'r chwith uwch y Eithin i gyrraedd y llwyfan cuddiedig.

Patch Hammond, Klem's Arete V4, Photo/Ffoto: Simon Panton

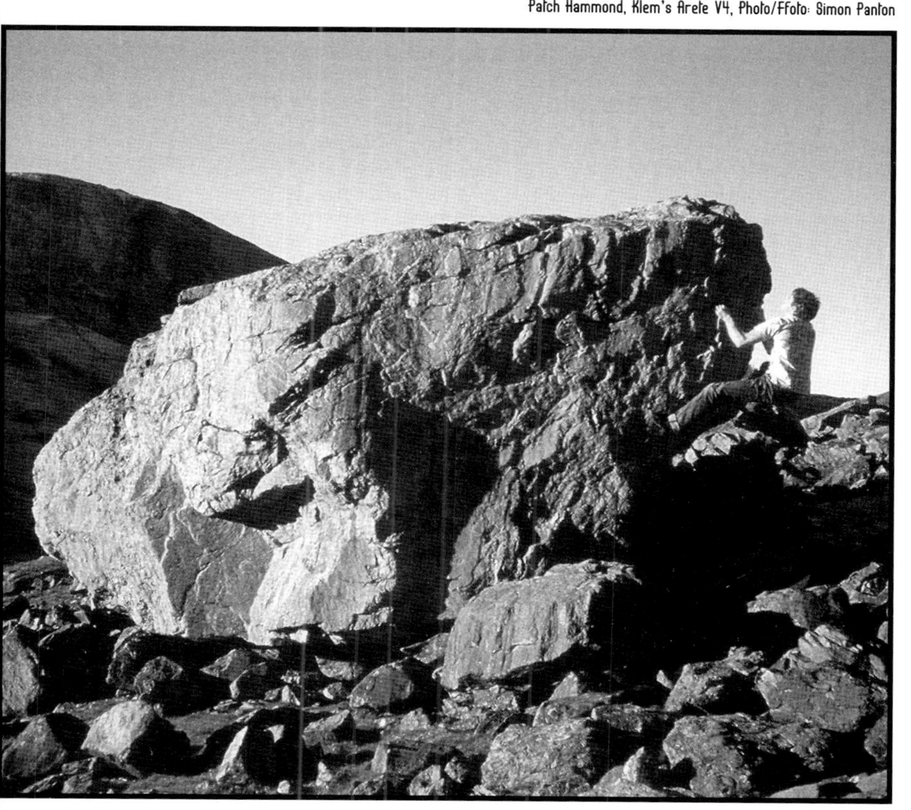

sheep pen: FIRST BLOCKS

Upon arrival on the grassy plateau the First Blocks are reached easily (100m). Several 'steady' problems will either warm you up or wear you out, depending on your present fighting weight, and of course the size of your hangover.

gorlan: BLOCIAU CYNTAF

Unwaith y cyrrhaeddwch y llwyfandir glaswelltog mae'r Blociau Cyntaf ar gael. Sawl problem 'rhwydd' i'ch cynhesu neu eich blino, yn dibynnu ar eich ffitrwydd, neu maint eich pen mawr.

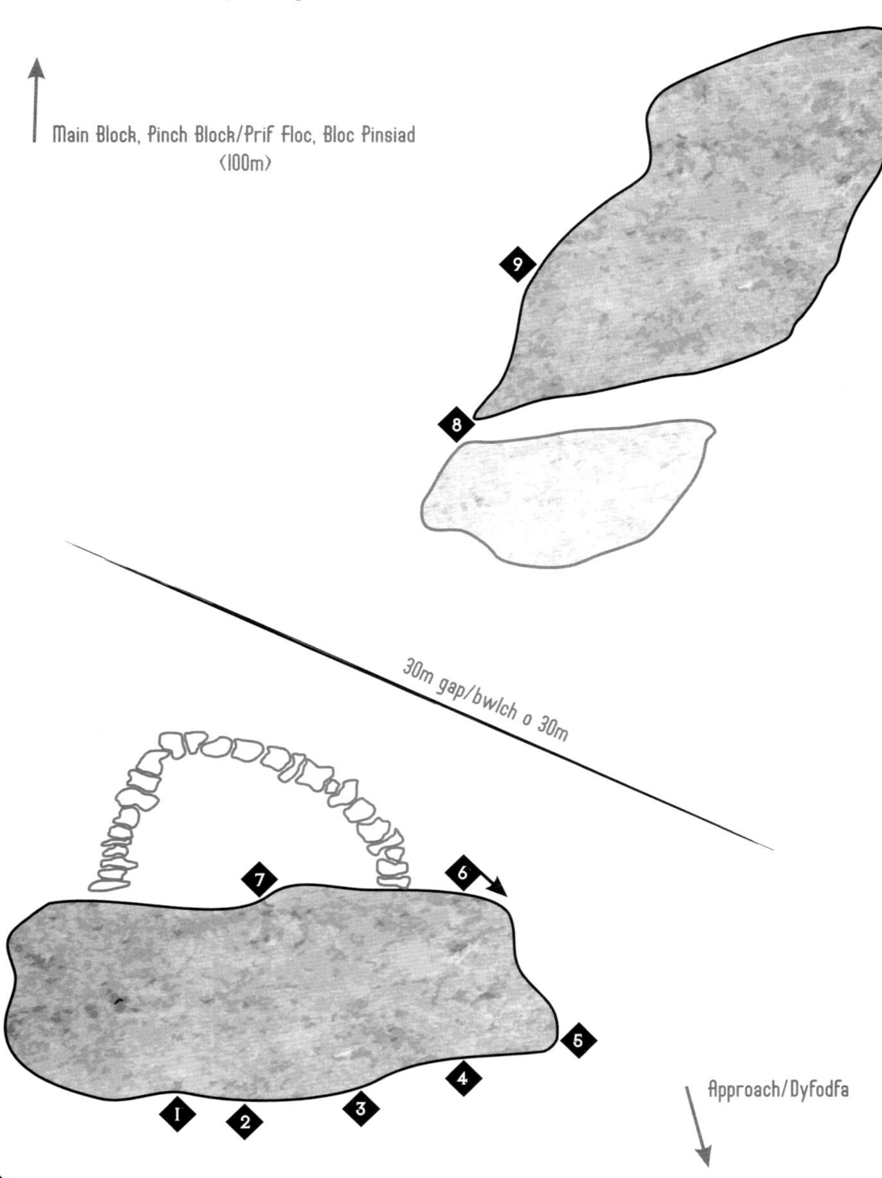

sheep pen: FIRST BLOCKS

1. V0 ✠ The faint groove on spiky holds.

2. V2 ✠✠ Pull through the left side of the small roof, just right of the faint groove.

3. V2/3 ✠✠ Pull up the blunt rib at the right side of the small roof. The sit down start on the lower ramp is a painful V4/5.

4. V3 ✠ The clean wall left of the arête from a sit down start.

5. Klem's Arete V4 ✠✠ The blunt arête taken from a sit down start provides joyous movement.

6. Life In A Northern Town V5 ✠ From a sit down start just left of the sheep pen wall, move up to the obvious traverse line and follow it with gritted teeth around the arête to a tricky section to pass *problem 4*. Continue leftwards to the finish of *problem 2*.

7. Little Groover V3 ✠ The sit down start to the small groove feature in the sheep pen is great fun.

8. Mack The Knife V4 ✠✠ The acutely sharp arête gives a cracking sit down problem.

9. Klem's Bulge V5 ✠✠ The steep bulge provides a powerful sit down start (left hand: undercut, right hand: side pull out right). A lower start, matching the undercut and using the low spiky block for the left foot warrants V6. A brutal V7 eliminate variation (actually the original method) avoids the big side pull out right, pulling through on a slopey pinch instead.

gorlan: BLOCIAU CYNTAF

1. V0 ✠ Y rhych bws ar afaelion pigog.

2. V2 ✠✠ Tynnwch drwy ochr chwith y gordo bychan, ychydig i'r dde o'r rhych bws.

3. V2/3 ✠✠ Tynnwch i fyny'r asen di-awch ar ochr dde y gordo bychan. Mae'r dechreuad o'r eistedd ar y ramp is yn V4/5 poenus.

4. V3 ✠ Y pared glân i'r chwith o'r crib o gychwyniad llawr.

5. Klem's Arete V4 ✠✠ Y crib di-awch - ar ôl cychwyniad llawr - yn rhoi symudiadau hoenus.

6. Life In A Northen Town V5 ✠ dechrau o'r eistedd, ychydig i'r chwith o wal y gorlan, Symudwch i fyny at linell tramwyol amlwg a'i dilyn, yn gwasgu'ch dannedd, o gwmpas y crib gyda darn caled heibio *problem 4*. Ewch ymlaen i'r chwith i orffen i fyny *problem 2*.

7. Little Groover V3 ✠ O'r eistedd i fynd fyny'r nodwedd rhychiol bychan yn y gorlan.

8. Mack the Knife V4 ✠✠ Mae'r crib miniog yn rhoi problem o'r eistedd rhagorol.

9. Klem's Bulge V5 ✠✠ Cychwyniad llawr pwerus i fyny'r chwydd serth (llaw chwith: tandor, llaw dde: ochdyn allan i'r dde). Mae dechreuad is yn cydrannu'r tandor a defnyddio'r bloc isel pigog i'r droed chwith yn rhoi V6. Ceir dilead ciaidd V7 (y dull gwreiddiol) yn osgoi'r ochdyn mawr allan i'r dde ac yn tynnu drwy ar binsiad gwyrol yn lle.

Gavin Foster,
Little Groover V3/4,
Photo/Ffoto: Simon Panton

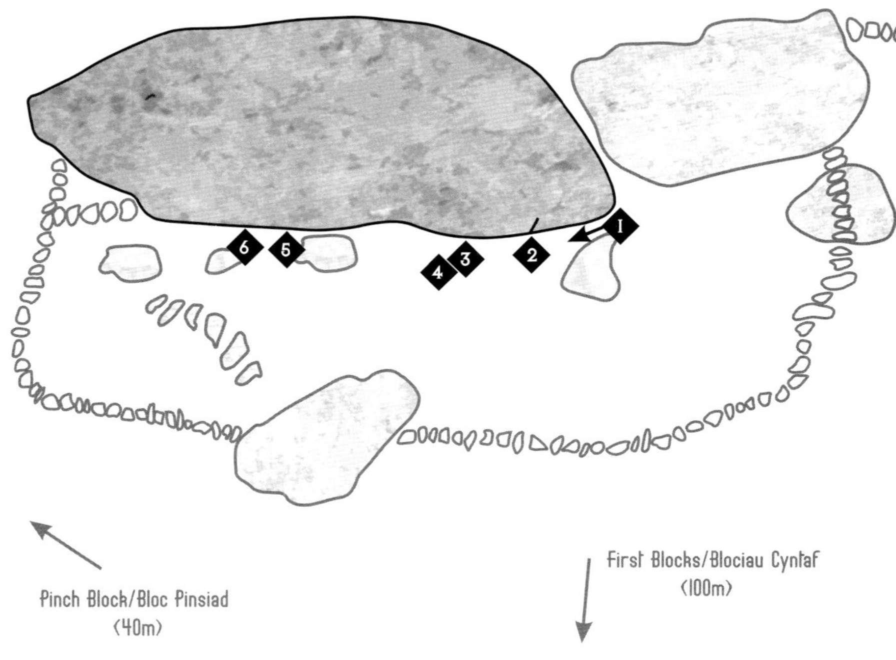

sheep pen: MAIN BLOCK

A quick stomp across the plateau leads to the main event, which, on first acquaintance is quite shocking to behold. This super steep boulder has a number of excellent 'up' lines and a similar 'pump junkie' link up/connection potential to Roadrunner Cave, albeit in a far more aesthetically pleasing location.

1. Ding Dong's Traverse V8–9/10 ✠✠
A vein busting extension that can be added to any of the up lines on the right side of the wall. From a sit down start at the lower right edge, flex leftwards on insecure slopers, somehow gaining the slight respite of *TD*. Breaking for the lip here warrants a V8 grade, whereas to continue into *DS* justifies V8+. The link into *KOR* is V9, but the continuation into *Gnasher* remains a project (although the moves have been done).

2. Toe Dragon V5 ✠✠ From a sit down start at the base of the crack feature slap upwards, bearing right for the lip. A more direct finish *(Dirty Slapper)* is slightly harder.

gorlan: PRIF FLOC

Siwrne cyflym ar draws y llwyfandir at y prif safle, sydd ar eich ymweliad cyntaf yn edrych braidd yn ddychrynllyd. Mae'r clogfaen hwn yn serth ofnadwy gyda nifer o broblemau i fyny ardderchog a cysylltiadau pwmpiog tebyg i Ogof Roadrunner, ond mewn man llawer brafiach.

1. Ding Dong's Traverse V8–9/10 ✠✠
Estyniad chwyth wythien a all ei gysylltu ac unrhyw un o'r llinellau i fyny ar ochr dde y wal. Dechrau o'r eistedd ar ochr isaf i'r dde, ystwythwch allan i'r chwith ar wyrafaelion anniogel, rhyw ffordd ennill ychydig o seibiant yn *TD*. Mae torri am y brig yn y man yma yn rhoi gradd V8, tra bod ymestyn i mewn i *DS* yn haeddu V8+. Mae'r cysylltiad i mewn i *KOR* yn V9, ond mae'r ymestuniad i mewn i *Gnasher* yn brosiect dal, ond mae'r symudiadau wedi eu gwneud.

2. Toe Dragon V5 ✠✠ Dechrau o'r eistedd wrth waelod y nodwedd hollt palfu i fyny, a thueddu i'r dde am y gwefus. Mae'r llinell uniongyrchol *(Dirty Slapper)* ychydig bach yn galetach.

3. Dog Shooter V4 ⌘⌘⌘ The big sidepull pocket marks the way on this killer problem. Originally done from a hanging start on chest high edges (V5), modern thinking favours the more satisfying and logical V7 link from the start of *TD*.

4. Kingdom Of Rain V6 ⌘⌘⌘ Another awesome problem that starts as for *DS*, but swerves left to gain a parallel line of weakness, that allows access to the top. Similarly, the V8 link from the start of *TD* is better, if a good deal harder.

5. Gnasher V6 ⌘⌘ A stand up line, moving directly past the teeth filled pocket.

6. Jerry's Problem V10 ⌘⌘ From a sit down start on the low edge, blast up the steep face via the prominent gaston to gain better holds at 2/3rds height.

ude Spancken, Dog Shooter V4, Photo/Ffoto: Mark Reeves

3. Dog Shooter V4 ⌘⌘⌘ Y poced ochymyl mawr sy'n dangos y ffordd ar y broblem aruthrol yma. Yn wreiddiol dechrau yng nghrog oddi ar gyrion brest uchel (V5), mae cysylltiad V7 i mewn o ddechrau *TD* yn rhoi dringo gwell.

4. Kingdom Of Rain V6 ⌘⌘⌘ Problem aruthrol arall sy'n dechrau fel *DS*, ond yn crymu i'r chwith i gyrraedd llinell cyfochrog, i alluogi mynediad at y brig. Hefyd, mae'r cysylltiad V8 o ddechrau *TD* yn well, os yn galetach.

5. Gnasher V6 ⌘⌘ Llinell o'r sefyll, yn symud yn unionsyth hebio poced llawn dannedd.

6. Jerry's Problem V10 ⌘⌘ Dechrau o'r eistedd ar yr ymyl isel, chwythu i fyny'r wyneb serth heibio gaston amlwg i gyrraedd gafaelion gwell tua 2/3 o'r ffordd.

Mat Perrier, Ding Dong's Traverse V8+, Photo/Ffoto: Mark Reeves

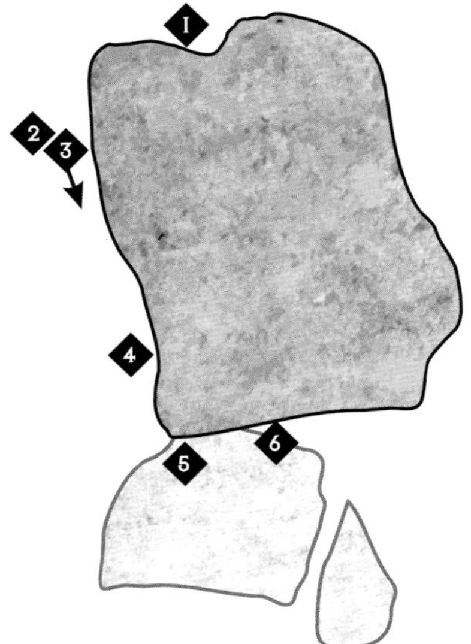

Main Block/Prif Floc (40m)

sheep pen: PINCH BLOCK

This lone block perched on the edge of the plateau, is less than 50 metres from the Main Block. It offers several fine problems and the famous *Pinch* problem.

1. V4 ✖ A troublesome sit down start on the undercut fin. A V5 variation finish breaks left along the lip before topping out.

2. Front Crack V1 ✖✖ The diagonal crack feature is a delight. The sit down start is a worthwhile V2/3.

3. Weight Watcher V5 ✖✖ Follow the sit down start to *FC* for a few moves, before veering rightwards across immaculate steep ground to gain the sanctuary of *FF*.

4. Front Face V0+ ✖✖ Climb through the bulge at the weakness just left of the adjacent platform to gain the hanging slab. Bear left to finish.

5. Inch Arete V0+ ✖✖ Step up and balance round onto the front face. The sit down start is V3/4.

gorlan: BLOC PINSIAD

Bloc unig wedi ei leoli ar ymyl y llwyfandir, llai na 50 metr o'r Prif Floc. Yn rhoi sawl problem da a'r problem *Pinch* enwog.

1. V4 ✖ Cychwyniad llawr caled ar yr asgell tandor. Gorffenniad amrywiol V5 yn torri i'r chwith ar hyd y gwefus cyn brigo.

2. Front Crack V1 ✖✖ Yr hollt lletraws hwylus. Gyda chychwyniad llawr V2/3 o werth.

3. Weight Watcher V5 ✖✖ Dilyn dechreuad o'r eistedd *FC* am ychydig cyn gwyro i'r dde ar draws wyneb bendigedig serth i gyrraedd hedd *FF*.

4. Front Face V0+ ✖✖ Dringwch drwy'r chwydd yn y man gwan ychydig i'r chwith o'r llwyfan gerllaw i gyrraedd y llech ar grog. Tueddwch i'r chwith i orffen.

5. Inch Arete V0+ ✖✖ Camwch i fyny a chydbwyswch o gwmpas at y wyneb flaen. Mae'r dechreuad o'r eistedd yn V3/4.

sheep pen: PINCH BLOCK

6. The Pinch V7 ✖✖ From a sit down start on crimpy edges, gain the slopey pinch up right. Dyno wildly for the lip of the hanging scoop, or rock it out in a boring, but stylish fashion. A minor V4 problem can be done just to the right.

Further up the steep hill slope above the approach end of the plateau a large boulder can be seen. A number of steep problems have been done both here and on a nearby wall.

gorlan: BLOC PINSIAD

6. The Pinch V7 ✖✖ Dechrau o'r eistedd ar gyrion crychiog, cyrraedd y pinsiad gwyrol i fyny i'r dde. Deino gwyllt at wefus y cafn a'r grog, neu throsiglwch i mewn iddo mewn modd diflas ond cain. Cewch broblem V4 ychydig i lawr i'r dde.

Ymhallach i fyny'r llethr serth uwchben man dyfodiad y llwyfandir mae clogfaen mawr i'w weld. Cofnodwyd sawl problem ar y clogfaen ac ar y mur gerllaw.

Sam Cattell, The Pinch V7, Photo/Ffoto: Ray Wood

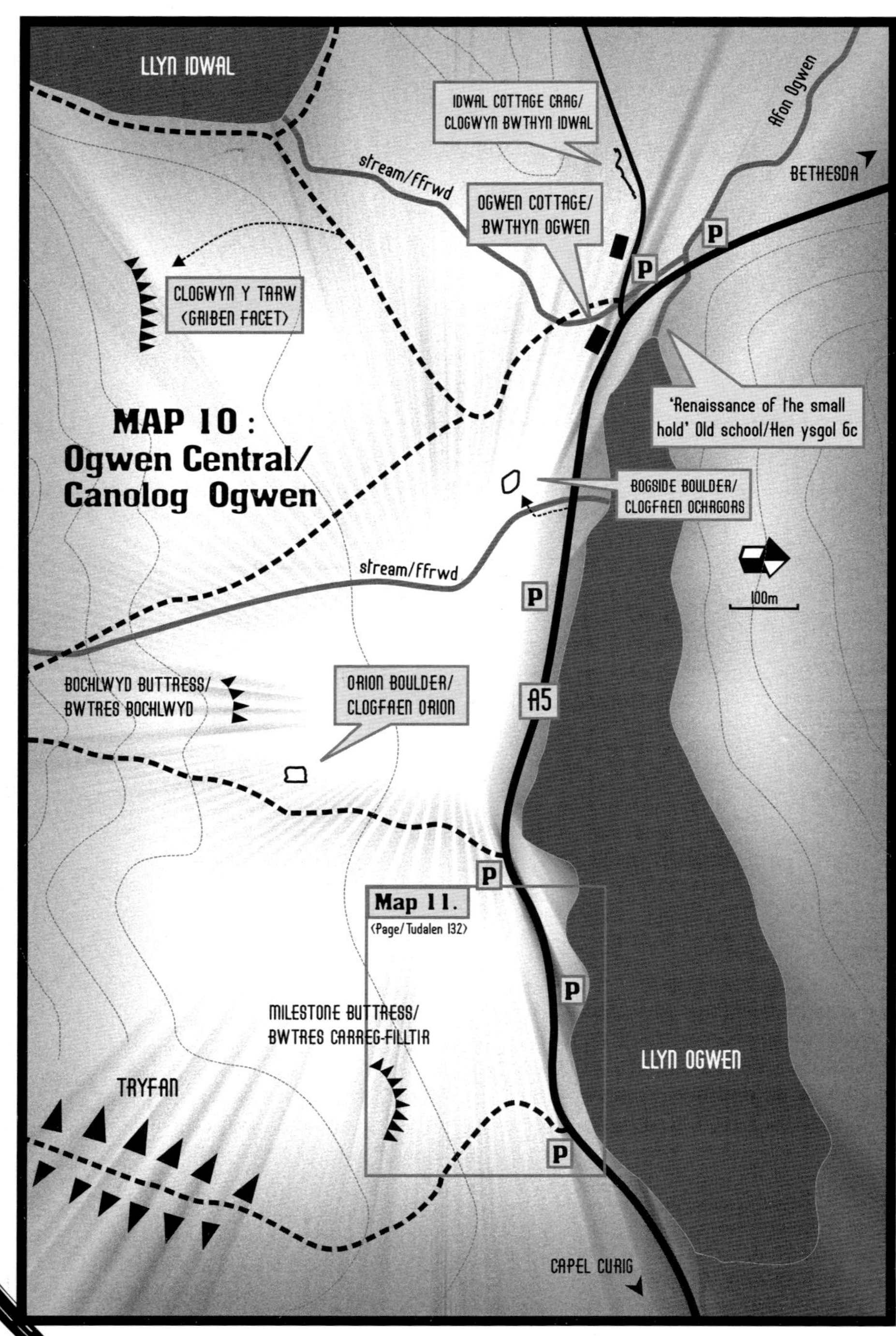
LLYN IDWAL
IDWAL COTTAGE CRAG/
CLOGWYN BWTHYN IDWAL
Afon Ogwen
stream/ffrwd
BETHESDA
OGWEN COTTAGE/
BWTHYN OGWEN
P
CLOGWYN Y TARW
(GRIBEN FACET)
'Renaissance of the small
hold' Old school/Hen ysgol 6c
MAP 10 :
Ogwen Central/
Canolog Ogwen
BOGSIDE BOULDER/
CLOGFAEN OCHRGORS
stream/ffrwd
100m
BOCHLWYD BUTTRESS/
BWTRES BOCHLWYD
ORION BOULDER/
CLOGFAEN ORION
A5
Map 11.
(Page/Tudalen 132)
MILESTONE BUTTRESS/
BWTRES CARREG-FILLTIR
LLYN OGWEN
TRYFAN
CAPEL CURIG

100% CLIMBING
moon
www.benmoon.co.uk

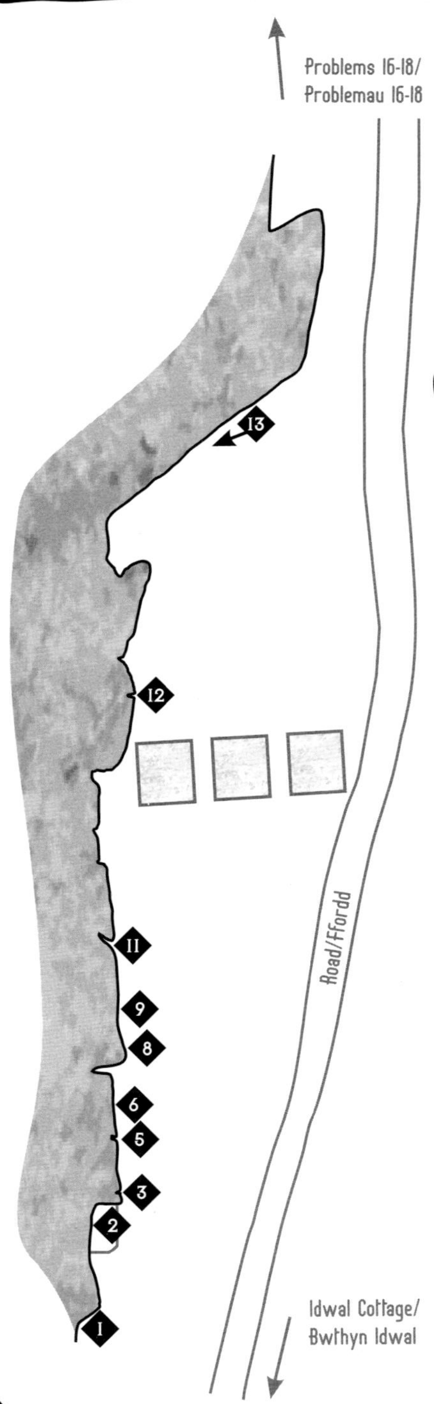

CLOGWYN BWTHYN IDWAL

Safle ochr-ffordd defnyddiol; nifer o broblemau technegol diddorol gyda glanfeydd cyfeillgar, a'r safle - gyda golygfeydd dramatig i lawr Nant Ffrancon - yn un wych.

Mynediad: o Fwthyn Ogwen, dilynwch yr hen ffordd 150 metr (heibio Bwthyn Idwal) a dros y grid gwartheg. Gweler y clogwyn yn syth ar y chwith.
(Gweler map 10 ar dudalen 118.)

1. Sideshow V3 ⌘ Y crib serth yn cael ei ddilyn yn go ddeinamig ar ei ochr chwith.

2. Cracker V3/4 ⌘ Y mur hollt uwch y sil, symud yn gyflym at y brig.

3. V1/2 Yr hollt tenau siomedig.

4. The Scoop V3 ⌘⌘ Mae mynediad i'r cafn yn uchder ddibynnol.

IDWAL COTTAGE CRAG

A useful roadside venue; numerous technically interesting problems with friendly landings can be found, and the location - with dramatic views down Nant Ffrancon - is quite superb.

Access: from Ogwen Cottage, follow the old road for 150 metres (past Idwal Cottage) to the cattle grid. The crag lies immediately on the left.
(See map 10 on page 118.)

1. Sideshow V3 ⌘ The steep arête taken somewhat dynamically on it's left side.

2. Cracker V3/4 ⌘ The cracked wall above the ledge, moving quickly for the top.

3. V1/2 The disappointing thin crack.

4. The Scoop V3 ⌘ Access to the scoop is particularly height dependant.

IDWAL COTTAGE CRAG

5. V1 ⌘⌘ The eminently pleasurable crack line.

6. V2 ⌘⌘ The smooth face, using the left edge/arête of the offwidth crack is a real smile-enducer. A harder (V5) variation eliminates the arête.

7. Idwal Squeeze V ? ⌘⌘⌘ Shuffle through the inviting/intimidating cleft.

8. Idwal Arete V6 ⌘⌘⌘ A classic highball line following the right arête of the offwidth crack. Climb direct with thin technical moves to start, then a bold finish. It is possible to access the upper arête from the centre of the slab at bold V5.

9. V3/4 ⌘⌘⌘ The central highball line of the immaculate slab.

10. V3 ⌘⌘ The right hand line on the slab, following the vague, right trending scoop.

11. V1 ⌘ The polished, diagonal layback crack.

12. V1 ⌘⌘ The classic crack line. Also VI traverse of boulder at mid height is worthwhile (L-R).

13. V3 Traverse up left from the obvious sit down start.

14. Trouty V1 ⌘ The sit down start from the jugs.

15. Trouty Righthand V2 ⌘ From the same start as *Trouty*, traverse the lip to a grinding mantel finish at the far right side of the boulder. A V3/4 sit down start extension is possible, coming in low from the left edge of the boulder.

16. Location, Location, Location V4 ⌘⌘ 50 metres right of *problem 14* lies a lone boulder on the periphery of a scattered boulder field. This fine problem takes the obvious frontal line, from a sit down start (left hand: side pull, right hand: crimp) past a sloper into the hanging, slopey groove.

17. V4 ⌘ A left hand sit down start (two sidepulls) into the top of the original problem.

18. Francois Le Pen V2 ⌘ A further 50 metres on from *problem 17* lies another worthy problem in an old sheep pen 15 metres from the road. Start below the lip, slapping up and mantelling out to finish.

CLOGWYN BWTHYN IDWAL

5. V1 ⌘⌘ Y llinell hollt pleserus.

6. V2 ⌘⌘ Y wyneb llyfn, yn defnyddio'r ymyl/crib chwith yr hollt anlled, yn ddigon i roi gwên. Mae amrywiad caletach (V5) yn osgoi'r crib.

7. Idwal Squeeze V ? ⌘⌘⌘ Stwfflwch drwy'r agendor deniadol/bygythiol.

8. Idwal Arete V6 ⌘⌘⌘ Uchelgaill clasurol sy'n dilyn crib dde yr hollt anlled. Dringwch yn unionsyth gyda symudiadau technegol i ddechrau, a diwedd mentrus. Mae'n bosibl cyrraedd y crib uwch o ganol y llech fel V5 mentrus.

9. V3/4 ⌘⌘⌘ Uchelgaill canolig clasurol y llech purlan.

10. V3 ⌘⌘ Llinell ar ochr dde y llech, yn dilyn y cafn annelwig, sy'n tueddu i'r dde.

11. V1 ⌘ Yr hollt ôl-wthiedig lletraws caboledig.

12. V1 ⌘⌘ Y llinell hollt clasurol. Hefyd tramwyiad VI y clogfaen canol uchder (Ch-Dd) yn dda.

13. V3 Tramwywch i fyny i'r chwith o'r dechreuad o'r eistedd amlwg.

14. Trouty V1 ⌘ Y dechreuad o'r eistedd o'r crafangau.

15. Trouty Righthand V2 ⌘ O'r un dechreuad â *Trouty*, tranwywch y gwefus at orffeniad trawst caled ar yr ochr pellaf i'r dde o'r clogfaen. Posibl gwneud estyniad llawr V3/4, dod i mewn yn isel o ymyl chwith y clogfaen.

16. Location, Location, Location V4 ⌘⌘ 50 metr i'r dde o *broblem 14* gorweddig clogfaen unig ar ymyl maes clogfaeni gwasgarog. Mae'r broblem braf yma yn dilyn y llinell flaen amlwg gyda chychwyniad llawr (llaw chwith: ochymyl, llaw dde: crych) heibio wyrafael i mewn i'r cafn gwyrol ar grog.

17. V4 ⌘ Dechreuad o'r eistedd chwith (dau ochdyn) yn dod i mewn at frig y broblem wreiddiol.

18. Francois Le Pen V2 ⌘ 50 metr ymhellach o *broblem 17* cewch broblem arall o werth yn yr hen gorlan 15 metr uwch y ffordd. Dechrau o dan y gwefus a phalfu i fyny cyn trawstio allan i orffen.

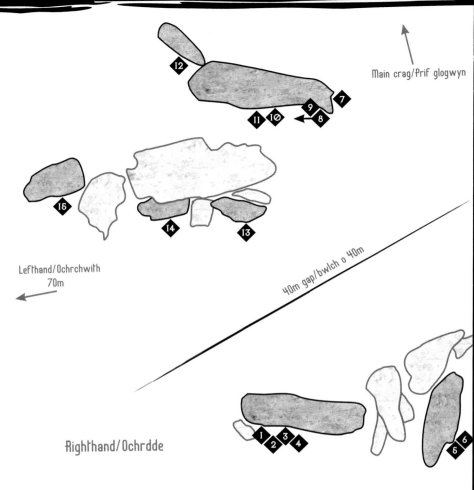

Main crag/Prif glogwyn

12

7

9

8

11 10

15

14

13

Lefthand/Ochrchwith
70m

40m gap/bwlch o 40m

Righthand/Ochrdde

1 2 3 4

5 6

Approach/Dyfodfa

CLOGWYN Y TARW (aka Griben Facet)

Beneath the main crag lies an extensive and - on first acquaintance - rather complex boulder field. For one reason or another (snappy rock, bad landings) much of it is not suited to modern bouldering. Nonetheless, there are enough gems described here to give several absorbing sessions for a crew of well travelled boulderers, armed of course with a good set of pads.

CLOGWYN Y TARW (hhf Griben Facet)

Yn gorwedd o dan y prif glogwyn mae maes clogfaen eang ac - ar ymweliad cynnar - braidd yn gymhleth. Oherwydd rhesymau (craig bregus, glanfeydd gwael) nid yw llawer ohono o werth i fowldro modern. Tra bo hyn yn wir, mae yna ddigon o werth wedi eu disgrifio yma i roi sawl sesiwn ddifyr i gasgliad o fowldwyr, sydd wedi eu harfogi â set o badiau da.

clogwyn y tarw: RIGHTHAND

Access: from the Ogwen Cottage follow the path up to Llyn Idwal, breaking left across a slightly boggy area to arrive at the right side of the boulder field. The main blocks in the circuit are prominent and easy to spot, but if you're struggling then follow the directional instructions linking the circuit together.

(See map 10 on page 118.)

1. V2 A thin a tricky line squeezed in on the left side of the slab.

2. V1 ⌘ Move up past the 'fat' layback flake.

3. V0+ ⌘ Step onto the undercut slab via the snappy layback flake.

4. V1 ⌘⌘ The thin diagonal crack line over the bulge onto the slab.

5. V3 ⌘⌘ From a sit down start, power up into the small groove and finish rightwards (V1 from a stand up.)

6. V4 ⌘⌘ From the same start, follow the ramp up right, rocking back left to finish. The stand up version (V2) is also excellent.

clogwyn y tarw: OCHRDDE

Mynediad: o Fwthyn Ogwen dilynwch y llwybr i fyny at Lyn Idwal, i dorri allan i'r chwith ar draws tir corsiog i ddod at ochr dde y maes clogfaen. Mae prif flociau y cylchdaith yn nodweddol ac yn amlwg, ond os ydych yn cael anhawster dilynwch y cyfeiriadau a roddir isod i gysylltu'r cylchdaith.

(Gweler map 10 ar dudalen 118.)

1. V2 Llinell tenau caled wedi eu wasgu i mewn ar ochr chwith y llech.

2. V1 ⌘ Symudwch i fyny heibio'r caen ôl-wthio 'tew'.

3. V0+ ⌘ Camwch ar y llech tandor heibio'r caen ôl-wthio bregus.

4. V1 ⌘⌘ Yr llinell hollt lletraws tenau dros y chwydd at y llech.

5. V3 ⌘⌘ Dechrau o'r eistedd, pwerwch i fyny at y cafn bychan a gorffen allan i'r dde (V1 o'r sefyll).

6. V4 ⌘⌘ O'r un dechreuad, dilyn y ramp i fyny i'r dde, trosiglo yn ôl i'r chwith i orffen. Mae'r dechreuad o'r sefyll (V2) yn ardderchog hefyd.

View of the Clogwyn y Tarw hillside/Golygfa o lethrau Clogwyn y Tarw

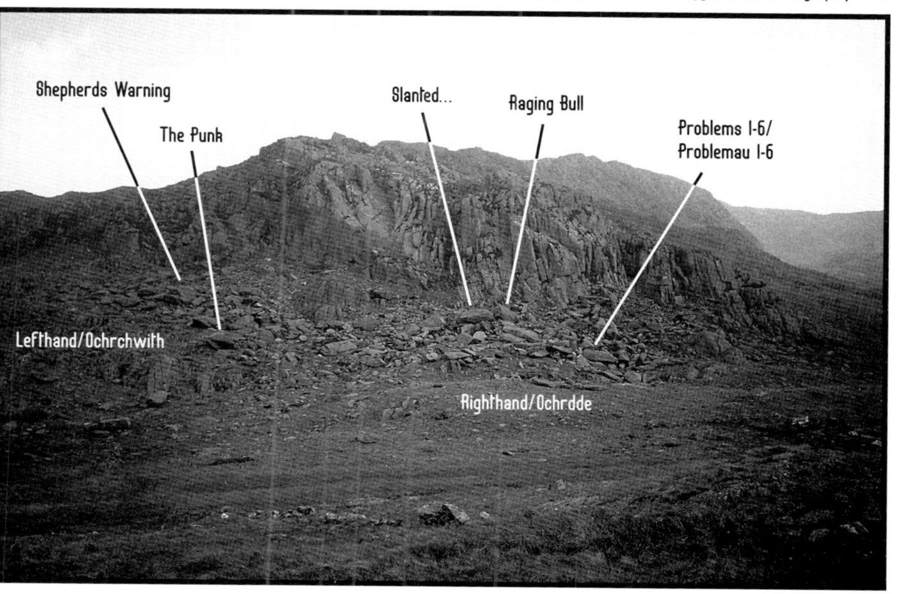

clogwyn y tarw: RIGHTHAND

After spying a minor V2 in the cave just above, bear leftwards over jumbled boulders for 40 metres towards 2 large blocks.

7. V4 ✖ The obvious sit down start in the scoop right of the arête.

8. Raging Bull V6 ✖✖ Pull on from a standing position at the right arête of the long front face and follow the lip of the steepness leftwards, moving with some desperation around the wide prow and up into the scoop to finish.

9. V0 ✖✖ The attractive faint scoop just left of the arête. (NB. heinous fingery moves (V6) lead up from a sit down start; this can be used as a V7 start to *RB*.)

10. V0+ ✖✖ Direct up onto the upper slab.

11. V1 ✖✖ Rock up onto the slab via the blunt flake. Another clean line.

12. El Gringo 29 V4 ✖ The right side of the neat wall tucked in behind the *RB* block.

clogwyn y tarw: OCHRDDE

Ar ôl edrych ar V2 yn yr ogof uwchben, tueddwch i'r chwith 40 metr ar draws drysni o glogfaeni tuag at 2 glogfaen fawr.

7. V4 ✖ Y dechreuad o'r eistedd amlwg yn y cafn i'r dde o'r crib.

8. Raging Bull V6 ✖✖ Tynnwch ymlaen o'r sefyll ar grib dde y wyneb flaen hir a dilyn gwefus y serthni i'r chwith, symud gyda thipyn o strach heibio'r cribflaen llydan ac i fyny i'r cafn i ddarfod.

9. V0 ✖✖ Y cafn annelwig braf ychydig i'r chwith o'r crib. (NB. Symudiadau bysol brwnt (V6) yn arwain o ddechreuad o'r eistedd; gellir defnyddio hyn fel dechreuad V7 i *RB*.)

10. V0+ ✖✖ Yn syth i fyny at y llech uwch.

11. V1 ✖✖ Trosiglwch i fyny ar y llech heibio caen di-awch. Llinell lân arall.

12. El Gringo 29 V4 ✖ Ochr dde y wal twt sydd yng nghudd y tu ôl i floc *RB*.

David Noden, Raging Bull V6, Photo/Ffoto: Ray Wood

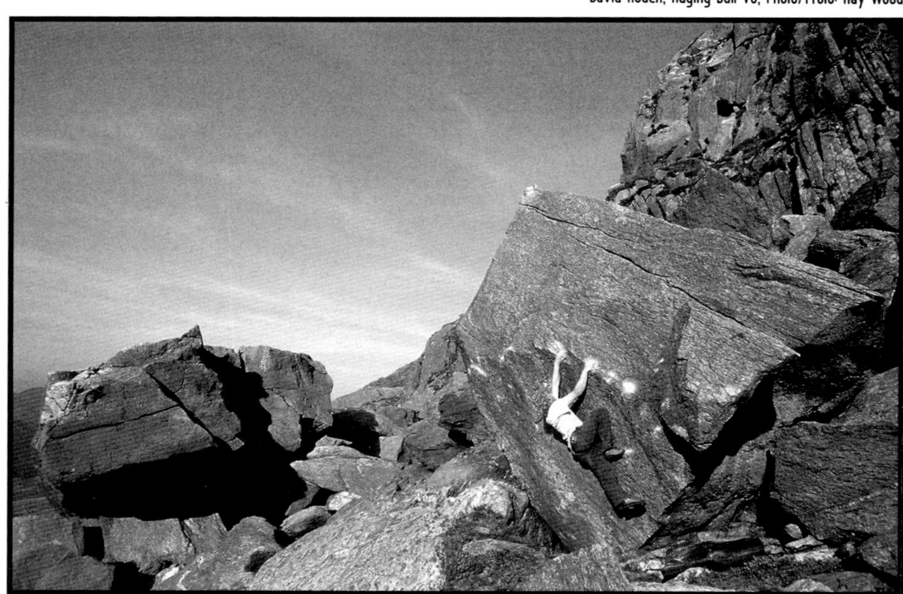

clogwyn y tarw: RIGHTHAND

13. Slanted... V5 ✠ From a sit down start (left hand: low jug, right hand: side pull on front face), pull desperately onto the front face.

14. V1 ✠✠ Rock up to a sloping top from the horizontal flake.

15. V0– ✠ Climb the slabby wall just right of the faint groove.

clogwyn y tarw: OCHRDDE

13. Slanted... V5 ✠ Dechrau o'r eistedd (llaw chwith: crafanc isel, llaw dde: ochdyn ar y wal flaen), tynnwch yn nerthol at y wyneb blaen.

14. V1 ✠✠ Trawstiwch i fyny at frig gwyrol o'r caen llorweddol.

15. V0– ✠ Dringwch y mur llechog ychydig i'r dde o'r rhych annelwig.

Chris Davies, Slanted... V5, Photo/Ffoto: David Noden

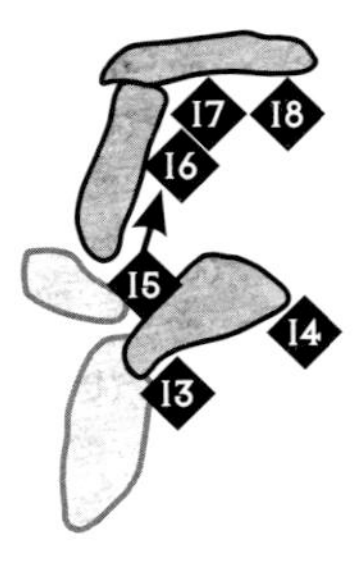

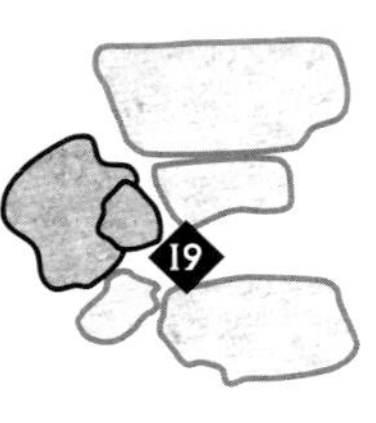

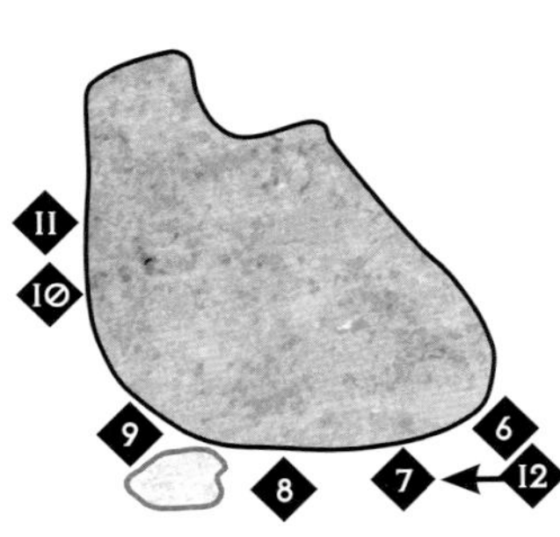

cyt: Righthand/Ochrdde 70m

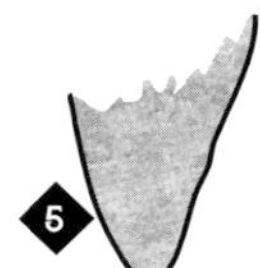

Lefthand/Ochrchwith

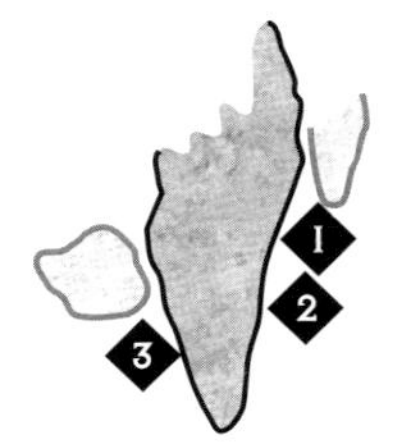

clogwyn y tarw: LEFTHAND

Head diagonally down leftwards for 70 metres to an obvious overhanging face and jutting prow.

1. The Punk V9 ⌘⌘ From a sit down start, pull back up to holds at chest height, then reach right before setting squarely for an unfeasible slap up right to a distant sloper. The top follows shortly.

2. V5 ⌘ From a sit down start just left of *The Punk*, power up through the bulge, or escape leftwards along the break (V4).

3. Here Comes Cadi V6 ⌘⌘ From a sit down start on jams, reach out across the roof and make big moves rightwards past a sloper, eventually grasping jugs to top out. A tough little cookie.

4. Disco Baby V4 ⌘ From the same start, swing out left to undercuts and pull directly up the bulging wall.

clogwyn y tarw: OCHRCHWITH

Tueddwch yn lletraws i lawr i'r chwith am 70 metr at wyneb trosgrog amlwg a cribflaen bargodol.

1. The Punk V9 ⌘⌘ Dechrau o'r eistedd, tynnwch yn ôl i fyny at afaelion frest-uchel, wedyn 'estyn i'r dde cyn paratoi am balfiad annichon i fyny i'r dde at wyrafael pell, a'r brig sy'n dilyn.

2. V5 ⌘ O gychwyniad llawr ychydig i'r chwith o *The Punk*, pwerwch drwy'r chwydd, neu ddianc allan i'r chwith ar hyd y toriad (V4).

3. Here Comes Cadi V6 ⌘⌘ O ddechreuad o'r eistedd ar gloion, ymestynnwch allan ar draws y to a gwneud symudiadau mawr heibio wyrafael i gyrraedd crafangau allan i frigo. Un ffyrnig dros ben.

4. Disco Baby V4 ⌘ O'r un dechreuad, pendylwch allan i'r chwith at dandoriadau a thynnwch yn unionsyth, fyny'r wal.

clogwyn y tarw: LEFTHAND

5. Pike Head V1 ⌘ Go back up left for 25 metres to another jutting prow. Pull from the horizontal break past the 'eye' to gain the top. Continue up left for 30 metres to the large boulder with the high sloping shelf on its front face.

6. V5 ⌘ The bulge above the pit is quite nerve wracking, even when the shelf is reached.

7. V3 ⌘⌘ Hang the low break/ shelf to start, then follow the diagonal line to gain the sloping shelf.

8. V6 ⌘ The obvious sit down start breaking up the wall to the left.

9. V1 ⌘ The thin crack feature in the blunt arête leads to the left hand side of the upper sloping shelf.

10. V2 ⌘ Climb directly up the wall on widely spaced juggy features. (NB. A low start in the pit beneath is also possible.)

11. Red Sky Wall V4 ⌘⌘ A superb, if slightly eliminate line up the blank wall to the left. Pop up to thin edges, thereafter gaining a positive pocket with your right hand and making a big move for the top. A V2 version sneaks in from the right and finishes direct.

12. Shepherds Warning V5 ⌘⌘ An extensive and entertaining circuit of the block that starts from base of *problem 6*. Traverse left along the break and follow the easiest diagonal line out of *problem 7* to gain the top break. Continue past a highball (but thankfully juggy) section to a final fingery crossing of *RSW* to finish along a ramp system.

13. Mat's Problem V3 ⌘⌘ 30 metres up leftwards from *RSW* lies an inviting hanging block. The diagonal flake on the left side succumbs to an aggressive approach.

14. V3 Traverse the lip of the block from a sit down start on the right, across to the finishing mantel of *MP*.

15. Really Beef V2 ⌘⌘ Traverse the lip of the slanting block from a sit down start at the extreme left end.

16. Beef Groove V4 ⌘ The sit down start to the micro groove gives wholesome satisfaction.

clogwyn y tarw: OCHRCHWITH

5. Pike Head V1 ⌘ Ewch yn ôl i'r chwith 25 metr at gribflaen bargodol arall. Tynnwch o'r toriad llorweddol heibio 'llygad' i fynd at y brig. Cadwch ymlaen i'r chwith am 30 metr at glogfaen fawr gyda silff gwyrol uchel ar ei hwyneb blaen.

6. V5 ⌘ Mae'r chwydd uwch y pwll yn frawychus hyd yn oed ar ôl cyrraedd y silff.

7. V3 ⌘⌘ Hongian y toriad/silff isel i ddechrau, wedyn dilynwch y llinell lletraws i gyrraedd y silff gwyrol.

8. V6 ⌘ Y dechreuad o'r eistedd amlwg sy'n mynd i fyny'r wal i'r chwith.

9. V1 ⌘ Y nodwedd hollt tenau yn y crib di-awch yn arwain at ochr chwith y silff gwyrol uwch.

10. V2 ⌘ Dringwch yn syth i fyny'r wal ar arweddion crafangol gwasgarog. (NB. Posibl gwneud dechreuad o'r eistedd.)

11. Red Sky Wall V4 ⌘⌘ Llinell ardderchog, ond dileus braidd, i fyny'r wal llym allan i'r chwith. Cleciwch i fyny at gyrion tenau, wedyn cyrraedd poced cadarnhaol gyda'r llaw dde a gwneud symudiad mawr am y brig. Mae amrywiad V2 yn dod i mewn o'r dde a gorffen yn syth.

12. Shepherd's Warning V5 ⌘⌘ Cylchdaith eang a braf o'r bloc sy'n dechrau o waelod *problem 6*. Tramwywch i'r chwith ar hyd toriad a dilyn y llinell lletraws haws allan o *problem 7* i gyrraedd y brig uchaf. Ymlaen heibio darn uchelgeilliol (llawn crafangau diolch byth) i groesiad bysaidd *RSW* a gorffen ar hyd system ramp.

13. Mat's Problem V3 ⌘⌘ 30 metr i fyny i'r chwith o *RSW* gweler bloc ar grog. Mae'r caen lletraws ar yr ochr chwith yn ildio i fodd ymosodol.

14. V3 Tramwywch brig y bloc o ddechreuad o'r eistedd ar y dde, ar draws at orffen trawstiol *MP*.

15. Really Beef V2 ⌘⌘ Tramwywch brig y bloc gwyrol o ddechreuad o'r eistedd ym mhen eithafol chwith.

16. Beef Groove V4 ⌘ Y cychwyniad o'r llawr i'r cafn micro yn rhoi pleser llwyr.

clogwyn y tarw: LEFTHAND

17. Mince V5 ⌘ Undercut up to poor holds and swing left to top out. The evil V8 sit down start is a real threat to the longevity of your tendons. You have been warned.

18. Beef Don't Mince V5 ⌘ Pull on avoiding the block on the right and swing diagonally left across the steep face. *Beef Dyno* (V4) also pulls on here, but dynos directly for the top with gay abandon.

19. Beef Thief V9 ⌘⌘ A steep block overhangs a hidden pit situated 20 metres up and right of the Red Sky block. From a sit down start (left hand: undercut, right hand: lip sloper) slap wildly to the least sharp part of the diagonal hold, adjust, match and hit the break, pulling over with comparative ease. (NB. This was originally done from a hanging position on the diagonal hold: *The Thief V7*)

clogwyn y tarw: OCHRCHWITH

17. Mince V5 ⌘ Tandorwch i fyny at afaelion gwael a siglwch allan i'r chwith i frigo. Mae'r dechreuad o'r eistedd V8 yn erchyll a dim am estynnu bywyd eich gewynnau.

18. Beef Don't Mince V5 ⌘ Tynnwch ymlaen ac osgoi'r bloc ar y dde a siglwch yn lletraws i'r chwith ar draws y wyneb serth. *Beef Dyno* (V4) hefyd yn tynnu ymlaen yma, ond yn gwneud deino yn syth am y brig.

19. Beef Thief V9 ⌘⌘ Bloc serth sy'n trosgrogi pwll cudd wedi ei leoli 20 metr uwch ac i'r dde o floc Red Sky. Dechrau o'r eistedd (llaw chwith: tandor, llaw dde: wyrafael gwefus) palfiwch yn wyllt i'r darn miniog olaf y gafael trawsled, ymaddasu, cydrannu a tharrwch y toriad, tynnwch drosodd yn gymharol hawdd. (NB. Yn wreiddiol dechrau yng nghrog o'r gafael lletraws: *The Thief V7*)

David Noden, Clogwyn y Tarw: Lefthand/Ochrchwith Problem 6 V5, Photo/Ffoto: Ray Wood

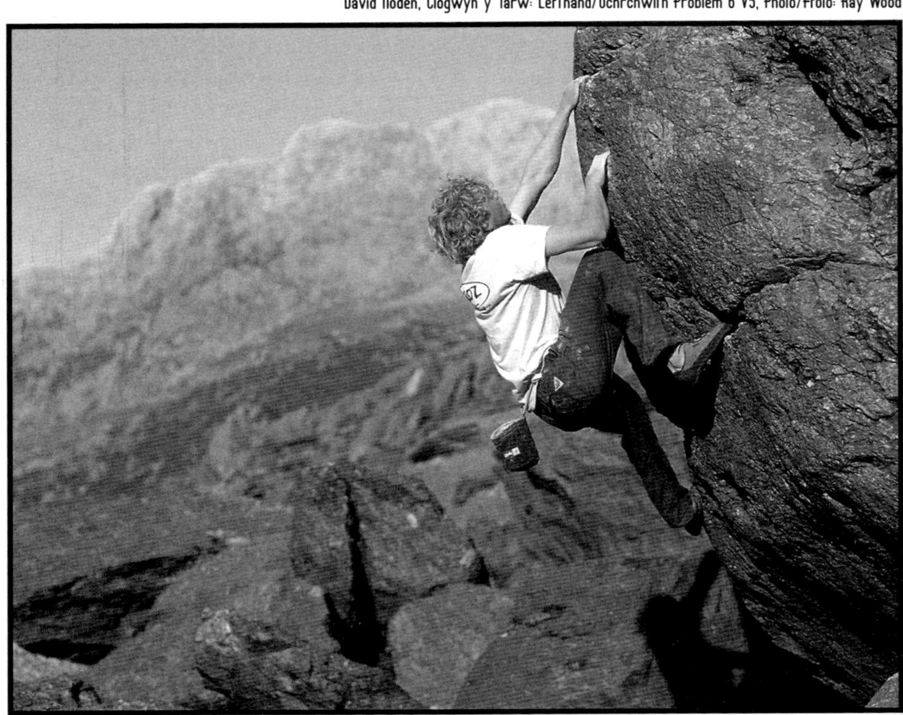

THE ORION BOULDER

Although limited in scope and somewhat isolated, this marvellous boulder deserves more attention. The central groove feature is one of the best of its grade in North Wales; surely motivation enough to overcome the 15 minute walk up the hill?

Access: the boulder can be found 100 metres left of Bochlwyd Buttress in a slight hollow, close to the path leading up the west face of Tryfan. Approach directly from the road or by a 10 minute traverse of the hill side from the Clogwyn y Tarw boulders. (See map 10 on page 118.)

Y CLOGFAEN ORION

Tra bo' braidd yn unig, ac yn gyfyngiedig, mae hon yn glogfaen ardderchog sy'n heuddu mwy o sylw. Mae'r nodwedd rhych canolig yn un o'r gorau oi radd yng Ngogledd Cymru; digon o hwb i gerdded y 15 munud i fyny'r allt?

Mynediad: Mae'r clogfaen i'w darganfod 100 metr i'r chwith o Bochlwyd mewn pant bas, yn agos i'r llwybr sy'n arwain i fyny llechwedd Gorllewinol Tryfan. Cerddwch yn syth o'r ffordd neu tramwyiad o ddeg munud o Glogfaeni Clogwyn y Tarw. (Gweler map 10 ar dudalen 118.)

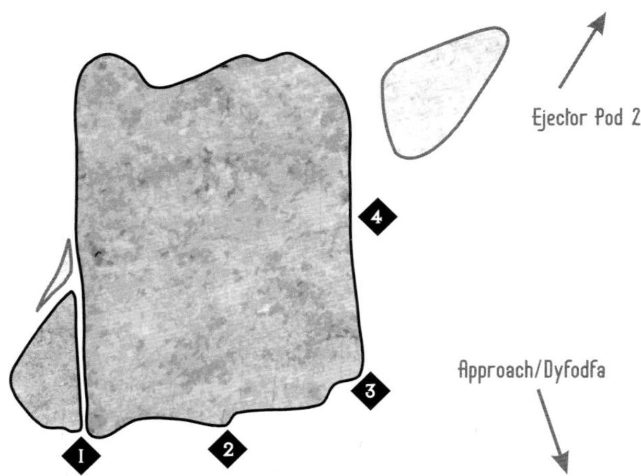

1. Orion Crack V2 ⌘ The crack goes from a sit down start.

2. Seren V4 ⌘⌘⌘ 2 possible methods will get you started on the classic central groove feature. Whatever you choose, the move to gain the lip is still a real stopper for most people.

3. Attack Ships V2/3 ⌘⌘ The steep flakey arête leads via a long lock, to a slopey top out.

4. Orion Face V2 ⌘ The crimpy wall above the ankle worrying slope.

5. Ejector Pod 2 V2/3 ⌘ The painfully obvious roof crack feature 30 metres up to the right, exiting either right (V2) or left (V3).

1. Orion Crack V2 ⌘ Yr hollt o gychwyniad llawr.

2. Seren V4 ⌘⌘⌘ 2 ffordd posibl i ddechrau'r rhych canolig clasurol. Pa bynnag un a ddewisir, mae'r symudiad i gyrraedd y gwefus yn rhwystriedig iawn i lawer.

3. Attack Ships V2/3 ⌘⌘ Y crib serth caenog yn arwain heibio cloiad hir, tuag at brigiad gwyrol.

4. Orion Face V2 ⌘ Y mur crychiog uwch y llechwedd ffêr-betrusol.

5. Ejector Pod 2 V2/3 ⌘ Yr hollt to amlwg 30 metr i fyny i'r dde, yn darfod i'r dde (V2) neu i'r chwith (V3).

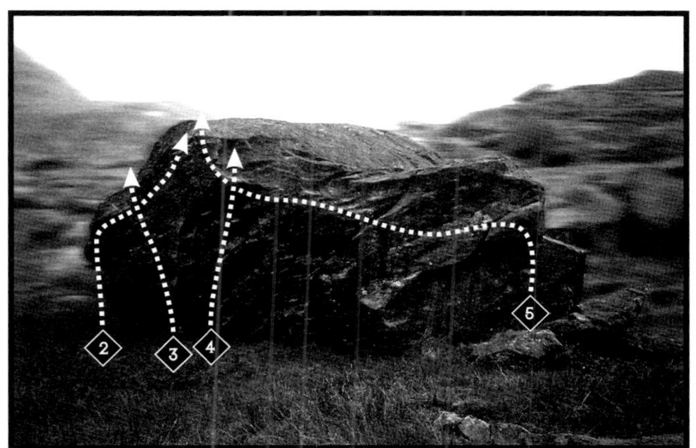

BOGSIDE BOULDER

A steep little block covered in friendly slopers, and less than 100 metres from the A5 main road. Well worth a quick visit, assuming you have a pad with you; the landing is quite marshy (in fact, I would avoid it after heavy rain). Other problems exist (including a thin crack sit down start project) up behind the main boulder.

Access: from the Ogwen Cottage walk back along the road towards Tryfan. Cross the stile over the wall by the stream and walk up to the conspicuous block on the right side of the stream. (See map 10 on page 118.)

1. V4 ⌘ From a sit down start on the right arête of the back face, track slopers leftwards to gain the top.

2. V4 ⌘⌘ From a sit down start at the left arête, power up and right past an open scoop to reach the apex of the front face.

3. V4 ⌘ Slap hopefully up from a sit down start in horizontal breaks to the open scoop and mantel out directly.

4. Coney Island Cyclone V8 ⌘ From a sit down start pull on with small crimps and slap wildly for the top.

5. V4 ⌘⌘ From a sit down start at the right arête follow holds leftwards across the steepness, breaking for the top just right of centre via a large side pull feature.

CLOGFAEN OCHAGORS

Bloc bach serth llawn wyrafaelion cyfeillgar a llai na 100 metr o briffordd A5. Gwerth ymweliad bach sydyn, enwedig os oes pad gennych, oherwydd mae'r glanfa yn un go wlyb (yn wir, mi fyddwn yn osgoi'r man arhôl glaw trwm). Mae problemau eraill ar gael (fel y prosiect dechrau o'r eistedd hollt tenau) i fyny y tu ôl i'r brif clogfaen.

Mynediad: o Fwthyn Ogwen cerddwch yn ôl ar hyd y ffordd tuag at Tryfan. Croeswch y gamfa dros y wal ger y ffrwd a cherddwch i fyny at y clogfaen amlwg ar ochr dde y ffrwd. (Gweler map 10 ar dudalen 118.)

1. V4 ⌘ Dechrau o'r eistedd o crib dde y wyneb tu cefn, dilyn wyrafaelion i'r chwith at y brig.

2. V4 ⌘⌘ Dechrau o'r eistedd ar y crib chwith, pwerwch i fyny ac i'r dde heibio'r cafn agored i gyrraedd copa'r wyneb flaen.

3. V4 ⌘ Palfwch yn obeithiol i fyny o gychwyniad llawr yn y toriadau llorwedd i'r cafn agored a thrawstiwch allan yn unionsyth.

4. Coney Island Cyclone V8 ⌘
O ddechreuad o'r eistedd tynnwch ymlaen gyda chrychion bach a slapiwch yn wyllt at y brig.

5. V4 ⌘⌘ O ddechrau o'r eistedd wrth y crib dde dilynwch gafaelion i'r chwith ar draws y serthni, yn torri am y brig ychydig i'r dde o'r canol heibio nodwedd ochdyn mawr.

MILESTONE BUTTRESS BOULDERS

An absurd juxtaposition of old and new; above on the crag proper, the first tentative steps are being made upon slippy time-served classic routes, whilst down below, in amongst the jumble of boulders a different game is played. Here we find deviant youths and seasoned veterans slapping and pulling, spotting and catching, chasing the next magic line: the next great problem.

The boulder field beneath Milestone Buttress is quite extensive, however the 'magic lines' are spread rather thinly. With a view to maximising the pleasure of a casual visitor I have described a limited circuit, taking in only the more striking and memorable problems.

Access: pretty simple really - from the lay-by beneath Milestone Buttress follow the path up towards the crag on the left side of the wall. (NB. The quartzy block 30 metres left of the gate does have an interesting sit down start V5/6 on the undercut side. 3 possible finishes are apparent to this powerful little problem. Also of note are various arêtes and walls further left and the occasional obscure gem on the hill side above.) The first major buttress is clearly seen towering above the path a mere 40 metres from the road.

CLOGFAENI BWTRES CARREG-FILLTIR

Cyfosodiad chwerthinllyd o'r hen a'r newydd, ar y clogwyn uwchben, y camau petrus cyntaf ar ddringfeydd clasurol llithrig; tra yn is, yn y drysni o glogfaeni mae gêm wahanol yn cael ei chwarae. Yma gwelir yr ifanc gwyredig a'r henbrofol yn palfu a thynnu, manu a dal, yn erlid y llinell hud nesaf: y broblem wych nesaf.

Braidd yn eang yw'r maes clogfaen o dan Bwtres Carreg-filltir, a mae'r 'llinellau hud' ar wasgar yn denau. Er mwyn sicrhau mwynhad ymwelwyr yr wyf wedi disgrifio cylchdaith cyfyngiedig, yn cymryd i ystyriaeth y problemau gorau a'r bytgofiadwy yn unig.

Mynediad: Yn weddol hawdd: o'r arhosfan o dan Bwtres Carreg-filltir dilyn y llwybr i'r chwith o'r wal at y clogwyn. (NB. Ar y bloc llawn cwarts 30 metr i'r chwith o'r giât cewch dechreuad o'r llawr diddorol V5/6 ar yr ochr tandor. Gyda 3 gorffeniad yn amlwg i'r problem bach pwerus. O nod hefyd yw'r cribau a'r waliau i'r chwith a un neu ddau berl ar y llethr uwch.).

Mae'r bwtres cyntaf o nod i'w gweld yn codi uwch y llwybr, dim ond 40 metr o'r ffordd.

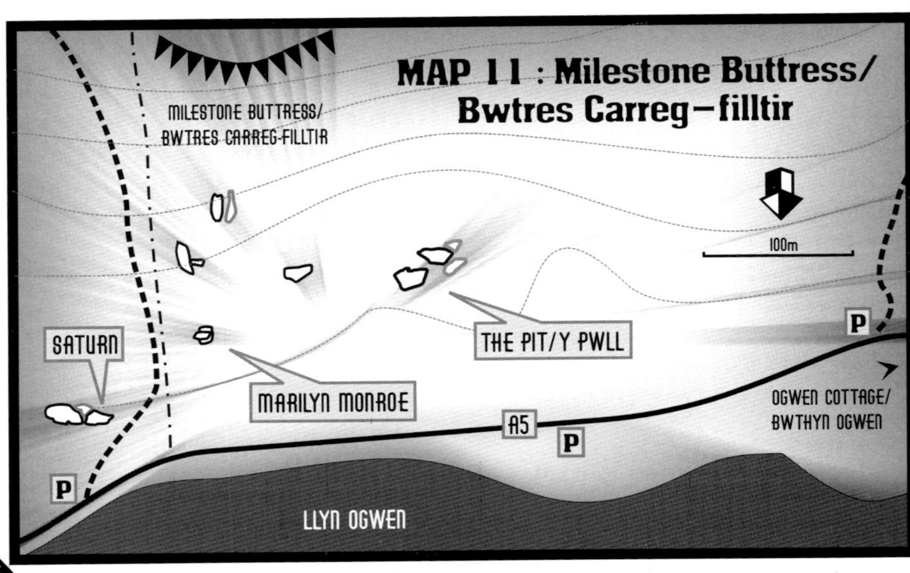

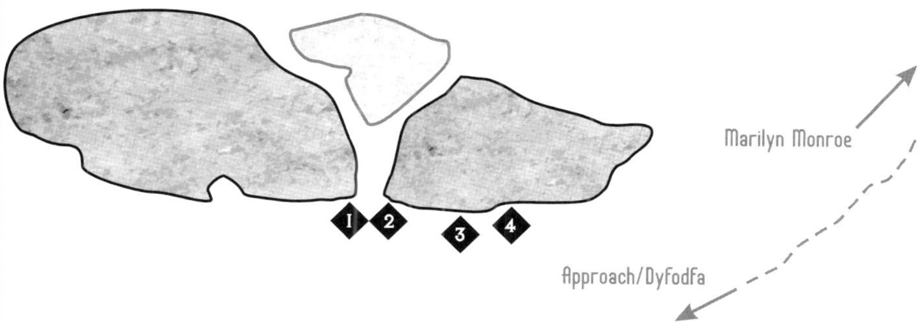

milestone buttress: SATURN

A couple of entertaining highball lines can be done left of the first problem.

1. Monkey See V6 ⌘⌘ The outrageous left arête of the offwidth crack is both high and wild.

2. Monkey Do V6 ⌘⌘ The right arête of the offwidth crack is equally show stopping. (The opposite side of the offwidth is out of bounds on both of these problems.)

3. Saturn V7 ⌘⌘ The stunning highball line direct up the pocketed wall. Another wild problem with a dynamic finish.

4. Ding Dong's Wall V4 ⌘⌘ Follow holds up right from the faint rampline. (Avoid the easy groove on the right.)

bwtres carreg-filltir: SATURN

Mae'n bosibl gwneud cwpl o broblemau uchelgeilliol i'r chwith o *Monkey See*.

1. Monkey See V6 ⌘⌘ Crib chwith anhygoel yr hollt anlled sy'n uchel ac yn wyllt.

2. Monkey Do V6 ⌘⌘ Y crib dde o'r hollt anlled sy'n union mor syfrdanol. (Rhaid osgoi'r ochr cyferbyniol yr hollt anlled ar y ddau broblem.)

3. Saturn V7 ⌘⌘ Y llinell uchelgeilliol aruthrol yn syth i fyny'r pared pocedog. Problem wyllt arall gyda gorffeniad deinamig.

4. Ding Dong's Wall V4 ⌘⌘ Dilynwch y gafaelion i fyny i'r dde o'r llinell ramp annelwig. (Osgoi'r rhych hawdd ar y dde.)

Ray Wood, Ding Dong's Wall V4, Photo/Ffoto: Simon Panton

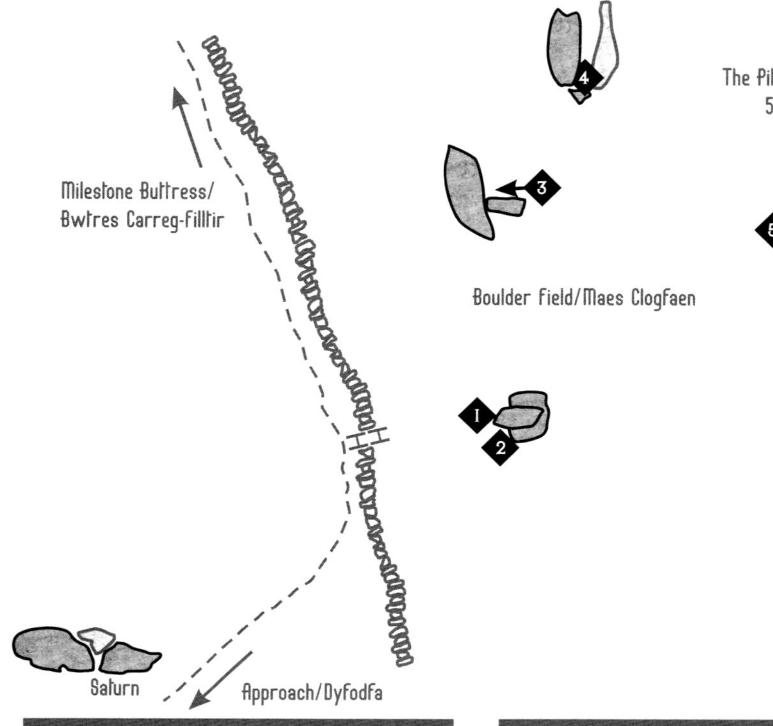

milestone buttress: MARILYN MONROE

Continue up the path and cross the wall at the first A frame stile to view the obvious perched block/roof feature 20 metres from the wall.

1. Marilyn Monroe V5 ✖✖ Hang the ledge at the back of the roof lurch backwards into the roof pocket (with either hand) and gain the lip, mantelling out precariously.

2. Bombshell V5 ✖✖ Hang the ledge at the back right side of the roof and make a long, powerful reach out to holds at the hanging arête. Swing out and pull for the top.

3. V4 ✖ Scramble up left for 40 metres to find a leaning flake and slopey topped block. From a sit down start on the end of the leaning flake, snatch up to the top and drop down into the obvious slopey traverse leading rightwards to a mantel exit at the right end of the boulder. A good variant reverses the traverse and exits through the squeeze between the two boulders.

bwtres carreg-filltir: MARILYN MONROE

Ewch i fyny'r llwybr a chroeswch y wal wrth y gamfa ffram A gyntaf i weld y crogfaen/to nodwedd to amlwg 20 metr o'r wal.

1. Marilyn Monroe V5 ✖✖ Hongian y sil wrth gefn y to, honciwch yn ôl i mewn i'r poced to (gyda naill llaw neu'r llall) i gyrraedd y gwefus, twstio allan yn ansicr.

2. Bombshell V5 ✖✖ Hongian y sil wrth gefn ochr dde y to a gwnewch symudiad hir, pwerus i gyrraedd gafaelion ar y crib crog. Siglwch allan a thynnwch at y brig.

3. V4 ✖ Sgrialu i fyny i'r chwith am 40 metr i ddarganfod ffloch gwyrol a bloc copa gwyrol. O ddechrau o'r eistedd wrth fin y ffloch gwyrol, cipiwch i fyny at y brig a disgynnwch i lawr at y tramwyiad gwyrol amlwg sy'n arwain i'r dde at orffeniad trawst ar ymyl dde y clogfaen. Amrywiad da yn tramwyo'n wrthol ac yn gorffen drwy'r gulfan rhwng y ddau clogfaen.

milestone buttress: MARILYN MONROE

4. King Creole V6 ⌘⌘ 15 metres to the right of the previous boulders a hidden cave is discovered. From a hanging start on the prominent block at the back of the cave, ape rightwards along slopey diagonal rails to gain the lip of the capping slab. Traverse a further 2 metres rightwards before rocking back on top.

5. Tormented Evaporation V6 ⌘⌘ 40 metres horizontally across the boulder field an obvious slopey traverse can be seen. From a sit down start at the right side (right hand: undercut, left hand: lip sloper, feet on a low wedged block on the right) trace slopers and pinches left to gain the apex, rocking round to the left to finish.

6. Tormented Lefthand V5 ⌘ From a sit down start on the left end of the steep face, traverse up right to the apex and top out.

bwtres carreg-filltir: MARILYN MONROE

4. King Creole V6 ⌘⌘ 15 metr i'r dde o'r clogfaen uwch mae'n bosibl darganfod ogof guddiedig. O ddechrau ar grog oddi ar bloc amlwg yng nghefn yr ogof, abwch i'r dde ar hyd rheiliau croeslin gwyrol i gyrraedd ymyl y caplech. Tramwywch 2 metr arall i'r dde cyn trosiglo yn ôl am y brig.

5. Tormented Evaporation V6 ⌘⌘ 40 metr yn llorweddol ar draws y maes clogfaen mae'n bosibl dod ar draws tramwyiad gwyrol amlwg. O gychwyniad llawr ar yr ochr dde (llaw dde: tandor, llaw chwith: gwefus gwyrol, traed ar floc isel sownd ar y dde) dilyn y gwyrafaelion a'r gwasgiadau i'r chwith i gyrraedd y copa, trosiglwch o gwmpas i'r chwith i orffen.

6. Tormented Lefthand V5 ⌘ O ddechreuad o'r eistedd wrth ymyl chwith y wyneb serth, tramwywch i fyny i'r dde at yr apig a brigwch allan.

Ray Wood, Bombshell V5, Photo/Ffoto: Simon Panton

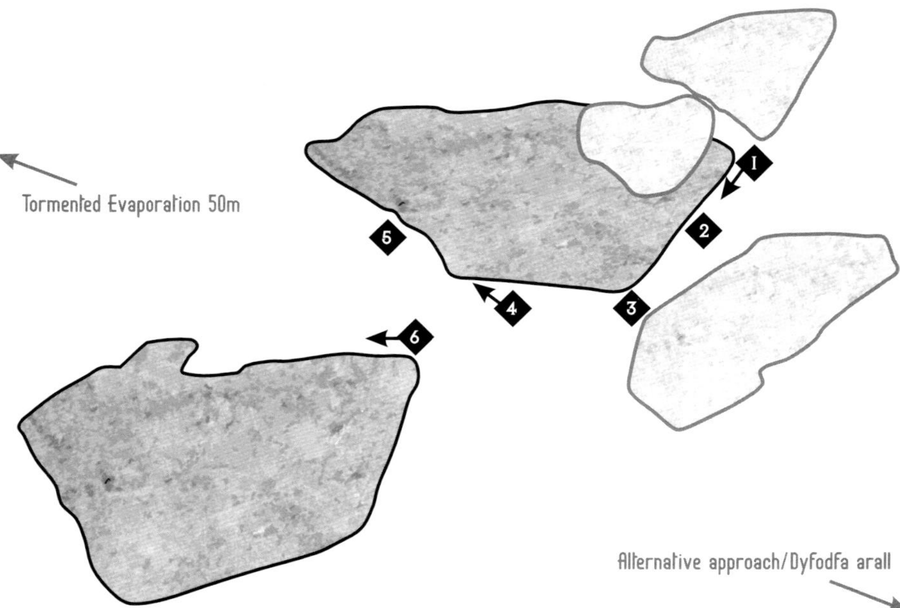

milestone buttress: THE PIT

An impressive micro venue with a number of steep and forceful problems.

Head rightwards again across the boulder field for 50 metres (passing a hidden roof problem: **JFK V3** ✠ on the way) to an attractive steep prow. Alternatively, approach from the right (see map 11 on page 134).

1. Pit Trav V9 ✠✠ Step on at the right arête and traverse left across the crimpy wall, powering up the slopey ramp to gain the jug on *Jez's Arete*, up which the problem finishes.

2. Harvey Oswald V6 ✠✠✠ The central crimpy line, with a dynamic finish is rather classic.

3. Jez's Arete V4 ✠✠ Go direct from the jug; an entertaining little number.

4. Pit Start V5 ✠✠ From a sit down start on a low juggy break, power up left past a diagonal hold, rocking up left to gain crimpy holds leading to the top.

5. V1 ✠ The wall above the hole.

bwtres carreg-filltir: Y PWLL

Lleoliad micro trawiadol gyda nifer o broblemau serth a nerthol.

Tueddwch i'r dde 50 metr ar draws y maes glogfaen (heibio problem to cudd **JFK V3** ✠ ar y ffordd) at cribflaen atyniadol serth. Neu, dewch i mewn o'r dde (gweler map 11 ar dudalen 134).

1. Pit Trav V9 ✠✠ Camwch ymlaen ar y crib dde a thramwywch i'r chwith ar draws y mur crychiog, pweru i fyny ramp gwyrol i gyrraedd y crafanc ar *Jez's Arete*, a gorffen hwn.

2. Harvey Oswald V6 ✠✠✠ Y llinell crychiog canolig gyda gorffeniad deinamig, braidd yn glasurol.

3. Jez's Arete V4 ✠✠ Yn syth o'r crafanc, un difyrrus.

4. Pit Start V5 ✠✠ Cychwyniad llawr ar y toriad crafangol, pweru i fyny'r chwith heibio gafael croeslin, trosiglwch i'r chwith i gyrraedd gafaelion crychiog sy'n arwain at y brig.

5. V1 ✠ Y wal uwch y twll.

milestone buttress: THE PIT

6. Crouchathon V2 ⌘ From a sit down start close to the left arête traverse right into the groove on the right.

Other minor problems can be found in the boulders above and to the right of this area.
Not A Slope In Hell V6 ⌘ is an obvious cave/slopey traverse line up in the gully right of the main crag, whilst across to the right a small collection of interesting lines are clustered around a boulder strewn hollow a few hundred metres up the hill side.

bwtres carreg-filltir: Y PWLL

6. Crouchathon V2 ⌘ Dechrau o'r eistedd yn agos i'r crib chwith tramwywch i'r dde i'r rhych ar y dde.

Medrwch ddarganfod nifer o broblemau ar y clogfaeni i fyny ac i'r dde o'r man yma.
Not A Slope In Hell V6 ⌘ yw'r llinell ogof/tramwyiad gwyrol amlwg yn y rhigol i'r dde o'r prif glogwyn, tra ar draws i'r dde mae casgliad o linellau bychan diddorol mewn clwstwr o gwmpas pant llawn clogfaen tua can metr i fyny'r llethrau.

Mark Katz, Harvey Oswald V6, Photo/Ffoto: Ray Wood

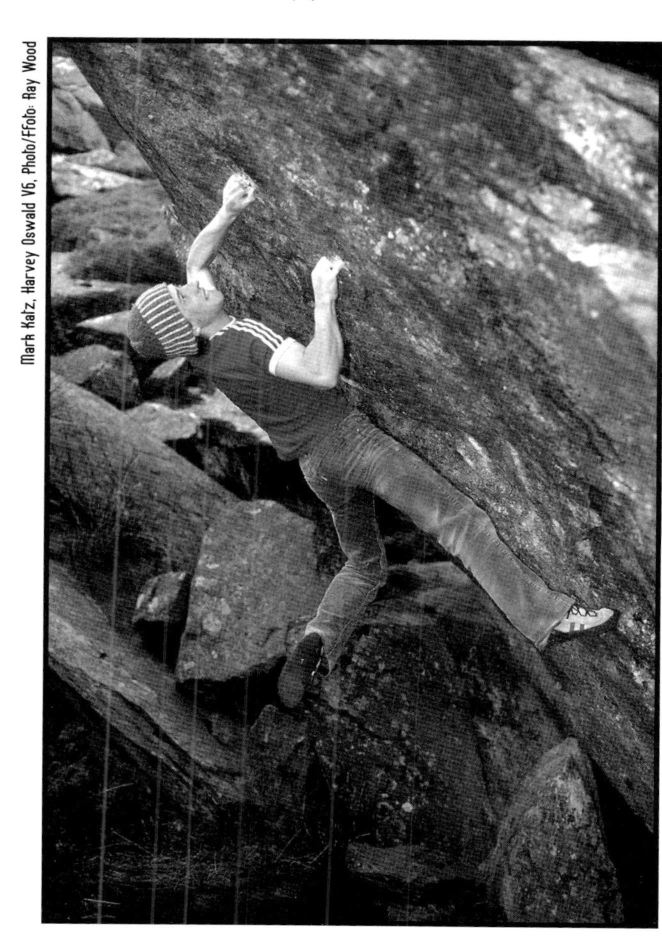

GEORGE'S CRACK

A minor venue with a handful of problems lying close to the infamous V5 roof crack, and a number of other interesting obscurities across the hill side to the left (including the neo classic V8 *Lily Savage*).

HOLLT GEORGE

Safle isradd gyda chasgliad o broblemau yn agos i'r hollt to V5 enwog, a nifer eraill anhysbell o ddifyrwch ar draws yr allt i'r chwith (sy'n cynnwys y V8 neo-clasurol *Lily Savage*).

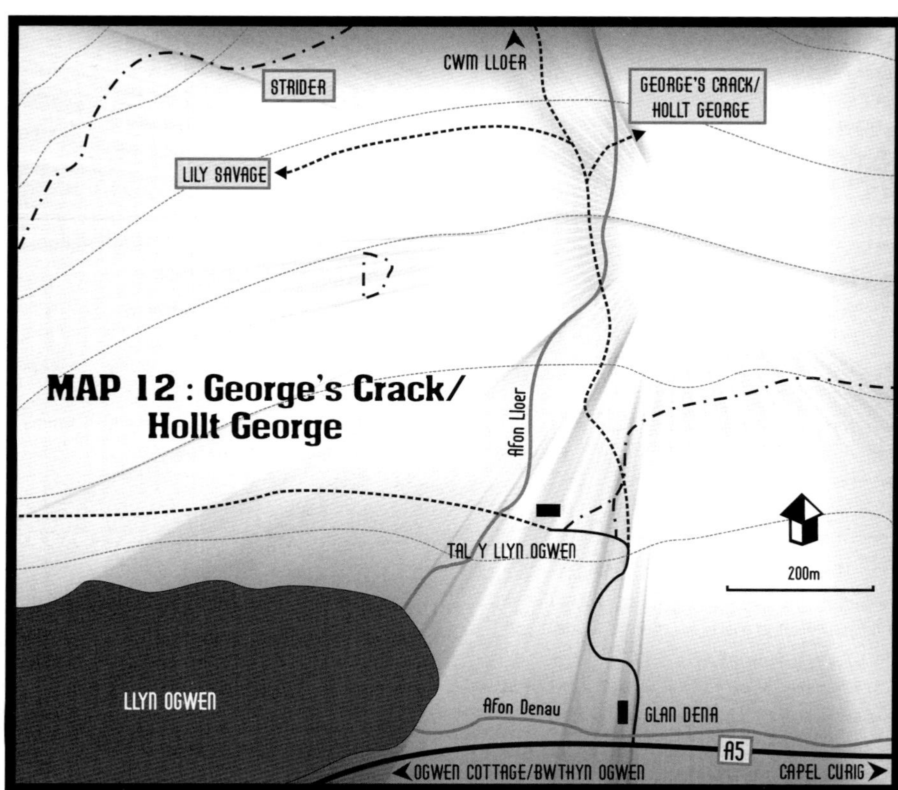

Access: from the eastern end of Llyn Ogwen walk past Glan Dena and follow the path right of the farm, over the A frame stile and up the hill close to the stream (Afon Lloer) until an obvious cluster of jagged blocks can be seen on the right (15 minutes from the road).

1. The Spawn V10/11 ✖✖ The steep prow right of the roof crack on the front face of the cluster. A sit down start (avoiding the back block) leads into a brutal and unforgiving sequence to gain thin crimps high up, and thus the top.

Mynediad: o ben Dwyreiniol Llyn Ogwen cerddwch heibio Glan Dena a dilyn y llwybr drwy'r fferm, dros y gamfa ffram A ac i fyny'r allt yn agos i'r nant (Afon Lloer) nes byddwch yn gweld clwstwr o glogfaeni pigog ar y dde (15 munud o'r ffordd).

1. The Spawn V10/11 ✖✖ Y cribflaen serth i'r dde o'r hollt to ar wyneb blaen y clwstwr. Dechreuad o'r eistedd (osgoi'r bloc cefn) yn arwain at gyfres brwnt anfaddeugar i gyrraedd crychion tenau yn uchel i fyny ac felly y brig.

GEORGE'S CRACK

2. George's Crack V5 ⌘⌘⌘ The central crack feature of the cluster is really quite something to behold. Impressive, intimidating, magnetic; this feature is an ultra classic line that demands a thorough knowledge of the fine art of hand stack jamming. That said, it has been climbed (at much harder grade) without recourse to the Yosemite technique. From a sit down start at the back of the large roof lean out into the crack and establish the 'stack' (crux). Then with foot jams either side, shuffle crab-like for the lip.

To the left a couple of sharp, but worthwhile problems can be seen, and around the back a hidden crack gives a good sit down problem. Further slabby lines exist at the very back and a couple of scary highballs lie right in the centre of the cluster.

A brisk 5-10 minute march across the hill side to the left (West) leads to more esoteric gems. On the near side of the prominent rocky jumble, a neat wall contains 3 good lines (V1-3) and a V5 sit down prow right of the crack. Round to the left a large split roof/slab comes into view. The appealing rampline up the centre of the steep face goes from a sit down start. **Lily Savage V8 ⌘⌘** is one of the best of its grade in N Wales.

Further up the hill to the right, just below the wall a large boulder provides more entertainment for the adventurous boulderer. **Strider V5 ⌘** traverses the slopey lip from the right, pulling up into the scoop and topping out via the crack.

HOLLT GEORGE

2. George's Crack V5 ⌘⌘⌘ Mae'r nodwedd hollt canolig o'r clwstwr yn un syfrdanol dros ben. Aruthrol, bygythiol, atyniadol; mae'r nodwedd yn un tra glasurol sy'n gofyn gwybodaeth drylwyr o'r celfydd cain cloi llaw-bentwr. Wedi dweud hyn, mae wedi cael ei ddringo (yn llawer caletach) heb ddefnyddio'r techneg Yosemite. Dechrau o'r eistedd wrth gefn y to mawr goleddwch allan i mewn i'r hollt a sefydlwch y 'pentwr' (craidd). Wedyn gyda chlotraed o bobtu, stwfflwch fel cranc at y gwefus.

I'r chwith mae'na cwpl o broblemau miniog ond gwerth eu gwneud, tra bo hollt cudd y tu cefn yn rhoi cychwyniad o'r llawr da. Mae llinellau llechog eraill y tu cefn hefyd a chwpl o uchelgeilliau mentrus reit yng nghanol y clwstwr.

Gyda ymdaith cyflym o 5-10 munud ar draws y llethr ar y chwith (Gorllewin) yn dod â chwi at berlau ychwanegol. Ar ochr agosaf drysni caregog, mae mur taclus gyda 3 llinell dda (V1-3) a V5 Cribflaen llawr i gychwyn i'r dde o'r hollt. Rownd i'r chwith mae to/llech hollt i'w gweld, Mae'r llinell ramp atyniadol i fyny canol y wyneb serth yn mynd gyda dechreuad o'r eistedd. **Lily Savage V8 ⌘⌘** yw un o'r gorau yng Ngogledd Cymru yn y gradd.

Ymhellach i fyny'r llethr i'r dde, ychydig o dan y wal, clogfaen unigol yn rhoi fwy o adloniant i'r bowldrwr anturus. **Strider V5 ⌘** yn tramwyo'r min gwyrol o'r dde, tynnu i fyny i'r cafn a brigo allan gyda'r hollt.

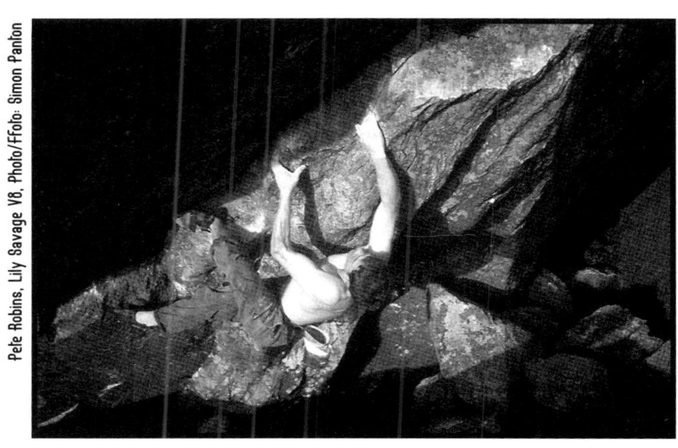

Pete Robins, Lily Savage V8, Photo/Ffoto: Simon Panton

CASEG FRAITH

A valuable easy access venue. The mix of old school classics and modern power problem has secured the popularity of this (virtually) roadside crag.

Access: park your car (assuming this is your chosen transport method) at the Gwern Gof Isaf campsite and pay the £1 car park fee at the farmhouse. Walk up and over the A frame stile on the right, and drop back rightwards to the slightly hidden micro crag immediately behind the university club hut.

CASEG FRAITH

Lleoliad mynediad hawdd gwerthfawr. Mae'r cymysgiad o broblemau 'hen ysgol' a phwer modern wedi sicrhau poblogrwydd y clogwyn min ffordd (bron iawn) hwn.

Mynediad: Parciwch eich car (os mai dyma eich trafnidiaeth o ddewis) ym maes campio Gwern Gof Isaf a thalwch y £1 am barcio yn y ffermdy. Cerddwch at y gamfa ffram A ar y dde ac ewch drosodd a disgyn nôl lawr i'r dde i'r clogwyn meicro cudd braidd sy' tu ôl i'r clwb prifysgol.

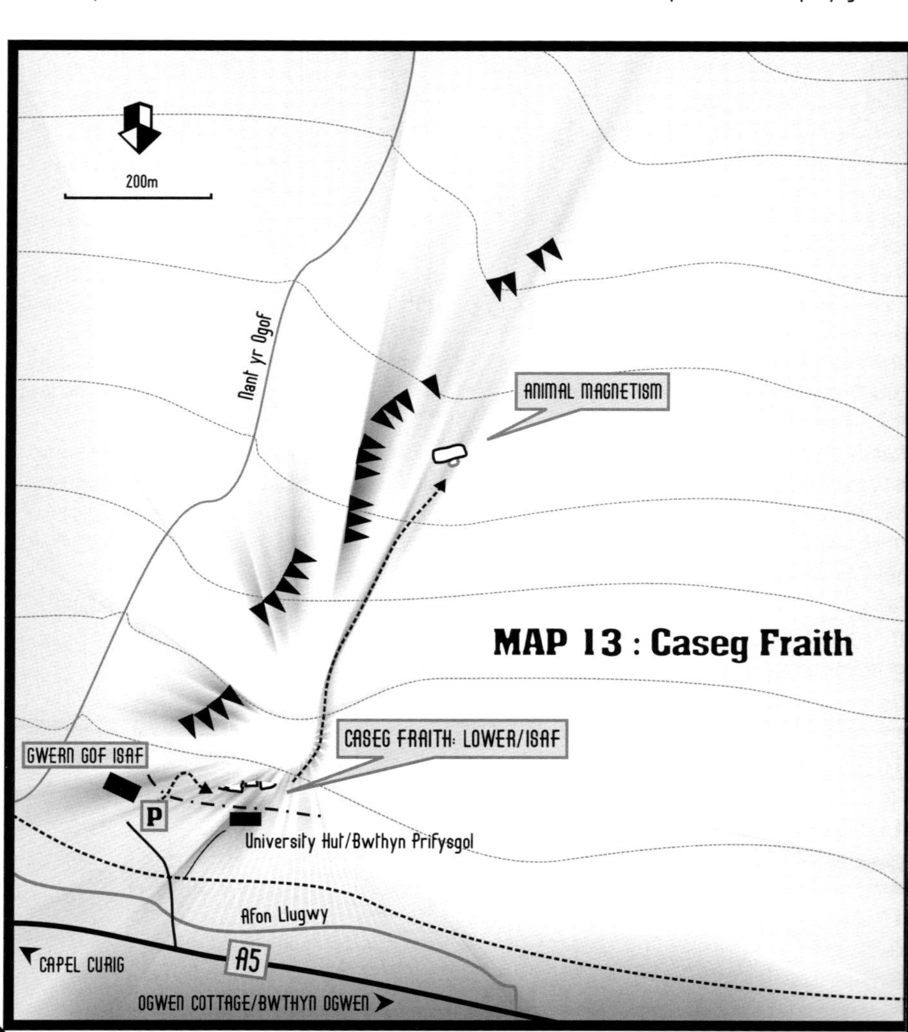

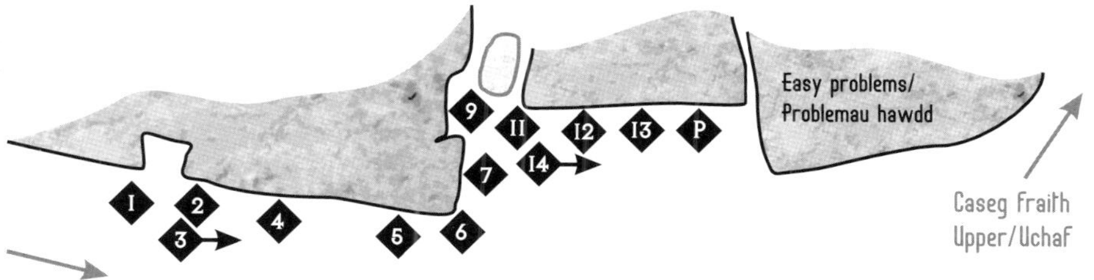

caseg fraith: LOWER

1. V0 ⌘ Layback up the clean arête on the left of the recess.

2. V1 ⌘ Thin initial moves lead up the wall just right of the arête.

3. V2 ⌘⌘ Follow the obvious diagonal line rightwards to finish at the top of *CFA*.

4. V3 ⌘ Desperate, fingery moves guard access to the smooth wall 2-3 metres right of the arête.

5. V3 ⌘⌘ Several methods exist for conquering the wall left of the high arête. Which do you fancy?

6. Caseg Fraith Arete V3 ⌘⌘⌘ One of the best problems of its grade in North Wales.

7. V2/3 ⌘⌘ Monkey up a stick' type problem using the edge of the crack and the arête to a bold finish.

8. V0 ⌘⌘ The crack stuck in the tight corner.

9. V1 ⌘⌘ The small groove on the clean wall. A further V2 is possible up the wall between this problem and the diagonal groove.

10. V0 ⌘⌘ The immaculate diagonal groove line.

11. Ogwen Jazz V4/5 ⌘ A powerful sit down start blasting up the steep left arête to a sloping mantel finish.

12. Skunk X V6 ⌘ Another powerful sit down start, snatching through the centre of the traverse line to finish slightly leftwards near the top of *OJ*.

caseg fraith: ISAF

1. V0 ⌘ Ôl-wthiwch y crib glân i'r chwith o'r cilan.

2. V1 ⌘ Symudiadau tenau ar y dechrau yn arwain i fyny'r wal ychydig i'r dde o'r crib.

3. V2 ⌘⌘ Dilynwch y llinell lletraws amlwg i orffen ger brig *CFA*.

4. V3 ⌘ Symudiadau bysol anodd yn amddiffyn mynediad i'r mur llyfn 2-3 metr i'r dde o'r crib.

5. V3 ⌘⌘ Sawl modd ar gael i guro'r mur i'r chwith o'r crib uchel. Beth yw'ch dewis?

6. Caseg Fraith Arete V3 ⌘⌘⌘ Un o'r problemau gorau o'r radd yma yng Ngogledd Cymru.

7. V2/3 ⌘⌘ Problem dringo mwnci yn defnyddio ymyl yr hollt a'r crib at orffeniad mentrus.

8. V0 ⌘⌘ Yr hollt yn y gornel cul.

9. V1 ⌘⌘ Y rhych bychan ar y mur glân. Posibl cael V2 arall i fyny'r wal rhwng y broblem hon a'r rhych lletgroes.

10. V0 ⌘⌘ Y rhych lletgroes trwsiadus.

11. Ogwen Jazz V4/5 ⌘ Dechreuad o'r eistedd pwerus, y chwythu i fyny'r crib chwith serth i orffeniad trawstio gwyrol.

12. Skunk X V6 ⌘ Dechreuad o'r eistedd pwerus arall, cipio drwy canol y llinell tramwy i orffen ychydig i'r chwith yn agos at frig *OJ*.

caseg fraith: LOWER

13. Oh Yeah V5 ⌘⌘ A sit down start at the right hand end of the lower ramp system leads quickly into an outrageous dyno for the lip. Either mantel direct or traverse up right and rock back left to finish. An awesome problem.

14. Boneyard V8 ⌘⌘ Start as for *OJ*, but bear rightwards along the lower ramp system with some particularly trying moves to reach *OY* at its crux dyno move, which by now will feel like the living end. Classic, steep modern climbing.

caseg fraith: ISAF

13. Oh Yeah V5 ⌘⌘ Dechreuad o'r eistedd o ben dde y system ramp is yn arwain yn gyflym at ddeino anhygoel am y gwefus. Naill ai, trawstio'n unionsyth neu tramwywch i fyny i'r dde a throsiglwch yn ôl i'r chwith i orffen. Problem aruthrol.

14. Boneyard V8 ⌘⌘ Dechrau fel *OJ*, ond tueddwch i'r dde ar hyd system ramp is gyda symudiadau caled ofnadwy i gyrraedd *OY* a'i symudiad deino craidd, sydd nawr yn mynd i deimlo llawer iawn gwaeth. Clasurol, dringo serth modern.

Gavin Foster, Boneyard V8. Photo/Ffoto: Simon Panton

caseg fraith: UPPER

A multitude of slabby lines and 2 steep blocks offer an extension to the Lower circuit.

Access: from the lower crag follow the diagonal rocky ridge up past numerous slabby problems (which I will leave you to rediscover and enjoy) to find a huge suspended roof block approximately 50 metres below the fence crossing the hillside.

caseg fraith: UCHAF

Nifer o linellau llechog a 2 bloc serth yn rhoi estyniad i'r cylchdaith Isaf.

Mynediad: o'r clogwyn is dilyn y cefn creigiog lletgroes heibio sawl problem llechog (a wna'i adael i chwi ail ddarganfod a'i mwynhau) i gyrraedd bloc gordoeol anferth ar grog tua 50 metr o dan y ffens yn rhedeg ar draws yr allt.

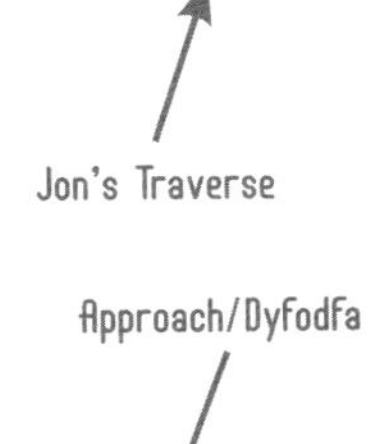

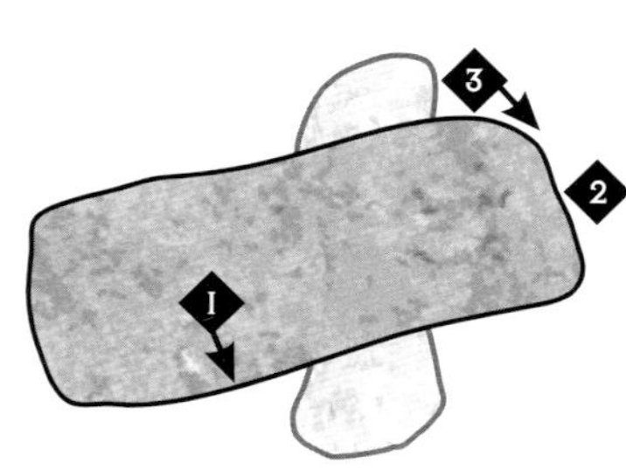

caseg fraith: UPPER

1. Animal Magnetism V8+ ⌘⌘ Pull on in the middle of nowhere with 2 opposition crimps and slap violently for better holds near the lip. Continue with a further hard move to gain and hold the cruel sloping top.

2. The Brown Stuff V2 ⌘ From a hanging position on the lowest jugs, yard up and right to finish.

3. The Yellow Stuff V5 ⌘ From a sit down start at the right side of the roof, move up with difficulty to the lip and ape leftwards to an insecure finish on slopers to gain the top just right of the left arête.

Above the fence there is a large boulder (access is possible via a stile up to the left). **Jon's Traverse V5 ⌘** traverses right to left across the steep front end, rocking on at the low left arete. The extension up the left side is an obvious challenge. The slab to the left has a V1 on the right, a thin, reachy line up the middle **(Ryan's Slab V5 ⌘⌘)** and a V3 on the left lunging up from an undercut pocket. Directly behind another slab gives 2 good problems: **Lonesome Dove V4 ⌘⌘** climbs the faint groove in the centre, whilst **Bob Hope V4 ⌘⌘** takes the left hand line. Finally, **Hamaphrodite V3 ⌘** gains and climbs flakes on the hanging block to the left. Also of note is **Gwena V4 ⌘⌘.** This takes the wall up past the jug (from an undercut) just above the fence line over to the left from *Jon's Traverse*. The arête to the right gives another worthwhile, but rather bold V4.

NB. A lone boulder with 3 excellent problems (The left arête is V5 from a sit down start, the central line is V8 or V9 from a sit down start and a V6 left to right traverse can be done from the left arête sit down start.) lies by the stream out the back of the Gwern Gof Uchaf farm/campsite below Tryfan Bach. Unfortunately, the current National Trust tenant farmer has made it clear that he does not wish people to climb here.

caseg fraith: UCHAF

1. Animal Magnetism V8+ ⌘⌘ Tynnwch ymlaen yng nghanol unlle gyda 2 crych yn groes a phalfiwch yn wyllt am afaelion gwell ger y gwefus. Ymlaen gyda symudiad cas arall i gyrraedd a gafael yn y brig gwyrol creulon.

2. The Brown Stuff V2 ⌘ O sefyllfa yng nghrog ar y crafangau isaf, llathwch i fyny ac i'r dde i orffen.

3. The Yellow Stuff V5 ⌘ Dechrau o'r eistedd ochr dde y to, symudiadau caled at y gwefus wedyn abu i'r chwith at orffeniad ansicr ar wyrafaelion a'r brig ychydig i'r dde o'r crib chwith.

Uwch y ffens mae yna glogfaen anferth arall (mynediad yn bosibl gyda'r gamfa i fyny ar y chwith). **Jon's Traverse V5 ⌘** tramwyo o'r dde i'r chwith ar draws y pen blaen serth, trosiglo ymlaen ar y crib isel chwith. Mae'r estyniad i fyny'r ochr chwith yn sialens amlwg. Mae'r llech ar y chwith gyda V1 ar ei dde, y llinell tenau ymestyniadol i fyny'r canol **(Ryan's Slab V5 ⌘⌘)** a V3 ar y chwith yn honcian i fyny oddi ar poced tandor. Union y tu ôl mae llech arall yn rhoi 2 broblem dda: **Lonesome Dove V4 ⌘⌘** yn dringo'r rhych annelwig yn y canol, tra bod **Bob Hope V4 ⌘⌘** yn cymryd y llinell dde. I orffen, **Hermaphrodite V3 ⌘** yn cyrraedd a dringo'r caenau ar y crogfaen i'r chwith. Un arall o nod yw **Gwena V4 ⌘⌘.** Mae hwn yn dilyn y mur heibio'r crafanc (o tandor) ychydig uwch y ffens ac i'r chwith o *Jon's Traverse*. Mae'r crib i'r dde yn rhoi V4 arall o werth ond braidd yn fentrus.

NB. Mae clogfaen unig gyda 3 problem ardderchog (Y crib dde V5 yn dechrau o'r eistedd,Y llinell ganolig V8 neu V9 dechrau o'r eistedd a'r tramwyiad yn V6 chwith i'r dde o'r crib chwith yn cychwyn o'r llawr) yn gorwedd ger y ffrwd allan o gefn ffarm/maes campio Gwern Gof Uchaf o dan Tryfan Fach. Yn anffodus, mae'r ffarmwr, tenant presennol yr Ymddiriedolaeth Genedlaethol wedi gwneud yn eglur y ffaith nad yw am dderbyn dringwyr yn y man yma.

GALLT YR OGOF

Several boulders dotted about the hill side below the main crags offer interesting, if a little esoteric bouldering opportunities. However, most visitors make a beeline for the Main Boulder: a very uncompromising piece of stone that gives numerous hardcore sit down start problems.

Access: from the Gwern Gof Isaf campsite (£1 parking charge) walk down the old road towards Capel Curig. Before you draw level with the main crag a conspicuous lone boulder stands 150 metres down from the crag/hill side.

GALLT YR OGOF

Sawl clogfaen ar wasgar ar y llechwedd o dan y prif glogwyn yn rhoi bowldro diddorol, os esoterig braidd. Ond, y mae rhan fwyaf o ymwelwyr yn mynd yn syth at Brif Glogfaen: carreg ddigyfaddawd sy'n rhoi nifer o broblemau o'r eistedd cadarn.

Mynediad: O faes campio Gwern Gof Isaf (taliad parcio £1) cerddwch i lawr yr hen ffordd tuag at Capel Curig. Cyn i chwi gyrraedd y prif glogwyn mae maen unig yn sefyll 150 metr i lawr o'r clogwyn/allt.

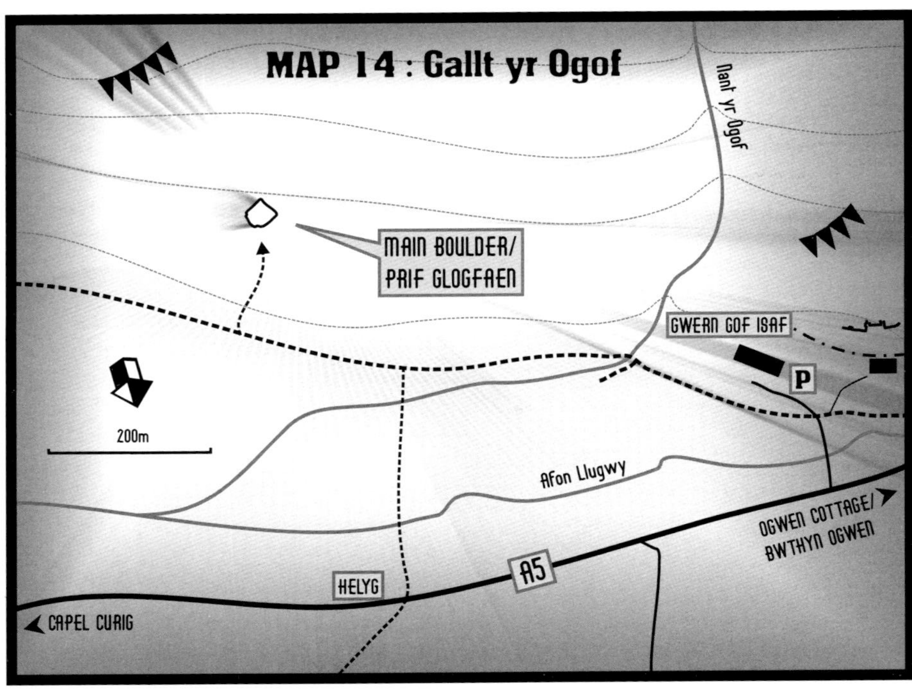

1. V2/3 ⌘⌘ The thin slab is quite perplexing.

2. V4 ⌘ From a sit down start layback the tricky arête. Desperate for the fall.

3. The Ramp V5 ⌘ From a sit down start (left hand: base of ramp, right hand: undercut) intense moves lead to the top. V6 if you start matching the undercut.

1. V2/3 ⌘⌘ Mae'r llech tenau yn ddyrys braidd.

2. V4 ⌘ Dechreuad o'r eistedd ac ôl -wthiwch y crib cymleth. Anobeithiol i'r tal.

3. The Ramp V5 ⌘ Cychwyniad llawr (llaw chwith: gwaelod y ramp, llaw dde: tandor) symudiadau aruthrol yn arwain at y brig. V6 os dechrau yn cydrannu'r tandor.

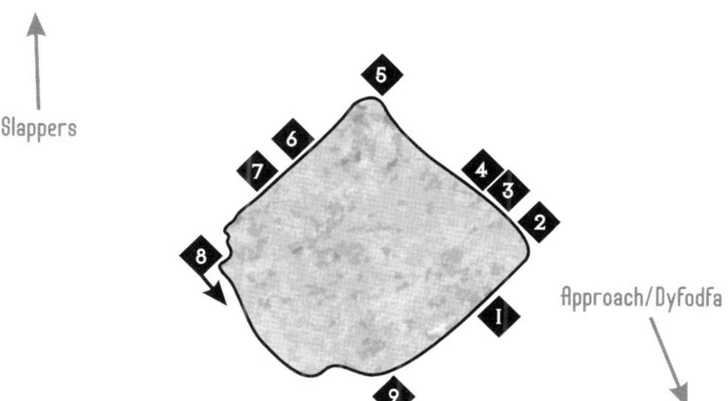

GALLT YR OGOF

4. Smackhead V8 ⌘⌘ From a sit down start (left hand: low side pull, right hand: a choice of crap holds) make a hard move to a diagonal edge, then either go left to the ramp or match on a gaston and dyno for the top. Very butch indeed.

5. V4 ⌘ The arête from a sit down start (left hand: high edge, right hand: low undercut). V6 if done from a match on the low undercut.

6. Sway On V11 ⌘⌘ From a sit down start (left hand: low crimp, right hand: thin sidepull) slap desperately up a series of thin crimps, easing slightly to the top.

7. Regeneration V7 ⌘ A sit down start with a choice of handholds above the black scoop. Crank edges to the top.

8. V7 ⌘ From the groove traverse right, dropping down with hard moves to gain and grapple up the arête on the right. This was originally done at V6, traversing left from the right arête, although this would be better if linked from *CSOHM*.

9. Chris Sat On His Mat V7 ⌘ A sit down start on the slopey shelf.

Up close to the crag an obvious right to left sloping traverse **(Slappers V7 ⌘)** can be seen. Other minor lines await exploration, both in this vicinity and across the hill side beneath the crag.

GALLT YR OGOF

4. Smackhead V8 ⌘⌘ Dechrau o'r eistedd (llaw chwith: ochdyn isel, llaw dde: dewis o afaelion gwael) gwnewch symudiad caled at ymyl lletraws, wedyn ewch i'r chwith at y ramp neu cydrannwch ar gaston a gwneud deino am y brig. Ffyrnig iawn.

5. V4 ⌘ Y crib o ddechreuad o'r eistedd (llaw chwith: cyr uchel, llaw dde: tandor isel). V6 os yn cydrannu ar y tandor isel.

6. Sway On V11 ⌘⌘ Dechrau o'r eistedd (llaw chwith: crych isel , llaw dde: ochdyn tenau) palfiwch yn wallgo i fyny cyfres o rychion tenau, ychydig yn haws tua'r brig.

7. Regeneration V7 ⌘ Cychwyniad llawr gyda dewis o afaelion uwch y cafn du. Cranciwch y cyrion at y brig.

8. V7 ⌘ O'r rhych tramwywch i'r dde, disgyn i lawr gyda symudiadau caled i gyrraedd a chwffio i fyny'r crib ar y dde. Yn wreiddiol V6, yn tramwyo i'r chwith o'r crib dde, ond bydda hwn yn well pe cysylltid â *CSOHM*.

9. Chris Sat On His Mat V7 ⌘ Dechreuad o'r eistedd ar y silff gwyrol.

Yn agos at y clogwyn mae tramwyiad o'r dde i'r chwith amlwg **(Slappers V7 ⌘)** i'w weld. Llawer o linellau isradd eraill i'w datblygu, yn yr ardal hwn ac ar draws y dyffryn o dan y clogwyn.

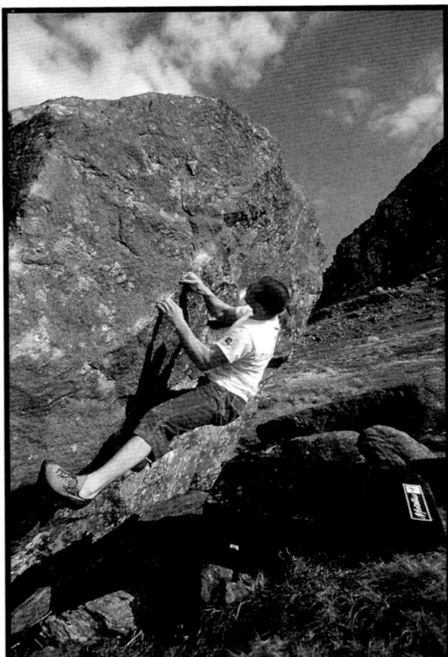

Gareth Parry, The Ramp V5, Photo/Ffoto: Dave Simmonite

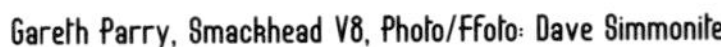

Gareth Parry, Smackhead V8, Photo/Ffoto: Dave Simmonite

GALLT YR OGOF

A more remote boulder field lies around the corner underneath the steep slopes leading up to the Upper Skyline Buttress. One or two magic problems justify the journey to this quiet backwater venue.

Access: continue along the old road until you reach a wall, turn right and follow this until you can break up into the boulder field. The best blocks lie at the far side.

A distinctive rectangular boulder on the left provides good warm up problems. The left wall traverse (left to right) is **Mondo's Traverse V4 ✠✠.** Bearing right from here (past a couple of good slabby problems) for 40 metres will lead you to **The Cost Of Living V2 ✠✠✠**; an obvious steep blunt arête. Just around the back, the small slopey scoop feature is V6 trending right from a sit down start.

GALLT YR OGOF

Ychydig o gwmpas y gornel o dan y llethrau serth sy'n rhedeg i fyny at Bwtres Nenlinell Uchaf mae maes clogfaen neilltiedig. Gyda un neu ddwy broblemau o hud i gyfiawnhau'r siwrne i'r lleoliad distaw hwn.

Mynediad: ewch ymlaen ar hyd yr hen ffordd nes cyrraedd wal, trowch i'r dde a dilyn hwn hyd nes y medrwch dorri ar draws at y clogfaeni. Mae'r blociau gorau yn gorwedd yr ochr bellaf.

Mae bloc sgwarochrog nodweddol ar y chwith yn rhoi problemau cynhesu da. Y tramwyiad o'r mur chwith (chwith i'r dde) yw **Mondo's Traverse V4 ✠✠**. Tua 40 metr i'r dde o'r man yma (heibio cwpl o broblemau llech da) mae **The Cost Of Living V2 ✠✠✠**; y crib di-awch serth amlwg. Y tu cefn mae'r nodewdd rhychiog gwyrol yn V6 yn tueddu i'r dde o ddechreuad o'r eistedd.

an Cottle on RH Var. Leo's [illegible] (5/6) Wavelength Boulder

OUTLYING AREAS

Peripheral to the two main mountain valleys of the Pass and the Ogwen Valley there is a whole network of interesting and attractive bouldering crags. Here the discerning boulderer can find both solitude and technical interest, and in the case of Carreg Hylldrem, steep dry rock whatever the weather.

ARDALOEDD PELLENIG

O gwmpas y prif ddyffrynnoedd mynyddig Peris ac Ogwen cewch rwydwaith o glogwyni bowldro atyniadol a diddorol. Yma gall bowldwyr deallus ddarganfod unigrwydd a difyrrwch technegol, ac yng Ngharreg Hylldrem, creigiau serth sych beth bynnag fo'r tywydd.

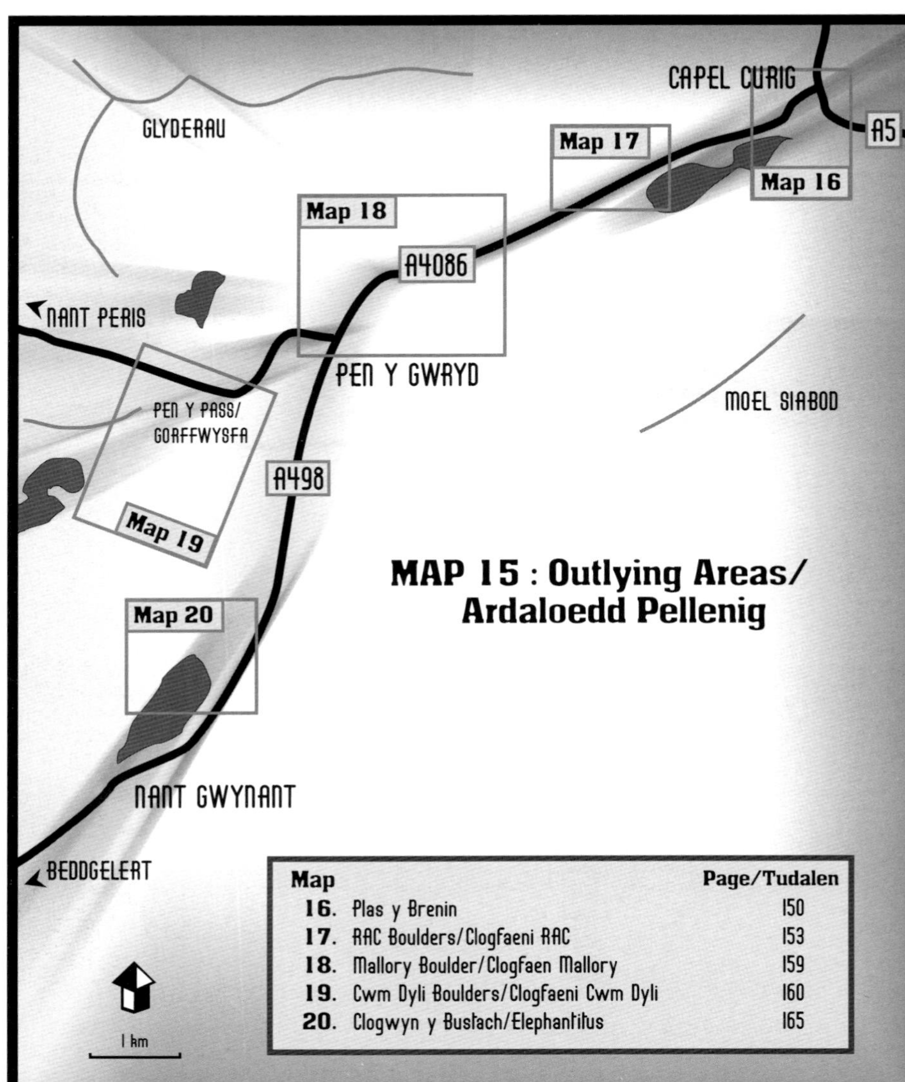

MAP 15 : Outlying Areas/ Ardaloedd Pellenig

Dave Noden, Fagin V5, Clogwyn y Bustach, Photo/Ffoto: Ray Wood

PLAS Y BRENIN BOULDER

This lone boulder, hidden in the woods opposite the PYB complex is quite a find. It bears a sculpted form entirely natural, yet it's easy to imagine it in another dimension as the product of a bouldering obsessed shaman, sporting as it does, some of the lushest slopers this side of Fontainebleau. Whilst it lacks vertical stature, or a single 24 carat classic, the traverse - with its many variation finishes and sit down starts (not to mention, the obvious potential for endless eliminates) - makes for a pleasing prospect for those who like to pull down.

CLOGFAEN PLAS Y BRENIN

Clogfaen unig yng nghudd yn y goedwig gyferbyn â PYB a thipyn o ddarganfyddiad. Mae ei ffurf yn naturiol, ond mater hawdd o'i ddychymu mewn dimensiwn arall fel cynhyrchiad siaman bowldro obsesiedig, yn arddangos rhai o'r gwyrafaelion gorau yr ochr yma i Fontainbleau. Er nad ydi o yn uchel, ac nad oes un clasur 24 carat, mae'r tramwyiad gyda'i amrywiaeth o orffeniadau a dechreuadau o'r eistedd (heblaw y posibiliadau amlwg dros ddileadau) - yn gwneud y man yn ddelfrydol i'r rhai sy'n mwynhau tynnu lawr.

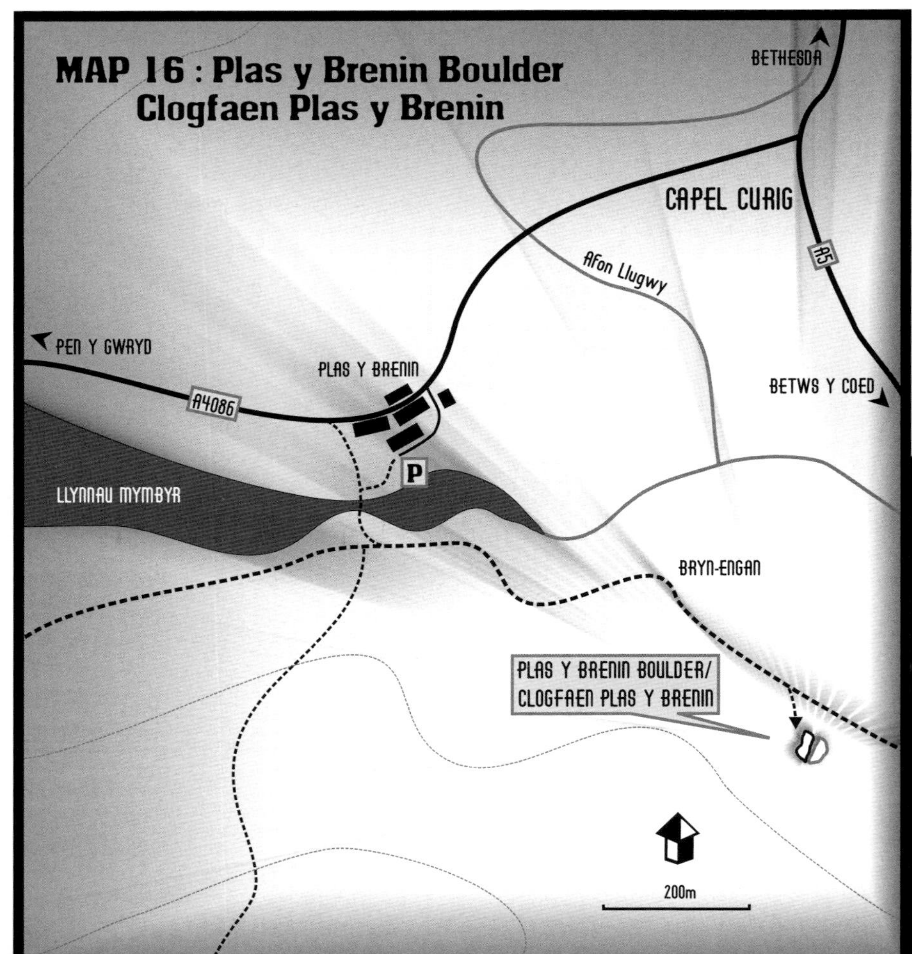

PLAS Y BRENIN BOULDER

Access: cross the bridge at the bottom of the ski slope, turn left and follow the track beneath the woodland past two gates. Continue along the track for a further 250 metres until you spy a conspicuous split block about 30 metres above you in the open woodland. The action takes place on the steep, moss-topped face on the right.

1. Original Traverse V8 ✖✖ Start on the slanting jug at the left hand arête, power through initial slopey section to better holds, a brief rest and a finish up *problem 5*. Variations: *Full Traverse* V8+ Start up left, follow the slopey lip down, dropping into the original starting jug in a somewhat uncontrolled fashion. A low finish along *The Hobbit* will also add a grade to either of these versions, and all versions of the traverse can of course be reversed. (NB. A V10 sit down start *(Generation Genocide)* has been done to the left arête of the block. Another micro classic?)

CLOGFAEN PLAS Y BRENIN

Mynediad: croeswch y bont ger gwaelod y llethr sgio, trowch i'r chwith a dilyn y llwybr o dan y goedwig heibio dwy giât. Ewch tua 250 metr ymhellach, nes i chwi weld bloc hollt amlwg, tua 30 metr uwch yn y goedwig agored. Mae'r dringo ar yr wyneb serth mwsogl-frig ar y dde.

1. Original Traverse V8 ✖✖ Dechrau o'r crafanc croeslin ar y crib chwith, pwerwch drwy'r darn cyntaf gwyrol at afaelion gwell, ysbaid byr a gorffen i fyny *problem 5*. Amrywiadau: *Full Traverse* V8+ Dechrau i fyny i'r chwith, dilyn y gwefus gwyrol, disgyn i lawr at grafanc y dechreuad gwreiddiol mewn modd afreolus braidd. Bu gorffeniad ar hyd *The Hobbit* yn rhoi gradd ychwanegol i'r naill fersiwn, ac mae'n bosibl mynd yn wrthol ar pob fersiwn o'r tramwyiad. (NB. Cafodd dechreuad o'r eistedd V10 *(Generation Genocide)* ei wneud ar crib chwith y bloc. Meicroglasur arall?)

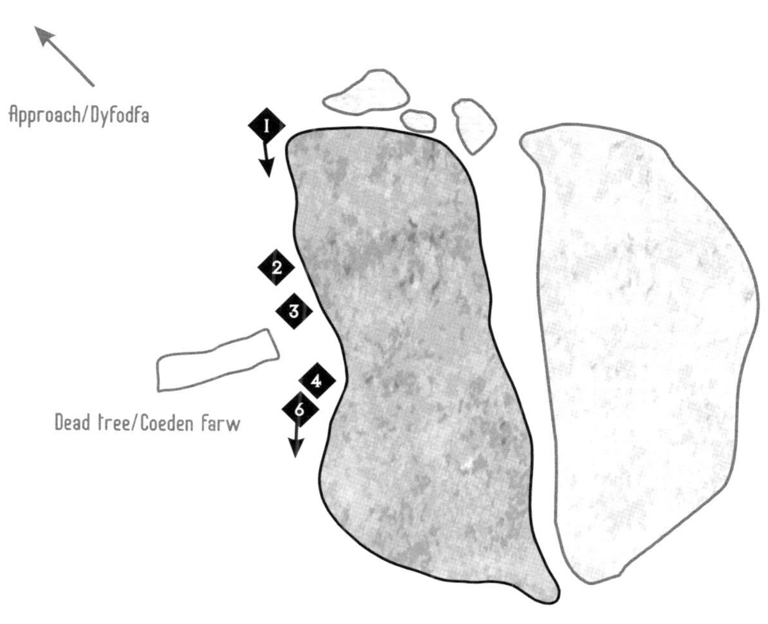

Paul Higginson, Original Traverse V8, Photo/Ffoto: Ray Wood

PLAS Y BRENIN BOULDER

2. Eat The Meek V6/7 ✠ Sit down start (right hand: obvious sidepull). Up to slopes on crux of *OT*, mantel out onto the slab. Avoid finger jugs on *problem 3*.

3. V3 ✠ Sit down start, up past finger jugs, topping out at the highest point of the boulder.

4. V2 ✠✠ Sit down start on a juggy sidepull, straight up to a jug, then leftwards to the highest point of the boulder.

5. V3 ✠✠ The same start, but from the jug pull rightwards to a large, but poor sloper, match and rock onto the slab. Finish with a committing jump to grab the top of the mossy slab.

6. The Hobbit V5 ✠ From the sit down start at the juggy sidepull, traverse the low ramp rightwards to jugs on the edge of the slab, rock on and finish as for *problem 5*.

CLOGFAEN PLAS Y BRENIN

2. Eat The Meek V6/7 ✠ Dechrau o'r eistedd (llaw dde: ochdyn amlwg). I fyny at wyrafaelion ar graidd *OT*, trawstio allan ar y llech. Osgoi bys-crafangau *problem 3*.

3. V3 ✠ Dechrau o'r eistedd, i fyny heibio bys-crafsngau, yn brigo ar bwynt ucha'r clogfaen.

4. V2 ✠✠ Dechrau o'r eistedd at ochdyn crafangol, unionsyth at grafanc, wedyn i'r chwith i bwynt ucha'r clogfaen.

5. V3 ✠✠ Yr un dechrau, ond o'r ochdyn tynnwch i'r dde at wyrafael mawr, ond gwael, cydrannwch a throsiglwch ar y llech. Gorffen gyda naid mentrus i afael brig y llech mwsoglyd.

6. The Hobbit V5 ✠ O'r dechreuad o'r eistedd at yr ochdyn crafangol, tramwywch y ramp isel i'r dde at grafangau ar ymyl y llech, trosiglwch a gorffen fel *problem 5*.

RAC BOULDERS

A delightful sunny place that is worth visiting throughout the year. In summer you can climb on all facets of the boulders and some shade may be found if it is needed. In winter the front sides of the boulders still soak up a considerable amount of glorious sunshine (high pressure permitting) and thus have always been a sensible alternative to the (typically) dark and bitterly cold flanks of the Llanberis Pass. The wealth of low and mid grade problems above decent, friendly landings, coupled with the roadside access ensures the popularity of this much-cherished venue. The main action is concentrated on the large blocks by the track, but other minor problems can be found in the boulder field leading up to the small crag above.

Access: the boulders are clearly visible from the road about 2 kms west of Plas y Brenin (and about 200 metres from the entrance to Garth Farm at the end of Llynnau Mymbyr). Park in the layby, but do not block the gate for the track that leads up and right through the middle of the main blocks. The boulders do lie on private land. Access is tolerated, but on the basis that visitors keep a low profile and don't leave any litter.

CLOGFAENI RAC

Man heulog braf sydd o werth fel lleoliad dringo drwy'r flwyddyn. Yn yr Haf fe ellir dringo ar bob ochr o'r clogfaeni a chael cysgod os oes angen. Yn y Gaeaf mae ochrau blaen y clogfaeni yn derbyn llawer o haul (os oes gwasgedd uchel) ac felly yn ddewis call yn lle'r asgellau (fel arfer) tywyll ac oer ddifrifol Nant Peris. Mae'r cyfoeth o broblemau canol ac isel gradd uwch glanfeydd cyfeillgar, yng nghlwm â'r agosrwydd i'r ffordd yn sicrhau poblogrwydd y safle. Y blociau mawr ger y lôn fach sydd â mwyafrif o broblemau, ond ceir problemau eraill yn y maes clogfaen sy'n arwain i fyny at y clogwyn bach.

Mynediad: mae'r clogfaeni'n amlwg o'r ffordd tua 2 km i orllewin Plas y Brenin (tua 200 metr heibio'r troead i mewn i ffarm Garth ar ddiwedd Llynnoedd Mymbyr). Parciwch yn yr arhosfan, ond peidiwch â rhwystro mynediad drwy'r giat at y lôn fach sy'n arwain i fyny yn syth drwy ganol y prif flociau. Mae'r blociau ar dir preifat. Maent yn caniatau dringwyr, tra bo ymwelwyr yn cadw'n dawel â pheidio â gadael sbwriel.

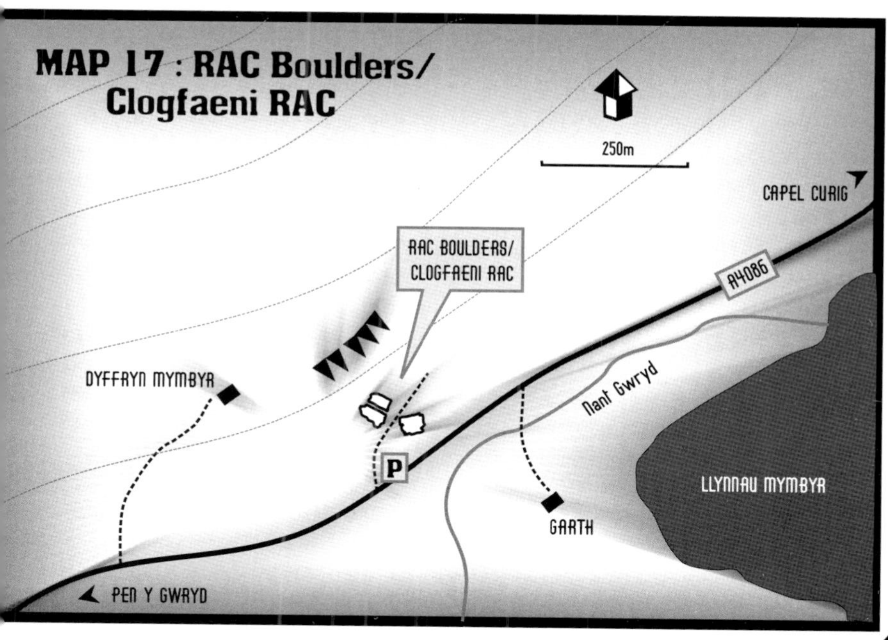

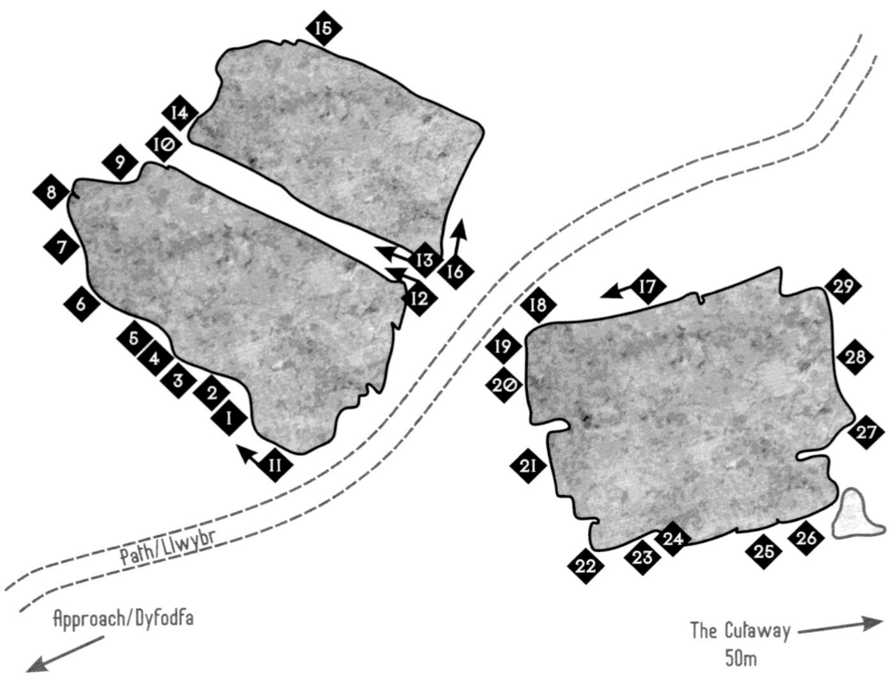

RAC BOULDERS

1. V0– ⌘ The obvious groove at the right side of the clean wall.

2. V0+ ⌘⌘ Long moves up the wall left of *problem 1*, lead to good holds at the top.

3. V2 ⌘⌘ Climb the arête right of the groove in a rather forceful fashion.

4. V0+ ⌘⌘ Straight up the groove on layaways.

5. V3 ⌘ From a sit down start on the flat ledge left of the groove, move up the wall (avoiding holds in the groove to the right) to gain the hanging flake. The blank face to the left is home to another 'blinkers on' eliminate problem called *One On* (albeit at a much harder grade).

6. V1 ⌘⌘ Climb the indented left arête of the steep wall.

7. V0+ ⌘⌘ Move up right into the upper groove feature.

CLOGFAENI RAC

1. V0– ⌘ Y rhych amlwg ar ochr dde y pared glân.

2. V0+ ⌘⌘ Symudiadau hir i fyny'r wal i'r chwith o *broblem 1*, yn arwain at afaelion da.

3. V2 ⌘⌘ Dringwch y crib i'r dde o'r rhych mewn modd grymus.

4. V0+ ⌘⌘ Yn syth i fyny'r rhych ar orffyrddion.

5. V3 ⌘ O ddechreuad o'r eistedd ar y sil gwastad i'r chwith o'r rhych, symudwch i fyny'r wal (osgoi gafaelion yn y rhych ar y dde) i gyrraedd y ffloch crog. Mae'r wyneb glân i'r chwith yn gartref i ddilead 'ffrwynddall' arall *One On* (ond llawer caletach)

6. V1 ⌘⌘ Dringwch crib chwith hiciog y wal serth.

7. V0+ ⌘⌘ Symudwch i fyny i'r dde at y nod rhych uwch.

C BOULDERS

V1 ⌘⌘ Take the steep arête on the left side st a ledge at 2/3rds height. A harder variant ys with the crack feature on the right side.

V0– The green groove is perhaps a better scent than a problem.

0. V1 ⌘ Long reaches up the small green rner.

1. Frontside Traverse V3 ⌘⌘ Follow the eak left into *problem 3*. A V6 variant stays low neath the break, then traces thin crimps across e wall left of the groove to gain *problem 6*. A rther V9 variant **(On One)** stays low all the ay, with desperate, powerful moves on ectional holds.

2. Lefthand Gully Wall Traverse V3 ⌘ om a sit down start at the entrance to the evasse, follow the intermittent ledge system ross the green wall, continuing round to finish *problem 7*.

3. Righthand Gully Wall Traverse V2 From a standing position at the crevasse trance, gain and follow a line of foot ledges past thin crux section just before the arête.

4. Backside Arete V0– ⌘⌘⌘ The maculate arête taken on its left side. A V0- minate line can be climbed up the wall just left.

5. V0+ ⌘ From a standing start (left hand: imp, right hand: side pull in groove) lurch up left a jug, and thus the top.

6. The Pump Traverse V4 ⌘⌘ Follow e sloping (but heavily featured) lip rightwards, ning the arête and following the boulder top up ght, before dropping down past a prominent jug a tricky final pull into a groove (a.k.a. *The Bitter d*). A **V6** ⌘ variant eliminates all the cracks on e first section and a further 'arse dragging' low minate is possible:

he Haston/McGinley Route V7 ⌘ stays neath the lip (from a sit down start with left nd on an undercut by the arête and left foot in a ucial horizontal jam position) with powerful stained moves until the arête is reached. If you t it right, you shouldn't touch the floor!

CLOGFAENI RAC

8. V1 ⌘⌘ Dilyn y crib serth ar yr ochr chwith heibio sil 2/3 uchder. Ceir amrywiad caletach yn cadw gyda'r nodwedd hollt ar yr ochr dde.

9. V0– Y rhych gwyrdd yn well fel dringlawr na phroblem.

10. V1 ⌘ Ymestyniadau hir i fyny'r gornel bach gwyrdd.

11. Frontside Traverse V3 ⌘⌘ Dilyn y toriad i mewn i *broblem 3*. Amrywiad V6 yn cadw'n isel o dan y toriad, a dilyn crychion tenau ar draws y wal i'r chwith o'r rhych i mewn i *broblem 6*. Amrywiad V9 **(On One)** yn cadw'n isel yr holl ffordd, gyda symudiadau lletchwith, pwerus ar afaelion cyfeiriadol.

12. Lefthand Gully Wall Traverse V3 ⌘ O'r dechreuad o'r eistedd wrth geg yr agendor, dilynwch y system siliau toredig ar draws y mur gwyrdd, o gwmpas i orffen i fyny *problem 7*.

13. Righthand Gully Wall Traverse V2 ⌘ Dechrau o'r sefyll yng ngheg yr agendor, cyrraedd a dilyn rhes o siliau troed heibio darn craidd tenau ychydig cyn y crib.

14. Backside Arete V0– ⌘⌘⌘ Y crib ardderchog ar ei ochr chwith. Ceir dilead V0- i fyny'r wal ychydig i'r chwith.

15. V0+ ⌘ Dechrau o'r sefyll (llaw chwith: crych, llaw dde: ochdyn yn y rhych) honcian i fyny i'r chwith at grafanc, a felly'r brig.

16. The Pump Traverse V4 ⌘⌘ Dilyn y gwefus gwyrol (ond llawn nodwedd) i'r dde, troi'r crib a dilyn brig y clogfaen i fyny i'r dde , cyn disgyn i lawr heibio crafanc amlwg i'r tyniad lletchwith gorffenedig i mewn i'r rhych (*The Bitter End*). Ceir amrywiad **V6** ⌘ yn dileu pob hollt ar y darn cyntaf a mae dilead 'llysg-din' isel arall hefyd yn bosibl:

The Haston/McGinley Route V7 ⌘ yn cadw o dan y gwefus (o gychwyniad llawr gyda'r llaw chwith ar tandor ger y crib a'r droed chwith mewn safle clo lletraws hanfodol) gyda symudiadau pwerus parhaol nes cyrraedd y crib. I'w wneud yn gywir, ni ddylid cyffwrdd y llawr.

Jez Stephenson, Frontside Traverse V3, RAC. Photo/Ffoto: Simon Panton

7. The Marsh Traverse V5 ⌘⌘ A long, ried and very satisfying trip around the steep le of this boulder. Start on the easy trackside b, turning the arête and staying below the top, cept for the 'slopey nose' before the crack left *Marsh Arete*. Crux moves around the arête d to a crimpy traverse to gain a resting sition on the ramp. The passage across the al steep wall proves to be quite trying; a fitting ale for this elegant conection. A harder and guably better version stays low below the opey nose' at V6.

8. RAC Arete Lefthand V0 ⌘⌘ Pad up e left side of the slabby arête.

9. RAC Arete Righthand V0 ⌘⌘ Take e arête on the right hand, cracked side.

0. V0+ ⌘⌘ The cracked, pocketed wall.

1. The Ramp V1/2 ⌘ Pull up the slopey mp from a sit down start.

2. Marsh Arete V3 ⌘⌘ The attractive eep arête is quite brutal in execution (when taken om a sit down start).

3. V1 ⌘ Straight up the wall above the pocket.

4. V1 ⌘ The crimpy wall just left of the ramp.

5. V1/2 ⌘⌘ 'Monkey up a stick' up the arête d thin crack to a still difficult finish.

6. V3 ⌘⌘ Power up rightwards from the nger flake to distant jugs. The direct dyno to the is a killer V5.

7. V0+ ⌘⌘ Up the steep flake in the arête to gs. The sit down start is V2.

8. V0+ ⌘⌘ Balancey moves lead up through, along the scoop.

9. V0– ⌘ Climb direct on good holds from the art of the scoop. Various easy slabby problems ist between here and *problem 17*.

0. The Cutaway V6 ⌘ The obvious left to ght lip traverse (pulling up into the groove before e right arête) on the lone boulder 50 metres to e right of the main blocks. A V7 variant averses the lip in reverse from a sit down start the right arête.

17. The Marsh Traverse V5 ⌘⌘ Siwrne hir, boddhaol, amrywiol o gwmpas ochr serth y clogfaen hwn. Dechrau ar y llech wrth y lôn, rownd y crib a chadw o dan y brig ond am y 'trwyn gwyro'l ychydig cyn yr hollt i'r chwith o *Marsh Arete*. Symudiadau craidd o gwmpas y crib yn arwain at dramwyiad crychiog i gyrraedd ysbaid ar y ramp. Mae'r darn ar draws y pared gorffenedig yn ddigon lletchwith, diweddglo da i'r cysylltiad cain hwn. Mae fersiwn caletach a gwell yn aros yn isel o dan y 'trwyn gwyrol' i roi V6.

18. RAC Arete Lefthand V0 ⌘⌘ Padiwch i fyny'r crib ar yr ochr llechog.

19. RAC Arete Righthand V0 ⌘⌘ Y crib ar yr ochr dde hollt.

20. V0+ ⌘⌘ Mae'r mur pocedog hollt yn ardderchog.

21. The Ramp V1/2 ⌘ Tynnwch i fyny'r ramp gwyrol ar ôl cychwyniad llawr.

22. Marsh Arete V3 ⌘⌘ Mae'r crib serth atyniadol braidd yn ffyrnig i'w wneud (wrth ddechrau o'r eistedd).

23. V1 ⌘ Syth i fyny'r wal uwch y poced.

24. V1 ⌘ Y wal crychiog ychydig i'r chwith o'r ramp.

25. V1/2 ⌘⌘ Mwnci mynd i fyny'r crib a'r hollt tenau i orffeniad anodd braidd.

26. V3 ⌘⌘ Pwerwch i fyny i'r dde o gaen bys at grafangau pell. Mae'r deino unionsyth at y brig yn V5 ffyrnig.

27. V0+ ⌘⌘ I fyny'r caen serth yn y crib at crafangau. Ma'e dechreuad o'r eistedd yn V2.

28. V0+ ⌘⌘ Symudiadau cydbwysol yn arwain drwy, neu ar hyd y cafn.

29. V0– ⌘ dringwch yn syth ar afaelion da o ddechrau'r cafn. Ceir sawl problem llechog hawdd rhwng hwn â *phroblem 17*.

30. The Cutaway V6 ⌘ Y tramwyiad gwefus chwith i'r dde amlwg (tynnu i fyny i'r rhych cyn y crib dde) ar y clogfaen unig 50 metr i'r dde o'r prif flociau. Mae amrywiad V7 yn tramwyo'r gwefus yn wrthol o ddechreuad o'r eistedd ar y crib dde.

Gareth Parry, Mallory Crack V7. Photo/Ffoto: Ray Wood.

THE MALLORY BOULDER

A tremendous boulder in a fantastic/pain in the arse position (depending upon your view point).

Access: walk up the Miners Track footpath (heading over to the Ogwen Valley) that starts right of the Pen y Gwryd Hotel to reach a large, but disappointing split block on the left after approximately 25 minutes. Continue up the path for a further 5 minutes, before breaking leftwards for 250 metres across the heathery hillside to arrive sweaty and delirious at the base of the huge egg shaped boulder. All the easy lines have been done (presumably, a very long time ago by Mallory), and they are obvious. The lightning strike crack line that runs along the lip of the steepness on the right is the main attraction. **Barking Direct V4** ⌘⌘ makes a tip toe reach into 2 slots at the base of the crack feature and pulls directly onto the upper slab, whilst **The Mallory Crack V7** ⌘⌘ starts as for *BD*, but follows the crack up right to gain easy ground. A stunning lower extension **(Cosmic Wheels, V9/10)** has been climbed from the jug down left on the arête into *BD*.

The Pen y Gwryd Boulders: on the hillside opposite the Pen y Gwryd Hotel a small collection of boulders provide a brief workout in a wonderful location. The best block lies over to the right. It has half a dozen problems up to V3 on good rock.

CLOGFAEN MALLORY

Clogfaen wych mewn sefyllfa anhygoel/poenus (yn ddibynnol ar eich agwedd)

Mynediad: Cerddwch i fyny Llwybr y Mwynwyr (yr un sy'n mynd at Ddyffryn Ogwen) sy'n dechrau i'r dde o westy Pen y Gwryd, i gyrraedd ar ôl 25 munud bloc mawr hollt siomedig ar y chwith. Ewch i fyny'r llwybr am 5 munud arall, cyn mynd 250 metr i'r chwith ar draws y llethrau grugog i gyrraedd yn ddryslyd a chwyslyd wrth waelod clogfaen anferth ffurf wy. Mae pob un o'r llinellau haws wedi eu gwneud (yn ôl pob tebyg dipyn yn ôl gan Mallory) ac maent yn amlwg. Yr hollt llinell mellten sy'n rhedeg ar hyd y gwefus serth i'r dde yw'r brif atyniad. **Barking Direct V4** ⌘⌘ rhaid gwneud ymestyniad blaen troed i gyrraedd i 2 rhicyn ar waelod yr hollt a thynnu yn syth at y llech uwch, tra bod **The Mallory Crack V7** ⌘⌘ yn dechrau fel *BD*, ond yn dilyn yr hollt i'r dde i dir haws. Mae estyniad isel **(Cosmic Wheels V9/10)** wedi ei ddringo o'r crafanc i lawr i'r chwith ar y crib i mewn i *BD*.

Clogfaen Pen y Gwryd: casgliad bach o glogfaeni ar lethrau'r bryn, gyferbyn â gwesty Pen y Gwryd yn rhoi ymarfer byr mewn lleoliad braf. Mae'r bloc gorau ar y dde, gyda hanner dwsin o broblemau hyd at V3 ar graig dda.

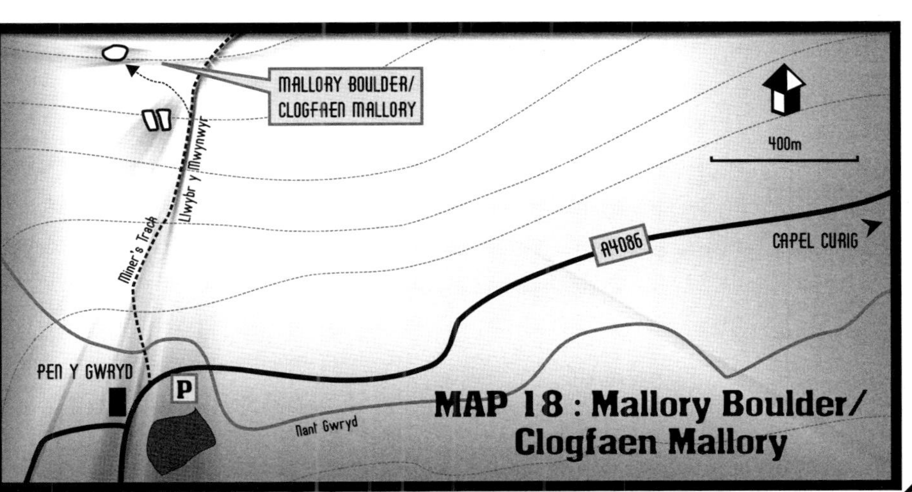

MAP 18 : Mallory Boulder/ Clogfaen Mallory

CWM DYLI BOULDERS

A very beautiful and secluded spot with many excellent problems, generally good landings and absolutely no chance of meeting anybody, save for the odd disorientated Snowdon bound tourist. No, just you, the boulders, the towering back drop of Lliwedd and your own personal cloud of midges.

Access: from Pen y Pass meander along the Miner's track until the first big bend has been turned. The boulders lie below in the meadow beneath Craig Aderyn. Descend the tussocky hill slope, crawl underneath the pipe, cross the bog, remove the sword from the stone...etc.

CLOGFAENI CWM DYLI

Man bowldro prydferth a neillitiedig, gyda sawl problem ardderchog, a fel arfer glanfeydd da a bron dim siawns o gyfarfod unrhyw un, ond am yr un neu ddau ymwelwyr i'r Wyddfa sydd ar goll. Na, dim on y chwi, y clogfaeni, cefnlen aruchel Lliwedd a'ch cwmwl personol o wybaid.

Mynediad: O Gorffwysfa ystumiwch ar hyd Llwybr y Mwynwyr nes i chwi droi y tro mawr cyntaf. Mae'r clogfaeni yn gorwedd yn y ddôl o dan Craig Aderyn. Ewch i lawr y llethr tuswol, cripian o dan y bibell, croesi'r mign, tynnwch y cleddyf o'r garreg...ac ym.

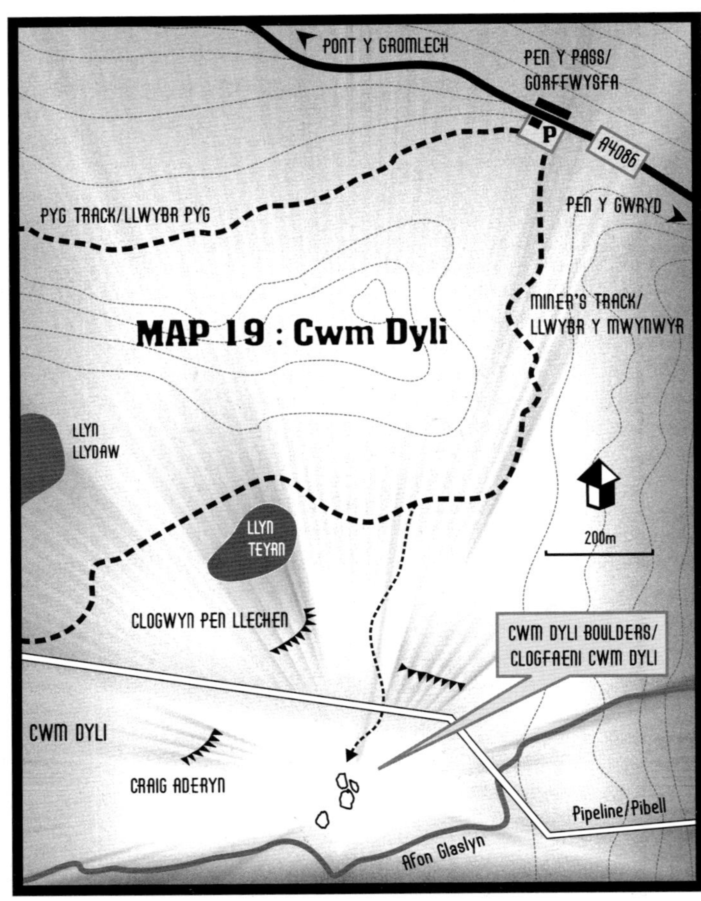

:wm dyli: FIRST BOULDERS

1. V0– ⌘ The left arête of the slab.

2. V0 ⌘ Climb the slab just left of centre.

3. V0+ ⌘ Take the thin right hand line on the slab.

4. V3 ⌘ The thin crimpy wall.

5. Teyrn Wall V3 ⌘⌘ The thin crimpy wall with hard finishing moves.

6. Pete's Wall V4 ⌘ The thin crimpy wall.

7. The Teyrn Arete V3 ⌘⌘ The striking highball arête.

8. V3 ⌘ Traverse right from the arête (above the dreaded moat!), round onto the front slabby face, tracing the horizontal crack across the top of the slab.

9. V1 ⌘⌘ Step on and follow the slabby side of the high arête above the moat.

10. V1 ⌘⌘ Stride boldly across the moat to gain and climb the enticing, blunt arete.

:wm dyli: CLOGFAENI CYNTAF

1. V0– ⌘ Crib chwith y llech.

2. V0 ⌘ Dringwch y llech ychydig i'r chwith o'r :anol.

3. V0+ ⌘ Dilynwch y llinell dde tenau i fyny ochr dde'r llech.

4. V3 ⌘ Y mur crychiog.

5. Teyrn Wall V3 ⌘⌘ Y mur crychiog gyda gorffeniad caled.

6. Pete's Wall V4 ⌘ Y mur crychiog.

7. The Teyrn Arete V3 ⌘⌘ Y crib uchelgeilliol hynod.

8. V3 ⌘ Tramwyo i'r dde o'r crib (uwch y ffos ofnus) rownd at y wyneb llechog blaen, yn dilyn y llinell llorweddol ar hyd brig y llech.

9. V1 ⌘⌘ Sefwch ar a dilynwch ochr llechog y crib uchel uwch y ffos.

10. V1 ⌘⌘ Brasgamwch ar draws y ffos yn entrus i gyrraedd ac i ddringo'r crib di-awch leniadol.

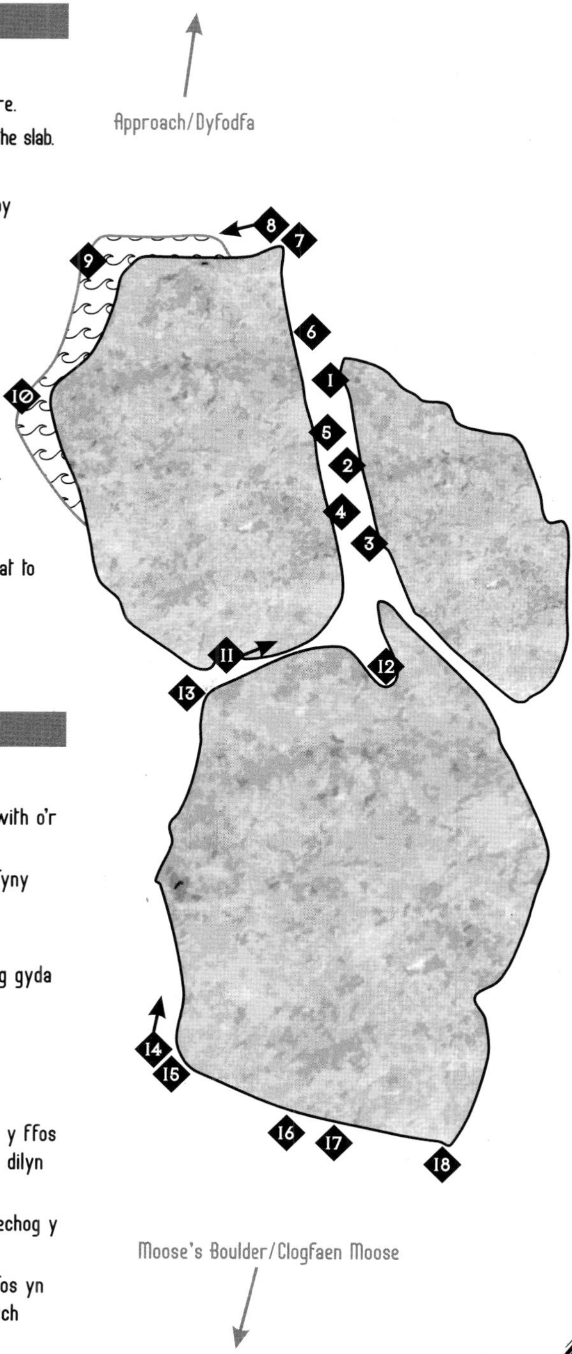

cwm dyli: FIRST BOULDERS

11. V3/4 ✠ From a sit down start (left hand: finger jam, right hand: undercut) at the left side of the overhang, pull to the lip and swing rightwards on slopers to gain the slabby wall, and thus the top.

12. The Teyrn Roof Crack V4 ✠✠ Head for daylight from a sit down start on the block at the base of the roof crack. A classic jamming test piece.

13. V2 ✠ From a sit down start at the base of the steep arête rock out left onto the front slab.

14. The Bassline V3/4 ✠✠ From a crouching start (left hand: low hold, right hand: pinch on the arête) slap powerfully leftwards for the lip, match and rock out left.

15. V2 ✠✠ The arête taken directly leads into the top of *problem 16*. This is also possible at V4 from the previously described crouching start.

16. Teyrn Crack V3 ✠✠ From a sit down start on the slopey lower ramp, move up and follow the crack. (V1 from a standing position.)

17. V2 ✠✠ From a sit down start position at the base of the diagonal crack, yard up to the upper slopey ramp and gain the top.

18. V1 ✠ A sit down start to the right arête.

cwm dyli: CLOGFAENI CYNTAF

11. V3/4 ✠ Dechrau o'r eistedd (llaw chwith: clo bys, llaw dde: tandor) ar ochr chwith y gordo, tynnwch at y gwefus a pendylwch i'r dde ar wyrafaelion i gyrraedd y wal llechog, a felly'r copa.

12. The Teyrn Roof Crack. V4 ✠✠ Ewch am y goleuni o ddechreuad llawr ar y bloc wrth waelod yr hollt to. Prawf cloi clasurol.

13. V2 ✠ O gychwyniad llawr wrth waelod y crib serth, trosiglwch allan i'r chwith at y llech flaen.

14. The Bassline V3/4 ✠✠ Dechreuad cwrcwd (llaw chwith: gafael isel, llaw dde: gwasgiad ar y crib) palfwch yn bwerus i'r chwith at y gwefus, cydrannwch a throsiglwch allan i'r chwith.

15. V2 ✠✠ Y crib yn unionsyth i frig *problem 16*. Mae hwn yn bosib tua V4 o'r dechreuad cwrcwd a ddisgrifir uchod hefyd.

16. Teyrn Crack V3 ✠✠ O ddechreuad o'r eistedd ar y ramp gwyrol is, symudwch i fyny a dilyn yr hollt (V1 o'r sefyll).

17. V2 ✠✠ Dechrau o'r eistedd wrth waelod yr hollt lletraws, llathwch i fyny at y ramp gwyrol uwch a chyrraedd y brig.

18. V1 ✠ Cychwyniad llawr i'r grib ar y dde.

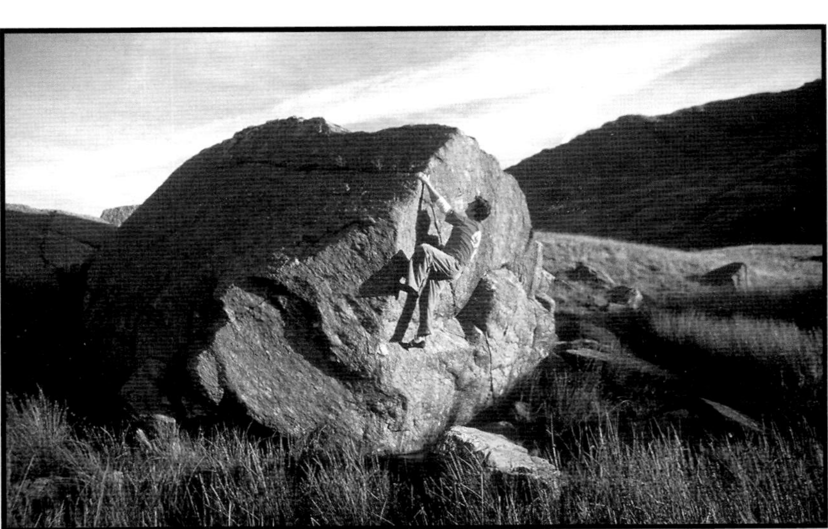

Chris Davies, Teyrn Crack V3, Photo/Ffoto: Simon Panton

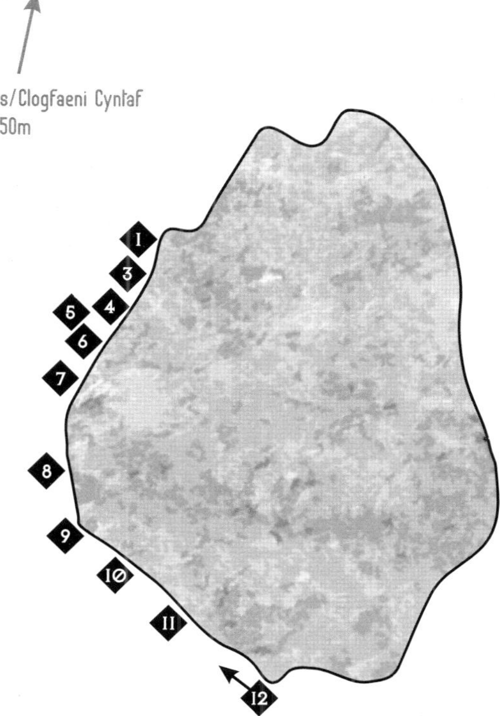

cwm dyli: MOOSE'S BOULDER

50 metres further on a large boulder with a steep front face comes into view. The problems on the front face *(problems 2-7)* do require a 'blinkers on' approach to be best appreciated. The generous spread of hangable holds, coupled with the lack of defining features does tend to blur the independence of adjacent problems. Nonetheless, this is a fine piece of rock with a good landing.

1. Gwion's Flake V3/4 ✠✠ The flake/thin crack taken from a sit down start. Another great problem.

2. V5 ✠ A worthwhile sit down line climbs up between *GF* and *MW* sharing the odd hold on both.

3. Moose's Wall V5 ✠✠ Snatch up thin crimps to a slopey top out.

cwm dyli: CLOGFAEN MOOSE

50 metr ymhellach ac fe welir clogfaen mawr gyda wyneb blaen serth. Mae angen dilyn 'dull ffrwynol' i'r problemau ar y wyneb blaen *(problem2-7)*, er mwyn eu mwynhau yn llawn. Oherwydd y gwasgariad haul o afaelion braf a'r diffyg nodwedd diffiniol y wyneb, mae'r problemau yn tueddu i golli eu hunigolrwydd. Tra bod hyn yn wir mae yn garreg wych gyda glanfa da

1. Gwion's Flake V3/4 ✠✠ Y caen/hollt tenau o'r eistedd. Problem braf arall.

2. V5 ✠ Dechreuad o'r eistedd o werth rhwng *GF* a *MW* yn rhannu rhai gafaelion ar y ddau

3. Moose's Wall V5 ✠✠ Cipiwch i fyny crychion tenau i gyrraedd y brig.

cwm dyli: MOOSE'S BOULDER

4. Sabotage V10 ⌘ From a sit down start (right hand: low crimp, left hand: side pull) move up to a slopey pinch/crimp with your right hand, take an undercut with your left hand and go over the top with your right hand to a poor break. Match and go again for the top. Obviously a desperate affair.

5. 5 Spanner Job V8 ⌘ A good eliminate line, avoiding good holds out right.

6. V3 ⌘ The easiest line up the wall, just right of centre. (The sit down start is V4.)

7. V2 ⌘ The arête just left of *8*.

8. V1 ⌘⌘ The attractive sloping scoop is harder than it looks.

9. V2 ⌘⌘ Pull up sloping ledges on the arête and rock left to top out.

10. V1 ⌘ Snatch up to a rounded mantel finish.

11. V2 ⌘ Lurch for the top and an easier finish.

12. Gassy Boy V5 ⌘⌘ Pull on matching a large side pull at the right arête and traverse left across the ledge system and finish up *problem 9*. A very satisfying trip.

cwm dyli: CLOGFAEN MOOSE

4. Sabotage V10 ⌘ Dechrau o'r eistedd (llaw dde: crych isel, llaw chwith: ochdyn) symudwch i fyny at pinsiad/crych gwyrol gyda'ch llaw dde, tandor gyda'r chwith ac ewch dros y brig gyda'r llaw dde at doriad gwael. Cydrannwch ac ewch eto am y brig. Wrth gwrs mae yn fater byrbwyll.

5. 5 Spanner Job V8 ⌘ Llinell dilead da, yn osgoi gafaelion da allan i'r dde.

6. V3 ⌘ Y llinell haws i fyny'r wal, ychydig i'r dde o'r canol. (Mae'r cychwyniad llawr yn V4.)

7. V2 ⌘ Y crib i'r chwith o *8*.

8. V1 ⌘⌘ Mae'r cafn gwyrol deniadol yn galed.

9. V2 ⌘⌘ Tynnwch i fyny siliau gwyrol ar y crib a throsiglwch i'r chwith i orffen.

10. V1 ⌘ Cipiwch i fyny at orffeniad trawst crwm.

11. V2 ⌘ Ewch am y brig a gorffeniad haws.

12. Gassy Boy V5 ⌘⌘ Tynnwch ymlaen drwy gydrannu ochdyn mawr ar y crib dde a thramwyo i'r chwith ar hyd cyfres o siliau i orffen i fyny *problem 9*. Taith bodlongar iawn.

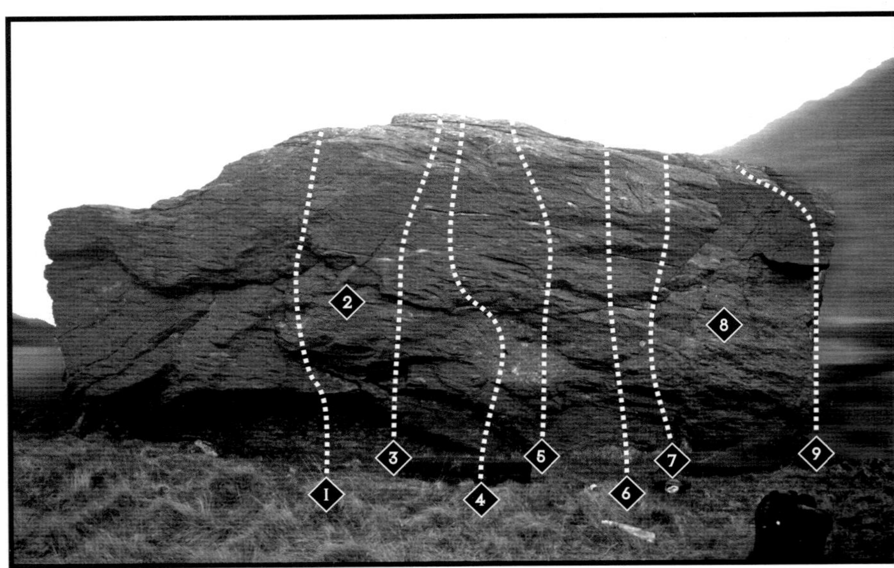

CLOGWYN Y BUSTACH BOULDERS

A large boulder field in the woods below the main crag offers less than it promises. Nonetheless the problems described here are excellent, and when combined with a visit to the Elephantitus Cave, give a solid circuit at a medium/hard grade.

Access: from the back corner of the Nant Gwynant campsite cross the footbridge over the river and walk right along the path to reach a massive overhanging boulder (The Homage Boulder) after 10 minutes. (NB. If you do not wish to pay the £3 parking fee, it is possible to park by the main road and follow the lakeside path round to the campsite.)

CLOGFAENI CLOGWYN Y BUSTACH

Mae'r maes clogfaeni yn y coed o dan y clogwyn yn rhoi llai o werth na mae'n edrych. Ond mae'r problemau a ddisgrifir yn ardderchog, ac os y cysylltir ag Ogof Elephantitus, yn rhoi cylchdaith cadarn yn y graddau canolig/caled.

Mynediad: o gornel cefn maes campio Nant Gwynant croeswch yr afon gyda'r pompren a cherddwch i'r dde ar hyd y llwybr i gyrraedd mewn 10 munud clogfaen trosgrog anferth (Clogfaen Homage). (NB. Os nad ydych am dalu £3 i barcio, mae hi'n bosib parcio ger y ffordd a dilyn llwybr ar hyd glan y llyn at y maes campio.)

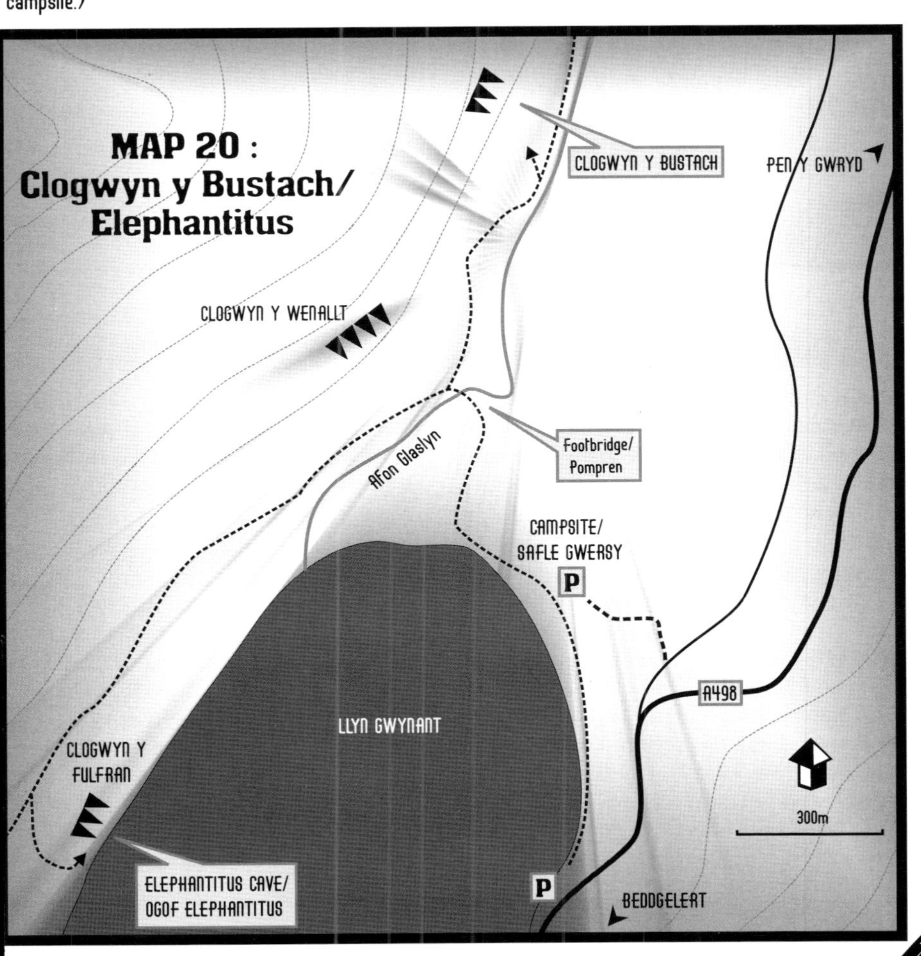

Chris Davies, Sick Happy V9, Photo/Ffoto: Ray Wood

CLOGWYN Y BUSTACH BOULDERS

The Homage Traverse V5/6 ⌘ runs right to left across the base of the highest face. (NB. The overhanging crack is *Homage To The Hound*, E4 and the obvious highball line up the wall to the left, finishing leftwards is still a project boulder problem.)

From here walk through the woods to the right for 100 metres to reach a very steep undercut block. **Fagin V5/6** ⌘⌘ takes the superb pocketed line just right of centre from a sit down start (avoid the block). The steep line to the left is **Sick Happy V9** ⌘⌘ from a sit down start or V6 from the obvious standing start. **The Bustach Prow V8** ⌘⌘ is the amazing right hand prow starting underneath from a sit down position on a jug. A further V7 line is possible from a sit down start between *Fagin* and *TBP* (right hand: flat crimp, left hand: tiny edge).

CLOGFAENI CLOGWYN Y BUSTACH

The Homage Traverse V5/6 ⌘ yn rhedeg o'r dde i'r chwith ar hyd gwaelod yr wyneb uchaf. (NB. Yr hollt trosgrogol yw *Homage to the Hound*, E4 a mae'r llinell uchelgeilliol amlwg i fyny'r wal i'r chwith, a gorffen allan i'r chwith dal yn brosiect.)

O'r man yma ewch drwy'r coed i'r dde i gyrraedd bloc tandor serth ofnadwy. **Fagin V5/6** ⌘⌘ yn dilyn y llinell pocedog ardderchog ychydig i'r dde o'r canol ar ôl dechrau o'r eistedd (osgoi'r bloc). Y llinell serth i'r chwith yw **Sick Happy V9** ⌘⌘ o ddechreuad o'r eistedd neu V6 o'r dechreuad o'r sefyll amlwg. **The Bustach Prow V8** ⌘⌘ yw'r cribflaen anhygoel sy'n dechrau o dan o'r eistedd wrth crafanc. Posibl cael llinell V7 arall o ddechrau o'r eistedd rhwng *Fagin* a *TBP* (llaw dde: crych gwasrad, llaw chwith: cyr bychan)

ELEPHANTITUS CAVE

A small cave at the bottom left side of Clogwyn y Fulfran (down by the side of Llyn Gwynant on the opposite side to the road) is home to one of the best V6s in North Wales!

Access: From the bridge, turn left and follow the path along the lakeside, rising over the top of the rocky crags that fall directly into the lake, before dropping down a steep path to gain the cave on the far side of the crag. (See map 20 on page 165.)

Elephantitus V6 ✠✠✠ starts from a sit down start position on undercuts at the back of the cave. Swing leftwards on blocky jugs, before cutting back right with difficulty to slopey lip moves to gain the horizontal crack above. A hard dyno, **Downset V11 ✠** pulls on with a pair of obvious chest high pockets right of the *Elephantitus* finish and flies for the lip. This has been improved by the addition of the obvious sit down start from the horizontal slot in the break down right: **Downset (SDS) V12 ✠✠**. **Going Down On An Elephant V8+ ✠✠** powers up and left from the aforementioned sit down start to join the finish of *Elephantitus*. The right hand hanging nose is also accessed from a sit down start in the same slot: **The Tusk V10 ✠✠** (NB. This has now been linked with an *Elephantitus* start: **Cross Therapy V11 ✠**).

OGOF ELEPHANTITUS

Ogof fechan ar waelod ochr chwith Clogwyn y Fulfran (i lawr ar lan Llyn Gwynant ac ochr arall y llyn i'r ffordd.) cartref i un o'r V6 gorau yng Ngogledd Cymru!

Mynediad: o'r pompren, trowch i'r chwith a dilynwch y llwybr glan llyn, a wedyn codi i fynd dros gopa'r creigiau sy'n disgyn yn syth i'r llyn, cyn disgyn i lawr mae llwybr serth i gyrraedd yr ogof wrth ben pellaf y clogwyn. (Gweler map 20 ar dudalen 165.)

Elephantitus V6 ✠✠✠ dechrau o'r eistedd yng nghefn yr ogof ar dandoriadau. Siglwch i'r chwith ar grafangau blociog, cyn torri nol i'r dde yn anodd at symudiadau gwefus gwyrol i gyrraedd yr hollt llorweddol uwch. Mae deino caled, **Downset V11 ✠** yn tynnu 'mlaen gyda phâr o bocedi amlwg frest-uchel i'r dde o orffeniad *Elephantitus* ac yn hedfan am y gwefus. Mae hwn wedi ei wella gyda dechreuad o'r eistedd o'r rhicyn llorweddol yn y toriad i lawr i'r dde: **Downset (DOE) V12 ✠✠**. **Going Down On An Elephant V8+ ✠✠** yn pweru i fyny ac i'r chwith o'r dechreuad o'r eistedd a ddisgrifir uchod i gysylltu â gorffenniad *Elephantitus*. Mae'r trwyn trosgrog ar y dde i'w gyrraedd o'r un dechreuad o'r eistedd o'r un rhicyn: **The Tusk V10 ✠✠** (NB. Mae hwn nawr wedi ei gysylltu â dechreuad *Elephantitus* i roi **Cross Therapy V11 ✠**.)

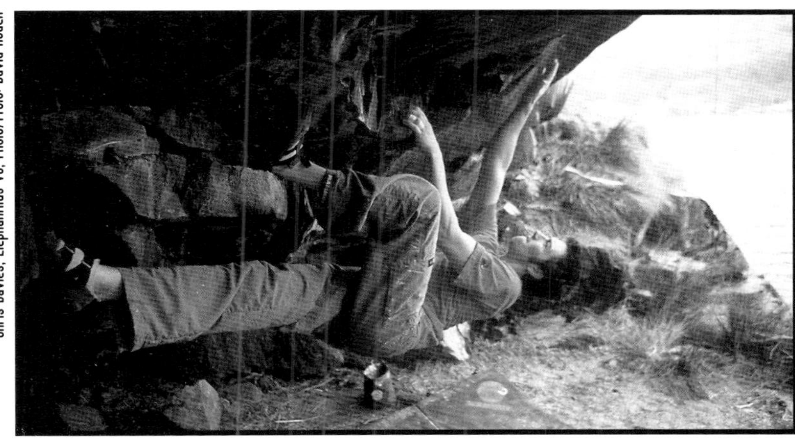

Chris Davies, Elephantitus V6, Photo/Ffoto: David Noden

NANTMOR

Nantmor, or more accurately, the Carreg Bengam Bach area on the complex, undulating slopes leading up to Yr Arddu, is very much a quiet backwater where peace and solitude may be sought. Some people believe that by describing every inch of rock in great detail we rob ourselves of the joys of discovery and the inherent mystery that certain crags hold. To my mind Nantmor is a prime example of an area best left untouched by obsessive modern descriptions. Part of the charm of a day spent here is playing the game of exploration. Experienced players will spot the tell tale signs of the passage of others, and revel in the innocent pleasures of climbing a line 'because it's there'. Consequently, all that I am willing to tell is how to get there; the rest is up to you.

Access: at the junction of the minor road from Nantmor and Nant Gwynant there is room for one car to park. (Alternatively, you can follow a path to the crags from further up the valley at Fronwen, where there are more parking spaces.) Follow the track opposite the Nantmor road, passing some interesting blocks and an obvious traverse wall on the left, until the main crag comes into view after the second gate. The main slabs and walls lie beyond in the complex hill slope; most faces remaining hidden until you are right on top of them.

NANTMOR

Nantmor, neu yn gywirach, ardal Carreg Bengam Bach ar lechweddau ymdonnog cymhleth yn arwain i fyny at Yr Arddu, yn fan anghysbell ble ceir heddwch a thawelwch. Mae rhai yn coelio wrth ddisgrifio pob modfedd o graig mewn manylder llwyr yr ydym yn colli'r pleser o ddarganfyddiad a'r dirgelwch greddfol sydd ynghlwm â rhai o'm clogwyni. I mi Nantmor yw'r enghraifft o ardal sydd yn well heb ddisgrifiadau obsesiynol cyfoes. Rhan o'r swyn sy'n dod o ddiwrnod yw chwarae'r gêm o archwilio. Mi fu chwaraewyr profiadol yn medru gweld ôl eraill, a mwynhau'r pleser o ddringo llinell 'oherwydd ei fod'. Felly, y cwbl 'rwyf am ddweud yw sut i gyrraedd, mae'r gweddill i fyny i chwi.

Mynediad: wrth y cyffordd rhwng yr is ffyrdd o Nantmor a Nant Gwynant mae yna un safle parcio. (Neu fe allwch ddilyn llwybr at y clogfeini o Fronwen ymhellach i fyny'r dyffryn ble mae yna fwy o leoedd i barcio.) Dilyn y llwybr gyferbyn â lôn Nantmor, ewch heibio blociau diddorol a mur tramwyo amlwg ar y chwith, nes bydd y prif glogwyn yn dod i'r golwg wedi'r ail giât. Ceir prif furiau a llechau ar wasgar ar y llechweddau cymhleth uwch; ni welir rhai o'r wynebau nes i chwi ddod yn agos atynt.

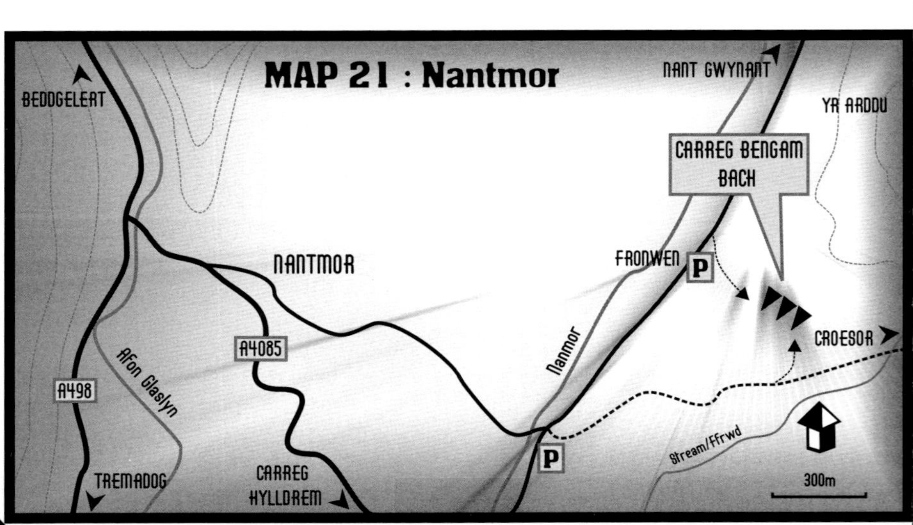

CARREG HYLLDREM

A steep wall home to a small number of superb mid grade independent lines and a vast array of powerful/tricky eliminate problems. A useful venue if it's really tipping it down (the crag is totally sheltered from rain) and proof that there really never is any excuse for going to the climbing wall (unless its dark and you haven't got a lantern!).

Access: Take the A4085 turn off (towards Penrhyndeudraeth) south of Beddgelert as per the approach to Nantmor, but continue on the A4085 for 4kms to a point just before a sharp right turn over a bridge. Park on the right; the steep crag above the road on the opposite side is Carreg Hylldrem. The bouldering wall is situated over the A frame stile at the right side of the main crag.

The 4 main up lines are all about V4 and the low level traverse is perhaps V3 (once you've sussed out all the tricks).

CARREG HYLLDREM

Wal serth sy'n gartref i nifer o linellau canol radd annibynnol ardderchog a llawer o broblemau dileus pwerus/lletchwith. Lleoliad da os yw hi'n bwrw'n drwm (mae'r clogwyn yn gysgodol o'r glaw) a phrofi nad oes unrhyw esgus byth i fynd i mewn i wal ddringo (os nad yw hi'n dywyll ac nad oes gennych lantarn!)

Mynediad: dilynwch yr A4085, trowch (tuag at Benrhyndeudraeth) i'r de o Feddgelert, fel y siwrne at Nantmor, ond ewch 4 km ar yr A4085 nes cyrraedd troad sydyn i'r dde dros pont cul. Parciwch ar y dde cyn y bont; y clogwyn serth uwch y ffordd a gyferbyn y man parcio yw Carreg Hylldrem. Mae'r wal fowldro wedi ei lleoli ar ochr chwith y brif glogwyn dros y gamfa ffram A.

Mae'r 4 prif linell i fyny tua V4 tra bo'r tramwyad lefel isel tua V3 (unwaith yr ydych wedi gweithio allan y triciau i gyd).

George Smith,
Carreg Hylldrem,
Photo/Ffoto: Ray Wood

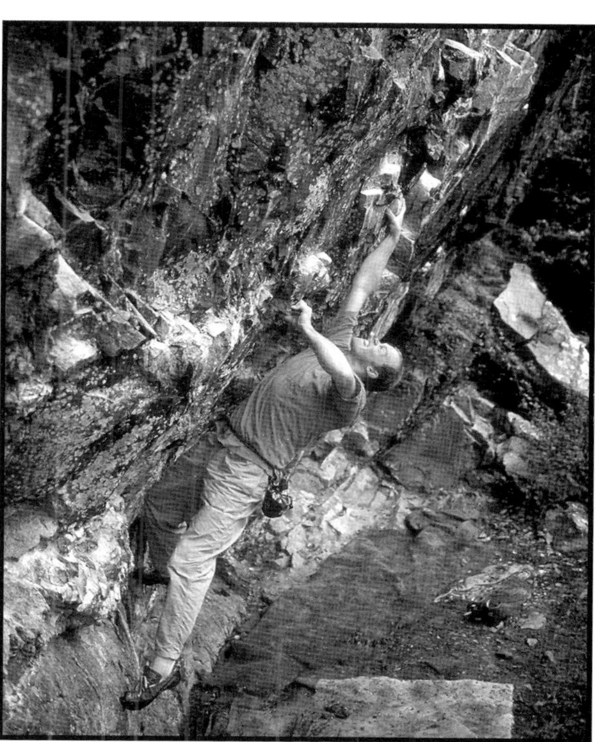

OUTLYING ODDITIES

The Moelwynion: a scattered collection of mid grade problems by the side of the dam road below Craig yr Wrysgan.

Access: from Blaenau Ffestiniog head towards the small village of Tan y Grisiau. Walk up the dam road (the gate is normally locked), following it around leftwards beneath Craig yr Wrysgan until it crosses an incline. (O.S. ref. 679 453)

Drop down the incline for 50 metres and turn back left beneath a high slab towards an obvious arête. This is **Wedding Bells V6 ⌘⌘⌘.**
(NB. **The Red Button V6 ⌘⌘** dynos for the top just left of the arête, using the arête for the right hand.)

Several hundred metres further up the dam road a large block lies opposite a layby. **The May Queen V4/5 ⌘⌘** traverses right to left across the slabby roadside face, then around the arête to gain and follow the jugs across the steep face.

Chris' Kashmir Curry V5/6 ⌘ pulls up to the jugs from a sit down start on opposition side pulls, and finishes boldly. Just left, *Ryan's Dyno* V4 pops to the jug rail from the obvious jug at chest height.

A further 100 metres up the road in a dip behind a fallen down wall lies **Geoff's Roof V7 ⌘.** A sit down start on a flake at the back left side of the roof, precedes moves out across the lip rightwards to gain and top out via the boss.

Crafnant: on the hillside beneath Craig y Dwr at the head of the Crafnant valley, a large boulder field has been partly developed. The rock is superb and the potential is immense, however the landings are particularly deadly. Visitors are advised to bring plenty of pads.

Access: cars may be driven up the Crafnant Valley (which runs South West from Trefriw) and parked inside the last gate near the Mynydd club hut at Blaen y Nant (OS ref. 738 602), but not at the hut itself. The crag is approached by heading towards the col at the end of the valley, before turning up right to reach the obvious boulder field beneath the crag.

RHYFEDDON PELLENIG

Moelwynion: casgliad gwasgarog o broblemau canol radd wrth ochr y ffordd i'r argae o dan Craig yr Wrysgan.

Mynediad: o Flaenau Ffestiniog ewch at bentref bychan Tan y Grisiau. Cerddwch i fyny'r ffordd at yr argae (mae'r giât ar gau fel arfer), dilynwch hi o gwmpas ac i'r chwith o dan Craig yr Wrysgan nes iddi groesi inclên. (Cyf. AS 679 453)

Ewch i lawr yr inclên am 50 metr a throwch nôl i'r chwith o dan crib amlwg. Hwn yw **Wedding Bells V6 ⌘⌘⌘.**
(NB. **Red Button V6 ⌘⌘** yn gwneud deino at y brig ychydig i'r chwith o'r crib, yn defnyddio'r crib i'r llaw dde.)

Rhai can metrau ymhellach i fyny ffordd yr argae mae bloc mawr yn gorwedd gyferbyn ac arhosfan. **The May Queen V4/5 ⌘⌘** yn tramwyo o'r dde i'r chwith ar draws y wyneb ochr ffordd llechog, wedyn rownd y crib i gyrraedd a dilyn crafangau ar draws y wyneb serth.

Chris' Kashmir Curry V5/6 ⌘ yn tynnu i fyny at y crafangau o ddechreuad o'r eistedd ar ochdynnau gwrthiol ac yn gorffen yn fentrus. Ychydig i'r chwith *Ryan's Dyno V4* yn honcian at y gledren crafangol o'r crafanc frest uchel amlwg.

I fyny'r ffordd tua 100 metr yn uwch mewn pant, y tu ôl i wal gerrig mae **Geoff's Roof V7 ⌘.** Dechreuad o'r eistedd ar y caen wrth ochr chwith cefn y to, yn arwain ar draws y gwefus i'r dde i gyrraedd y brig a dod allan ger bwlyn.

Crafnant: ar y llethrau o dan Craig y Dwr ym mlaen Dyffryn Crafnant ceir maes clogfaen eang rhanddatblygol. Mae'r craig yn odidog gyda amryw o bosibiliadau, ond mae'r glanfeydd yn ofnadwy. Dowch â digon o badiau.

Mynediad: posibl gyrru ceir i fyny'r dyffryn (sy'n rhedeg i'r Dde Orllewin o Drefriw) a pharcio y tu mewn i'r giât olaf ger cwt clwb Mynydd ym Mlaen y Nant (Cyf AS. 738 602), ond nid wrth y cwt. Cyrraedd y clogfaeni wrth fynd tuag at y bwlch ar ddiwedd y dyffryn, cyn troi i fyny i'r dde at y maes clogfaen amlwg.

OUTLYING ODDITIES

The main attraction so far is **Wonderwall V7 ⌘⌘⌘**. This is situated slightly right of the centre of the boulder field. From a sit down start climb the obvious steep, clean face on crimps, going left to the arête and battling with the finishing rockover.

Also of note is **Thumbscrew Arete V6 ⌘**. This can be found about 40 metres down and left of *Wonderwall*. The small arête gives a great sit down start problem. Numerous other lines have been climbed, particularly on the large block 50 metres up from *Wonderwall*.

Rhiw Goch Boulders: a steep little local crag, that is just about worth the journey and the stumble up through the bracken. Numerous minor/micro problems have been done, but the most attractive lines can be found on the very overhanging offset wall. Left of the dirty corner crack, the arête is known as **Moria** (V7 from a sit down start), whilst the obvious sit down start dyno problem to the left is **Poppy's Reach V12 ⌘**. Right of the corner crack the best independent line **(Gap Of Rohan)** is the sit down start (from the prominent layaway) up past the rattley jug, with a lunge for the lip at V4. Various eliminate problems have been worked out between here and the corner. Perhaps the most independent is the line just right of the corner, but avoiding the left wall: **White Rider V7**. A V10 **(Ride the Wild Smurf)** has been climbed up the wall between here and *GOR*, from a crouching start (left hand: high crimp, right hand: low undercut) into the gaston left of the big jug, then onwards to the top via the obvious crimp. The large jug on *GOR* is used for feet, but not hands. The crack round to the right goes at V8 from a sit down start.

Access: From Betws y Coed, take the A470 towards Dolwyddelan. Approximately 1 mile beyond the Pont Gethin viaduct a house named Cae Du is seen on the left. Immediately opposite there is a parking space with enough room for 2 cars next to a complex of old sheep pens. From the back of these bear rightwards across the hillside (for 200 metres), until easy ground leads you back left to the conspicuous steep walls beneath the upper crag (OS ref. 760542).

RHYFEDDON PELLENIG

Y brif atynfa ar y funud yw **Wonderwall V7 ⌘⌘⌘**. Wedi ei lleoli ychydig i'r dde o ganol y maes clogfaen. Dechra o'r eistedd cyn dringo'r pared serth glân amlwg at crychion, yn mynd i'r chwith at y crib a chwffio gyda'r throsigliad diwedd.

Hefyd o nod yw **Thumbscrew Arete V6 ⌘**. I'w ddarganfod tua 40 metr i lawr ac i'r chwith o *Wonderwall*. Mae'r crib bychan yn rhoi problem dechrau o'r eistedd da. Llawer o linellau eraill wedi eu dringo, yn enwedig ar y bloc mawr 50 metr i fyny o *Wonderwall*.

Clogfaeni Rhiw Goch: craig bach serth lleol, sydd dim ond gwerth y siwrne a'r strach drwy'r rhedyn. Nifer o broblemau isradd/micro i'w cael, ond mae'r llinellau gorau ar y pared trosgrog. I'r chwith i'r hollt gornel budr, ceir crib o'r enw **Moria** (V7 yn dechrau o'r eistedd), tra bo'r dechreuad o'r eistedd amlwg i'r broblem deino ar y chwith yw **Poppy's Reach V12 ⌘**. I'r dde o'r hollt gornel y linell annibynnol gorau yw'r **(Gap Of Rohan)** dechreuad o'r eistedd (o'r orffwrdd amlwg) i fyny heibio'r crafanc cleciog, gyda rhagwthiad at y brig am V4. Sawl dilead wedi cael eu gweithio rhwng hwn a'r gornel. Y mwyaf annibynnol yw'r llinell i'r dde o'r gornel, ond yn osgoi'r wal chwith: **White Rider V7**. Mae V10 **(Ride the Wild Smurf)** wedi ei ddringo i fyny'r wal rhwng hwn a GOR, o ddechreuad cwrcwd (llaw chwith: crych uchel, llaw dde: tandor isel) i'r gaston i'r chwith o'r crafanc mawr, wedyn ymlaen at y brig heibio y crych amlwg. Mae'r crafanc mawr ar *GOR* yn cael ei ddefnyddio i'r traed ond nid i'r dwylo. Mae'r hollt i'r dde yn mynd o ddechreuad o'r eistedd am V8.

Mynediad: O Betws y Coed, dilyn yr A470 tuag at Dolwyddelan. Tua 1 milltir heibio traphont Pont Gethin mae ty o'r enw Cae Du ar y chwith. Yn union gyferbyn mae man parcio gyda lle i ddau gar yn yr hen gorlan. O gefn y gorlan tueddwch i'r dde ar draws y allt (am 200 metr), nes i chwi gyrraedd tir hawdd yn eich arwain chwi yn ol i'r chwith at waliau serth amlwg o dan y clogwyn (Cyf. AS 760 542).

OUTLYING ODDITIES

Cwm Pennant: a small selection of esoteric, but worthwhile problems can be found in this beautiful and quiet valley. From Dolbenmaen on the A487 Caernarfon to Porthmadog road, follow signs towards Cwm Pennant. After approximately 2 miles a small bridge is crossed, followed by a sharp left (leading to Pont Gyfyng). Park sensibly before going back to a footpath next to the bridge. Head east along the path, spying the overhanging face up right (on the southern side of the Craig Isallt ridge - OS Ref. 530 451) before passing a small cottage. There is no direct path, but this is the only bit of quality rock in the vicinity, and as such is reasonably easy to find. The magnet problem is the lone central line on the steep black face. **Ultimate Warrior V8+ ⌘⌘⌘** gives a hard and fingery sit down start, or an easier (V5) stand up. (NB. Currently there is no agreed access to this crag.)

Further up the valley more problems have been recorded on the blocks just before the small reservoir above the end of the road (i.e. Cwm Trwsgl OS Ref. 548 495). The undercut right hand arete on the large obvious block is *Lady Boy Arete* V4. *Lady of the Flowers* (V2) climbs the wall to the left, veering right. *Cross Dresser* (V3) starts from a sitting position in the small cave on the left; shuffle right then trend rightwards up into an awkward shallow scoop. Below here by the river are a couple of good traverses. Go south for twenty metres and a small slab with rough slopers gives an arresting problem called *Bwlch* (V4).

Craig y Gesail (OS Ref. 545 411): the obvious boulders below the main crag provide a neat diversion, with one quite hard and scary groove line amongst a collection of pleasant problems.

Carreg y Foel Gron (OS Ref. 745 427): beneath the small crag that lies just above the Penmachno - Ffestiniog road (B4406) a small circuit of problems can be found on the numerous free-standing boulders.

RHYFEDDON PELLENIG

Cwm Pennant: Dyffryn distaw braf, ble mae'n bosibl i ddarganfod casgliad o broblemau esoterig, ond o werth. O Ddolbenmaen, ar yr A487 rhwng Porthmadog a Gaernarfon, dilynwch arwyddion Cwm Pennant. Ar ôl tua 2 filltir croeswch bont bychan, wedyn troad i'r chwith (yn arwain at Bont Gyfyng). Parciwch yn ofalus cyn mynd yn ôl at lwybr troed ger y bont. Ewch i'r dwyrain ar hyd y llwybr, a nodwch y wyneb bargodol i fyny i'r dde (ar ochr deheuol crib Craig Isallt - Cyf. AS 530 451) cyn mynd heibio bwthyn bychan. Nid oes llwybr union, ond hwn yw'r unig ddarn o graig da yn yr ardal, a felly yn hawdd darganfod. Y problem atyniadol yw'r llinell ganol unig ar y wyneb du serth. **Ultimate Warrior V8+ ⌘⌘⌘** sy'n rhoi problem dechreuad o'r eistedd bysol caled, neu o'r sefyll (V5) haws. (NB. Wrth fynd i'r wasg, nid oes cytundeb mynediad ffurfiol i'r clogwyn.)

Ymhellach i fyny'r dyffryn mae sawl problem wedi cael eu cofnodi, ar y blociau ychydig cyn yr argae bychan uwchben ddiwedd y lôn (h.y. Cwm Trwsgl Cyf AS 548 495). Mae *Lady Boy Arete* ar y bloc mawr amlwg yn V4. *Cross Dresser* (V3) yn tramwyo'r wyneb i'r chwith o'r crib i orffen i fyny hollt a mae *Lady of the Flowers* (V2) yn trosiglo i gyrraedd y brig ychydig i'r chwith o'r hollt. Yn is lawr ger yr afon cewch cwpl o dramwyiadau da. Ewch i'r De ugain metr a mae llech bychan gyda gwyrafaelion bras yn rhoi problem difyr o'r enw *Bwlch* (V4).

Craig y Gesail (Cyf. AS 545 411): mae'r clogfaeni amlwg o dan y clogwyn yn rhoi difyrwch, gyda un llinell rhych caled brawychus a casgliad o broblemau braf.

Carreg y Foel Gron (Cyf. AS 745 427): ceir cylchred o broblemau ar y casgliad o glogfaeni a leolir o dan y clogwyn bychan ychydig uwch ffordd Penmachno - Ffestiniog (B4406).

Jason Porter, Lady of the Flowers V2, Photo/Ffoto: Ray Wood

COASTAL CRAGS

On occasion, when the weather threatens, or perhaps when a change of scene is desired, a trip out to the seaside becomes an attractive proposition. These coastal crags lie just beyond the reach of the fickle mountain weather systems that so often blight the hills and valleys of the Snowdonia massif.

On certain days your hand will be forced, and graceful acceptance of fate is the only answer.

There is much to be seen and the diversity of experience on offer is remarkable. From the steep, muscle ripping Parasella's cave problems, to the spellbinding joy of a day spent at Porth Ysgo, a fantastic journey of discovery awaits the uninitiated.

The main crags described here give atmosphere, intensity and pure climbing movement as precious and affecting as you will find anywhere.

CLOGWYNI ARFORDIROL

Ar adegau, pan mae'r tywydd yn bygwth, neu os ydych angen newid; mae siwrne allan at yr arfordir yn syniad atyniadol. Mae'r clogwyni arfordirol y ty hwnt i'r gwaethaf o'r tywydd mynyddig newidiol sy'n effeithio bryniau a dyffrynoedd Eryri mor aml.

Rhai dyddiau rhaid derbyn gyda gras y bod tywydd garw yn eich gorfodi i fynd at yr arfordir.

Gyda llawer ar gael, mae'r amrediad yn syfrdanol. Problemau ogof cyhyr rhwyg serth Parisella, i'r phleser pur o ddiwrnod allan ym Mhorth Ysgo, y mae siwrne o brofiad anhygoel yn eich disgwyl.

Mae'r prif glogwyni a ddisgrifir yma gyda atmosffer, a symudiadau dringo mor bur a chofiadwy ac unrhyw fan arall.

Dave Noden, Chocolate Wall V8, Pill Box Wall/Mur Blwch Pils, Marine Drive/ Cylchdro Pen y Gogarth, Photo/Ffoto: Simon Panton

Map		Page/Tudalen
23.	Marine Drive/Cylchdro Pen y Gogarth	177
25.	Little Orme/Cyngreadur Bach	195
26.	Roadrunner Cave/Ogof Roadrunner	214
27.	Porth Ysgo	223
29.	Cae Du	255

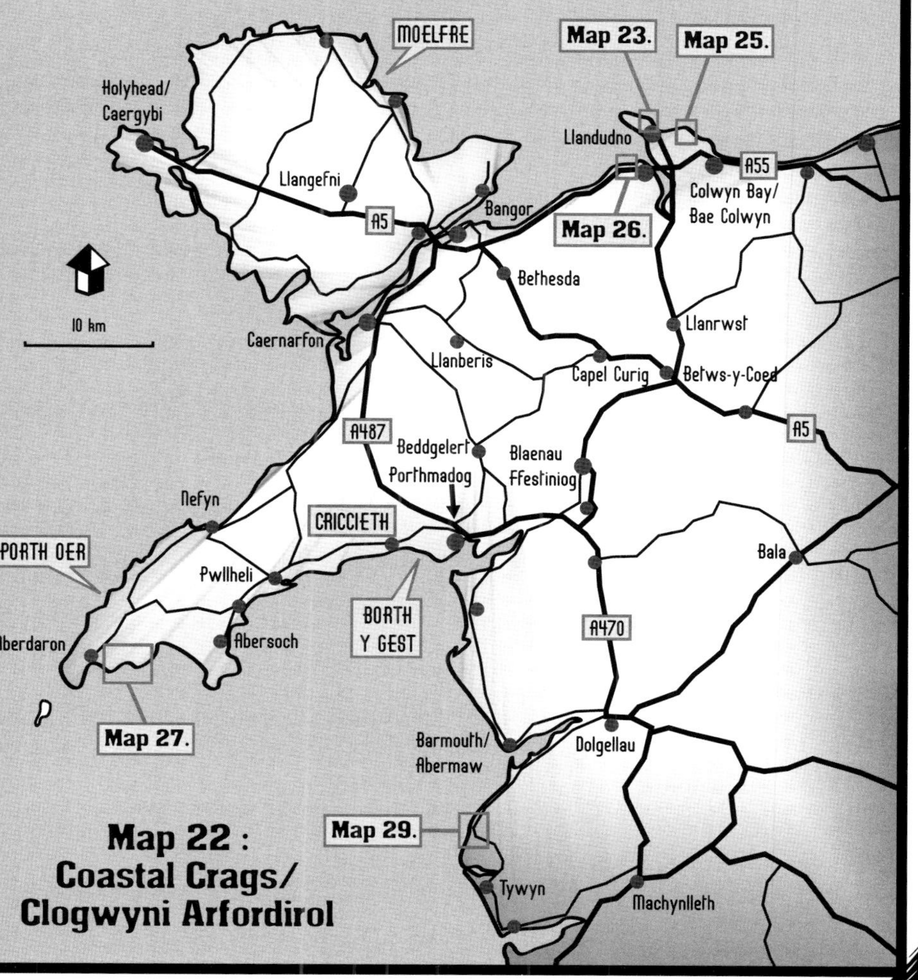

Map 22 :
Coastal Crags/
Clogwyni Arfordirol

PARISELLA'S CAVE

By virtue of its position as the gateway to the Marine Drive, Parisella's Cave is often the first port of call for first time visitors to the area. However, the nature of the climbing is particularly uncompromising, and perhaps this is too rude an introduction to the more involved aspects of bouldering than some might like. What happens in this dusty old cave is full on, brutal, no messing around; just plain hardcore really. Love it or hate it you cannot ignore the historical significance of these era-defining problems (or the fact that when it's really tipping it down, this is one of the only places where you will find dry rock).

Access: the large cave just off the road, 150 metres along the Marine Drive from the tollgate (£2 per car or £10 for a season ticket). Please remember that the Marine Drive is a one way road. If you do arrive by car, please make sure that you park sensibly and do not block the road.

OGOF PARISELLA

Oherwydd ei sefyllfa ar ddechrau Cylchdro Pen y Gogarth, Ogof Parisella yw'r safle cychwynnol i lawer o ymwelwyr y tro cyntaf i'r ardal. Ond, mae natur y dringo yn ddigyfaddawd, a thybed os yw'n rhy fyrbwyll fel cyflwyniad i'r agweddau mwy dyrys o fowldro i rai. Yn yr hen ogof llychlyd hwn mae pob problem yn ddigymrodedd, ffyrnig, dim piltran; dim ond caledwch. Caru neu gasau ni fedrwch osgoi pwysigrwydd hanesyddol y problemau oes ddiffiniol hyn (na'r ffaith os yw hi'n bwrw glaw yn drwm, dyma un o'r unig lefydd lle allwch ddarganfod craig sych).

Mynediad: yr ogof mawr ychydig i'r chwith o'r ffordd 150 metr ar hyd Cylchdro Pen y Gogarth o'r tollborth (£2 y car neu £10 am docyn tymhorol). Cofiwch mai ffordd unffordd yw Cylchdro Pen y Gogarth. Os ydych yn cyrraedd gyda char, ceisiwch barcio'n gall a peidiwch â rhwystro'r traffig.

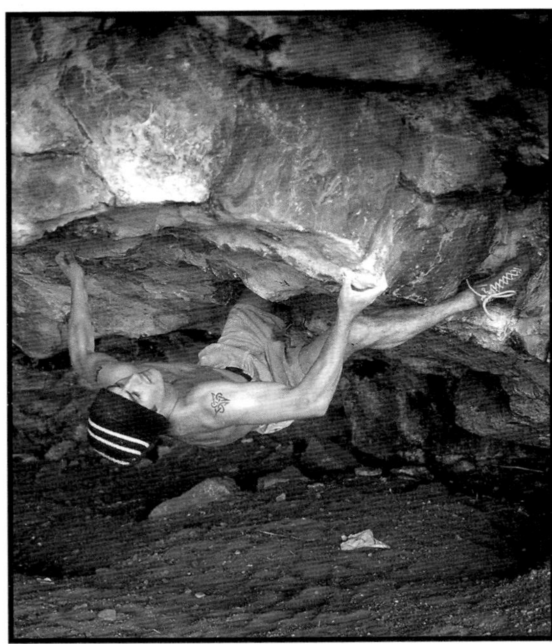

Chris Davies,
Lou Ferrino V10,
Photo/Ffoto: Ray Wood

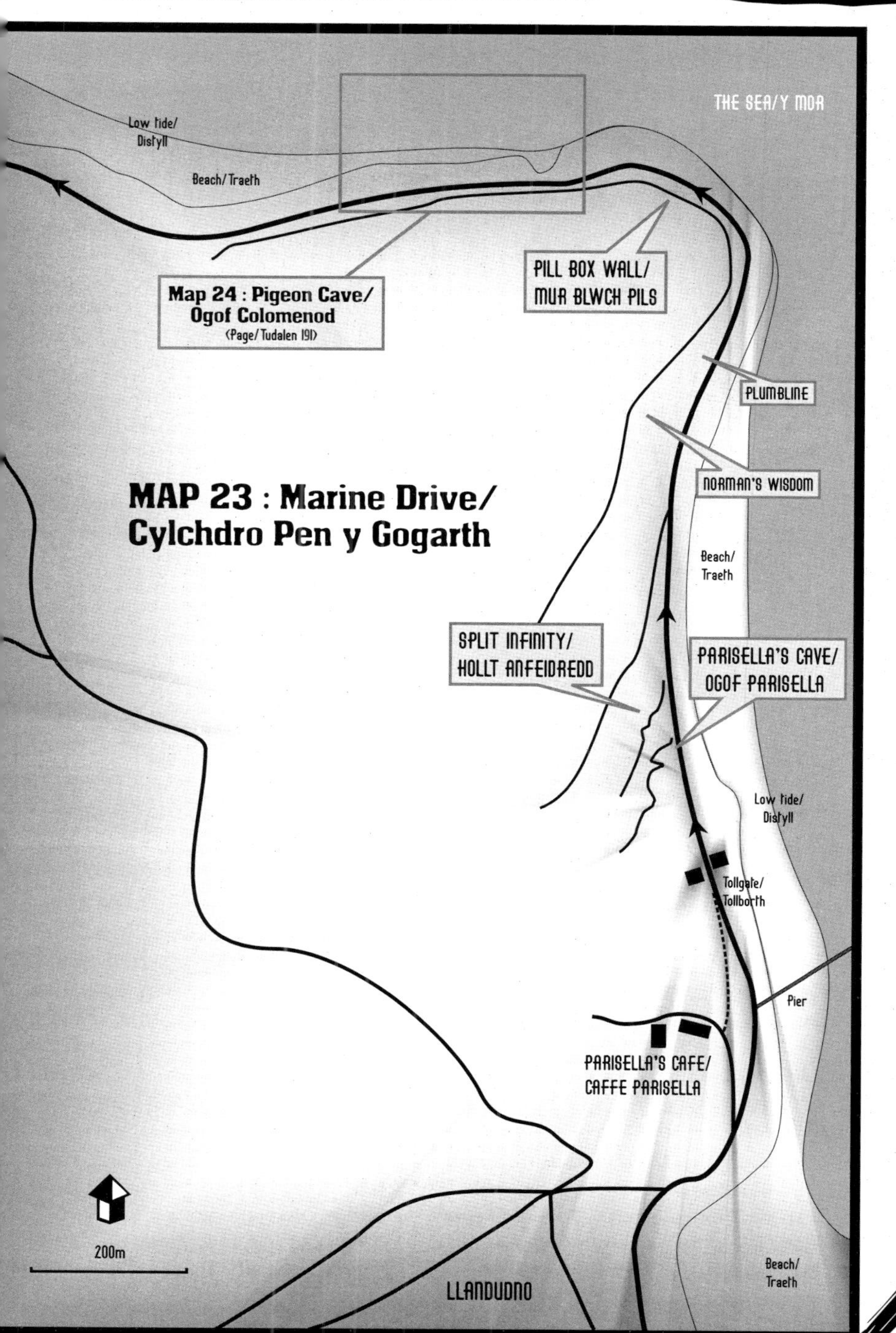
THE SEA/Y MOR
Low tide/
Distyll
Beach/Traeth
Map 24 : Pigeon Cave/
Ogof Colomenod
(Page/Tudalen 191)
PILL BOX WALL/
MUR BLWCH PILS
PLUMBLINE
NORMAN'S WISDOM
MAP 23 : Marine Drive/
Cylchdro Pen y Gogarth
Beach/
Traeth
SPLIT INFINITY/
HOLLT ANFEIDREDD
PARISELLA'S CAVE/
OGOF PARISELLA
Low tide/
Distyll
Tollgate/
Tollborth
Pier
PARISELLA'S CAFE/
CAFFE PARISELLA
200m
LLANDUDNO
Beach/
Traeth

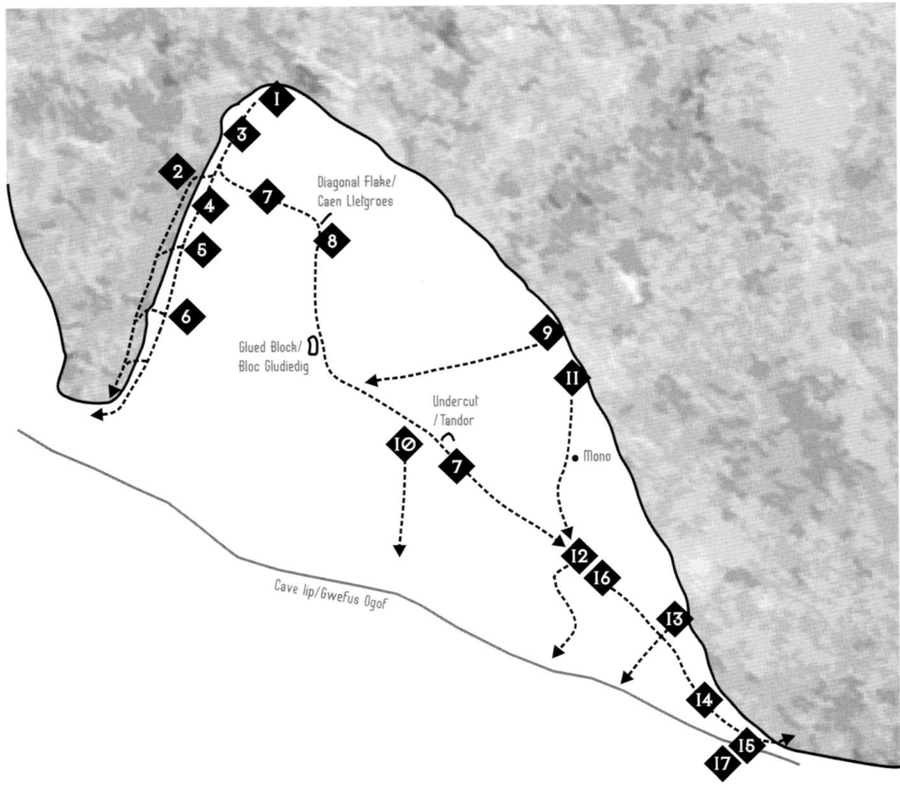

PARISELLA'S CAVE

1. Left Wall Traverse V7 ✖✖✖ A modern classic that blasts through some very steep and uncompromising ground, past a couple of admittedly good rests to a pumpy and nervy finish. From a sit down start at the back left hand corner of the cave, follow the easiest line of resistance, generally by staying low, until the last few metres where a slightly easier, higher finish can be gained.

2. Left Wall High V9 ✖✖ Follow the original line through the initial crux section, moving high just before *LWT* drops across to the diagonal flake rest. Stay high all the way, mostly with your feet on the handholds of *LWT*, to a desperate fingery crux in the final few moves before the jugs arrive.

OGOF PARISELLA

1. Left Wall Traverse V7 ✖✖✖ Clasur cyfoes sy'n ffrwydro drwy dir digyfaddawd ac ofnadwy o serth, heibio cwpl o orffwysion da at orffeniad pwmpiol a brawychus. O ddechreuad o'r eistedd yn nghornel cefn chwith yr ogof, dilynwch y llwybr haws, fel arfer wrth gadw'n isel, nes cyrraedd rhai metrau o'r diwedd y linell uwch gorffenedig sydd ychydig bach haws.

2. Left Wall High V9 ✖✖ Dilyn y llinell gwreiddiol drwy'r darn craidd cynnar, symud yn uchel ychydig cyn ble disgynir *LWT* ar draws i'r gorffwys caen lletgroes. Cadw'n uchel yr holl ffordd, gyda'ch traed ar afaelion *LWT* fel arfer, at graidd enbyd bysol y symudiadau diweddglo cyn cyrraedd crafangau.

PARISELLA'S CAVE

3. The Shothole Start V7 ⌘ A sit down start that breaks up into the traverse just after the hard starting moves. Lurch up left from the obvious undercut starting hold to a shothole, before pulling steeply into the shothole rail on *LWT*. The link into *LWH* is probably still V9, whilst an entertaining up-down V8 link can be made, by dropping back into the lower traverse line at the diagonal flake.

4. The Ring Of Fire V7 ⌘ A sit down start on the large sloping ledge, a metre or so to the right of the diagonal flake. Power upwards through an unlikely sequence, gaining the main traverse line where *LWT* and *LWH* split. Continue steeply with *LWH* into easier ground, dropping back down to the diagonal flake. If you can handle the powerful, arse-drag moves back right onto the shelf, and still complete another lap back to the flake, award yourself a smug 9 V points. Obviously other finishes are possible, subject to imagination.

5. The Flake Start V7 ⌘ From a sit down start on the diagonal flake, move up into the last section of the *LWH* traverse.

6. The Pillar Start V6 ⌘ From a sit down start at the last resting position on the *LWT*, climb the vague pillar up into the final crux section of the *LWH* traverse.

OGOF PARISELLA

3. The Shothole Start V7 ⌘ Cychwyniad llawr sy'n torri i fyny i mewn i'r tramwyiad ychydig ar ôl y symudiadau dechreuol caled. Rhagwthiwch i fyny'r chwith o'r tandor amlwg at dwll ffrwydro, cyn tynnu'n serth i mewn i'r gledren twll ffrwydro ar *LWT*. Mae'r cysylltiad i mewn i *LWH* yn debygol o fod dal yn V9, tra bo'r cysylltiad i fyny-lawr V8 difyr yn bosibl wrth ddisgyn nôl i lawr i'r llinell tramwyol wrth y caen lletgroes.

4. The Ring Of Fire V7 ⌘ Dechreuad o'r eistedd ar y sil gwyrol mawr, tua metr i'r dde o'r caen lletraws. Pwerwch i fyny drwy ddilyniad annisgwyl, cyrraedd y brif dramwyiad ble mae *LWT* a *LWH* yn gwahanu. Ymlaen yn serth gyda *LWH* i dir haws, disgyn yn ôl i lawr i'r caen lletraws. Os medrwch wneud y symudiadau, tin-llusg pwerus yn ôl i'r dde i'r silff, a dal i allu cwblhau cylchdro arall yn ôl i'r caen, gwobrwch eich hunan gyda 9 pwynt V hynanfoddhaus. Wrth gwrs, mae gorffeniadau eraill ar gael.

5. The Flake Start V7 ⌘ O ddechreuad o'r eistedd ar y caen lletraws, symudwch i fyny i'r darn olaf o dramwyiad *LWH*.

6. The Pillar Start V6 ⌘ O ddechreuad o'r eistedd ar y safle gorffwys olaf ar *LWT*, dringwch y piler annelwig i'r darn craidd gorffenedig ar dramwyiad *LWH*.

PARISELLA'S CAVE

7. The Big Link V13 ? ⌘⌘⌘ Stamina beyond the call of duty; the ultimate test? Start by cruising the crux section of *LWT*, before swinging powerfully rightwards into the starting jug of *RA*. At the end of this follow more drill pockets rightwards, moving powerfully into and out of an undercut (crux). Finish rightwards into the handrail of *RWT*, or *BC* if you still fancy your chances.

8. Rock Atrocity V9 ⌘⌘ Very artificial, stuck in the middle of nowhere, but nonetheless a superb brutal sequence. Find the glued flake and walk down into the cave past two drilled pockets to a diagonal jug. Hang this and power convincingly past the flake to a third drilled pocket, which may allow you to grasp the finishing horizontal slot above in control. Harder start extensions are possible, but the described method is the most popular and logical version of the problem.

9. Lou Ferrino V10 ⌘⌘ The obvious hanging rib from a sit down start (feet on the ledge, hands on lowest opposing sidepulls) all the way to the finish of *RA*. Powerful slappy moves and tricky footwork will lead you through the steepness. A minor masterpiece. **The Greenheart Connection V12 ⌘** links *LF* into *Beaver Cleaver* via the powerful undercut sequence on *The Big Link*. A further desperate link-up has been made: **Dan's Finish V12 ⌘** follows *TGC* to the *Right Wall Traverse* hand rail, but breaks for the lip via *Clever Beaver*.

10. Trigger Cut V12 ⌘⌘ From a standing position (or even better, with your feet on the *LF* ramp) just out and left from the undercut on *TBL*, make desperate moves up to the shothole, continuing with the aid of a poor sloper to a high jug. An astonishingly hard piece of cellar style snatching.

11. Crucial Times V11 ⌘⌘ A sit down start (two small undercut/sidepulls) just to the right of *LF* leads out past the mono shothole (ouch!) to better holds. Finish up *BC* for the full tick. Evil!

OGOF PARISELLA

7. The Big Link V13 ? ⌘⌘⌘ Stamina a dyfalbarhad o'r radd flaenaf; y prawf eithafol? Dechrau wrth wneud darn craidd *LWT*, cyn pendylu yn bwerus i'r dde i mewn i grafanc dechreuol *RA*. Ar ddiwedd hwn dilynwch mwy o bocedi tyllwr i'r dde, cyn symud yn bwerus i mewn ac allan o tandor (craidd). Gorffennwch i'r dde i mewn i gledren *RWT*, neu *BC* os ydych dal yn teimlo'n gryf.

8. Rock Atrocity V9 ⌘⌘ Artiffisial ofnadwy, yng nghanol dim, ond dilyniad ffyrnig ardderchog ta waeth. Darganfyddwch y caen gludiedig a cherddwch i mewn i'r ogof heibio dau boced tyllog at grafanc lletraws. Hongian hwn a phwerwch yn gadarn heibio'r caen at y trydydd poced tyllog, a all adael i chwi afael yn y rhicyn llorewdd gorffenedig uwch. Mae estyniadau caletach ar gael, ond y modd a ddisgrifir yw'r fersiwn mwyaf poblogaidd a resymegol o'r broblem.

9. Lou Ferrino V10 ⌘⌘ Yr asen crog amlwg o ddechreuad o'r eistedd (traed ar y sil, dwylo ar y ochdynnau cyferbyniol isaf) yr holl ffordd i orffeniad *RA*. Slapio pwerus a gwaith-troed cyfrwys yn arwain drwy'r serthni. Campwaith clasurol. **The Greenheart Connection V12 ⌘** cysylltu *LF* i mewn i *Beaver Cleaver* heibio'r dilyniad tandor pwerus ar *The Big Link*. Mae cysylltiad enbyd arall wedi ei ddringo: **Dan's Finish V12 ⌘** yn dilyn *TGC* i'r gledren ar *Right Wall Traverse*, ond yn torri at y gwefus drwy *Clever Beaver*.

10. Trigger Cut V12 ⌘⌘ Dechrau wrth sefyll (neu yn well, gyda'ch traed ar ramp *LF*) ychydig allan ac i'r chwith o'r tandor ar *TBL*, gwnewch symudiadau enbyd i fyny at y twll ffrwydro, ac ymlaen gyda chymorth gwyrafael gwael at crafanc uchel. Problem caled difrifol o gipio steil selar.

11. Crucial Times V11 ⌘⌘ Dechrau o'r eistedd (dau dandor/ochdyn bychan) ychydig i'r dde o *LF* yn arwain heibio'r twll ffrwydro mono (aw!) at afaelion gwell. Gorffen i fyny *BC* am y tic llawn. Cythreulig.

PARISELLA'S CAVE

12. Beaver Cleaver V7 ⌘⌘ A zig-zag line that starts by swinging up left to the end of the juggy handrail, before making a hopeful sideways lurch to a finger slope at the lip. Connecting this to the finger jug up left proves to be the stopping point for most. A modern classic.

13. Clever Beaver V7/8 ⌘⌘⌘ From a low start, hanging the juggy break on *AWT*, undercut out to a sloper etc a handsome jug marks the finish. Another modern classic, that can be extended with a V8+ sit down start on undercuts underneath and slightly left.

14. Beaver Righthand V5 ⌘⌘ From a sit down start, move up to reasonable holds over the lip and make a long lock to a high (and pretty unhelpful slopey crimp) with your right. Tussle to jugs to finish. V4 from a stand up.

OGOF PARISELLA

12. Beaver Cleaver V7 ⌘⌘ Llinell igam-ogam sy'n dechrau drwy siglo i fyny i'r chwith at ddiwedd y cledren crafangol, cyn gwneud honciad gobeithiol i'r ochr at bys-wyr ar y gwefus. Cysylltu hwn at y bys-grafanc i fyny i'r chwith yw'r man atal i'r mwyafrif. Clasur modern.

13. Clever Beaver V7/8 ⌘⌘⌘ O ddechreuad isel, ar grog ar y toriad crafangol ar *AWT*, tandorwch allan at wyrafael ac ym ... mae crafanc deniadol yn dynodi'r diwedd. Clasur modern arall, sydd posibl ehangu â cychwyniad llawr V8+ ar tandoriadau o dan ac ychydig i'r chwith.

14. Beaver Righthand V5 ⌘⌘ O ddechreuad o'r eistedd, symudwch i fyny at afael rhesymol dros y gwefus a gwnewch clo hir (at crych gwyrol ddigymorth) gyda'ch dde. Cwffiwch at grafangau i orffen. V4 o'r sefyll.

Adam Wainwright, Beaver Cleaver V7, Photo/Ffoto: Ray Wood

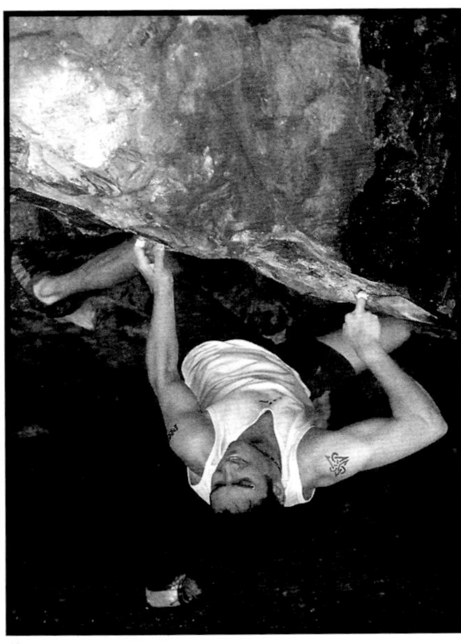

Chris Davies,
Crucial Times VII,
Photo/Ffoto: Ray Wood

PARISELLA'S CAVE

15. V4 ⌘ From a sit down start on the low flat jug, move up to high jugs via the diagonal shothole, various dinks and the slopey recess on the right. A worthwhile V5 variation swings right to a poor sloper at the base of a vertical shot hole, before matching on a poor pinch and either slapping up in one to a sloping shoulder, or making a double slap up and right to better holds.

16. Right Wall Traverse V5 ⌘⌘ From the start of *BC* swing rightwards along the low break to finish with a fine crescendo into the top of *problem 15*.

17. Lipstick V6 ⌘⌘ From the same sit down start as *problem 15*, trend left along the lip of the steepness, slapping wildly up left to a high pinch from holds on *BR*. Finish with a cross through to the handsome jug at the top of *CB*. A superb addition.

Further up left from Parisella's Cave a taste of early 80s nostalgia can be had; the base of 3 routes (*The Breck Road*, *The Burning Sphincter* and *Ring Peace*) that break through the low roof left of the large cave, can be bouldered out at around V4/5 each.

OGOF PARISELLA

15. V4 ⌘ O ddechreuad o'r eistedd ar y crafanc isel gwastad, symudwch i fyny at y crafangau uchel heibio'r twll ffrwydro lletraws, dinciau amrywiol a'r cil gwyrol ar y dde. Ceir amrywiad V4/5 o werth yn siglo i'r dde at wyrafael gwael wrth waelod twll ffrwydro fertigol, cyncydrannu ar binsiad gwael a naill ai slapio i fyny mewn un at ysgwydd gwyrol, neu gwneud slap dwbl i fyny ac i'r dde at afaelion gwell.

16. Right Wall Traverse V5 ⌘⌘ O ddechrau *BC* siglwch i'r dde ar hyd y toriad isel i orffen gyda symudiadau da i mewn i frig *problem 15*.

17. Lipstick V6 ⌘⌘ O'r un ddechreuad o'r eistedd â *phroblem 15*, tueddwch i'r chwith ar hyd gwefus y serthni, slapio'n wyllt i fyny ac i'r chwith at binsiad uchel o afeilion ar *BR*. Gorffen gyda croesiad drwy at y crafanc da ar frig *CB*. Ychwanegiad ardderchog.

Ymhellach i fyny i'r chwith o Ogof Parisella cewch flas o hiraeth y 80au cynnar: gallach fowldro gwaelodion 3 dringfa (*The Breck Road*, *The Burning Sphincter* a *Ring Piece*) sy'n tori drwy'r to isel i'r chwith o'r ogof mawr tua V4/5 yr un.

Gavin Foster, Slim V8, Split Infinity/Hollt Anfeidredd. Photo/Ffoto: Simon Panton

SPLIT INFINITY

Next door to Parisella's Cave lies another useful piece of sheltered rock. The Split Infinity area is often used as a warm up for the steep rigours of the main cave, next door, but recent developments have established it as a credible venue of its own merit. It is also sheltered from the rain.

The left hand bay contains a crap traverse, whilst the pillar front has numerous rule-laden eliminates that will help to coax blood into your arms.

HOLLT ANFEIDREDD

Gerllaw Ogof Parisella mae ardal arall defnyddiol o graig cysgodol. Mae'r ardal Hollt Anfeidredd yn aml yn cael ei defnyddio fel cynheswr i'r anawsterau serth yn yr ogof gerllaw, ond mae datblygiadau diweddar wedi ei sefydlu fel man clodforus. Hefyd yn gysgodol o'r glaw.

Mae'r bae chwith a thramwyiad go wael, tra bo'r piler blaen gyda nifer o dileuadau rheolfawr i ddod â gwaed i'ch breichiau.

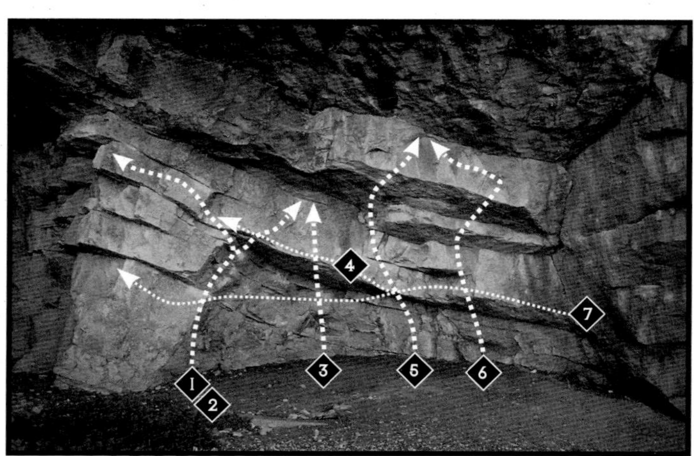

1. Pillar Finish V3/4 ✠✠ From a sit down start on the large sloping shelf, exit upwards and traverse left to easier ground. This is often done as a finish to *ST* (thus the name).

2. The Argument V5 ✠ From the same sit down start as *PF*, move up, but then right at the lip of the roof, snatching up a series of poor holds (from a sloping sidepull) to gain the high jugs up right. (It is possible to gain the high jugs from the top of *PF*, but to do so, would be to miss the point of this great problem.)

3. Slim V8 ✠✠ The head high roof direct from jugs on *ST* to a combination of poor fingery holds and the large side pull. Tussle desperately to the high jugs. At least 5 different methods exist (including one that avoids the side pull altogether) on this superb, albeit finger stressing problem.

1. Pillar Finish V3/4 ✠✠ O ddechreuad o'r eistedd ar y silf mawr gwyrol, ewch i fyny a thramwyo i'r chwith at dir haws. Yn aml yn cael ei wneud fel gorffeniad i *ST* (a felly'r enw).

2. The Argument V5 ✠ O'r un ddechreuad o'r eistedd â *PF*, symudwch i fyny, ond i'r dde wrth wefus y to, cipio i fyny cyfres o afaelion gwael (oddi ar ochdyn gwyrol) i gyrraedd y crafangau yn uchel i fyny ar y dde. (Posibl cyrraedd y crafangau uchel o frig *PF*, ond wrth wneud, methu amcan y problem da hwn.)

3. Slim V8 ✠✠ Y to uchder pen yn syth o grafangau ar *ST* at gyfuniad o afaelion bys gwael ac ochdyn mawr. Cwffiwch yn enbyd at y crafangau uchel. O leiaf 5 modd gwahanol ar gael (yn cynnwys un sy'n osgoi'r ochdyn yn gyfangwbl) ar y problem ardderchog, ond bys ddirdynnol hwn.

SPLIT INFINITY

4. Nodder's Traverse V8 ⌘ From a sit down start beneath *TOG*, follow the lip of the roof leftwards into the top of *PF*. Desperate!

5. The Organ Grinder V8+ ⌘⌘ High up above the second roof there is a conspicuous lone jug. Work up to within hitting distance, then dyno optimistically to catch the jug. An amazing solution to an old project.

6. Bellpig V8+ ⌘⌘ The obvious line just right, moving left from the high diagonal sloper to finish as for *TOG* at the prominent jug. Tricky and unlikely, right to the very end. A modern classic.

7. Split Traverse V3 ⌘⌘ From the dirty corner, follow low shot holes left, reaching under the roof from the break to the continuation of the traverse and the final crux section passing the big sloping shelf. A good V4/5 link is to reverse *ST*, moving up to the break at the dirty corner, continuing steeply around the prow, before moving up to the next break, which is followed until it is possible to down climb just right of the start of *IY*. For a proper V6 pump, shake out just above the ground, then return all the way, using the *Pillar Finish* as a final exit.

HOLLT ANFEIDREDD

4. Nodder's Traverse V8 ⌘ O ddechreuad o'r eistedd o dan *TOG*, dilyn gwefys y to i'r chwith i mewn i frig *PF*. Enbyd.

5. The Organ Grinder V8+ ⌘⌘ Yn uchel i fyny uwch yr ail do mae crafanc unig amlwg. Ewch i fyny at bellter taro, deinwch yn obeithiol i ddal y crafanc. Ateb anhygoel i hen brosiect.

6. Bellpig V8+ ⌘⌘ Y llinell amlwg ychydig i'r dde, symud i'r chwith o'r gwyrafael lletgroes uchel i orffen fel *TOG* ar y crafanc amlwg. Cyfrwys ac annhebygol reit at y diwedd. Clasur cyfoes.

7. Split Traverse V3 ⌘⌘ O'r gornel budr, dilynwch y tyllau ffrwydro isel i'r chwith, ymestyn o dan y to o'r toriad i'r parhad o'r tramwyiad a'r darn craidd gorffenedig yn mynd heibio'r silf gwyrol mawr. Cysylltiad V4/5 da *ST* yn wrthol, cyn symud i fyny i'r toriad yn y gornel budr, ymlaen yn serth heibio'r cribflaen, cyn symud i fyny at y toriad nesaf, sy'n cael ei ddilyn nes posib dringo i lawr ychydig i'r dde o ddechrau *IY*. I gael pwmp llawn V6, ysgwyd allan ychydig uwch y llawr, ac ewch yn ôl yr holl ffordd, defnyddio *Pillar Finish* fel y gorffeniad diweddglo.

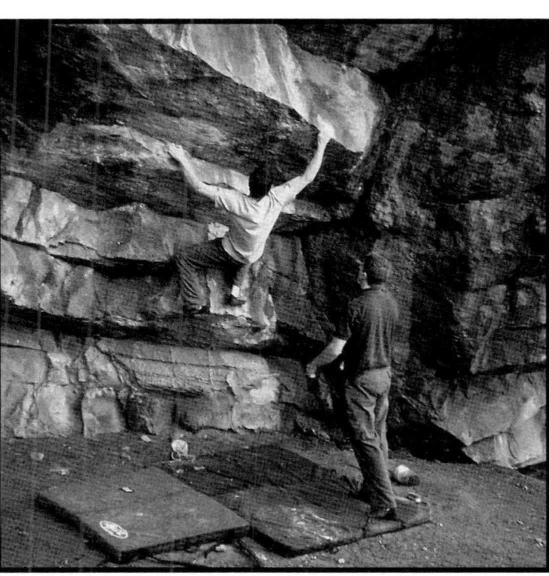

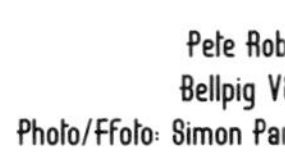

Pete Robins,
Bellpig V8+,
Photo/Ffoto: Simon Panton

SPLIT INFINITY

8. Lickety Split V7 ✱✱ A slightly awkward sit down start (left hand: gaston, right hand: slopey break) at the back of the roof beneath the prow, precedes a cross through to holds at the lip. From here, move up desperately into a sustained sequence to gain the top break. A left or right hand finish is possible (both are good) and numerous different methods are possible on this classic steep test piece. (NB. If you pull on at the lip, the grade is V6) A hard variation can be made by linking into a reverse of *IY* at V9.

9. Incomplete Youth V10/11 ✱✱ An horrendous, fingery stamina bout that has but one rule: stay below the top break. From a sit down start where the roof lip runs into the wall, move up and then left on slopey dinks and crimps around the front of the prow into *LS*. Drop down and gain the poor horizontal shot hole at the left arête. Slap hopefully to crimps and finish along *ST* as a warm down. Upon reaching *LS*, the original problem, *Flip Flop Extension* V8+ broke up leftwards, then rightwards to gain the hanging prow with a joyous finishing move. This is a good alternative for those faced with constant failure on the low finish.

10. Split–Youth Link V8 ✱ The obvious connection.

HOLLT ANFEIDREDD

8. Lickety Split V7 ✱✱ Mae dechreuad o'r eistedd braidd yn lletchwith (llaw chwith: gaston, llaw dde: toriad gwyrol) wrth gefn y to o dan y cribflaen yn arwain at drwy-groesiad at afaelion ar y gwefus. Wedyn symud i fyny yn ddifrifol at ddilyniad parhaol i gyrraedd y toriad brig. Posibl gorffen i'r dde neu'r chwith (mae'r ddau yn dda) a sawl modd o wneud y prawf clasur serth yma. (NB. Os ydych yn tynnu ymlaen ar y gwefus, mae'r radd yn V6) Gallwch ddilyn amrywiad caled wrth gysylltu i mewn a dilyn *IY* yn wrthol (V9).

9. Incomplete Youth V10/11 ✱✱ Prawf stamina bys arswydus sydd ag un rheol yn unig, cadw o dan y toriad brig. O ddechreuad o'r eistedd ble mae gwefus y to'n cyrraedd y wal, symudwch i fyny a wedyn i'r chwith ar ddinciau gwyrol a chrychion o gwmpas blaen y cribflaen i mewn i *LS*. Disgynwch i lawr a chyrraedd y twll ffrwydro llorweddol gwael ar y crib chwith. Plafiwch yn obeithiol at grychion a gorffen ar hyd *ST* i gynhesu i lawr. Wrth gyrraedd *LS*, yr oedd y problem gwreiddiol, *Flip Flop Extension* V8+ yn torri i fyny i'r chwith, a wedyn i'r dde i gyrraedd y cribflaen crog gyda symudiad gorffenedig braf. Mae hwn yn amrywiad da i'r rhai sy'n methu'n gyson ar y gorffeniad isel.

10. Split–Youth Link V8 ✱ Y cysylltiad amlwg.

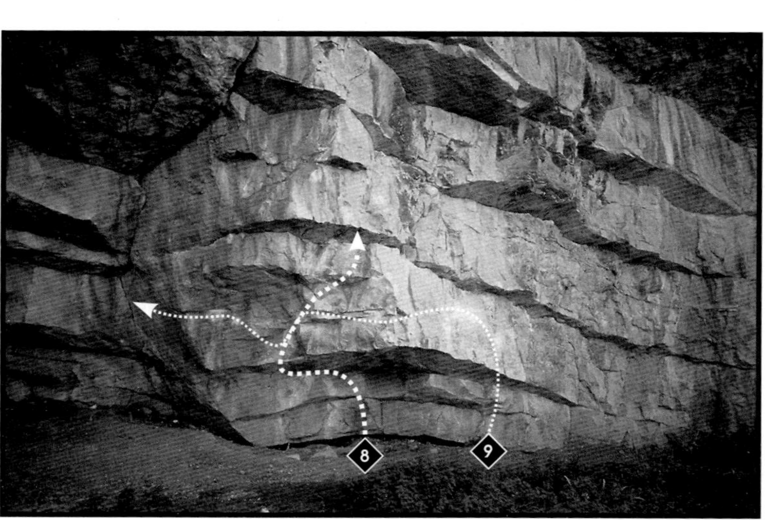

ARINE DRIVE

ove the Marine Drive the Pen Trwyn scarpment continues around the headland in a latively unbroken sweep. At the base of this umpy little crag a number of bouldering portunities present themselves. Various pumpy averses and several steep and powerful up lines n be found if you know where to look. Most of e problems are sheltered from passing showers, though they are affected by persistent wind own rain.

cess: please bear in mind that the problems scribed in this section are subject to an access striction. On all bank holiday weekends and ring the school summer holidays (normally mid-ly to the first week in September) no mbing is allowed before 6 o'clock in the ening. Again, if you have arrived by car, make re that you park sensibly and do not block e road.

B for the location of the following problems see e map 23 on page 177.)

orman's Wisdom Traverse V6 ✠
sually done right to left, although similar in verse. Start on easy ground right of the roof ction. Traverse in and drop down powerfully to e low, pocketed break, continuing steeply to gs. A slightly perplexing section (think: mprovise') leads again to easy ground on the left. obvious lines break through the roof above the ft hand section of the traverse.

rdvaark Start V5/6 ✠✠ is the left hand oblem, whilst **Norman Direct V6 ✠✠** is the her weakness 2 metres to the right.

lumbline Traverse V5 ✠✠ Walk right ong the base of the crag for 150 metres until u reach a clean wall with a small block jacent to the base of the crag at the left side. ep off the block and follow the intense and chnical traverse line all the way to the corner on e right.

her minor traverses and problems are possible various locations above the Marine Drive.

CYLCHDRO PEN Y GOGARTH

Uwchben Cylchdro Pen y Gogarth mae sgarp Pen Trwyn yn ymestyn o gwmpas y pentir mewn clogwyn ddi-dor. Ar waelod y clogwyn bychan hwn mae nifer o gyfleoedd bowldro ar gael. Sawl tramwyiad pwmpiog a nifer o linellau i fyny serth a phwerus os ydych yn gwybod lle i fynd. Mae'r rhan fwyaf yn gysgodol rhag cawodydd ysbeidiol, ond y byddent yn cael eu heffeithio gan law parhaol gwynt chwythiedig.

Mynediad: cofiwch bod y problemau a ddisgrifir yn y darn yma mewn rhwystr mynediad tymhorol. Yn ystod pob penwythnos gwyl banc ac yn ystod gwyliau haf ysgolion (fel arfer canol Gorffenaf at ddiwedd yr wythnos gyntaf ym mis Medi) ni fedrwch ddringo tan ar ôl 6 o'r gloch gyda'r nos. Eto, os ydych wedi cyrraedd gyda car, gwnewch yn sicr eich bod yn parcio'n gall a ddim yn rhwystr gyrrwyr eraill.

(NB. Gweler map 23 ar dudalen 177 er mwyn cael lleoliad y problemau canlynol.)

Norman's Wisdom Traverse V6 ✠ Fel arfer yn cael ei wneud o'r dde i'r chwith, ond yn debyg yn wrthol. Dechreuwch ar dir hawdd i'r dde o'r to. Tramwywch i mewn a lawr yn bwerus at y toriad pocedog isel, ymlaen yn serth at grafangau. Darn dryslyd braidd (meddyliwch: 'dyfeisio') yn arwain eto at dir hawdd ar y chwith. 2 linell amlwg yn torri drwy'r to uwch darn chwith y tramwyiad.

Aardvark Start V5/6 ✠✠ yw'r broblem chwith, tra **Norman Direct V6 ✠✠** yw'r broblem arall 2 metr i'r dde.

Plumbline Traverse V5 ✠✠ Cerddwch i'r dde ar hyd waelod y clogwyn am 150 metr nes i chwi gyrraedd wal lân gyda bloc bychan wrth waelod y clogwyn ar yr ochr chwith. Sefwch i ffwrdd o'r bloc a dilynwch y llinell tramwyol dwys a thechnegol yr holl ffordd i mewn i'r gornel ar y dde.

Tramwyiadau a phroblemau isradd eraill ar gael mewn sawl man uwch Cylchdro Pen y Gogarth.

PILL BOX WALL

The steep wall next to the broken turret, just left of the Chain Gang Wall provides a number of excellent problems and a desperate, sustained traverse. The up problems tend to traverse off or reverse to finish. Numerous other eliminate lines have been climbed here. (See map 23 on page 177.)

MUR BLWCH PILS

Y mur serth i'r dde o'r tyred difethol, ychydig i'r chwith o Mur Chain Gang yn rhoi nifer o broblemau ardderchog a thramwyiad enbyd parhaol. Mae'r problemau i fyny yn tueddu i dramwyo i ffwrdd neu fynd lawr yn wrthol i'w gorffen. Mae sawl llinell dileol wedi eu dringo yn yr ardal. (Gweler map 23 ar dudalen 177.)

1. Millenium Drive V9 ⌘⌘ A full traverse of the steepness, starting left of the turret and linking powerfully into *WB*.

2. Pill Thrill V6 Powerful, locky moves up left. Essentially a left hand variant on *The Greek*, with a bad landing.

3. The Greek V5/6 ⌘⌘ Lock powerfully up right to a good edge, finish back left past an obvious pocket in the vertical crack to gain easy ground.

4. Whisky Bitch V8 ⌘⌘ Start as for *The Greek*, but cross through from the good edge and move along (crux) and up to the thin break at 5 metres height, that leads to easy ground at the top of the steep crack (*Beachcomber*, HVS 5b) on the right. (NB. Both this and *problems 2* and *3* can be extended via a fingery sit down start at the base of the black streak.)

1. Millenium Drive V9 ⌘⌘ Tramwyiad llawn o'r serthni, yn dechrau i'r chwith o'r tyred ac yn cysylltu'n bwerus i mewn i *WB*.

2. Pill Thrill V6 Symudiadau clo pwerus i fyny i'r chwith. Yn hanfodol amrywiad chwith i *The Greek*, gyda glanfa difrifol.

3. The Greek V5/6 ⌘⌘ Cloi'n bwerus i fyny i'r dde at gyr da, wedyn ewch yn ôl i'r chwith heibio poced amlwg yn yr hollt fertigol i gyrraedd tir hawdd.

4. Whisky Bitch V8 ⌘⌘ Dechrau fel *The Greek*, ond croesi drwy o'r cyr da a symud ar hyd (craidd) ac i fyny at doriad tenau 5 metr uchder, sy'n arwain at dir hawdd wrth frig yr hollt fertigol (*Beachcomber*, HVS 5b) ar y dde. (NB. Posibl ymestyn hwn a *phroblemau 2* a *3* gyda dechreuad o'r llawr bysol wrth waelod y stribed ddu.)

ILL BOX WALL

5. Pill Box Original V6 ⌘⌘ From a sit lown start on the low finger flake, move steeply ıp right to gain the vertical seam, using holds on either side to eventually reach the break at 5 netres. Superb powerful climbing. An obvious link nto a reverse of *WB*, finishing up *TG* rates a vorthwhile V8.

6. Chocolate Wall V8 ⌘⌘ The steep wall ight of *The Beachcomber* corner crack yields a nodern classic. An awkward set up is followed by a powerful/accurate deadpoint to a small shield eature. Match desperately and swing right to gain he high jug. (NB. Bridging to the arête left of the rack is not allowed at this grade.)

7. Mr Whippy V7 ⌘⌘ Go direct to the jug, ither dynamically from the fingery side pull, or elatively static (power permitting) from the small ndercut just above. An unlikely, yet classic problem.

0 metres to the right a lower section of the crag ives a superb low level traverse: **Drive By V8 ⌘⌘** Start from the jug at the right side of the uttress and traverse leftwards across a scoop, assing a thin section to gain a flake rest position ust left of a corner. Powerful moves down left, hen back up to a high hold lead to a crack. escend this for a move or two, then keep it ogether through thin ground past a small pocket often wet) and poor slopers to gain the scoop on he left.

MUR BLWCH PILS

5. Pill Box Original V6 ⌘⌘ O'r cychwyniad o'r llawr ar y caen bys isel, symudwch yn serth i fyny i'r dde i gyrraedd haen fertigol, defnyddiwch gafaelion ar bob ochr nes cyrraedd y toriad 5 metr i fyny. Dringo pwerus ardderchog. Cysylltiad amlwg yw *WB* yn wrthol a gorffen i fyny *TG* yn rhoi V8 o werth.

6. Chocolate Wall V8 ⌘⌘ Y wal serth i'r dde o hollt gornel *The Beachcomber* yn rhoi clasur cyfoes. Dechreuad lletchwith yn arwain at marnod pwerus/cywir at nod tarian fechan. Cydrannwch yn enbyd a siglwch i'r dde i gyrraedd crafanc uchel. (O.N. Nid yw rhychwantu at y crib i'r chwith o'r hollt yn dderbyniol i'r gradd hwn.)

7. Mr. Whippy V7 ⌘⌘ Ewch yn syth at y crafanc, naill ai'n ddeinamig o'r ochdyn bysiedig, neu yn gymharol statig (pwer ddibynnol) o'r tandor bychan ychydig uwch. Problem annhebygol, ond clasurol.

50 metr i'r dde ceir darn is o'r clogwyn sy'n rhoi tramwyiad lefel isel ardderchog: **Drive By V8 ⌘⌘**. Dechrau o'r crafanc ar ochr dde'r bwtres a thramwywch i'r chwith ar draws cafn, heibio darn tenau i gyrraedd caen safle ysbaid ychydig i'r chwith o'r gornel. Symudiadau pwerus i lawr i'r chwith, wedyn yn ôl i fyny at afael uchel yn arwain at hollt. Disgynnwch cwpl o symudiadau i lawr hwn, wedyn dal ati drwy ddarn tenau heibio poced bychan (yn aml yn wlyb) a gwyrafaelion gwael i gyrraedd y cafn i'r chwith.

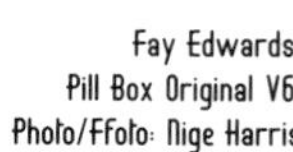

Fay Edwards,
Pill Box Original V6,
Photo/Ffoto: Nige Harris

Mark Katz, Mr. Whippy, V7, Pill Box Wall/Mur Blwch Pils Photo/Ffoto: Simon Panton

PIGEON'S CAVE BOULDERS

An atmospheric approach down past the main sea cave leads to a small collection of wave-smoothed boulders on the beach beyond. The small escarpments at the back of the beach provide numerous opportunities for amusing and occasionally quite hard problems. All in all, a great little tidal venue, reminiscent of a less extensive Angel Bay, and unfortunately subject to the same tide and dampness restrictions (although pebble levels don't seem to be as variable). A visit on a windy day should yield perfect conditions. Depending on pebble levels, various steep, juggy problems can be worked out at the base of Pigeon's Cave itself. This is good fun, but the problems tend to lack definition, and dampness is nearly always a problem.

Access: drop down the path from the Marine Drive (50 metres beyond Pill Box Wall, and just before Yellow Wall) and follow the narrowing ledge leftwards (facing outwards) into the massive cave. Climb down onto the beach and skirt leftwards (facing outwards) along the low tide level past various heavily barnacled boulders, to reach the main boulders within 3-400 metres.

(NB. If you don't want to get wet, then keep an eye on the incoming tide. If the tide gets close to the seaward face of the front boulders then you should leave, or face the prospect of a wade out.)

CLOGFAENI OGOF COLOMENOD

I lawr heibio'r prif ogof morol mae'r mynediad atmosfferig yn arwain ychydig ymhellach at gasgliad bychan o glogfaeni ton-lyfniog ar y traeth. Mae'r sgarpiau bychan yng nghefn y traeth yn rhoi sawl problem difyr ond weithiau anodd hefyd. Yn y diwedd, safle llanw bach da, yn ein hatgoffa o Borth Dyniewyd, ac yn anffodus yn dioddef o'r un rhwystriad llanw a thamprwydd (ond nid yw lefel y cerrigynau mor amrywiol). Ymweld ar ddiwrnod gwyntog a chewch gyflyrau perffaith. Yn dibynnu ar lefel cerrigynnau, fe allwch weithio ar sawl problem serth crafangol ar hyd waelod Ogof Colomenod. Mae hyn yn hwyl, ond mae'r problemau'n tueddu i fod braidd yn anniffiniedig, ac mae tamprwydd yn broblem cyson.

Mynediad: ewch i lawr y llwybr o Cylchdro Pen y Gogarth (50 metr heibio Mur Blwch Pils, ac ychydig cyn Mur Melyn) a dilyn y sil i'r chwith (gwynebu allan) i mewn i'r ogof anferth. Dringwch i lawr i'r traeth ac ewch i'r chwith (gwynebu allan) ar hyd lefel distyll heibio sawl clogfaen llawn crachod i gyrraedd y prif glogfaeni o fewn 3-400 metr.

(NB. Os nad ydych am wlychu, cadwch llygaid barcud ar y llanw mewnol. Os yw'r llanw yn cyrraedd wyneb morol y clogfaeni blaen rhaid gadael, neu wynebu'r siawns o orfod rhydio allan.)

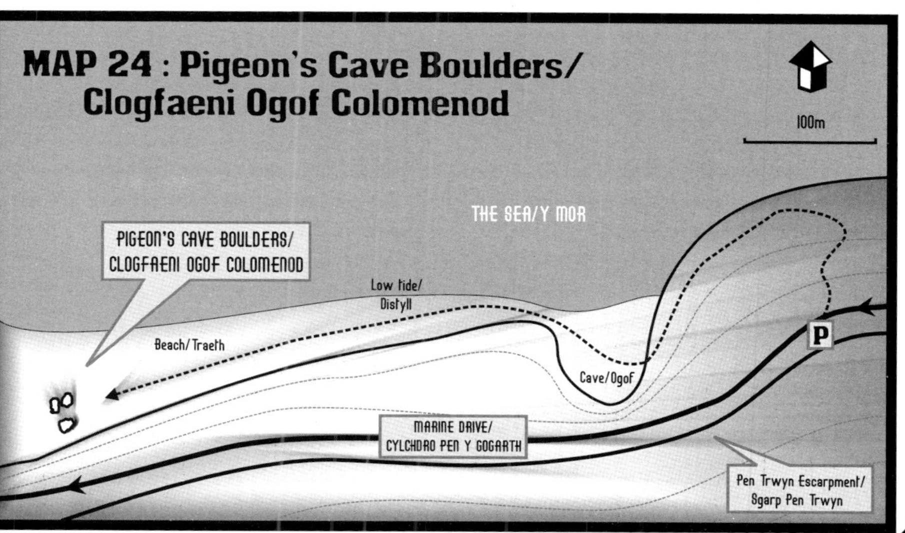

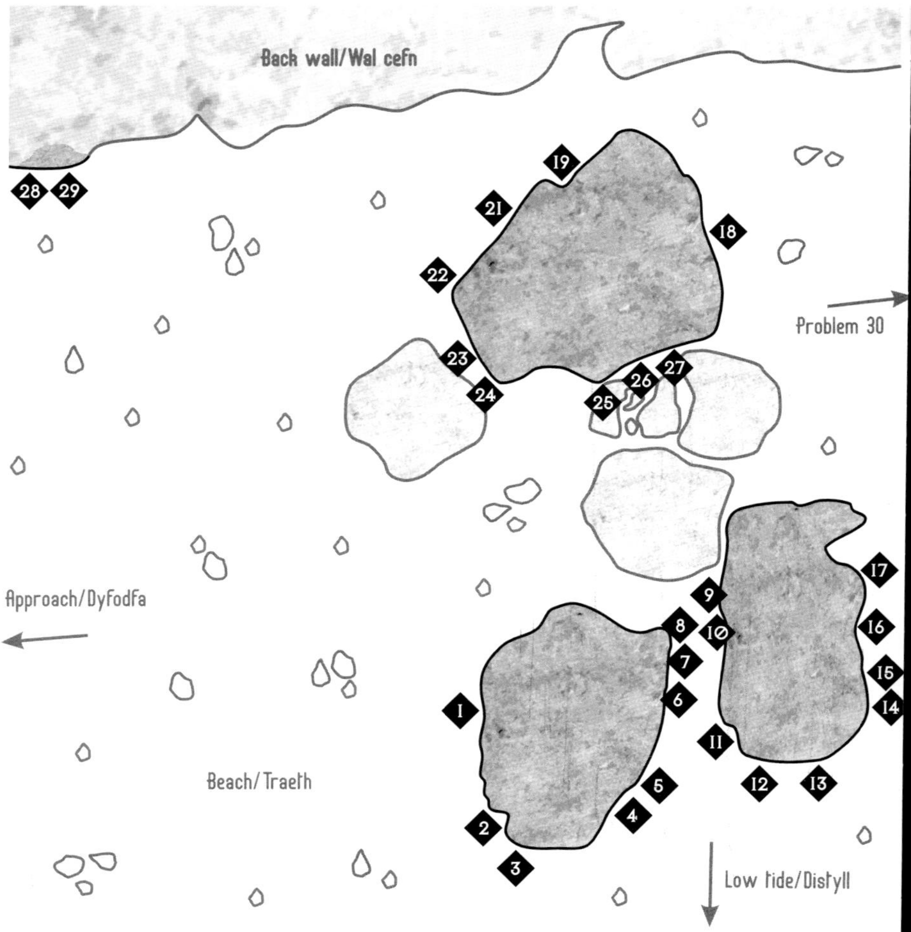

Back wall/Wal cefn

Problem 30

Approach/Dyfodfa

Beach/Traeth

Low tide/Distyll

PIGEON'S CAVE BOULDERS

1. V0– Up into the faint scoop.

2. V0– ✠✠ The small corner groove is a compelling feature that climbs well.

3. V3 ✠ Jump to the sloping ledge and mantel stylishly (or not).

4. V1 ✠ Pull into the small groove in the arête, skidding slightly on the barnacled footholds.

5. V2 ✠ Sketch up spiky holds at the left side of the wall.

6. V0 ✠ Lurch up the crack to jugs, and thus the top.

7. V1 ✠ Layback up the left side of the arête.

CLOGFAENI OGOF COLOMENOD

1. V0– I fyny i mewn i'r cafn annelwig.

2. V0– ✠✠ Mae'r rhych cornel fychan yn nodwedd atyniadol a dringo'n dda.

3. V3 ✠ Neidiwch ar y sil gwyrol a thrawstiwch yn steilus (neu beidio).

4. V1 ✠ Tynnwch i mewn i rhych bychan yn y crib, sglefrio ychydig ar y troedleoedd crachodol.

5. V2 ✠ Dilynwch gafaelion pigog ar ochr chwith y wal.

6. V0 ✠ Honcian i fyny'r holltau at grafangau a'r brig.

7. V1 ✠ Ôl-wthiwch i fyny ochr chwith y crib.

PIGEON'S CAVE BOULDERS

8. V0– ⌘ Rock onto the arête and follow the slabby right side to the top.

9. V2 ⌘ Gain the hanging crack and follow it leftwards on spiky holds.

10. V3 ⌘⌘ The superb rightwards diagonal crack proves tricky to start. The thin wall to the right can also be climbed, but the landing is less than ideal.

11. V3/4 ⌘⌘ The hanging groove in the arête is superb.

12. V6/7 ⌘⌘ Undercut out to the finger ramp on the front face and move up to broken edges, that lead to the top. A killer problem.

13. V7 ⌘⌘ From pockets, glide up to a flatty crimp and keep pulling hard to the slopey top out. Another fine addition.

14. V2 ⌘⌘ Lurch up from the prominent layaway into the juggy scoop.

15. V2 ⌘ From the start of *problem 19*, climb steeply up left to the jugs in the scoop on *problem 17*.

16. V1 ⌘⌘ Move up through the steepness above the start of the ramp feature.

17. V0– ⌘⌘ Gain the crack above the ramp.

18. V0–2 This wall can be climbed direct at V2, but easier alternatives on the left and right are always beckoning.

19. V3 ⌘ The steep groove taken from a sit down start.

20. Project traverse moving out right from the start of *problem 19*, across the steep face to gain the arête of *problem 22*.

21. V8+ ⌘ From a crouching start on a side pull/undercut hold power upwards on various fossil holds to gain the top directly. An easier (V8) version makes use of the left arête.

22. V4/6 ⌘⌘ The steep hanging arête is very fine indeed, although the landing requires a little forethought. The V4 version swings onto the arête from a prominent fossil hold, whilst the V6 version pulls on at an obvious position 1 metre lower down.

23. The Ramp V3 ⌘⌘ A reachy starting move gives access to the enticing ramp system on

CLOGFAENI OGOF COLOMENOD

8. V0– ⌘ Trosiglwch ar y crib a dilynwch yr ochr dde llechog at y brig.

9. V2 ⌘ Cyrraedd y hollt crog a'i ddilyn i'r chwith ar afaelion pigog.

10. V3 ⌘⌘ Y hollt lletgroes i'r dde ardderchog yn profi'n gyfrwys i ddechrau. Mae'n bosibl i ddringo'r wal denau i'r dde ond mae'r lanfa yn un wael.

11. V3/4 ⌘⌘ Mae'r rhych ar grog yn y crib yn ardderchog.

12. V6/7 ⌘⌘ Tandorwch allan i'r ramp bys ar y wyneb flaen a wedyn symudwch i fyny at ymylon toriedig, sy'n arwain at y brig. Problem aruthrol.

13. V7 ⌘⌘ O bocedi, ehediwch at grych gwastad a dal i dynnu'n galed at y brig gwyrol. Problem ardderchog arall.

14. V2 ⌘⌘ Honcian i fyny o'r orffwrdd amlwg i mewn i'r cafn crafangol.

15. V2 ⌘ O ddechrau *problem 19*, dringwch yn serth i'r chwith i'r crafangau yn y cafn ar *broblem 17*.

16. V1 ⌘⌘ Symudwch i fyny drwy'r serthni uwch dechrau'r nodwedd ramp.

17. 17 V0– ⌘⌘ Yr hollt uwch y ramp.

18. V0–2 Fe ellir dringo'r wal yn syth V2, ond mae dewisiadau haws i'r dde a'r chwith yn galw.

19. V3 ⌘ Y rhych serth ar ôl cychwyniad llawr.

20. Tramwyiad prosiect yn symud allan i'r dde o ddechrau *problem 19*, ar draws y wyneb serth i gyrraedd y crib ar *broblem 22*.

21. V8+ ⌘ O ddechreuad cwrcwd ar afael ochdyn/tandor pwerwch i fyny ar afaelion ffosil amrywiol i gyrraedd y brig yn syth. Mae amrywiad arall haws (V8) yn gwneud defnydd o'r crib chwith.

22. V4/6 ⌘⌘ Y crib crog serth sy'n dda ofnadwy, ond mae'r lanfa yn gofyn am ofal. Mae'r fersiwn V4 yn siglo at y crib o'r gafael fosil amlwg, tra bo'r V6 yn tynnu ymlaen o sefyllfa amlwg tua 1 metr yn is.

23. The Ramp V3 ⌘⌘ Symudiadau dechreuol ymestynol yn cyrraedd system ramp atyniadol ar y wal uwch.

PIGEON'S CAVE BOULDERS

24. V5 ⌘⌘ From a sit down start (left hand: slopey crimp, right hand: diagonal hold or undercut/side pull) at the base of the hanging rib, slap up and move left to gain the ramp system on *problem 23*.

25. V4 ⌘ The scary arête is spoiled by the bad landing.

26. LRP V6 ⌘⌘ From a sit down start just down and left of the shallow groove, move up then left to back hand the flake, then trace crimps back right to the top of the shallow groove. A left hand finish into *The Ramp* is also possible.

27. Jimnastic V7 ⌘⌘ From the *LRP* sit down start, climb the groove direct to the top.

28. V1 ⌘ Move up left from the sloper via the hold in the thin crack.

29. Rob's Wall V3 ⌘⌘ Move up right from the sloper, to more unhelpful slopey holds. A V4 sit down start is possible just to the right.

30. Rebels On A Beach V4/5 ⌘ A further 70 metres along the beach an obvious tilted block can be seen. Power up from a sit down start on the steep front arete, and mantel out. A harder variant follows the slopey lip leftwards to the left arête.

31. V5 ⌘ A powerful sit down start problem just right of *ROAB*.

CLOGFAENI OGOF COLOMENOD

24. V5 ⌘⌘ O ddechreuad o'r eistedd (llaw chwith: crych gwyrol, llaw dde:gafael lletgroes neu tandor/ochdyn) wrth waelod yr asen crog, slapiwch i fyny a symud i'r chwith i gyrraedd y system ramp ar *broblem 23*.

25. V4 ⌘ Y crib brawychus yn cael ei ddifetha gan y lanfa drwg.

26. LRP V6 ⌘⌘ O ddechreuad o'r eistedd ychydig i lawr ac i'r chwith o'r rhych bas, symudwch i fyny i'r chwith i wrthlawio'r caen, wedyn dilyn crychion yn ôl i'r dde at frig y rhych bas. Gorffeniad chwith i mewn i *The Ramp* hefyd yn bosibl.

27. Jimnastic V7 ⌘⌘ O ddechreuad o'r eistedd ar *LRP*, dringwch y rhych yn syth at y brig.

28. V1 ⌘ Symudwch i'r chwith o'r gwyrafael heibio'r gafael yn yr hollt tenau.

29. Rob's Wall V3 ⌘⌘ Symudwch i fyny i'r dde o'r gwyrafael, at fwy o wyrafaelion ddi-gymorth. Mae dechreuad o'r eistedd V4 yn bosibl ychydig i'r dde.

30. Rebels On A Beach V4/5 ⌘ Tua 70 metr ymhellach ar hyd y traeth mae bloc ar osgo amlwg. Pwerwch i fyny o gychwyniad llawr ar y crib flaen serth, a thrawstiwch allan. Mae amrywiad caletach yn dilyn y gwefus gwyrol i'r chwith at y crib chwith.

31. V5 ⌘ Problem dechrau o'r eistedd pwerus ychydig i'r dde o *ROAB*.

Dave Norton,
LRP V6,
Photo/Ffoto: Ray Wood

LITTLE ORME

Little Orme provides the modern boulderer with a number of interesting opportunities. There is wealth of good quality bouldering (and a fair amount of esoteric 'local' problems) to be found upon this prominent chunk of limestone and aside from the occasionally popular Angel Bay, you are unlikely to meet other climbers.

CYNGREADUR BACH

Mae'r Cyngreadur Bach yn rhoi nifer o gyfleoedd diddorol i ddringwyr cyfoes. Mae yna lwyth o fowldro da (a thipyn o broblemau esoterig 'lleol') i'w gael ar y darn yma o galchfaen amlwg ac heblaw i Borth Dyniewyd sydd weithiau yn boblogaidd, nid ydych yn debygol o ddod ar draws dringwyr eraill.

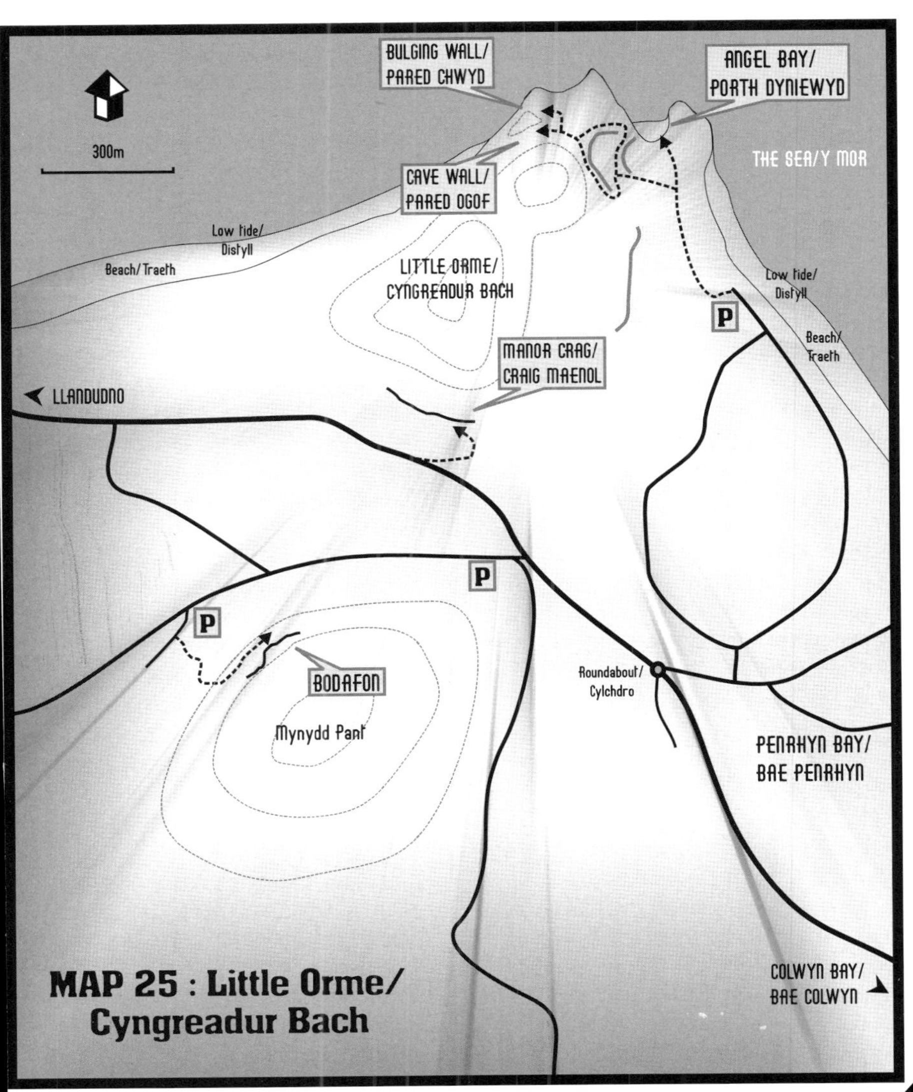

MAP 25 : Little Orme/ Cyngreadur Bach

MANOR CRAG

Very much a 'local' venue with lots of steep little sit down starts and lip traverses. Nonetheless, the recent additions and projects on the steep left hand wall have somewhat bolstered the reputation of the crag.

Access: the crag lies above the main Llandudno to Rhos-on-Sea road on the landward side of Little Orme. Park down the side road (at the point at which the dual carriage section of the main road is reached), walk back and go through the gate beneath the right side of the crag. All of the bouldering is located on the right hand section of the crag, which is reached by zig-zagging up the grassy slope. The problems are described, as they are seen, right to left across the crag.

(See map 25 on page 195.)

1. Andromeda V8 ⌘ A left to right traverse along the thin break at the lip of the steepness between the 2 ivy patches at the right side of the crag. Start matching a large sloper at the base of the small groove above the lip, and snatch rightwards until better holds lead up to easy ground on the right. A sit down start V5 breaks through the centre/right of the traverse from undercuts in the crack feature.

2. Jawa V6 ⌘⌘ This lies to the left of the start of Andromeda. From a sit down start at the base of the steep crack, work out to the lip and a finish on the incut 'glued' jugs.

3. The Heeling Process V5 ⌘ This is a left to right traverse of the crag just right of the cracked roof section. After the sit down start on the obvious slopey shelf, keep going until you reach jugs just before the groove on the right.

4. Cracked Roof Righthand V5 ⌘ The sit down start to the right hand crack.

5. Patch's Crack V6 ⌘⌘ The main hand crack through the roof, proves to be a butch and tricky affair. Start sitting on the low jugs and finish at the flat ledge, once stood above the lip. It is possible to break through the roof to the left in 2 places, but the finishes lack definition.

CRAIG MAENOL

Craig 'lleol' go iawn gyda llawer o ddechreuadau o'r eistedd bach serth a thramwyiadau gwefus. Ond y mae'r ychwanegiadau diweddar a'r prosiectau ar y wal chwith serth wedi atgyfnerthu enw da'r clogwyn.

Mynediad: Mae'r clogwyn uwchben y briffordd o Landudno i Llandrillo yn Rhos ar ochr tirol y Cyngreadur Bach. Parciwch ar yr lôn fach i'r ochr (wrth i chwi gyrraedd y rhan ffordd deuol y priffordd), cerddwch yn ôl ac ewch drwy'r giât o dan ochr dde'r clogwyn. Mae'r problemau i gyd ar ochr dde'r clogwyn, sy'n cael ei gyrraedd drwy cerdded yn igam ogam i fyny'r llethr glaswelltog. Disgrifir y problemau fel y dowch atynt o'r dde i'r chwith ar draws y clogwyn.

(Gweler map 25 ar dudalen 195.)

1. Andromeda V8 ⌘ Tramwyiad chwith i'r dde ar draws y toriad tenau ar wefus y serthni rhwng y 2 glwt o eiddew ar ochr dde y clogwyn. Dechrau drwy gydrannu gwyrafael mawr wrth waelod rhych bychan uwch y gwefus, a chipio i'r dde nes cyrraedd gafaelion gwell yn arwain i fyny at dir hawdd ar y dde. Mae dechreuad o'r eistedd V5 yn torri drwy canol/dde'r tramwyiad o thandoriadau yn y nod hollt.

2. Jawa V6 ⌘⌘ I'r chwith o ddechreuad Andromeda. O ddechreuad o'r eistedd ar waelod yr hollt serth, gweithiwch allan at y gwefus a gorffen ar y crafangau mewndor 'glud'.

3. The Heeling Process V5 ⌘ Tramwyiad chwith i'r dde y clogwyn ychydig i'r dde o'r ardal to hollt. Ar ôl dechrau o'r eistedd ar y silff gwyrol, ewch nes i chwi gyrraedd crafangau ychydig cyn y rhych ar y dde.

4. Cracked Roof Righthand V5 ⌘ Y dechreuad o'r eistedd i'r hollt dde.

5. Patch's Crack V6 ⌘⌘ Y prif hollt llaw drwy'r to, braidd yn wraidd a chyfrwys. Dechrau wrth eistedd ar y crafangau a gorffen ar y sil llorwedd, unwaith yr ydych yn sefyll dros y to. Mae'n bosibl torri drwy'r to mewn 2 fan i'r chwith, ond mae diffyg diffiniad yn y gorffeniadau hyn.

MANOR CRAG

6. Canal Street Horror Show V6 ⌘ This is a left to right traverse of the cracked roof section. From opposing side pulls left of the chock stone in the crack, muscle rightwards to finish up *PC* or *CAR*.

7. Mr Blonde V8+ ⌘ Above a rock shelf at the left side of this end of the crag looms a steep wall. From a sit down start climb the obvious steep crack to finger jugs. Other projects exist in this area.

CRAIG MAENOL

6. Canal Street Horror Show V6 ⌘ Tramwyiad chwith i'r dde ardal y to hollt. O ochdynnau cyferbyniol i'r chwith o'r tagen yn y hollt, nerthwch i'r dde i orffen i fyny *PC* neu *CAR*.

7. Mr. Blonde V8+ ⌘ Uwch silff graig ar ochr chwith pen yma'r clogwyn mae wal serth. O ddechreuad o'r eistedd dringwch yr hollt serth at crafangau bys. Mae prosiectau eraill yn yr ardal.

BODAFON

A curious, minor venue that will please the connoisseur of mid grade traverses.

Access: approach as for Manor Crag, but continue past the parking spot along the Bryn-y-Bia road, turning left onto the Bodafon road to park carefully (room for 2 cars) by the school, where the road splits. A footpath leads leftwards up the hill from the upper road to a quarried wall (a good place to warm up). Continue up right until you reach a higher natural escarpment. Walk left along the base of this until a steep Kilnsey-esque section is reached at the far left side.

(See map 25 on page 195.)

1. Pumpsville V6 ⌘⌘ From a sit down start at the left side of the steepness, move up to a higher line of holds; follow flatties, edges and pockets rightwards through the easiest line of resistance to an obvious rest, before a final frustrating stopper section that precedes a drop down to finishing jugs.

2. Pumpsville Low V8 ⌘ A right to left traverse of the low break (be strict with the floor/foothold scenario). Various loops, links and eliminates are possible.

3. Bodafon Roof V2 ⌘⌘ Retrace your steps back to the start of the escarpment and head up to the top of the hill. The striking roof above the clean wall gives a superb bold problem.

4. Attic Traverse V5 ⌘ A left to right traverse of the thin technical face beneath the break under the roof. Also possible in reverse.

BODAFON

Man hynod, isradd a fydd yn plesio'r arbenigwr tramwyiadau canol radd.

Mynediad: fel Craig Maenol, ond ewch heibio'r man parcio ar hyd ffordd Bryn y Bia, troi i'r chwith ar ffordd Bodafon i barcio'n ofalus (lle i 2 gar) wrth yr ysgol, ble mae'r lôn yn hollti. Dilyn llwybr troed i fyny'r allt o'r lôn uwch at wal chwarelog (man da i gynhesu). Ymlaen i fyny i'r dde nes i chwi gyrraedd sgarp naturiol uwch. Cerddwch ar hyd gwaelod hyn nes cyrraedd darn serth Kilnsey-atgof ymhell i'r chwith.

(Gweler map 25 ar dudalen 195.)

1. Pumpsville V6 ⌘⌘ O ddechreuad o'r eistedd ar ochr chwith y serthni, symudwch i fyny at linell uwch o afaelion; dilyn llorafaelion, cyrion a pocedi i'r dde ar hyd y llinell haws at ysbaid amlwg, cyn y darn diweddglo rhwystrol a disgyn i lawr at grafangau.

2. Pumpsville Low V8 ⌘ Tramwyiad dde i'r chwith y toriad isel (byddwch yn ofalus gyda'ch troed a'r llawr). Sawl cylchred, cysylltiad a dilead ar gael hefyd.

3. Bodafon Roof V2 ⌘⌘ Rhaid mynd yn ôl at ddechrau'r sgarp ac ewch i fyny at frig y bryn. Mae'r to amlwg uwch y wal lân yn rhoi problem mentrus ardderchog.

4. Attic Traverse V5 ⌘ Tramwyiad chwith i'r dde y wyneb tenau technegol o dan y toriad yn y to. Hefyd yn bosibl yn wrthol.

Chris Davies, Bridey Arete V4, Angel Bay/Porth Dyniewyd, Photo/Ffoto: Adrian Parsons

ANGEL BAY

This tidal limestone bay situated on the Little Orme is home to a stack of classic problems throughout the grade range (V0-VII). The steep wave-smoothed rock is well featured with water worn scoops and pockets that are a joy to climb on. The pebble beach offers a safe landing in most conditions, but I advise you to take a pad regardless. It is not unusual for the pebble levels to shift by a metre in height after a storm. This may expose bare rock landings, or conversely make some sit down starts redundant. At high tide (particularly a spring high tide), the sea covers all of the problems twice a day (except perhaps *Warm Up Slab*) and thus dampness can be a major problem. ndeed, if still/humid conditions prevail, it may be wise o pick another venue. Conversely if you visit on a windy day, no doubt the rock will be dry. That said, a owel is always useful for drying the lower footholds.

Access: Follow the sea front road in Llandudno Bay around the back of Little Orme (beneath Manor Crag) and down to a roundabout (Penrhyn Bay). Take the first left and turn left just after a garage into a housing estate. Turn either left or right (both roads lead to the same point). Park at the end of the road, taking care not to block any driveways. Walk up the steps and turn right and head along to a flat grassy area below an incline leading to the upper quarry. It is possible to drop into the bay just beyond this point. (See map 25 on page 195.)

PORTH DYNIEWYD

Bae llanwol wedi ei leoli yn y Cyngreadur Bach yn gartref i lwyth o broblemau clasurol drwy'r amrediad gradd (V0-VII). Gyda craig tonlyfn serth llawn nodwedd gyda chafnau dwr-dreuliedig a pocedi, maent yn bleser i'w dringo. Ar y cyfan glanfeydd da sydd i gael ar y traeth cerrigynol, ond ewch â pad beth bynnag. Yn aml gall lefel y cerrigynnau newid tua metr ar ôl storm. Gall hyn ddatguddio glanfeydd craig noeth a gwneud rhai dechreuadau o'r eistedd yn ddiangen. Yn ystod penllanw (enwedig yn ystod gorllanwau), mae'r môr yn boddi'r problemau dwywaith y dydd (ond am *Warm Up Slab* tybed) a felly mae tamprwydd yn medru bod yn broblem mawr. Yn wir, os tawel/llaith yw'r cyflyrau, gwell mynd rhywle arall. I'r gwrthwyneb, os wnewch chi ymweld ar ddiwrnod gwyntog, mae hi'n sicr y bydd y graig yn sych. Wedi dweyd hyn, y bydd lliain yn ddefnyddiol i sychu allan y troedleoedd isaf.

Mynediad: dilyn y ffordd arfordirol i Bae Llandudno o gwmpas Cyngreadur Bach (o dan Craig Maenol) ac i lawr at gylchfan (Bae Penrhyn). Cymrwch y ffordd gyntaf ar y chwith a throwch i'r chwith ychydig heibio garej i mewn i stad o dai. Trowch i'r dde neu'r chwith (y ddau ffordd yn arwain at yr un man). Parciwch ar ddiwedd y ffordd, ceisiwch beidio cau unrhyw dramwyfa. Cerddwch i fyny'r grisiau a throwch i'r dde a mynd at ardal glaswelltog gwastad o dan inclein sy'n arwain at y chwarel uwch. Posibl disgyn i lawr i'r bae ychydig heibio'r man hyn. (Gweler map 25 ar dudalen 195.)

Tony Shelmerdine, Angel Bay/Porth Dyniewyd, Photo/Ffoto: Simon Panton

angel bay: THE LEFT WALL

The Left Wall (facing out to sea) of the bay provides an abundance of steep and powerful climbing on superb rock. Most problems finish with a traverse to easier ground where a descent can be made.

1. Warm Up Slab V0+ ✠ The pleasant slabby wall is traversed left to right around into the recess. The return lap bumps the grade to V1.

2. V1 Climb up to the horizontal break, then traverse left into the recess.

3. Keel Left Hand V5 From a sit down start hanging the flat pocket, slap up left and move up to finish as for *problem 2*.

4. Keel Right Hand V5 From the same sit down start, adopt a different hand position and slap hopefully up right, before moving left into *problem 2*.

5. Travel Light V4 ✠ From a sit down start on the jug/sidepull, throw for the flange on the lip (or alternatively, lock the gaston pocket) and pull over to easy ground.

porth dyniewyd: Y WAL CHWITH

Y Wal Chwith (gwynebu allan at y môr) o'r bae yn rhoi llawer o ddringo serth pwerus ar graig ardderchog. Y mae'r mwyafrif o'r problemau yn gorffen gyda thramwyiad at dir haws ble medrwch ddringo i lawr.

1. Warm Up Slab V0+ ✠ Tramwywch y mur llechog braf o'r chwith i'r dde i mewn i'r cilan. Mae dychwelyd yn ôl yn codi'r gradd i V1.

2. V1 Dringwch i fyny at y toriad llorweddol, wedyn tramwywch at y cilan.

3. Keel Left Hand V5 O ddechreuad o'r eistedd yn hongian y poced llorweddol, slapiwch i fyny i'r chwith a symudwch i fyny i orffen fel *problem 2*.

4. Keel Right Hand V5 O'r un dechreuad o'r eistedd, rhowch eich dwylo mewn modd gwahanol a slapiwch i fyny'n obeithiol i'r dde cyn symud i'r chwith i mewn i *broblem 2*.

5. Travel Light V4 ✠ O ddechreuad o'r eistedd ar y crafanc/ochdyn, taflwch at y fflans ar y gwefus (neu cloi'r poced gaston) a thynnwch drosodd at dir hawdd.

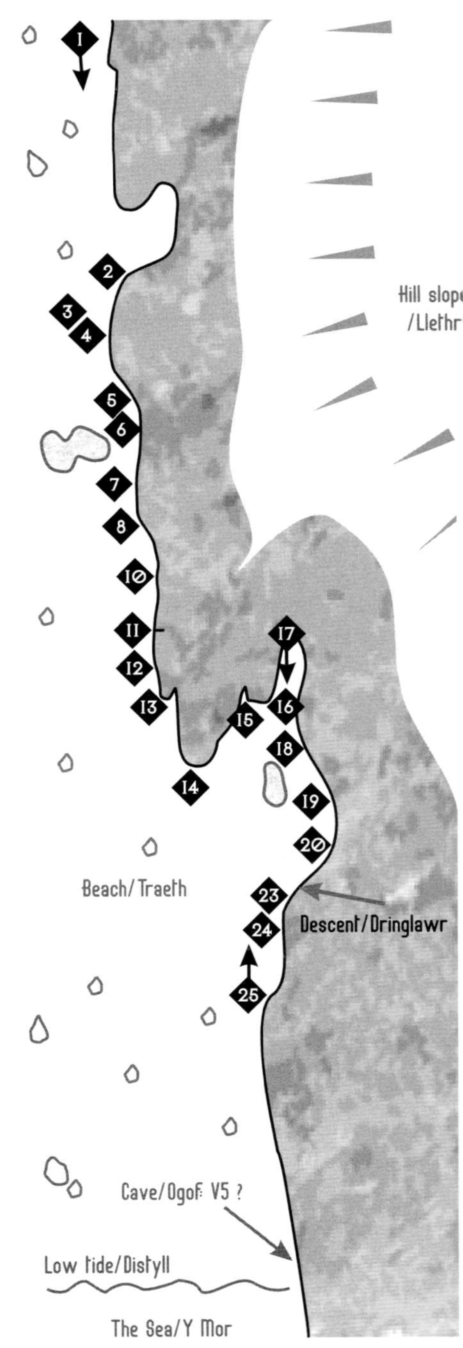

ngel bay: THE BOULDERS

he chaotic jumble of massive boulders takes up ne right side of the bay. Despite the initial romise, most of the problems are to be found on specific blocks, the rest being spoilt by too many arnacles or leg-breaking landings. That said, there plenty of classic problems with clean rock and riendly landings.

1. Manchester Dogs V11 ⌘ From a sit lown start on the jugs launch out right to a idepull/dink with your right hand, then to the lip with your left, before swinging right to jams and laylight.

2. Tony's Through Trip V5 ⌘ From a sit lown start on the right, traverse the outside lip of he cave and reverse the final moves of *MD*. inish by tunnelling for daylight through the bvious squeeze.

3. 5c Wall (righthand start) V2 ⌘ Climb diagonally leftwards to the large pocket close to the arête. Rock out onto the slab and pad to the top.

4. 5c Wall (lefthand start) V2 ⌘⌘ From the jug, follow the diagonal line rightwards.

5. 5c Wall Arete V3 ⌘⌘ From the same jug, ape left to the arête and move up to join *problem 3*.

porth dyniewyd: Y CLOGFAENI

Mae'r cymysgedd anrhefnus o glogfaeni anferth yn llenwi ochr dde'r bae. Yn anffodus, mae'r rhan fwyaf o'r problemau i'w cael ar 2 floc, y gweddill wedi eu difetha drwy ormodedd o wyddau môr neu glanfeydd difrifol. Ond wrth ddweyd hyn, y mae yna ddigon o broblemau clasur gyda craig da a glanfeydd cyfeillgar.

1. Manchester Dogs V11 ⌘ O ddechreuad o'r eistedd ar y crafangau ymosod allan i'r ochdyn/dinc ar y dde gyda'ch llaw dde, wedyn i'r gwefus gyda'ch chwith cyn siglo i'r dde at gloeon at y goleuni.

2. Tony's Through Trip V5 ⌘ O ddechreuad o'r eistedd ar y dde, tramwywch gwefus allanol yr ogof a gwnewch symudiadau gorffenedig *MD* yn wrthol. Gorffen drwy dwnelu at olau'r dydd drwy'r gwasgiad amlwg.

3. 5c Wall (dechreuad dde) V2 ⌘ Dringo yn lletraws i'r chwith at y poced mawr yn agos at y crib. Trosiglwch allan ar y llech a thuthiwch at y brig.

4. 5c Wall (dechreuad chwith) V2 ⌘⌘ O'r crafanc, dilyn y llinell lletgroes i'r dde.

5. 5c Wall Arete V3 ⌘⌘ O'r un crafanc, epawch i'r chwith at y crib a symudwch i fyny i ymuno â *phroblem 3*.

Simon Panton, Ren-Arete V5, Photo/Ffoto: Ray Wood

6. Mussel Bound V8 ✠✠ From a sit down start on the block underneath, reach out rightwards and attack the steepness with the aid of an assortment of sloping edges, pockets and pinches, until better holds on the arête signal easy ground. Powerful and tricky.

7. V5/6 ✠ From the same start as *MB*, make troublesome moves on poor holds out into the hanging arête that *MB* joins later. A fine problem, if you get it right.

8. The Letterbox V4 ✠✠ From a sit down start on the low block (i.e. just left of *MB*) climb out past the 'letterbox' slot onto the hanging slab. An ungraceful, but amusing tussle for most.

9. V7 ✠ Start as for *TL* to the 'letterbox', thereafter swing rightwards through the holds on *problem 7* and *MB*, to finish as for *problem 4*.

10. V2 ✠✠ Climb through the slight weakness in the bulge to gain the upper slab.

11. Ren–Arete V5 ✠✠✠ From a sit down start on the low block, follow the diagonal crack out to slopers on the hanging arête, which leads to the top. An enduring classic.

12. Limp Wrist V7 ✠ Take the pinch on *The Limpet* with your left hand and gain some height, before slapping in desperation for the hanging arête on the right. Finish as for *Ren-Arete*.

13. The Limpet V6 ✠✠✠ The high leaning wall above the strange pinch succumbs only to the skilful and cool climber. Yet another consummate classic.

14. V2 ✠✠ Attack the steep bulge, either from the left or the right.

15. The Alabaster Roof V5 ✠✠ From a sit down start on the low block beneath the roof, ape out right through the steepness, eventually reaching easy ground. Unfortunately this splendid problem only dries out on really windy days.

16. V2 ✠ A highball line up the crunchy pockets to the top of the huge boulder. Obviously other 'crunchy'/damp problems are possible all over this block, and others close to the low tide band.

17. Dyer's Trav V5 ✠ A good, but very crunchy and damp traverse into *problem 16*.

6. Mussel Bound V8 ✠✠ O ddechreuad o'r eistedd ar y bloc o dan, ymestyn allan i'r dde ac ymosod ar y serthni gyda chymorth casgliad o gyrion gwyrol, pocedi a phinsiadau, nes y bydd gafaelion gwell ar y crib yn dynodi tir haws. Pwerus a chyfrwys.

7. V5/6 ✠ O'r un dechreuad â *MB*, gwnewch symudiadau straffaglus ar afaelion gwael allan at y crib crog mae *MB* yn dilyn. Problem pert os ydych yn llwyddo.

8. The Letterbox V4 ✠✠ O ddechreuad o'r eistedd ar y bloc isel (h.y. ychydig i'r chwith o *MB*) dringwch allan heibio'r rhicyn 'blwch llythyrau' allan at y llech crog. Brwydr anosgeiddig, ond doniol i'r mwyafrif.

9. V7 ✠ Dechrau fel *TL* at y 'blwch llythyrau', wedyn siglwch i'r dde a drwy'r gafaelion ar *broblem 7* a *MB*, i orffen fel *problem 4*.

10. V2 ✠✠ Dringwch drwy'r chwydd yn y man gwan i gyrraedd y llech uwch.

11. Ren–Arete V5 ✠✠✠ O ddechreuad o'r eistedd ar y bloc isel, dilynwch yr hollt lletgroes allan i wyrafaelion ar y crib crog, sy'n arwain at y brig. Clasur pur.

12. Limp Wrist V7 ✠ Gafael ym mhinsiad *The Limpet* gyda'ch llaw chwith ac ennill uchder, cyn slapio'n enbyd at y grib crog ar y dde. Gorffen fel *Ren-Arete*.

13. The Limpet V6 ✠✠✠ Mae'r wal bargodol uwch y pinsiad anghyfarwydd yn ildio i'r dringwr cadarn a medrus yn unig. Clasur llwyr arall.

14. V2 ✠✠ Ymosodwch y chwydd serth, naill ai o'r chwith neu'r dde.

15. The Alabaster Roof V5 ✠✠ O ddechreuad o'r eistedd ar y bloc isel o dan y to, epawch allan i'r dde drwy'r serthni, i gyrraedd tir hawdd o'r diwedd. Yn anffodus nid yw'r problem ardderchog hwn yn sychu allan dim ond yn ystod diwrnodau gwyntog dros ben.

16. V2 ✠ Llinell uchelgeilliol i fyny'r pocedi crensiog at frig y clogfaen anferth. Wrth gwrs mae yna broblemau crensiog/tamp yn bosibl o gwmpas y bloc hyn, ac eraill yn agos i'r linell distyll.

17. Dyer's Trav V5 ✠ Tramwyiad da ond crensiog a thamp ofnadwy i mewn i *broblem 16*.

Chris Davies, The Limpet V6, Angel Bay/Porth Dyniewyd, Photo/Ffôto: Simon Panton

angel bay: THE BOULDERS

18. Angel Of Destruction E7 6c ⌘⌘ A wild route that breaks diagonally rightwards across the steep face to gain the upper white wall and an easing in the difficulties. Start by jumping from the low boulder to poor holds on the slight ramp. There are good wires at the 6 metre mark, but it would be prudent to place a pad on the boulder beneath the following crux section.

19. Wet Between The Legs V8+ From a sit down start (left hand: slopey dink, right hand: low sidepull), attack the vague, bulging rib to a slopey lip encounter. Often too wet to climb.

20. The Pocky Slap V4 ⌘ From a sit down start on pockets, climb directly to a tricky mantel finish. Usually wet.

21. Truth About Samson V7 ⌘⌘ A real forearm grazer! From a standing position on the low boulder on the left, lean in and swing powerfully rightwards with increasing difficulty to top out as for *WBTL*. If you can dry the footholds, this is climbable even on still/damp days. (The *Pocky-Samson Link* goes at V8.)

22. Sonic Boom V8+ ⌘⌘⌘ The definitive power-stamina classic. Start with your feet on the low block on the right, beneath the right arête. Flex leftwards past barely adequate slopers and a dearth of footholds, to a slight reprieve 3 or 4 metres in, holding hard for the final battle to gain better holds (just before the left arête) that give access to the top.

23. Spectrum V7 ⌘ From a sit down start (right hand: slopey edge, left hand: low slopey hold) campus up through the *SB* traverse to gain the top of the boulder. A variation finish (*Slippery Seamen* V8+) extends the difficulties by reversing the crux of *SB* to finish up the right arête.

24. V3 ⌘ A short lived sit down start up the back left arête.

25. V2 ⌘ Tricky wall with less than great landing.

26. The Ramp V0– ⌘⌘⌘ The classic line leading into high, but easier ground.

27. The Scoop V1 ⌘ The crunchy scoop right of the rounded arête.

porth dyniewyd: Y CLOGFAENI

18. Angel Of Destruction E7 6c ⌘⌘ Dringfa gwyllt sy'n torri'n lletgroes ar draws y wyneb serth i gyrraedd y wal gwyn a dringo haws. Dechrau wrth neidio o'r clogfaen isel at afaelion gwael ar y ramp bas. Mae gwifrau da i'w cael wrth y nod 6 metr, ond gwell cael pad ar y clogfaen o dan ar ôl y darn craidd.

19. Wet Between The Legs V8+ O ddechreuad o'r eistedd (llaw chwith: dinc gwyrol, llaw dde: tandor isel) ymosodwch yr asen annelwig chwydd at y gwefus gwyrol. Yn aml yn rhy wlyb i'w ddringo.

20. The Pocky Slap V4 ⌘ O ddechreuad o'r eistedd ar bocedi, dringwch yn syth at orffeniad trawstiol cyfrwys. Yn wlyb fel arfer.

21. Truth About Samson V7 ⌘⌘ Sgriffiadwr elin go iawn. Dechrau o'r sefyll ar y clogfaen isel ar y chwith, pwyswch i mewn a siglwch yn bwerus i'r dde yn mynd yn galetach ac yn brigo fel *WBTL*. Os ydych yn medru sychu'r troedleoedd, mae hwn yn bosibl ar ddiwrnodau tawel/tamp. (Mae'r cysylltiad *Pocky-Samson* yn V8)

22. Sonic Boom V8+ ⌘⌘⌘ Diffiniad o glasur pwer-stamina. Dechrau gyda'ch traed ar y bloc isel i'r dde, o dan y crib dde. Ymestyn i'r chwith heibio gwyrafaelion prin o ddefnydd ac ychydig o ddroedleoedd, at arbedigiad bach tua 3 neu 4 metr i mewn, gafael ymlaen yn nerthus at y frwydr diweddglo i ennill gafaelion gwell (ychydig cyn y crib chwith) sy'n galluogi mynediad i'r brig.

23. Spectrum V7 ⌘ O ddechreuad o'r eistedd (llaw dde: cyr gwyrol, llaw chwith: gafael isel gwyrol) symudiadau campws i fyny drwy tramwyiad *SB* i gyrraedd y brig. Gorffeniad amrywiol (*Slippery Seamen V8+*) yn ymestyn yr anawsterau drwy wneud craidd *SB* yn wrthol a gorffen i fyny'r crib dde.

24. V3 ⌘ Cychwyniad llawr byr i'r crib cafn chwith.

25. V2 ⌘ Wal cyfrwys gyda glanfa sy'n llai na da.

26. The Ramp V0– ⌘⌘⌘ Y llinell clasurol yn arwain at dir uchel, ond haws.

27. The Scoop V1 ⌘ Y cafn crensiog i'r dde o'r crib crwm.

28. Garp ⌘ The frankly ungradeable (try 'desperate') and furry roof crack feature.

29. Patch's Wall V3 ⌘⌘ The superb, crunchy wall. Two further crunchy V1s lie at the low tide mark just to the left.

30. The Westy Hole Blowers XS ⌘⌘ A wild and atmospheric shallow-water-solo. Traverse from the fishermen's ledge across the steep juggy wall into the tight zawn. The exit up the blow hole is said to be character building.

28. Garp ⌘ Amhosib graddio (ceisiwch 'difrifol') a'r hollt to blewog.

29. Patch's Wall V3 ⌘⌘ Y wal crensiog ardderchog. Ceir dau V1 crensiog arall wrth y llinell distyll ychydig i'r chwith.

30. The Westy Hole Blowers XS ⌘⌘ Solo-dwr-bas gwyllt ac atmosfferig. Tramwywch o'r sil pysgotwyr ar draws y wal crafangol i'r cilan tynn. Mae'r allanfa i fyny'r twll chwuth yn frawychus.

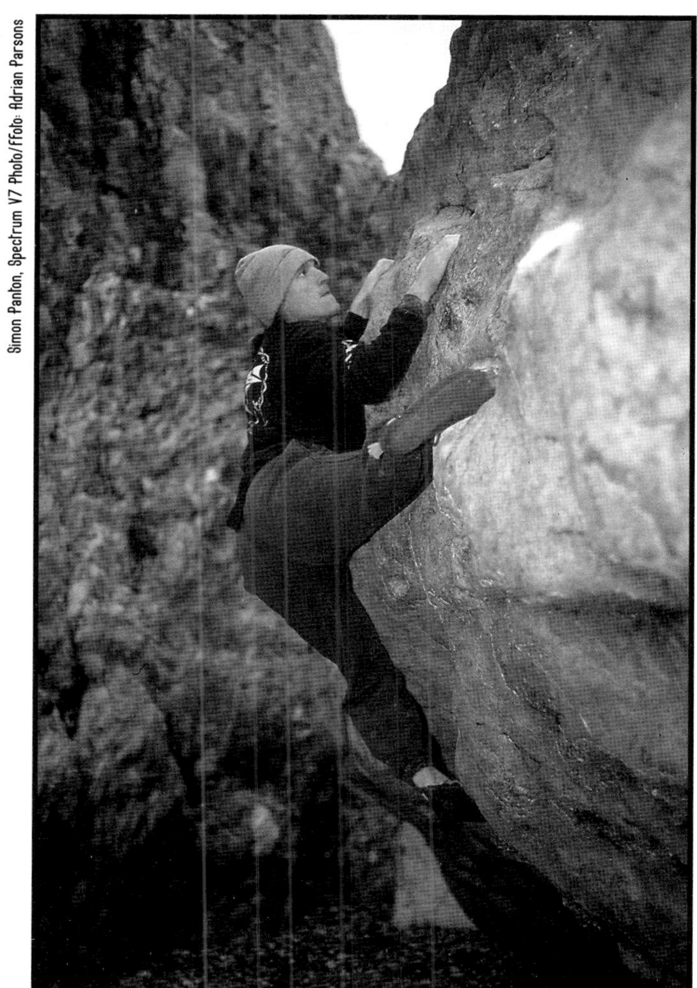

Simon Panton, Spectrum V7 Photo/Ffoto: Adrian Parsons

LITTLE ORME

Up on top of Little Orme a couple of micro crags offer further steep test pieces for those who have cleaned up at Angel Bay and on the Marine Drive. Both crags have unpleasant, loose upper sections. Consequently the best tactic is to jump down or traverse off once easy ground is reached.

Access: it is possible to approach from the Manor Crag side of Little Orme, but most people opt for the Angel Bay approach: just before the top of the bay is reached, turn left up the incline to gain the upper quarry. Skirt either side of the quarry and walk over the top into a vague valley feature with small broken crags on the left. The Cave Wall comes into view on the right, whilst The Bulging Wall is slightly hidden around to the right again. (See map 25 on page 195.)

CYNGREADUR BACH

I fyny ar ben Cyngreadur Bach mae cwpl o glogwyni micro sy'n cynnig profion serth i'r rhai sydd wedi gorffen â Phorth Dyniewyd a Cylchdro Pen y Gogarth. Mae'r ddau glogwyn a darnau uwch gwael a rhydd. Felly, y tacteg gorau yw neidio i ffwrdd neu dramwyo unwaith mae tir hawdd wedi ei gyrraedd.

Mynediad: Mae'n bosibl cyrraedd o ochr Craig Maenol y Cyngreadur Bach, ond y mae'r rhan fwyaf yn dewis y ffordd o Borth Dyniewyd: ychydig cyn cyrraedd brig y bae, trowch i'r chwith i fyny'r inclein i gyrraedd y chwarel uwch. Ewch heibio naill ochr neu'r llall o'r chwarel a cherddwch dros y brig i mewn i ddyffryn annelwig gyda chlogwyni bach toriedig ar y chwith. Mae Pared Ogof yn dod i'r amlwg ar y dde, tra bod Pared Chwydd braidd yng nghudd ychydig ymhellach i'r dde eto. (Gweler map 25 ar dudalen 195.)

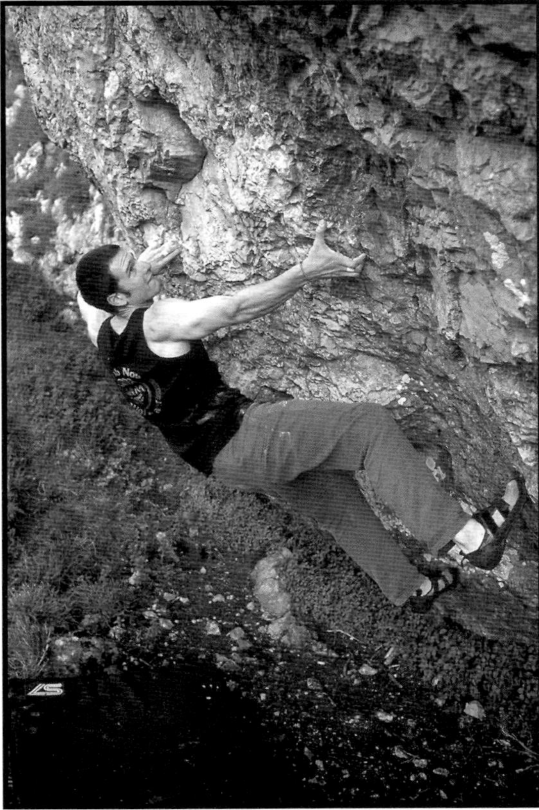

Nige Harris, Wierdo V8+
Photo/Ffoto: Fay Edwards

little orme: CAVE WALL

1. Floppy's Reach V3 ⌘ From a sit down start at the left side of the cave, climb directly to a ledge and jugs.

2. Breezeblock V6 ⌘⌘ From the same start as *FR*, flex rightwards across to the centre of the steep left hand cave, moving powerfully up past a conspicuous fat undercut pinch (right hand), before swinging right again and follow the thin high break that leads (eventually) to easy ground.

3. Caveman V8 ⌘ From a sit down start in the middle of the left hand cave (feet on left wall, hands on opposition side pulls), power directly up through the steepness, breaking leftwards through *Breezeblock* to gain the top of *FR*.

4. Patch's Problem V6 ⌘ Start on undercuts underneath in the right-hand cave, then climb past the 3 finger pocket (taken with right hand) just over the lip, and trend left past a nasty mono, before finishing direct to the thin break.

5. Rocket In A Pocket V7 ⌘ From a similar start as *PP*, move out and take the 3 finger pocket with your left hand, swerve right to a side pull feature and go direct to the thin break.

6. V7 A low start 1 metre to the right of *RIAP* yields another direct line, using a 2 finger pocket (right hand).

7. The Weakest Link V8+ ⌘ From the same start as problem 6, follow the lip of the 2 caves, all the way to reach the top of *FR*.

cyngreadur bach: PARED OGOF

1. Floppy's Reach V3 ⌘ O ddechreuad o'r eistedd wrth ochr chwith yr ogof, dringwch yn syth at sil a chrafangau.

2. Breezeblock V6 ⌘⌘ O'r un dechreuad â *FR*, ymestynwch i'r dde ar draws i ganol yr ogof chwith serth, symud yn bwerus heibio pinsiad tandor tew amlwg (llaw dde), cyn pendylu i'r dde eto a dilyn y toriad uchel sy'n arwain (yn y diwedd) at dir hawdd.

3. Caveman V8 ⌘ O ddechreuad o'r eistedd yng nghanol yr ogof chwith (traed ar y wal chwith, dwylo ar ochafaelion cyferbyniol), pwerwch yn syth drwy'r serthni, a thorri i'r chwith drwy *Breezeblock* i gyrraedd brig *FR*.

4. Patch's Problem V6 ⌘ Dechrau ar dandoriadau yn yr ogof dde, dringwch heibio poced 3 bys (gyda'r llaw dde) ychydig dros y gwefus, a thueddwch i'r chwith heibio mono ffiaidd cyn gorffen yn syth at y toriad tenau.

5. Rocket In A Pocket V7 ⌘ O ddechreuad tebyg i *PP*, symudwch allan a chymrwch y poced 3 bys gyda'ch llaw chwith, gwyro i'r dde at nodwedd ochdyn ac ewch yn syth at y toriad tenau.

6. V7 Dechrau yn isel 1 metr i'r dde o *RIAP* yn rhoi llinell union arall, yn defnyddio poced 2 fys (llaw dde).

7. The Weakest Link V8+ ⌘ O'r un cychwyniad â phroblem 6, dilyn gwefus y 2 ogof, yr holl ffordd i gyrraedd brig *FR*.

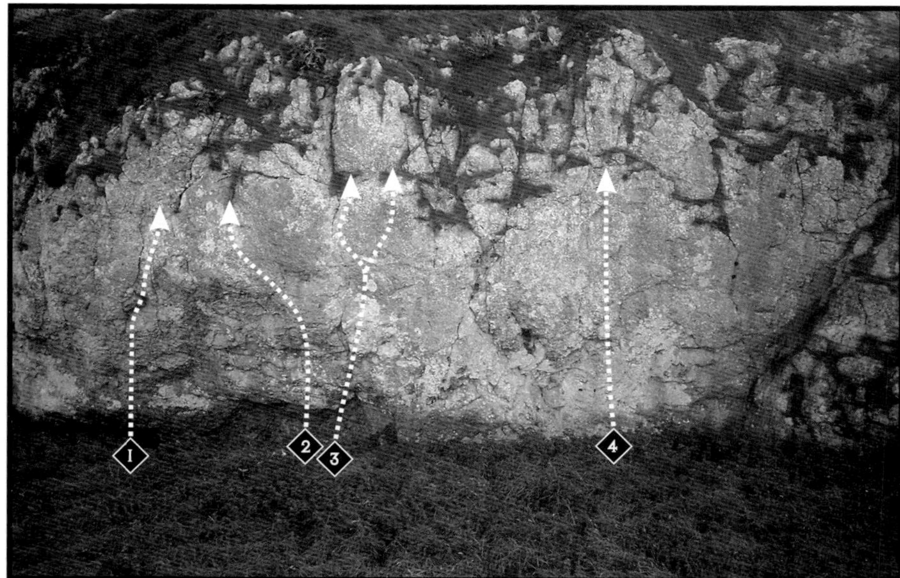

little orme: BULGING WALL

1. Wierdo V8+ ✠✠ From a sit down start (hands matched on the pinchy block), blast straight up into the thin hanging crack.

(NB. **Too Pumpy For Grumpy V8 ✠**, an easier variant slaps diagonally leftwards to gain another crack and jugs.)

2. Project.

3. Rampant Rabbit V7 ✠✠ From a sit down start move up right to gain a prominent sloper. Lock this desperately and reach into the hanging finger crack on the left, that leads to good holds. For the right hand variant (V6) match the sloper and lock up right to a small edge, before grasping the same finishing hold as the original. (NB. An independent sit down start is possible just to the right.)

4. V3 ✠ Go straight up the wall, finishing either left or right.

cyngreadur bach: PARED CHWYDD

1. Wierdo V8+ ✠✠ O ddechreuad o'r eistedd (dwylo yn cydrannu bloc pinsiedig), ffrwydrwch yn syth i fyny i mewn i'r hollt tenau crog.

(NB. **Too Pumpy For Grumpy V8 ✠**, amrywiad haws sy'n slapio'n lletgroes i'r chwith i gyrraedd hollt arall a crafangau.)

2. Llinell prosiect.

3. Rampant Rabbit V7 ✠✠ O ddechreuad o'r eistedd symudwch i fyny i'r dde i gyrraedd gwyrafael amlwg. Cloi hwn yn enbyd ac ymestynwch i mewn at yr hollt bys crog ar y chwith, sy'n arwain at afaelion da. I'r amrywiad dde (V6) cydrannwch y gwyrafael a cloi i fyny i'r dde at ymyl bychan, cyn cipio'r un gafael gorffenedig a'r gwreiddiol. (NB. Mae cychwyniad llawr annibynnol yn bosibl ychydig i'r dde.)

4. V3 ✠ Ewch yn syth i fyny'r wal, gorffen i'r chwith neu'r dde.

ROADRUNNER CAVE

Although arguably the strangest crag described herein, Roadrunner Cave has much to offer the bleary-eyed pump junkies amongst us. All of you will have driven - perhaps unwittingly - within spitting distance of this bizarre crag, situated as it is, just off the A55 road at the Penmaenbach tunnel. Some of you may have already taken a look, yet baulked at the harsh ambience, the closeness of the road, the buzz of the passing traffic? Perhaps you only climb to be in beautiful places, and perhaps you feel your talents would be wasted on a place with such obtuse and jarring aesthetics? Roadrunner is certainly not suited to all tastes, and unless you are cruising V5 and upwards, there is little on offer. However, if you have a penchant for relentless, vein busting, muscle ripping, power stamina epics, then look no further. This is it: the crag you always dreamed of; 40 separate possible problems, connections and link ups that will drive you - in equal measure - to ecstasy and despair.

Access: approaching from the Bangor side of the tunnel, park in the large bus stop/layby 200 metres before the tunnel. Walk down until opposite the cave and cross the road with care. Do not park on, or drive your car around the cycle track beneath the bolted crag. Do not sit on the wall, or cause unnecessary distraction to passing drivers.

OGOF ROADRUNNER

Tra bod y clogwyn yr un mwyaf hynod a ddisgrifir, mae gan Roadrunner llawer i gynnig i'r cyffurgwn pwmp yn ein plith. Y bydd pob un ohonnoch wedi gyrru heibio - hwyrach yn ddiarwybod - yn agos i'r clogwyn rhyfeddol hwn, wedi ei leoli, fel y mae, wrth ochr yr A55 ger twnel Penmaenbach. Y bydd rhai ohonoch wedi cael golwg, ond wedi gwrthod oherwydd yr awyrgylch creulon, yr agosrwydd at y ffordd, neu swn y traffig gerllaw? Tybed os ydych dim ond yn dringo er mwyn bod mewn lleoedd prydferth, a tybed os ydych yn teimlo bod eich medrau yn cael eu gwastraffu mewn man gyda estheteg mor benbylaidd a chas? Nid yw Roadrunner yn plesio pawb, ac os nad ydych yn dringo V5 ac yn uwch, nid oes llawer ar gael. Ond, os oes hoffter gennych o ddringo didrugaredd, gwythïen ffrwydro, rhwyg cyhyrau, pwer stamina epig, dyma'r man i chwi. Dyma ni: y clogwyn o'ch breuddwydion; 40 problem gwahanol yn bosibl, cysyllitiadau a chadwyni a fydd yn eich gyrru chwi - i'r un graddau - at ferlewyg ac anobaith.

Mynediad: wrth ddod o ochrau Bangor at y twnel, parciwch yn yr arhosfan/safle bws 200 metr cyn y twnel. Cerddwch at y twnel nes i chwi ddod gyferbyn â'r ogof, croeswch y ffordd yn ofalus. Peidiwch â pharcio, neu gyrru eich car ar y trac beiciau o dan y clogwyn bolltiog. Peidiwch ac eistedd ar y wal, neu achosi ymyrraeth i yrrwyr ar y ffordd.

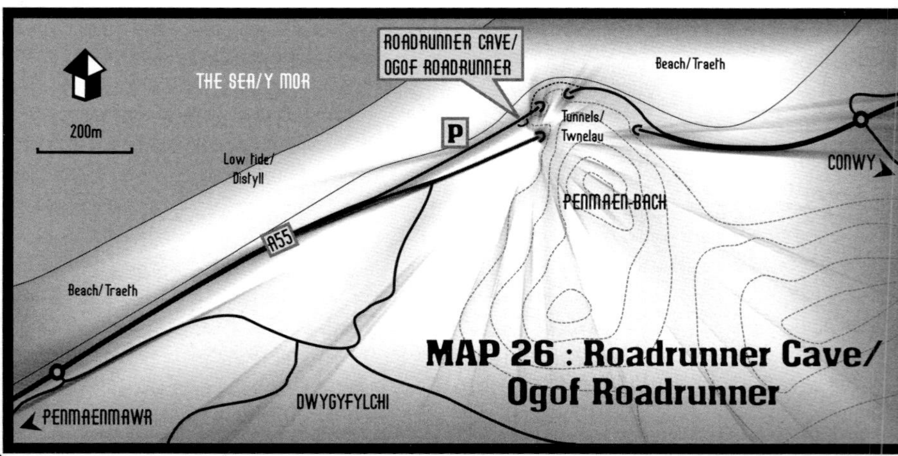

MAP 26 : Roadrunner Cave/ Ogof Roadrunner

Chris Davies, Bladerunner/Original Problem V6, Roadrunner Cave/Ogof Roadrunner. Photo/Ffoto: Ray Wood

ROADRUNNER CAVE

Despite initial impressions, this is not an eliminate crag. All the problems follow lines of relatively lesser resistance and can usually be conquered by varying methods that in turn suit the continuum of common body types (except perhaps, 'fat and weak').

The occasional rattling hold will be encountered and care should be taken around the finishing jug area above the lip, but on the whole the evolution of the climbing surface has reached a state of relative stability.

1. Beep V4 ⌘⌘ The obvious sit down start at the left end of the face, leads to a tricky match at the lip. Finish on the jug up left.

2. Beep Beep V5 ⌘⌘ Follow *Beep* to the lip, which is then traced rightwards for 2 metres to gain an obvious jug above a small groove feature.

3. The Skoda Scenario V7 ⌘⌘ Extend the *Beep Beep* traverse by continuing along the lip on tenuous slopers to gain the jugs atop *BR*.

4. The Chauffeur V6 ⌘⌘ Follow *Beep* to the big hold at chest height, before working rightwards, with the aid of a small thin side pull to the slopey lip, finishing on the same jug as *BB*.

5. Diana Stand Up V10 ⌘⌘ Reach a set of poor crimps, pull on and slap in desperation for the same point on the slopey lip that *TC* does (i.e. at the base of the small groove). Hold the swing with Bruce Lee body tension and continue to the *BB* jug. **The Ramp Start V12** ⌘⌘ adds yet further difficulty, and discounts the heightist nature of the original version.

6. Blade Runner V6 ⌘⌘ From a low/sit down start on good sidepulls, move up and left to take a small crimpy edge with your left. A hard catch move might land your right hand on the high edge. If it does, pull more easily to the lip.

7. The Original Problem V5 ⌘⌘ From the same sit down start as *BR* climb up directly to gain a poor sloping ledge. Match desperately and reach out left to gain the good high edge with your left hand. Rock high for the lip jugs.

OGOF ROADRUNNER

Yn groes i argraffion cyntaf, nid yw'n glogwyn dileadau. Mae'r problemau i gyd yn dilyn llinellau o wrthsafiad lleiaf ac y mae'n bosibl i'w dringo gyda sawl modd a'r meintiau corfforol amrywiol cyffredin (heblaw'r tew a'r gwan).

Byddwch yn dod ar draws rhai gafaelion rhydd a fe ddylwch gymryd gofal o gwmpas yr ardal grafangol gorffenedig uwch y gwefus, ond ar y cyfan mae'r wyneb dringo wedi cyrraedd sefyllfa sefydlog.

1. Beep V4 ⌘⌘ Y dechreuad o'r eistedd amlwg wrth ben chwith y wyneb, yn arwain at gydranniad cyfrwys ar y gwefus. Gorffen ar y crafanc i fyny i'r chwith.

2. Beep Beep V5 ⌘⌘ Dilyn *Beep* at y gwefus, sydd wedyn yn cael ei ddilyn am 2 metr i gyrraedd crafanc amlwg uwch nodwedd rhych bychan.

3. The Skoda Scenario V7 ⌘⌘ Ehangu tramwyiad Beep Beep drwy ddilyn y gwefus ar wyrafaelion main i gyrraedd y crafangau uwchben *BR*.

4. The Chauffeur V6 ⌘⌘ Dilyn *Beep* at afael mawr frest-uchel, cyn gweithio i'r dde, gyda chymorth ochdyn bach tenau at y gwefus gwyrol, gorffen ar yr un crafanc â *BB*.

5. Diana Stand Up V10 ⌘⌘ Cyrraedd i fyny at rychion gwael, tynnu ymlaen a slapiwch yn ddifrifol at yr un pwynt ar y gwefus gwyrol a mae *TC* yn gwneud (h.y. ar waelod y rhych bychan). Dal y pendyliad gyda thyndra corff Bruce Lee ac ewch ymlaen at grafanc *BB*. **The Ramp Start V12** ⌘⌘ yn rhoi mwy o anhawster, a dileu'r natur uchderol y fersiwn gwreiddiol.

6. Blade Runner V6 ⌘⌘ O ddechreuad isel/o'r eistedd ar ochdynnau da, symudwch i fyny ac i'r chwith i afael cyr crychiog gyda'ch chwith. Weithiau mae symudiad dal anodd yn gadael i chwi rhoi'r llaw dde ar y cyr uchel. Os ydyw tynnwch yn haws at y gwefus.

7. The Original Problem V5 ⌘⌘ O'r un dechreuad â *BR* dringwch i fyny yn syth i gyrraedd sil gwyrol gwael. Cydrannu'n enbyd ac ymestyn allan i'r chwith i gyrraedd cyr uchel da gyda'ch llaw chwith. Trosiglwch yn uchel at y crafangau gwefus.

ROADRUNNER CAVE

8. Kung Fu V8 ⌘⌘ Left of the *BR* start a line of vertical layback/undercut holds provide the key to this sit down start problem. Snatch quickly into the main traverse line, bearing right to finish up *BR*. The finish into *TOP* rates V7.

9. Dodi V4 ⌘ From a sit down start position on a pair of low crimps, follow the edge of the steep ground (i.e just right of *TOP*) to gain jugs over the lip.

10. The Traverse V7/8 ⌘⌘ From the *Beep* sit down start position, traverse rightwards across the base of the wall, eventually reaching easy ground. A variation finish (also V7/8) breaks out right from *TOP* at a higher level to gain jugs up on the right. The reverse version of the traverse is similarly challenging (V7/8).

OGOF ROADRUNNER

8. Kung Fu V8 ⌘⌘ I'r chwith o ddechrau *BR* mae llinell o afaelion tandor/ôl-wthio yn rhoi'r ateb i'r problem cychwyniad llawr hyn. Cipiwch yn gyflym i'r prif linell tramwyo, tueddu i'r dde i orffen i fyny *BR*. Mae'r gorffeniad i mewn i *TOP* yn rhoi V7.

9. Dodi V4 ⌘ O ddechreuad o'r eistedd ar pâr o grychion isel, dilyn ymyl y tir serth (h.y. ychydig i'r dde o *TOP*) i gyrraedd crafangau ychydig dros y gwefus.

10. The Traverse V7/8 ⌘⌘ O ddechreuad o'r eistedd *Beep* tramwywch i'r dde ar hyd waelod y wal, i gyrraedd tir hawdd yn y pen draw. Mae gorffeniad amrywiol (hefyd V7/8) yn torri allan o *TOP* ar lefel uwch i gyrraedd crafangau i fyny ar y dde. Mae'r tramwyiad yn wrthol yn sialens (V7/8) tebyg.

roadrunner cave: REDPOINT LINKS

Now that you have had a glimpse of the surface action, perhaps it is time to dig a little deeper. The following list route-marks a journey to the dark heart of this subculture. Only long hours of dedication and the avoidance of normal social interaction will yield results. A price too heavy to pay for most, yet the true Roadrunner completist knows the plain truth: that pain and sacrifice are indeed justified. If only by the sure knowledge that these acts of self flagellation will guarantee passage to that elusive state of exhausted and exalted euphoria; a special post redpoint place that light hearted players will never truly know.

1. L-R Traverse into *BR*. V8+
2. L-R Traverse into *TOP*. V8+
3. L-R Traverse into *Dodi*. V8
4. L-R Traverse into *BR*, then reverse *TSS* to the finish of *BB*. V9
5. L-R Traverse into *TOP*, then reverse *TSS* to the finish of *BB*. V9
6. L-R Traverse into *Dodi*, then reverse *TSS* to the finish of *BB*. V8+
7. R-L Traverse into *Beep*. V8
8. R-L Traverse into *BB*. V8+
9. R-L Traverse into *TSS*. V9
10. R-L Traverse into *TC*. V8+
11. R-L Traverse into *TC*, finish along *TSS*. V9
12. R-L Traverse into *Diana*. V12/3 Project?
13. R-L Traverse into *BR*. V7
14. R-L Traverse into *TOP*. V7
15. R-L Traverse into *BR*, then reverse *TSS* to the finish of *BB*. V8
16. R-L Traverse into *TOP*, then reverse *TSS* to the finish of *BB*. V8
17. *Kung Fu* into *BR*, then reverse *TSS* to the finish of *BB*. V8+
18. *Kung Fu* into *TOP*, then reverse *TSS* to the finish of *BB*. V8+
19. *Kung Fu* into *TC*. V8
20. *Kung Fu* into *TC*, finish along *TSS*. V9

ogof roadrunner: CYSYLLTIADAU NODGOCH

Nawr yr ydych wedi gweld ychydig o'r chwarae arwynebol, tybed os yw hi'n amser i dyllu ychydig ymhellach. Dim ond oriau hir o ymroddiad a dim ymadwaith gymdeithasol sydd yn arwain at ganlyniadau. Pris llawer rhy uchel i'r mwyafrif, ond mae gwir cwblhawr Roadrunner yn adnabod yr holl wir: mae'r poen a'r aberthu yn gyfiawn. Hyd yn oed er mwyn y sicrwydd y bydd y gweithredoedd hunan-fflangelliad hyn yn sicrhau tramwyad i'r cyflwr annaliadwy o orawen lluddedig ond dyrchafedig; man ôl-nodgoch arbennig dim ond i'r chwaraewyr dwys.

1. Ch-Dd Tramwyiad i mewn i *BR*. V8+
2. Ch-Dd Tramwyiad i mewn i *TOP*. V8+
3. Ch-Dd Tramwyiad i mewn i *Dodi*. V8
4. Ch-Dd Tramwyiad i mewn i *BR*, *TSS* yn wrthol at orffeniad *BB*. V9
5. Ch-Dd Tramwyiad i mewn i *TOP*, *TSS* yn wrthol at orffeniad *BB*. V9
6. Ch-Dd Tramwyiad i mewn i *Dodi*, *TSS* yn wrthol at orffeniad *BB*. V8+
7. Dd-Ch Tramwyiad i mewn i *Beep*. V8
8. Dd-Ch Tramwyiad i mewn i *BB*. V8+
9. Dd-Ch Tramwyiad i mewn i *TSS*. V9
10. Dd-Ch Tramwyiad i mewn i *TC*. V8+
11. Dd-Ch Tramwyiad i mewn i *TC*, gorffen ar hyd *TSS*. V9
12. Dd-Ch Tramwyiad i mewn i *Diana*. V12/13 Prosiect?
13. Dd-Ch Tramwyiad i mewn i *BR*. V7
14. Dd-Ch Tramwyiad i mewn i *TOP*. V7
15. Dd-Ch Tramwyiad i mewn i *BR*, *TSS* yn wrthol at orffeniad *BB*. V8
16. Dd-Ch Tramwyiad i mewn i *TOP*, *TSS* yn wrthol at orffeniad *BB*. V8
17. *Kung Fu* i mewn i *BR*, *TSS* yn wrthol at orffeniad *BB*. V8+
18. *Kung Fu* i mewn i *TOP*, *TSS* yn wrthol at orffeniad *BB*. V8+
19. *Kung Fu* i mewn i *TC*. V8
20. *Kung Fu* i mewn i *TC*, gorffen ar hyd *TSS*. V9

roadrunner cave: REDPOINT LINKS

21. *Kung Fu* into *Beep*. V7
22. *Kung Fu* into *BB*. V8
23. *Kung Fu* into *TSS*. V8+/9
24. *Kung Fu* into *Diana*. V12 (project?)
25. *The Chauffeur* into *TSS*. V7
26. *Blade Runner* into the reverse of *TSS*. V7/8
27. *The Original Problem* into the reverse of *TSS*. V6/7

ogof roadrunner: CYSYLLTIADAU NODGOCH

21. *Kung Fu* i mewn i *Beep*. V7
22. *Kung Fu* i mewn i *BB*. V8
23. *Kung Fu* i mewn i *TSS*. V8+/9
24. *Kung Fu* i mewn i *Diana*. V12 (prosiect?)
25. *The Chauffeur* i mewn i *TSS*. V7
26. *Blade Runner* i mewn i wrtholiad *TSS*. V7/8
27. *The Original Problem* i mewn i wrtholiad *TSS*. V6/7

Photo/Ffoto: Simon Panton

CONWY MOUNTAIN

A small obscure quarry in the hill top behind Notice Board Crag (OS Ref. 768 778). On the left the high arête is quite a classic V3/4. Just to the right a short steep block yields a V8 traverse: right to left (from a sit down start) then up for the top before the end. The right side of the crag has a bizarre V5 traverse, somewhat reminiscent of the steeper, harder routes at Gogarth (i.e. pumpy, loose and confusing). Probably best classified as a 'local' crag. (See map 22 on page 175.)

MYNYDD Y DREF

Chwarel bach anhysbys yn y bryn y tu ol i Craig Bord Arwydd (Cyf. AS 768 778). Ar y chwith mae'r crib y V3/4 clasurol. Ychydig i'r dde mae bloc serth bychan yn rhoi tramwyiad V8: dde i'r chwith (o gychwyniad llawr) wedyn i fyny at y brig cyn y diwedd. Ar ochr dde'r clogwyn mae tramwyiad V5 rhyfeddol, atgoffaol braidd o'r dringfeydd caletaf yng Ngogarth (h.y. pwmpiog, rhydd a dryslyd). Yn well dosbarthu fel clogwyn 'lleol'. (Gweler map 22 ar dudalen 175.)

PORTH YSGO

Bouldering venues on the Lleyn Peninsula are limited in number, yet this shortfall in volume is more than compensated for by the presence of an extensive gabbro boulder field located between Porth Ysgo and Porth Alwm. The Porth Ysgo boulders offer a wonderful diversion from the rain lashed mountain crags. The rock is superb and at least half the problems are non-tidal. Despite the relatively remote location, the overwhelming quality of the climbing and the relaxing ambience of these wave-lapped rocks has ensured the growing popularity of this once quiet back water venue. The most important factor is of course the prevailing weather conditions; rainy frontal systems seem to glide over the top of the crag, as if they've been told to wait until they reach the mountains before their loads can be released. If you are unlucky enough to be hit by a passing shower, then I suggest you take shelter and wait. Given the brush of a fresh wind, in half an hour the clean gabbro blocks will be dry, allowing you to pull down on gorgeous, rough slopers. Any time outside of the summer season will bring good climbing conditions, bearing in mind that it is not unusual to be climbing here in a T-shirt in January! However, summer visitors will be able to enjoy extended bouts of sunbathing or paddling if the jet-black rock proves too hot to touch.

The grade range is broad (from easy to desperate), with a particular abundance of fun problems guaranteed to force a smile from even the most jaded bouldering sceptic. Some visitors have commented on the unforgiving nature of the ground beneath the boulders. Indeed, sensibly placed bouldering pads and attentive spotters are recommended. Nonetheless, the impeccable rock quality serves to encourage and reward the confident climber, and I would argue that the added 'feel' on some problems makes for a memorable intensity perhaps lacking at more conventional bouldering venues.

PORTH YSGO

Ychydig o safleoedd bowldro sydd ar gael ym Mhen Lleyn, ond mae'r diffyg mewn niferoedd yn cael ei ddigolledu gan bresenoldeb maes clogfaen gabbro eang wedi ei leoli rhwng Porth Ysgo a Phorth Alwm. Mae clogfaeni Porth Ysgo yn cynnig difyrrwch rhagorol oddi ar glogwyni bwrw chwip y mynyddoedd. Mae'r graig yn ardderchog ac mae o leiaf hanner y problemau yn ddi-lanwol. Er gwaethaf y lleoliad cymharol anghysbell, mae ansawdd y dringo ac awyrgylch heddychlon y creigiau ton llyfn hyn wedi sicrhau twf ym mhoblogrwydd y lleoliad distaw hwn. Y ffactor pwysicaf wrth gwrs yw'r tywydd; mae systemau ffrynt glawog yn tueddu hedfan heibio, fel petai rhywun wedi dweud wrthynt i ddisgwyl nes cyrraedd y mynyddoedd cyn gollwng eu llwyth. Os ydych yn anlwcus ac yn cael eich dal mewn cawod o law, awgrymaf i chwi gysgodi a disgwyl. Gydag awel crai, mewn hanner awr y bydd y blociau gabbro glân yn sych, a gallwch dynnu ar wyrafaelion bras rhagorol. Gall unrhyw gyfnod y tu allan i dymor yr Hâf roi amodau dringo da, cofiwch nid yw dringo yma mewn crys T ym mis Ionawr. Hefyd, fe all ymwelwyr Hâf fwynhau cyfnodau hir o dorheulo neu slotian os yw'r graig ddu-bitsh yn profi'n rhy boeth i'w chyffwrdd.

Gydag amrediad gradd eang (o hawdd at ddifrifol), gyda digonedd arbennig o broblemau hwyliog sy'n sicr o roi gwên ar wyneb yr amheuwr bowldro mwyaf blinedig hyd yn oed. Mae rhai ymwelwyr wedi cyfeirio at natur ddigyfaddawd y tir o dan y clogfaeni. Yn wir, mae angen gwylwyr sylwgar a phadiau bowldro wedi eu gosod yn ofalus. Ta waeth, mae ansawdd ardderchog y graig yn cefnogi ac yn gwobrwyo'r dringwr hyderus, a mi allwn ddadlau fod y 'teimlad' ychwanegol o wynebu rai problemau yn cyfrannu tuag at fwynhad synhwyrol a chofiadwy sydd ddim i'w gael mewn mannau eraill confensiynol.

Simon Young, Truth V8, Porth Ysgo, Area/Ardal 2, Photo/Ffoto: Simon Panton

PORTH YSGO

Access: Porth Ysgo lies just beyond the Rhiw headland that bounds the western side of the Hell's Mouth bay; the surfing mecca just west of Abersoch. As a rough guide it takes about an hour to get from Llanberis to the parking place, followed by a ten minute walk in to the boulders. From Pwllheli take the Abersoch road, but turn off at Llanbedrog, following diversion signs to Rhiw thereafter.

From Rhiw drive towards Aberdaron, turning left when you see a Porth Ysgo signpost at a slightly offset crossroads junction. After 200 metres the road splits and it is possible to park in a small grassy lay-by. (Alternatively it is possible to approach from the National Trust car park further on along the road.)

Go through the gate to the left and follow a path down a small valley - past various old mine entrances that opens out at the old winding house at the top of the grass inclines above the main boulder field. If you follow the stream down the steep retaining hillside at the back of the boulder field, you should pop out at area 2.

PORTH YSGO

Mynediad: lleolir Porth Ysgo ychydig i'r Gogledd o benrhyn Rhiw, sy'n ffurfio ochr Gorllewinol bae Porth Neigwl, y ganolfan beistonna i'r Gorllewin o Abersoch. Fel arfer mae'r daith o Lanberis i'r man parcio yn cymryd awr, a tua deg mynyd wedyn i gerdded at y clogfaeni. O Bwllheli dilynwch y ffordd at Abersoch, ond unwaith yn Llanbedrog ewch i'r dde a dilyn arwyddion dargyfeiriad tuag at Rhiw.

O Rhiw dilyn y ffordd at Aberdaron, ond trowch i'r chwith wrth arwydd Porth Ysgo ar groesffordd offset braidd. Ar ôl 200 metr mae'r ffordd yn hollti, parciwch yma mewn arhosfan bach glaswelltog. (Neu mae hi'n bosibl dod o faes parcio'r Ymddiriedolaeth Genedlaethol ymhellach ar hyd y ffordd.)

Ewch drwy'r giât ar y chwith a dilyn y llwybr i lawr ar hyd dyffryn bychan heibio hen fynediadau amrywiol cloddfa sy'n agor allan ger yr hen dy weindio ar frig yr inclêns glaswelltog uwch y prif faes clogfaen. Dilynwch y ffrwd i lawr y llethr cynhaliol serth wrth gefn y maes clogfaen, a byddwch yn dod allan yn ardal 2.

Pete Robins, Johnny's Slab V4, Area/Ardal 6, Photo/Ffoto: Simon Panton

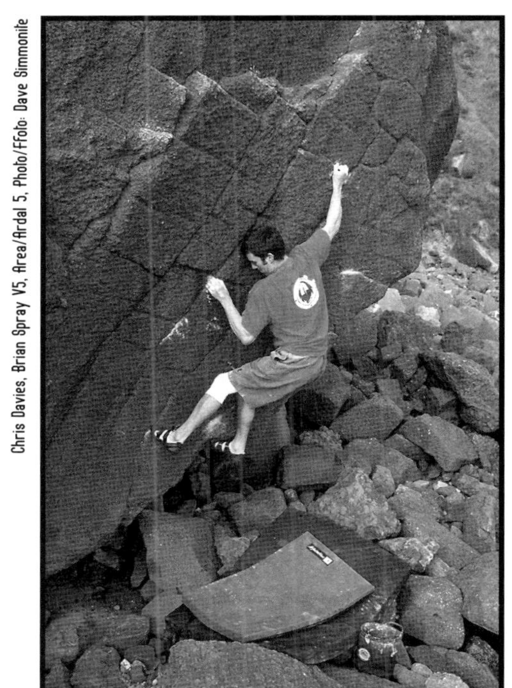

Chris Davies, Brian Spray V5, Area/Ardal 5, Photo/Ffoto: Dave Simmonite

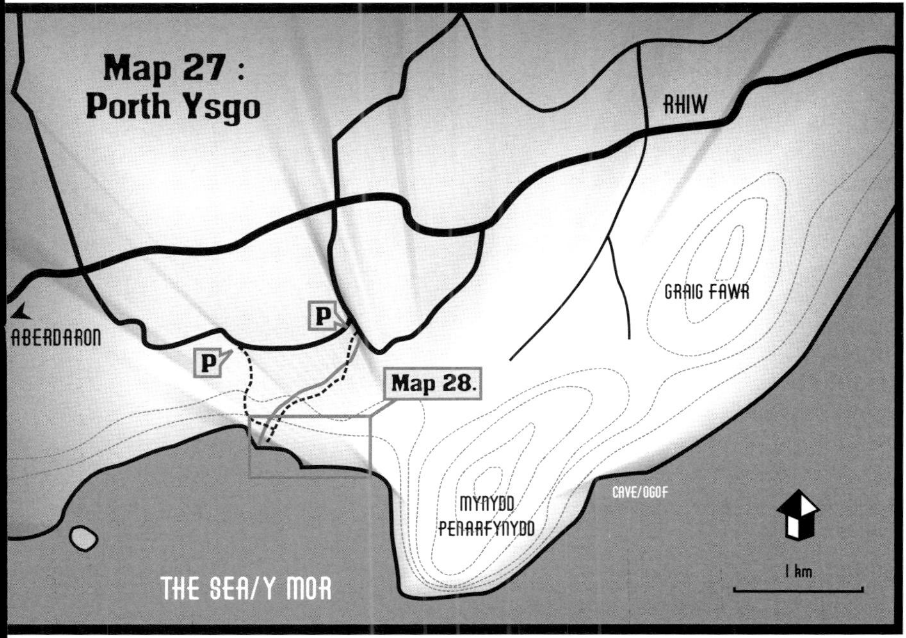

Map 27 : Porth Ysgo

RHIW

GRAIG FAWR

ABERDARON

P

P

Map 28.

CAVE/OGOF

MYNYDD PENARFYNYDD

THE SEA/Y MOR

1 km

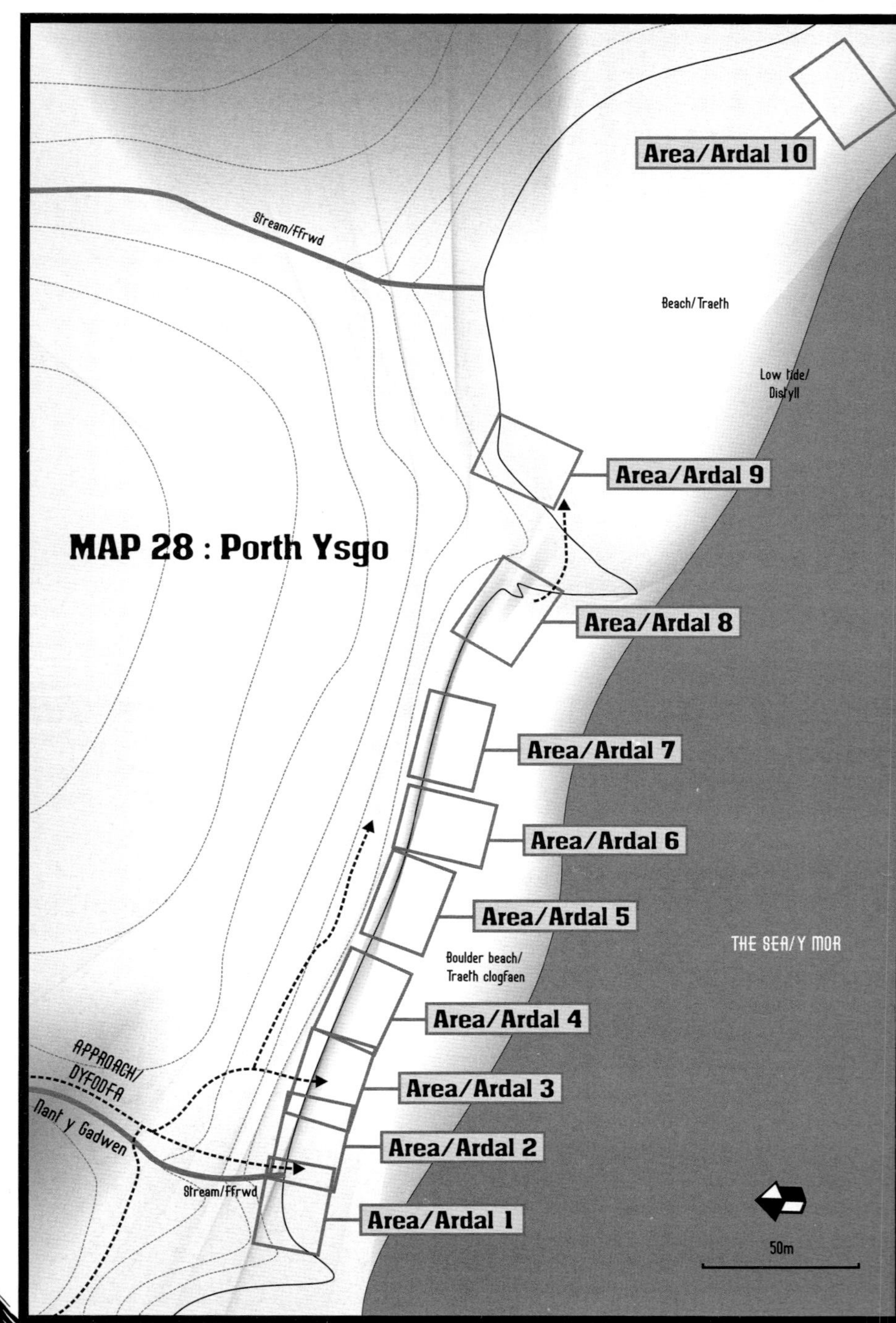

MAP 28 : Porth Ysgo
Area/Ardal 10
Stream/Ffrwd
Beach/Traeth
Low tide/
Distyll
Area/Ardal 9
Area/Ardal 8
Area/Ardal 7
Area/Ardal 6
Area/Ardal 5
THE SEA/Y MOR
Boulder beach/
Traeth clogfaen
Area/Ardal 4
APPROACH/
DYFODFA
Area/Ardal 3
Nant y Gadwen
Area/Ardal 2
Stream/Ffrwd
Area/Ardal 1
50m

Ben Moon, Tide of Dreams V10, Area/Ardal 5, Porth Ysgo, Photo/Ffoto: Ray Wood

porth ysgo: AREA 1

porth ysgo: ARDAL 1

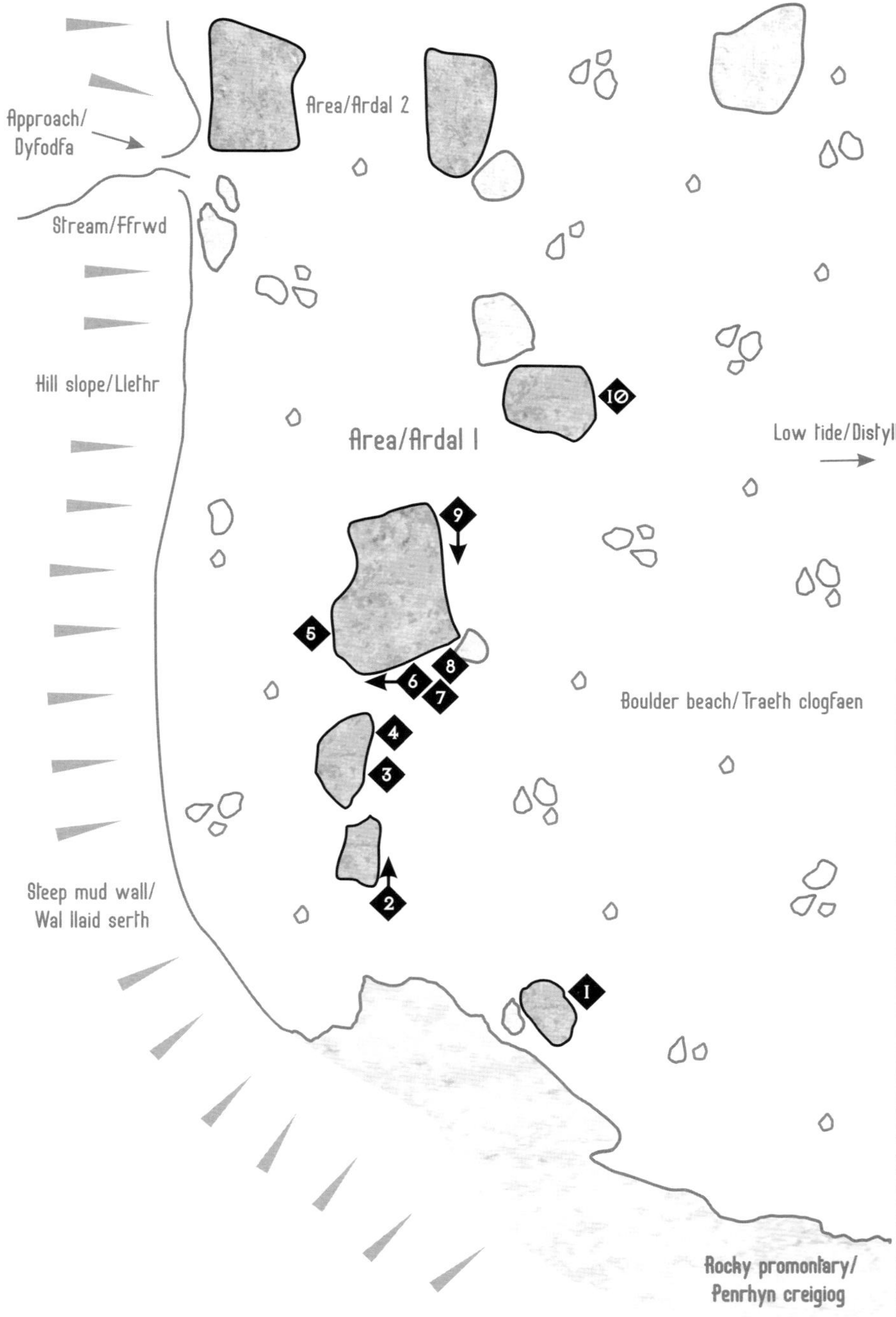

Area/Ardal 2

Approach/
Dyfodfa

Stream/Ffrwd

Hill slope/Llethr

Area/Ardal 1

10

Low tide/Distyll

9

5

8

6

7

Boulder beach/Traeth clogfaen

4

3

2

Steep mud wall/
Wal llaid serth

1

Rocky promontary/
Penrhyn creigiog

porth ysgo: AREA 1

Tucked in at the Porth Ysgo end of the boulder field, this area provides a number of minor problems away from the hustle and bustle of the central areas.

1. The Seat V0 ⌘ Mantel the sloping ledge on the front of the stray Henry Moore sculpture.

2. Sweet Desserts V8 ⌘ A left to right traverse of this slopey block. Unfortunately, the very pebbles that have polished away the blemishes often bury the incredibly smooth base.

3. V1 ⌘ The centre of the triangular face is dependant on a low pebble level at this grade.

4. V0– ⌘ The right arête of the triangular face.

5. Grump Slap V4 ⌘ From a sitting start position make a harsh pull on sloping dimples, just over the lip of the roof, up rightwards to better holds and thus the top.

6. Hogiau Llangefni V5 ⌘ A cool little sit down start that breaks left along the lip of the steep ground snatching into the finish of *GS*. Start with your right hand on the low rounded sidepull.

7. V1 ⌘ Straight up the tricky slab.

8. V1 ⌘ Another tricky line.

9. V2 ⌘ From a sit down start on the lower level move up and traverse the lip of the block all the way to the top of *GS*.

10. Belly Flop V2 ⌘ Mantel the steep end of the smooth block.

porth ysgo: ARDAL 1

Yng nhgwtynnog ym mhen Porth Ysgo y maes clogfaen, mae'r ardal yma â nifer o broblemau isradd i ffwrdd o brysurdeb yr ardaloedd canolig.

1. The Seat V0 ⌘ Trawstiwch y sil gwyrol ar flaen cerflyn crwydredig Henry Moore.

2. Sweet Desserts V8 ⌘ Tramwyiad chwith i'r dde y bloc gwyrol hwn. Yn anffodus, mae'r cerrigynnau sydd wedi caboli'r namau yn aml yn cuddio'r gwaelod anhygoel o lyfn.

3. V1 ⌘ Canol y wyneb trionglog gyda'r gradd yn dibynnu ar lefel cerrigynnol isel.

4. V0– ⌘ Crib dde y wyneb trionglog.

5. Grump Slap V4 ⌘ O ddechreuad o'r eistedd gwnewch tyniad garw ar banylau gwyrol, ychydig dros frig y to, i fyny i'r dde at afaelion gwell ac felly y brig.

6. Hogiau Llangefni V5 ⌘ Dechreuad o'r eistedd pert sy'n tori i'r chwith ar hyd wefus y tir serth a chipio i mewn i orffeniad *GS*. Dechrau gyda'ch llaw dde ar yr ochdyn crwm isel.

7. V1 ⌘ Syth i fyny'r llech cyfrwys.

8. V1 ⌘ Llinell castiog arall.

9. V2 ⌘ Cychwyn o'r eistedd ar y lefel is a symudwch i fyny a thramwyo gwefus y bloc yr holl ffordd at frig *GS*.

10. Belly Flop V2 ⌘ Trawstiwch blaen serth y bloc llyfn.

Jude Spancken,
Higginson Scar V4,
Area/Ardal 2
Photo/Ffoto: Ray Wood

porth ysgo: AREA 2

porth ysgo: ARDAL 2

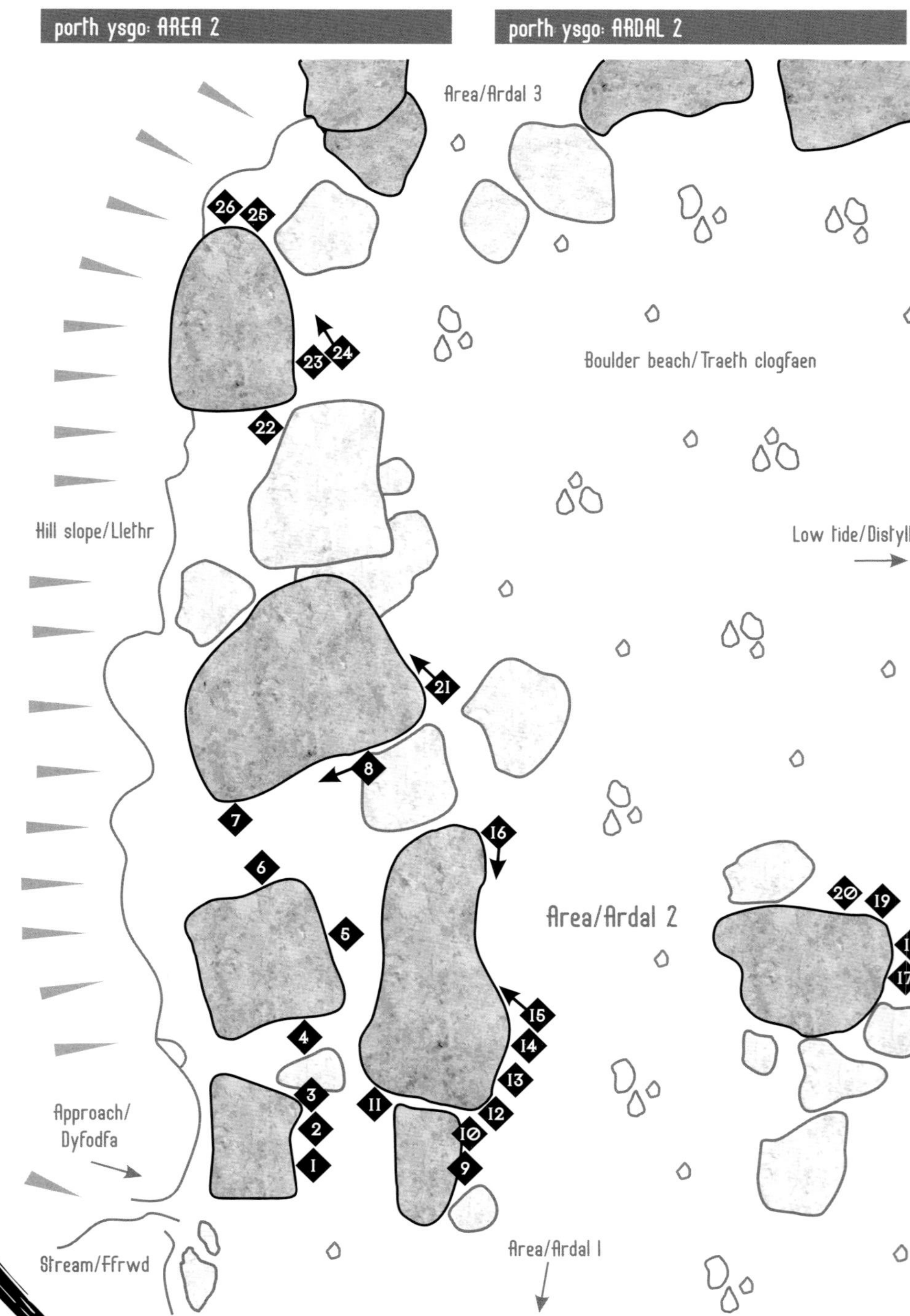

porth ysgo: AREA 2

Most people arriving at the crag for the first time stumble into the boulder field right in the middle of this complex of boulders. The abundance of easier problems, complemented by several crag classics, makes this a good place to start your Porth Ysgo apprenticeship.

1. Super Cheers V5 ⌘ From a sit down start, a desperate struggle leads into the delightful upper groove. This gives an excellent V0 stand up line if the ledge on the right is avoided.

2. V0 ⌘ Press up to the juggy ledge.

3. Fantastic Day V3 A sit down start squeezed up the arête on the right.

4. V0– ⌘ The straightforward edgey wall.

5. The Ysgo Flange V2 ⌘⌘ The obvious faint groove line with thin starting moves. A harder variation (V2/3) starts just right and moves back into the groove.

6. V3 ⌘ Powerful moves up past the finger flake from a sit down start.

7. V2 ⌘ Mantel the sloping nose.

8. V5 ⌘ Traverse the slopey lip of the boulder leftwards to finish up problem 7.

9. V0– ⌘ Rock up on to the finger rail from a sit down start and pad up the slab.

porth ysgo: ARDAL 2

Mae rhan fwyaf o bobl sy'n dod i'r ardal am y tro cyntaf yn cerdded i mewn yn syth i ganol y cymhlethdod o glogfaeni ym maes clogfaen hwn. Gyda llawer o broblemau haws, yng nghlwm â sawl un clasurol clogwyn, mae'r safle yn fan da i ddechrau eich prentisiaeth Porth Ysgo.

1. Super Cheers V5 ⌘ O ddechreuad o'r eistedd, mae brwydr enbyd yn arwain at y rhych hyfryd uwch. Mae'n rhoi V0 ardderchog o'r sefyll os ydych yn osgoi'r sil ar y dde.

2. V0 ⌘ Pwyswch i fyny'r crib crafangol.

3. Fantastic Day V3 Dechreuad o'r eistedd wedi ei wasgu i mewn i fyny'r crib ar y dde.

4. V0– ⌘ Y pared cyrol didywyll.

5. The Ysgo Flange V2 ⌘⌘ Y llinell rhych bas amlwg gyda symudiadau dechreuol tenau. Mae amrywiad caletach (V2/3) ychydig i'r dde ac yn symud nôl mewn i'r rhych.

6. V3 ⌘ Symudiadau pwerus heibio'r caen bys o ddechreuad o'r eistedd.

7. V2 ⌘ Trawstiwch y trwyn gwyrol.

8. V5 ⌘ Tramwywch gwefus gwyrol y clogfaen i'r chwith i orffen i fyny problem 7.

9. V0– ⌘ Trosiglwch i fyny at y cledren bys o ddechreuad o'r eistedd a thuthiwch i fyny'r llech.

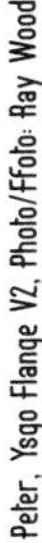
Libby Peter, Ysgo Flange V2, Photo/Ffoto: Ray Wood

porth ysgo: AREA 2

10. V0– ✠ The amenable arête.

11. V1 ✠ A sit down start line tucked in the side wall of the block. A further V3 sit down problem can be done undercutting through the bulge to the left.

12. Truth V1 ✠✠ Superb left arête of the block (V8 from a sit down start). A slightly easier line - albeit with a worse landing - does exist just left of the arête.

13. Justice V1 ✠ Direct line a metre right of the arête (V6 from a sit down start).

14. Really Cool Toys V6 ✠ From the obvious sit down start position, power up left to slopers and tussle for the top (V0+ from a standing position).

15. Toys Right Hand V5 ✠ From the same sit down start slap out right to another slopey-tussle finish.

16. Project link across the face, reversing *TRH* and continuing desperately to finish up *Truth*.

17. V0 ✠ Smooth slab facing the sea.

18. V0 ✠ Left side of slabby arête.

19. V0 ✠ Right side of slabby arête.

20. V0 ✠ Climb the slab avoiding easy cop outs to the right.

21. Ysbeidiau Heulog V4 ✠✠ Traverse the slopey lip of the block rightwards (from a sit down start at the right arête) to a gripping finale.

22. V0 ✠ Climb the small groove feature in the arête.

23. Higginson Scar V4 ✠✠✠ From a sit down start on opposing diagonal slopey sidepulls, lurch up right to the base of the scar feature. Tricky moves up left gain a sloping shelf. Move right at the top and mantel the clean edge. A technical wonder.

24. HS Right Hand V6 ✠✠ From the same start, persevere with the diagonal visual line, gaining the hanging groove with some relief. Guaranteed to leave you sodden with joy!

25. V1 ✠ The slabby right arête of the hanging groove.

26. V0+ ✠ Slab squeezed in against the hillside.

porth ysgo: AARDAL 2

10. V0– ✠ Y crib ufudd.

11. V1 ✠ Dechreuad o'r eistedd i mewn ar ochr wal y bloc. Posibl cael problem V3 ychwanegol trwy dandorri drwy'r chwydd ar y chwith.

12. Truth V1 ✠✠ Crib chwith ardderchog y bloc (V8 o'r eistedd). Mae llinell haws - ond gyda tirfa gwaeth - ychydig i'r chwith o'r crib.

13. Justice V1 ✠ Llinell unionsyth metr i'r dde o'r crib (V6 gyda cychwyniad llawr)

14. Really Cool Toys V6 ✠ O'r dechreuad o'r eistedd amlwg, pwerwch i fyny i'r chwith at wyrafaelion a chwffiwch at y brig (V0+ o'r sefyll)

15. Toys Right Hand V5 ✠ O'r un dechreuad o'r eistedd slapiwch allan i'r dde at orffeniad gwffio-gwyrol arall.

16. Cysylltiad prosiect ar draws y wyneb, yn wrthol hyd *TRH* ac ymlaen yn ddifrifol at *Truth*.

17. V0 ✠ Y llech llyfn sy'n wynebu'r môr.

18. V0 ✠ Ochr chwith y crib llechog.

19. V0 ✠ Ochr dde y crib llechog.

20. V0 ✠ Dringwch y llech ac osgoi'r ffyrdd rhwydd i'r dde.

21. Ysbeidiau Heulog V4 ✠✠ Tramwywch gwefus gwyrol y bloc i'r dde (o ddechreuad o'r eistedd ar y crib dde) at orffeniad bygythiol.

22. V0 ✠ Dringwch y nodwedd rhych bychan yn y crib.

23. Higginson Scar V4 ✠✠✠ O ddechreuad o'r eistedd ar ochdynnau gwyrol cyferbyniol lletraws honciwch i fyny i'r dde i waelod y nodwedd craith. Symudiadau cyfrwys i fyny i'r chwith at y silff. Symudwch i'r dde wrth y brig a trawstiwch yr ymyl lân. Rhyfeddod technegol.

24. HS Right Hand V6 ✠✠ O'r un dechreuad, cario ymlaen gyda'r llinell lletraws gweledig, cyrraedd y rhych crog yn ddiolchgar.

25. V1 ✠ Crib dde llechog y rhych crog.

26. V0+ ✠ Llinell llech wedi ei wasgu i mewn at y llethr.

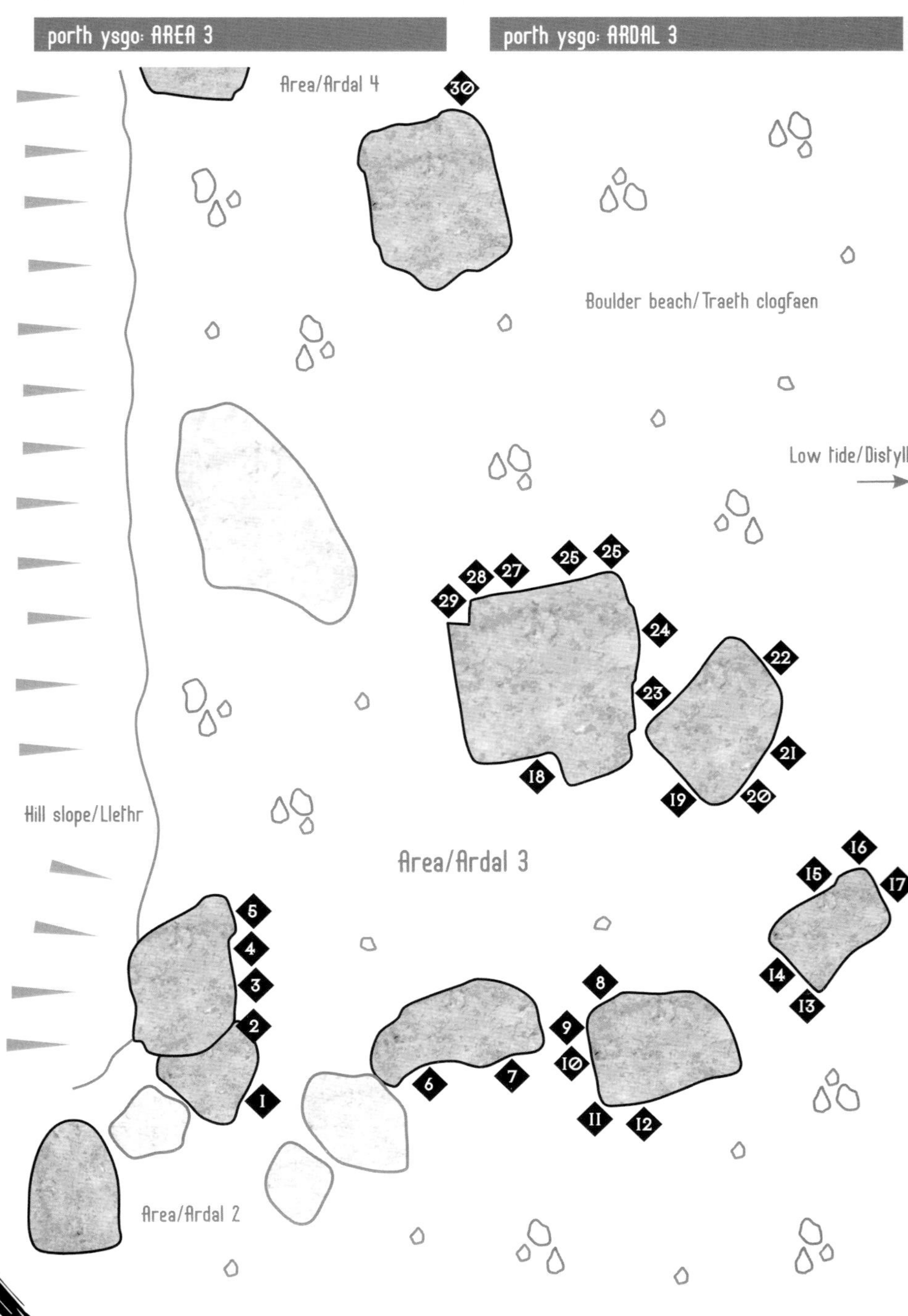
Area/Ardal 4
30
Boulder beach/Traeth clogfaen
Low tide/Distyll
29
28
27
25
25
24
23
22
21
20
19
18
Hill slope/Llethr
Area/Ardal 3
16
15
17
5
4
3
2
1
8
9
10
6
7
14
13
11
12
Area/Ardal 2

porth ysgo: AREA 3

Ample problems in the more amenable grade range ensure that this area stays popular.

Some of the best, and one or two of the more challenging problems can be found on the prominent, square block.

1. Paddle Foot V6/7 Desperate cellar style move from crimps amid the low level steepness to slopey lip encounter.

2. Joystick V2 ⌘⌘ Hard starting moves up the undercut left arête of the block. A sit down start is possible at V7.

3. Jones' Eliminate V3 ⌘ Clean moves up the centre of the wall.

4. Grooverider V0 ⌘⌘ The friendly groove line.

5. V0– ⌘⌘ The easy, slabby ramp system.

6. V0– ⌘ Rock up into the easy angled scoop.

7. Simplicity V0 ⌘⌘ The neat little wall.

8. V5 ⌘ Brutal undercut moves from a sit down start to gain the slopey top.

9. Black Krispy Traverse V5 ⌘ From a sit down start at the arête (or indeed as for *problem 8*) work rightwards along finger ledges, turning the arête before topping out.

10. V0 ⌘ Straight up the short black wall.

11. BK Arete V4 ⌘ The steep arête from a sit down start.

12. V0 ⌘ Up past the ramp feature, avoiding the block on the right.

13. V0 ⌘⌘ Layback the easy angled, hanging arête, rocking out rightwards at the top. The eliminate wall just left gives a nifty V2.

14. V0 ⌘ The thin diagonal crack on the short wall.

15. V0+ Mantel up just right of the arête.

16. V1 ⌘⌘ Follow the thin crack in the arête.

17. V0 Pull leftwards around the left arête onto the slabby face.

18. V0– Easy line up the slabby wall left of the large, jutting roof.

porth ysgo: ARDAL 3

Digonedd o broblemau mewn amrediad gradd ufudd i sicrhau poblogrwydd.

Mae rhai o'r problemau gorau, ac un neu ddau o'r rhai mwy heriol, i'w darganfod ar y bloc sgwâr amlwg.

1. Paddle Foot V6/7 Symudiad enbyd seler o grychion ymhlith y serthni isel at y gwefus gwyrol.

2. Joystick V2 ⌘⌘ Symudiadau dechreuol caled i fyny crib tandor chwith y bloc. Mae dechreuad o'r eistedd yn bosibl am V7.

3. Jones' Eliminate V3 ⌘ Symudiadau glân i fyny canol y wal.

4. Grooverider V0 ⌘⌘ Y wal bach cyfeillgar.

5. V0– ⌘⌘ Y system ramp llechog hawdd.

6. V0– ⌘ Trosiglwch i fyny i mewn i'r cafn ongl rhwydd.

7. Simplicity V0 ⌘⌘ Y wal bach pert.

8. V5 ⌘ Symudiadau tandoriadol creulon o gychwyniad llawr i gyrraedd y brig gwyrol.

9. Black Krispy Traverse V5 ⌘ O ddechreuad o'r eistedd wrth y crib (neu fel *problem 8*) gweithiwch eich ffordd i'r dde ar hyd silau bys, troi'r crib cyn brigo.

10. V0 ⌘ Syth i fyny'r mur bach du.

11. BK Arete V4 ⌘ Y crib serth o ddechreuad o'r eistedd.

12. V0 ⌘ I fyny heibio nodwedd ramp, osgoi'r bloc allan i'r dde.

13. V0 ⌘⌘ Ôl-wthiwch y crib crog ongl rhwydd, trosiglo allan i'r dde ar y brig. Mae'r mur dileol ychydig i'r chwith yn rhoi V2 pert.

14. V0 ⌘ Yr hollt lletgroes tenau yn y mur bychan.

15. V0+ Trawstiwch i fyny ychydig i'r dde o'r crib.

16. V1 ⌘⌘ Dilyn yr hollt tenau yn y crib.

17. V0 Tynnwch i'r chwith o gwmpas y crib chwith at y wyneb llechog.

18. V0– Llinell hawdd i fyny'r pared llechog i'r chwith o'r to tafliedig.

19. V2 ⌘⌘ The smooth black wall just left of the arête. Superb.

20. V1 ⌘ The highball slab just right of the arête.

21. PG's Slab V1 ⌘⌘ The bold, thin slab.

22. Yard Dog V0+ ⌘ Direct line above the wide break.

23. The Incredible Shaking Man V3 ⌘⌘⌘ A classic problem, ascending the left side of the seaward facing wall, past the slopey ledge system. The powerful V7 sit down start (left hand: low sidepull, right hand: flat edge) is very fine indeed.

24. Perrin's Crack V2 ⌘⌘⌘ The blocky layaways lead to a slopey ledge at 2/3rds height, and the top shortly after. Another classic. The V6/7 sit down start is currently spoilt by a wedged axle.

(NB. It is possible to squeeze another line in between *PC* and *UPA*.)

25. Uncle Pete's Arete V1 ⌘ A committing, but short-lived affair.

26. A project line up the clean black wall. Unfortunately the landing is bad.

27. Pet Sounds V8+ ⌘⌘ The desperate, thin wall left of the arête. Undercut up to a small dink, before rocking up left to gain the sloping shoulder. Finish rightwards.

28. Beach Boys Arete V4 ⌘⌘ Layback the right arête of the clean black wall, finishing with a lurch for the top (bizarrely with your right hand!). A sit down start on the right adds a grade, especially if you go for the top with your left hand (the original sequence).

29. Uncle Pete's Groove V0+ ⌘⌘ First class climbing up the small square groove.

30. V0 ⌘ The right side of the arête.

19. V2 ⌘⌘ Y pared du llyfn ychydig i'r chwith o'r crib. Ardderchog.

20. V1 ⌘ Y llech uchelgeilliol ychydig i'r dde o'r crib.

21. PG's Slab V1 ⌘⌘ Y llech tenau mentrus.

22. Yard Dog V0+ ⌘ Llinell unionsyth uwch y toriad llydan.

23. The Incredible Shaking Man V3 ⌘⌘⌘ Problem clasurol, dringo ochr chwith y wal tuag at y môr, heibio'r system silau gwyrol. Mae'r dechreuad o'r eistedd V7 pwerus (llaw chwith: ochdyn isel, llaw dde: cyr gwastad) yn un da ofnadwy.

24. Perrin's Crack V2 ⌘⌘⌘ Gorffyrddion blociog yn arwain at sil gwyrol 2/3 uchder, a'r brig ychydig uwch. Un clasurol eto. Mae'r cychwyniad llawr V6/7 wedi ei ddifetha ar y mynyd gyda echail sy'n sownd.

(NB. Mae'n bosibl gwasgu llinell i mewn rhwng *PC* ac *UPA*)

25. Uncle Pete's Arete V1 ⌘ Mentrus ond yn fyrhoedlog.

26. Llinell prosiect i fyny'r wal du glân. Disgynfa drwg yn anffodus.

27. Pet Sounds V8+ ⌘⌘ Y pared tenau difrifol i'r chwith o'r crib. Tandorwch i fyny at dinc bychan, cyn trosiglo i'r chwith i gyrraedd yr ysgwydd gwyrol. Gorffen allan i'r dde.

28. Beach Boys Arete V4 ⌘⌘ Ôl-wthiwch crib dde y wal du glân, yn gorffen gyda honciad at y brig (yn annisgwyl gyda'r llaw dde!). Mae dechreuad o'r eistedd yn rhoi gradd arall, yn enwedig os ydych yn mynd am y brig gyda'ch llaw chwith (y dilyniad gwreiddiol).

29. Uncle Pete's Groove V0+ ⌘⌘ Dringo dosbarth cyntaf i fyny'r rhych bychan sgwâr.

30. V0 ⌘ Ochr dde y crib.

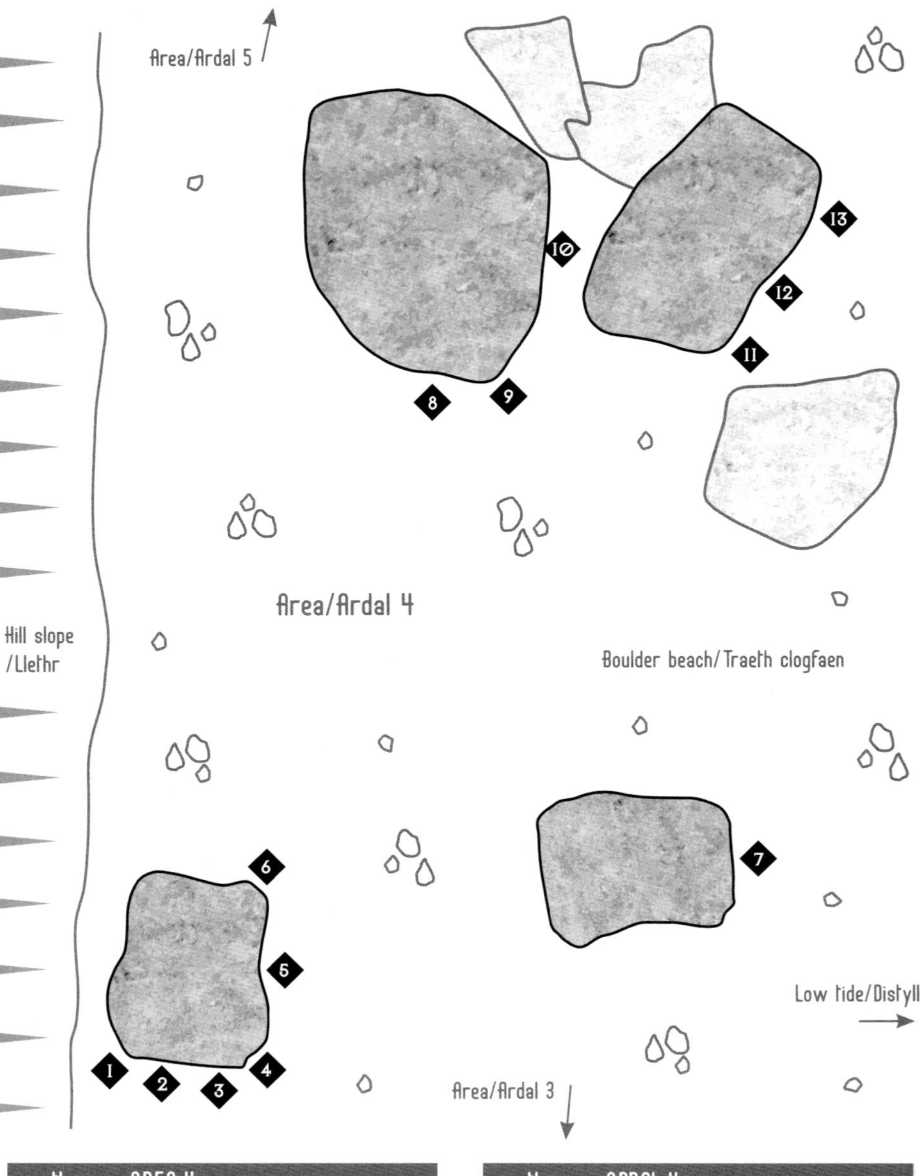

porth ysgo: AREA 4

A minor area, but nonetheless several very worthy problems can be found.

1. Van Guff VO– ✠✠ The neat arête provides the easiest line. Escape the top of the block by jumping from the opposite, hillside arête.

porth ysgo: ARDAL 4

Ardal llai pwysig, ond dal gyda sawl problem o werth.

1. Van Guff VO– ✠✠ Y crib twt sy'n rhoi'r llinell rhwyddach. Dianc wrth neidio o'r crib werth y llethr, gyferbyn.

2. Klem's Wall V3 The short wall just right of *VG*.

3. Adam's Wall V3/4 ✠ The thin wall just left of the arête.

4. Brave Sir Noel V2 Swing into the arête from the right.

5. VG Central V3 ✠✠ The obvious central line on the seaward face.

6. V2 Start at the left arête and trend right to finish (NB. Can be done direct at V1).

7. V0 ✠ The centre of the seaward face (V0+ from a sit down start).

8. The Ysgo Flake V3 ✠✠ Best done with the powerful sit down start, although it goes at V1 from a stand up.

9. Throbbin's Arete V4 ✠✠ The bold arête is sure to set your pulse racing!

10. The high, thin crack is probably best lead with a few small wires.

11. V0 ✠ The first line on the less steep face.

12. V0– ✠ The easy central line.

13. V0– ✠ Another reasonable line on the right.

2. Klem's Wall V3 Y mur bychan ychydig i'r dde o *VG*.

3. Adam's Wall V3/4 ✠ Y wal tenau ychydig i'r chwith o'r crib.

4. Brave Sir Noel V2 Pendylwch i mewn i'r crib o'r dde.

5. VG Central V3 ✠✠ Y llinell canolig amlwg ar y wyneb tuag at y môr.

6. V2 Dechrau ar y crib chwith a thueddwch i'r dde i orffen (NB. Posibl gwneud yn syth V1).

7. V0 ✠ Canol y wyneb tuag at y môr (V0+ o'r eistedd).

8. The Ysgo Flake V3 ✠✠ Gwell ei wneud gyda chychwyniad o'r llawr, ond mae'n V1 os cychwyn o'r sefyll.

9. Throbbin's Arete V4 ✠✠ Mae'r crib mentrus yn sicr i gyflymu curiadau'r galon!

10. Gwell dringo'r hollt tenau gyda ychydig o wifrau.

11. V0 ✠ Y llinell gyntaf i fyny'r wyneb llai serth.

12. V0– ✠ Y llinell ganol hawdd.

13. V0– ✠ Llinell rhesymol arall ar y dde.

Raf, Photo/Ffoto: Simon Panton

porth ysgo: ARDAL 5

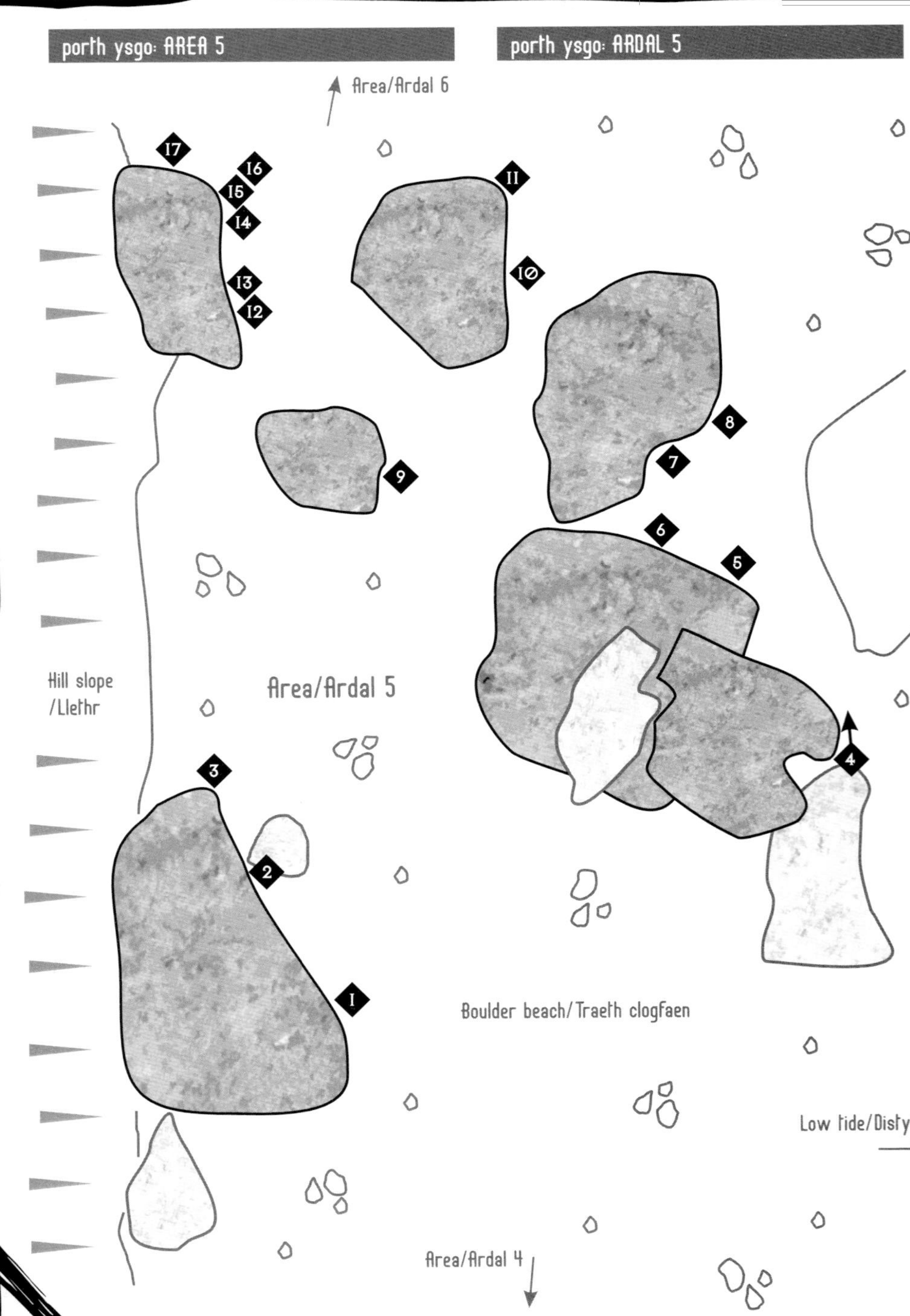

porth ysgo: AREA 5

The Closer block is streaked with quality lines and the surrounding boulders hide many more interesting and diverse problems.

1. V2 ⌘⌘ A bold problem (with a bad landing) tackling the cracks right of the left arête of the steep seaward face of the huge block.

2. Here Comes The Sun V2 ⌘ Pull boldly onto the slab, from a weakness in the steep face.

3. Foam Party V7 ⌘⌘ From a sit down start at the base of the steep short arête beneath the upper slab, power up decisively on poor sloping holds. Shuffle leftwards and either rock directly onto the slabby nose, or traverse left into the top of *HCTS*.

4. Shiny Bell Traverse V5 ⌘ Traverse the lip of the hanging block, left to right, rocking on to the top to finish. Very smooth and insecure.

5. V0– ⌘ The left hand line on the slabby wall.

6. V0– ⌘ The right hand line on the same slabby wall.

7. V1 ⌘⌘ The obvious crack system is a must.

8. V1 ⌘⌘ The crack groove feature is also excellent.

9. V1 ⌘ Climb up past the lone hold - from a sit down start in the break underneath - to a sloping top out.

10. V3–5 ⌘ From the obvious low/sit down start position on the seaward face of the block, 3 different finishes are possible:

V3 Trend slightly rightwards. V4 Trend slightly leftwards. V5 Move up, then traverse left into the steep left arête.

11. V7 ⌘ A thin sit down start leads up right from the arête to a powerful slopey finish.

12. The Shelf V0+ ⌘ Grasp the sloping shelf and mantel up leftwards.

13. The Ramp V3 ⌘⌘⌘ Gain the diagonal ramp and follow it rightwards with increasing difficulty to an exit up the slight pillar. One of the best around!

porth ysgo: ARDAL 5

Mae bloc Closer wedi ei stribedu â llinellau o ansawdd ac mae'r clogfaeni o amgylch yn cuddio llawer o broblemau difyr a diddorol.

1. V2 ⌘⌘ Problem mentrus (gyda glanfa drwg) sy'n ymosod yr holltau i'r dde o'r crib chwith y wyneb tuag at y môr y bloc anferth.

2. Here Comes The Sun V2 ⌘ Tynnwch yn fentrus at y llech, o fan gwan yn y wyneb serth.

3. Foam Party V7 ⌘⌘ O ddechreuad o'r eistedd wrth waelod y crib byr o dan y llech uwch, pwerwch i fyny'n gadarn ar wyrafeilion gwael. Stwfflwch i'r chwith a naill ai trosiglo yn syth ar y trwyn llechog neu tramwywch i'r chwith i mewn i frig *HCTS*.

4. Shiny Bell Traverse V5 ⌘
Tramwywch gwefus y bloc crog, chwith i'r dde, trosiglo i fyny at y brig i orffen. Llyfn ofnadwy ac yn anniogel.

5. V0– ⌘ Y llinell chwith ar y mur llechog.

6. V0– ⌘ Y llinell dde ar yr un mur llechog.

7. V1 ⌘⌘ Rhaid gwneud y system hollt amlwg.

8. V1 ⌘⌘ Mae'r nodwedd hollt rhych yn ardderchog hefyd.

9. V1 ⌘ Dringwch heibio'r gafael unig o ddechreuad o'r eistedd yn y toriad o dan i orffeniad gwyrol.

10. V3–5 ⌘ O'r dechreuad isel/eistedd amlwg ar y wyneb tuag at y môr y bloc, ceir 3 gorffeniad posibl.

V3 Tueddu ychydig i'r dde. V4 Tueddu ychydig i'r chwith. V5 Symud i fyny, wedyn tramwyo i'r chwith i mewn i'r crib chwith serth.

11. V7 ⌘ Cychwyniad llawr tenau yn arwain i fyny i'r dde o'r crib at orffeniad gwyrol pwerus.

12. The Shelf V0+ ⌘ Gafael y silff gwyrol a thrawstiwch i fyny i'r chwith.

13. The Ramp V3 ⌘⌘⌘ Cyrraedd y ramp lletraws a'i ddilyn i'r dde yn fwyfwy anodd at allanfa i fyny'r piler bychan. Un o'r goreuon.

porth ysgo: AREA 5

14. Porn Makes Me Horny V10 ✠ From a sit down start at the base of the steep arête, an unlikely undercut/pinch move leads leftwards to a conspicuous black sidepull and the ramp. Finish direct, or up *The Ramp*. **Brian Spray V5** ✠ is the tricky and dynamic original stand up version with a specified starting hand position (left hand: black sidepull, right hand: flat edge at same height, i.e. head height).

15. Unmarked Grave V3/4 ✠✠ Climb directly into the finish of *The Ramp*. The sit down start from the same position as *PMMH* is called **Tide Of Dreams V10/11** ✠.

16. Talking Dog V4 ✠ Gain the sloping ledge up right dynamically and finish direct with care.

17. Closer V3 ✠✠ A minor classic pulling over the steep right hand face to a rounded finish.

porth ysgo: ARDAL 5

14. Porn Makes Me Horny V10 ✠ O ddechreuad o'r eistedd wrth waelod y crib serth, mae symudiad annisgwyl tandor/pinsiad yn arwain i'r chwith tuag at ochdyn du amlwg a'r ramp. Gorffen yn syth, neu i fyny *The Ramp*. **Brian Spray V5** ✠ yw'r fersiwn o'r sefyll cyfrwys gwreiddiol gyda dechreuad dwylo penodol (llaw chwith: ochdyn du, llaw dde ymyl gwastad yr un uchder, h.y. uchder pen).

15. Unmarked Grave V3/4 ✠✠ Dringwch yn syth i fyny at orffeniad *The Ramp*. Mae'r cychwyniad llawr o'r un man â *PMMH* wedi ei enwi'n **Tide Of Dreams V10/11** ✠.

16. Talking Dog V4 ✠ Cyrraedd y sil gwyrol i fyny i'r dde yn ddeinamig a gorffen yn syth yn ofalus.

17. Closer V3 ✠✠ Is-clasurol yn tynnu dros y wyneb dde serth at orffeniad crwm.

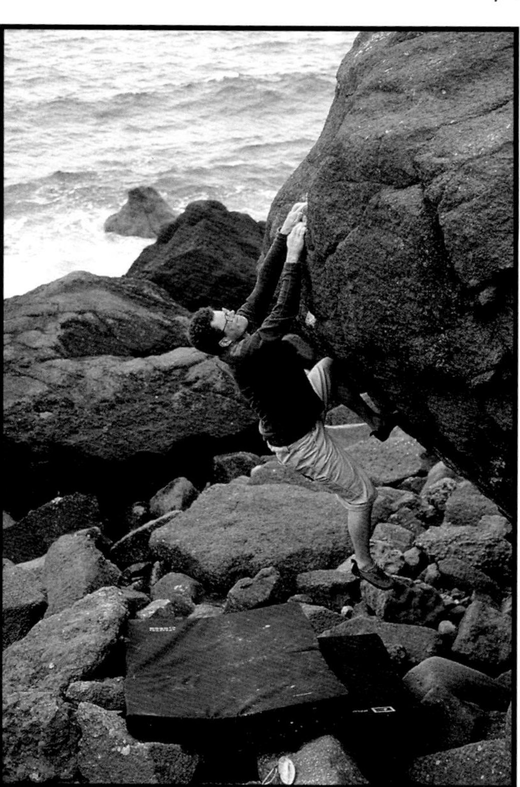

Adam Wainwright,
Closer V3,
Photo/Ffoto: Ray Wood

ukBouldering.com

:: forum
:: problems
:: photos
:: videos
:: articles
:: join us...

dave parry :: 'fast cars' :: porth ysgo
photo :: john coefield

porth ysgo: AREA 6

porth ysgo: ARDAL 6

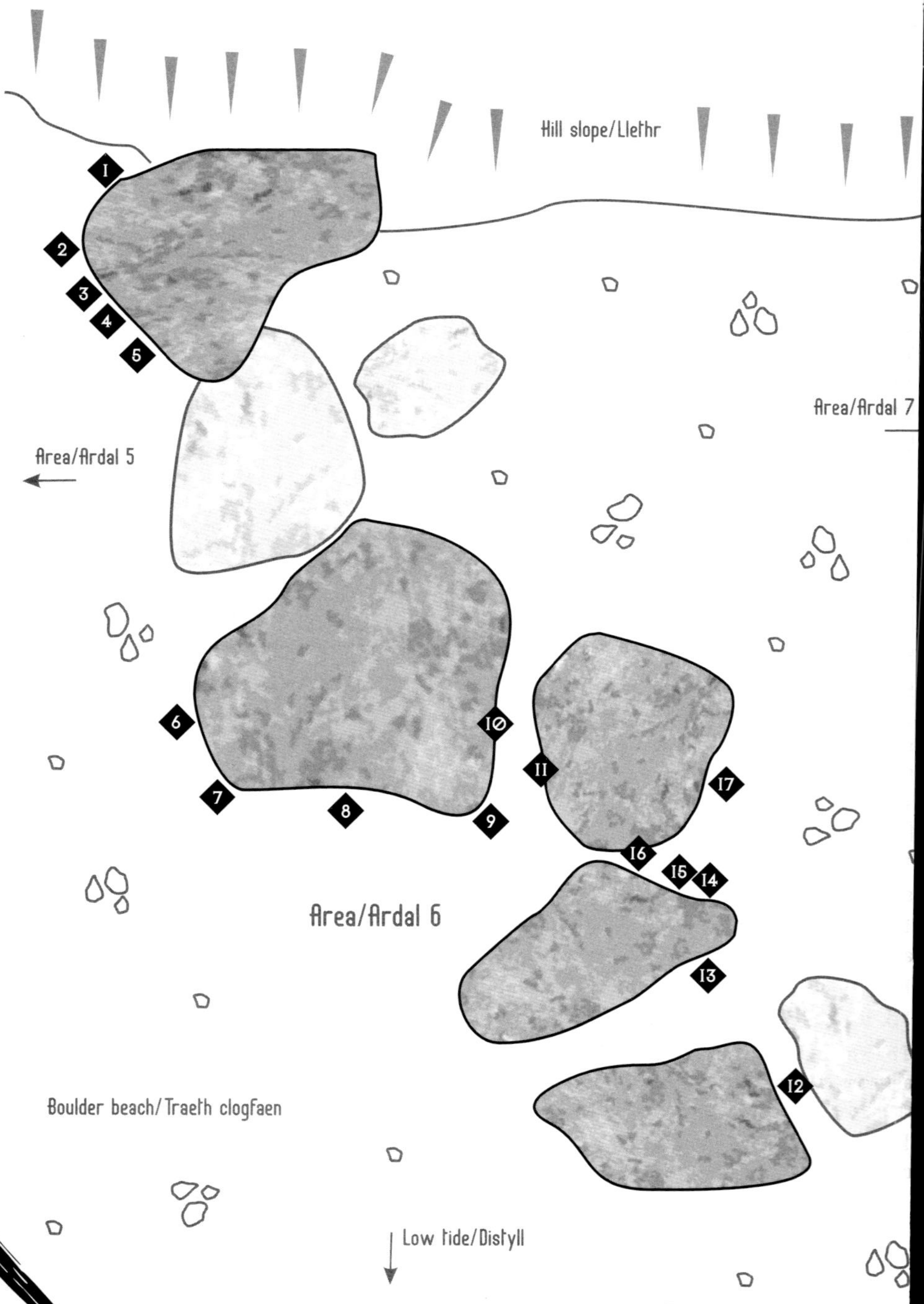

Hill slope/Llethr

Area/Ardal 7

Area/Ardal 5

1 2 3 4 5 6 7 8 9 10 11 12 13 14 15 16 17

Area/Ardal 6

Boulder beach/Traeth clogfaen

Low tide/Distyll

mixed bag of bold highball lines and esoteric fun roblems.

. **Red Rum V2** ⌘ A thin rockover onto the labby wall left of the arete.

. **Floppy's Arete V0+** ⌘⌘ A tricky start, sing a mono shot hole, gives access to the elightful easy upper section.

. **Johnny's Slab V4** ⌘⌘ The clean slab ight of the arête.

. **The Ysgo Crack V1** ⌘⌘⌘ Hard moves ead to a good hold at 5 metres. The crack eases fter this, but a cool head is required towards he top.

. **Lip Flip V6** ⌘⌘ Pull desperately around the p of the roof to gain the upper slab.

. **Mat's Slab V0** ⌘

. **The Smith Route V2** ⌘⌘ A satisfying roblem up the left edge of the seaward face.

. **Willy's Crack V5** ⌘⌘ Intimidating central ne with awkward landing.

. **V3** Pull scarily up the right edge of the wall to ain the top.

0. The lip of the large roof has been urmounted (V5 ?), but the obvious line beneath emains a major challenge.

1. **V0–** ⌘ The faint scoop in the centre of e slab.

2. **V4** ⌘ From small holds on the face, gain the oping arête and thus the top.

3. **V0+** ⌘ The slabby line left of the steep ête.

4. **V0** ⌘ The steep juggy line.

5. **V2** ⌘ A tricky little number.

6. **Knees Up Mother Brown V4** ⌘ From hanging start matching the slopey ramp, snatch the diagonal seam, to gain easier ground.

7. **V0–** ⌘ Pull onto the hanging slab and exit rect or rightwards.

Cymysgiad o linellau uchelgeilliol mentrus a phroblemau hwyl esoterig.

1. **Red Rum V2** ⌘ Trosigliad tenau ar y mur llechog i'r chwith o'r crib.

2. **Floppy's Arete V0+** ⌘⌘ Dechrau ystrywgar, defnyddio twll mono, yn rhoi mynediad i'r darn uchaf hawdd.

3. **Johnny's Slab V4** ⌘⌘ Y llech lân i'r dde o'r crib.

4. **The Ysgo Crack V1** ⌘⌘⌘ Symudiadau caled yn arwain at afael da ar 5 metr. Mae'r hollt yn haws nawr ond mae angen pen call tuag at y brig.

5. **Lip Flip V6** ⌘⌘ Tynnwch yn fyrbwyll o gwmpas gwefus y to i gyrraedd y llech uwch.

6. **Mat's Slab V0** ⌘

7. **The Smith Route V2** ⌘⌘ Problem bodlonol i fyny ymyl chwith y wyneb tuag at y môr.

8. **Willy's Crack V5** ⌘⌘ Y llinell canolig bygythiol gyda glanfa lletchwith.

9. **V3** Tynnwch yn frawychus i fyny ymyl dde y wyneb at y brig

10. Mae gwefus y to mawr wedi ei ddringo (V5 ?), ond mae'r llinell amlwg o dan dal i fod yn ddipyn o her.

11. **V0–** ⌘ Y cafn annelwig yng nghanol y llech.

12. **V4** ⌘ O afaelion bach ar y wyneb, ewch at y crib gwyrol a felly'r brig.

13. **V0+** ⌘ Y llinell llechog i'r chwith o'r crib serth.

14. **V0** ⌘ Y llinell serth crafangol.

15. **V2** ⌘ Un cyfrwys dros ben.

16. **Knees Up Mother Brown V4** ⌘ O ddechreuad ar grog yn cydrannu'r ramp gwyrol, cipiwch i fyny'r haen lletgroes, at dir haws.

17. **V0–** ⌘ Tynnwch i fyny at y llech crog a gorffen yn syth neu i'r dde.

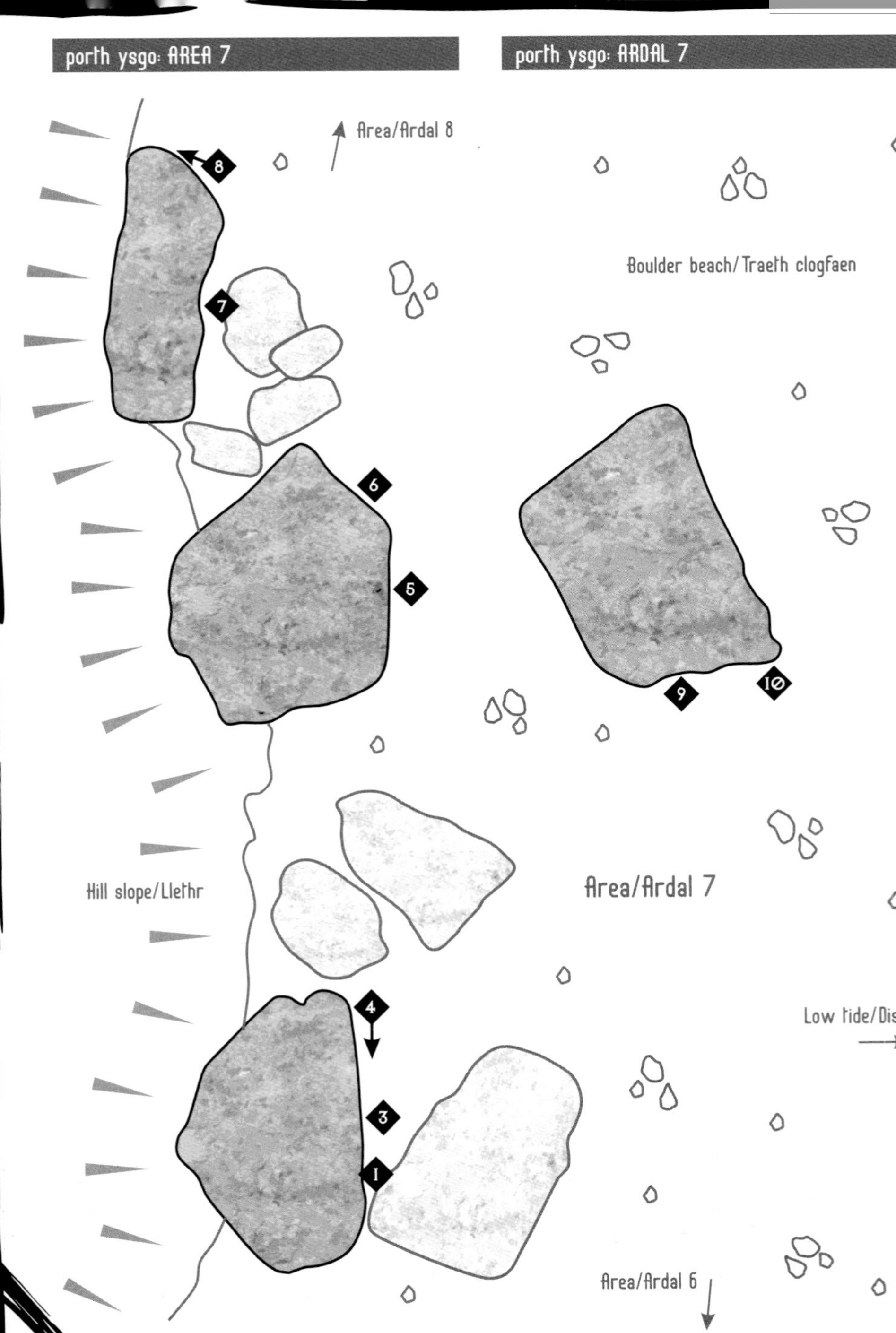
Area/Ardal 8
8
7
Boulder beach/Traeth clogfaen
6
5
9
10
Hill slope/Llethr
Area/Ardal 7
4
3
1
Low tide/Dist
Area/Ardal 6

porth ysgo: AREA 7

Scrambling through the back of the cave underneath *The Ysgo Crack* will lead you quickly to this superb area. Despite its limited stature, the *Howling Hound* cave offers a series of intense, powerful and very slopey test pieces. Whilst *Fast Cars* is an absolute must for all who operate at this standard.

1. Howling Hound V7 ⌘ From the obvious sit down start, move decisively up on slopers to gain the diagonal lip of the upper slab. Follow this insecurely rightwards into the top of *UW*.

2. Tents At Midnight V6 ⌘ From the same start as *HH*, make an optimistic backhand slap into the flake on *UW*, continuing along the lip of the steepness all the way to a grinding exit just before the right arête. **The 11 O'Clock Show V6 ⌘⌘** offers a more pleasant power quenching finish, breaking upwards 2 metres left of the arête, where the secondary overlap meets the slab.

3. Ugly Women V3 ⌘⌘ Start hanging the juggy flake, then work upwards through the slopey overlaps to gain the upper slab.

4. Early Morning Wigwam V6 ⌘⌘ Traverse the sloping lip leftwards, from the right arête into and up *UW*.

5. Tough Dogs V1 ⌘ The hanging crack on bubbly 'popcorn' holds.

6. Fast Cars V5 ⌘⌘⌘ Pinch the lip hold with your left, leaping hopefully up to a lone sloping edge with your right, then slap up the left arête to the break. The 'Campus Move' classic.

7. Throbber V6 ⌘⌘ Thin wall, up to sloping shoulder. The atrocious landing can be packed out with 3 pads.

8. Mutant Child V5 ⌘⌘ From the arête gain the sloping top up left, before shuffling rightwards along the lip to a mantel exit on the right. A direct sit down start has been done at V8.

9. Lo Lo V11 A micro problem starting from a hand match sit down start on the low undercut.

10. V7 The small arête taken on its left side from a sit down start.

porth ysgo: ARDAL 7

Wrth sgrialu drwy gefn yr ogof o dan *The Ysgo Crack* fe ddowch at yr ardal ardderchog hwn. Er ei bod yn fychan mae ogof *Howling Hound* yn rhoi cyfres o broblemau pwerus, trylwyr a gwyrol dros ben. Tra bod y rhai sy'n gweithredu ar y lefel yn gorfod gwneud *Fast Cars*.

1. Howling Hound V7 ⌘ O'r cychwyniad llawr amlwg, symudwch yn gadarn ar wyrafeilion i gyrraedd gwefus lletgroes y llech uwch. Dilynwch hwn yn ansefydlog i mewn i brig *UW*.

2. Tents At Midnight V6 ⌘ O'r un dechreuad â *HH*, gwnewch slap gwrthlaw gobeithiol i mewn i'r caen ar y chwith ar *UW*, ymlaen ar hyd wefus y serthni yr holl ffordd at allanfa cas ychydig cyn y crib dde. **The 11 O'clock Show V6 ⌘⌘** yn rhoi diweddiad diffodd pwer mwy pleserus, torri i fyny 2 metr i'r chwith o'r crib, ble mae'r ail gorlech yn cyfarfod y llech.

3. Ugly Women V3 ⌘⌘ Dechreuwch yng nghrog ar y caen crafangol, wedyn gweithiwch i fyny drwy'r gorlechion gwyrol i gyrraedd y llech uwch.

4. Early Morning Wigwam V6 ⌘⌘ Tramwywch y gwefus gwyrol i'r chwith, o'r crib dde ac i fyny *UW*.

5. Tough Dogs V1 ⌘ Yr hollt crog ar afaelion 'popcorn' swigol.

6. Fast Cars V5 ⌘⌘⌘ Pinsiwch y gafael gwefus gyda'ch llaw chwith, neidio'n obeithiol i fyny at ymyl gwyrol unig gyda'ch dde, wedyn slapiwch i fyny'r crib chwith i'r toriad. Y 'Symudiad Campws' clasurol.

7. Throbber V6 ⌘⌘ Wal tenau, i fyny at yr ysgwydd gwyrol. Fe all bacio'r glanfa erchyll gyda 3 pad.

8. Mutant Child V5 ⌘⌘ O'r crib ewch at y brig gwyrol i fyny i'r chwith, cyn fflewtian i'r dde ar hyd y gwefus at allanfa trawstiol ar y dde. Mae dechreuad o'r eistedd union V8 wedi cael ei wneud.

9. Lo Lo V11 Problem micro yn dechrau o gychwyniad llawr cydraniad llaw ar y tandor isel.

10. V7 Y crib bychan yn cael ei ddilyn ar y chwith o gychwyniad llawr.

porth ysgo: AREA 8

porth ysgo: ARDAL 8

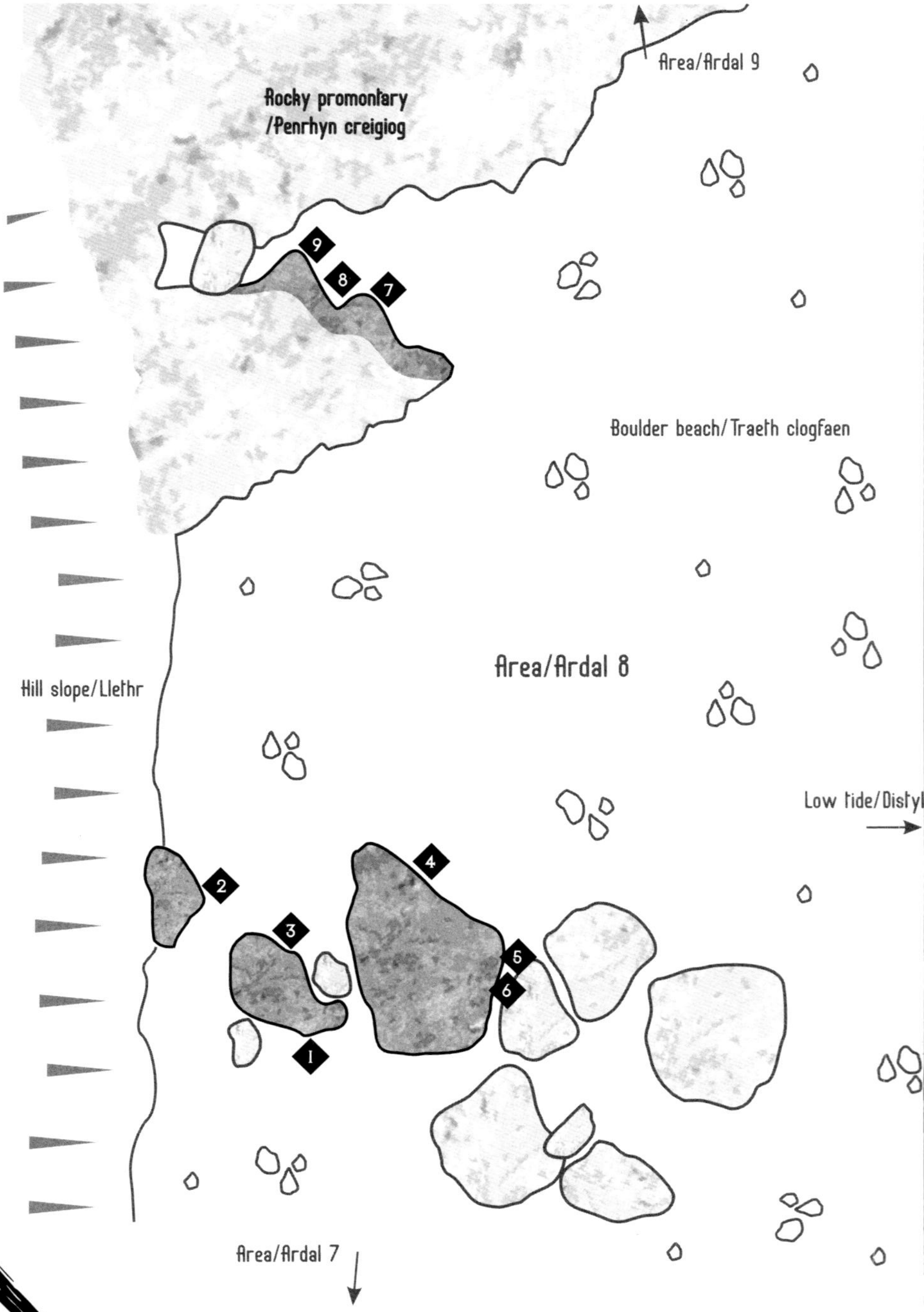

porth ysgo: AREA 8

This area marks the Porth Alwm end of the boulder field. In terms of quantity it is limited, but *Popcorn Party* and *Jawbreaker* are not to be missed.

1. Shredded Feet V1 ✠✠ Layback the clean arête feature.

2. Rice Krispy Arete V0– ✠✠ The rough, bobbly arête taken on the right.

3. V1 From a sit down start in the break, move steeply to the top.

4. Popcorn Party V6 ✠✠ From a sit down start in a horizontal break beneath the small roof, blast straight up the steep yellow face. Another benchmark classic. Boulders shifted and dropped by the winter storms occasionally obscure the start; the remaining V5 is still very worthwhile. Also of note is a harder (V7) variation finish, traversing left to finish up the arête.

5. V1 ✠ The obvious line just left of the arête.

6. V1 ✠ A further worthwhile line a metre or so to the left.

7. Jets To Brazil V5 ✠ From a sit down start, move up the overhanging arête to the sloping ledge.

8. V0+ ✠✠ Take the left or right exit out of the steep corner left of *Jawbreaker*. A sit down start link from the start of *Jawbreaker* is V2.

9. Jawbreaker V5 ✠✠ The overhanging prow taken from a sit down start succumbs to a forceful approach. A popular testpiece.

porth ysgo: ARDAL 8

Mae'r ardal yn dynodi pen Porth Alwm o'r maes clogfaen. Yn nhermau ansawdd mae braidd yn gyfyng, ond peidiwch â methu *Popcorn Party* a *Jawbreaker*.

1. Shredded Feet V1 ✠✠ Ôl-wthiwch y crib glân.

2. Rice Krispy Arete V0– ✠✠ Dilyn y crib bras chwarennog ar ei dde.

3. V1 O ddechreuad o'r eistedd yn y toriad, symudwch yn serth tuag at y brig.

4. Popcorn Party V6 ✠✠ O ddechreuad o'r eistedd yn y toriad llorweddol o dan y to bychan, ffrwydrwch yn syth i fyny'r wyneb melyn serth. Clasur arall. Weithiau mae stormydd y Gaeaf yn symud cerrig a chuddio'r dechreuad; ond mae'r V5 dal o werth. Hefyd rhaid nodi'r gorffeniad amrywiol caletach (V7), tramwyo i'r chwith a gorffen i fyny'r crib.

5. V1 ✠ Y llinell amlwg ychydig i'r chwith o'r crib.

6. V1 ✠ Llinell arall o werth tua metr arall i'r chwith.

7. Jets To Brazil V5 ✠ O ddechreuad o'r llawr, symudwch i fyny'r crib bargodol at y sil gwyrol.

8. V0+ ✠✠ Cymrwch yr allanfa chwith neu i'r dde o'r gornel serth i'r chwith o *Jawbreaker*. Mae'r cysylltiad o'r eistedd yn *Jawbreaker* i mewn i'r gornel yn V2.

9. Jawbreaker V5 ✠✠ Y cribflaen bargodol gyda dringo nerthol o'r eistedd. Prawf poblogaidd.

Noel Craine, Photo/Ffoto: Ray Wood

Miles Perkin, Photo/Ffoto: Neil Dyer

porth ysgo: AREA 9

porth ysgo: ARDAL 9

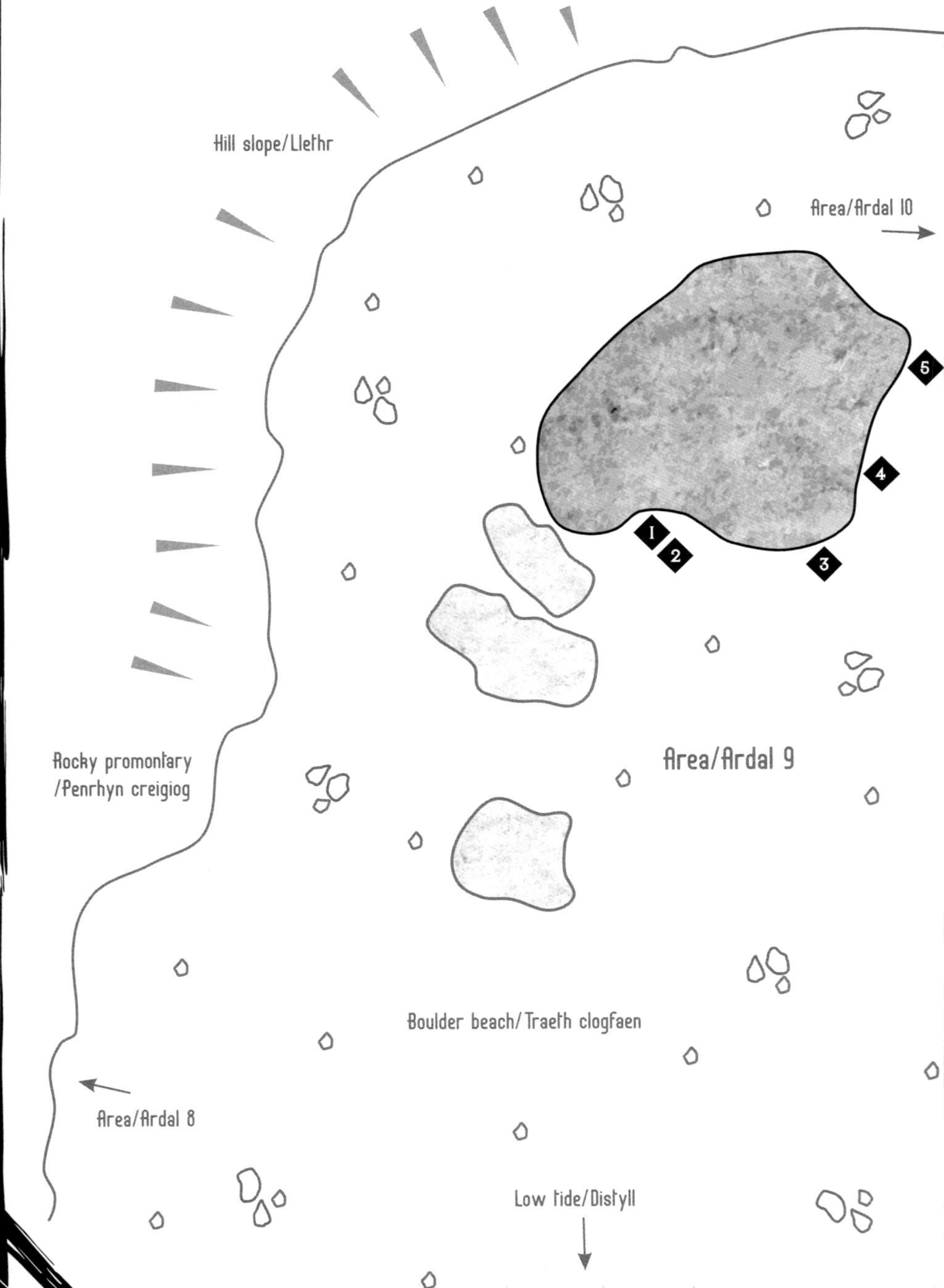

ysgo: AREA 9

: block, offering a handful of fine problems, ed 100 metres beyond area 8, just over the ridge that defines the edge of Porth Alwm.

way From The Numbers V6 ⌘⌘ a sit down start at the back of the roof, out to the flake at the lip and exit leftwards ome powerful, reachy moves.

merican Rafiki V4 ⌘⌘ from the same exit rightwards onto the upper slab.

'0– ⌘ Amble up the left side of the slabby :.

ing Dong's Wall V3 ⌘⌘ The thin scary is less popular than it's safer neighbours.

paz Boy V2 ⌘⌘ The right arête of the n black face.

porth ysgo: ARDAL 9

Bloc unig, llond llaw o broblemau difyr, wedi ei leoli tua 100 metr ymhellach na ardal 8, ychydig heibio'r fraich caregog sy'n diffinio ffin Porth Alwm.

1. Away From The Numbers V6 ⌘⌘ O ddechreuad o'r llawr yng nghefn y to, ymestyn allan at y caen ar y gwefus a mynd allan i'r chwith gyda symudiadau ymestynnol a phwerus.

2. American Rafiki V4 ⌘⌘ O'r un dechrau ewch allan i'r dde at y llech uwch.

3. V0– ⌘ Yn hawdd i fyny ochr chwith y crib llechog.

4. Ding Dong's Wall V3 ⌘⌘ Y mur tenau brawychus llai poblogaidd na'i gyfeillion saffach.

5. Spaz Boy V2 ⌘⌘ Crib dde y wyneb du glân.

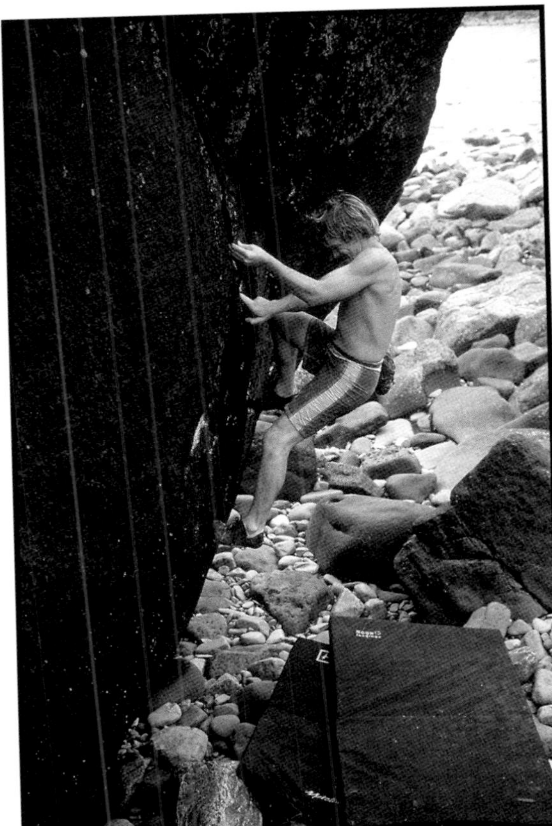

Crispin Waddy,
Made in Heaven V4,
Photo/Ffoto: Ray Wood

porth ysgo: AREA 10

The large square block conspicuously sited at the far side of the Porth Alwm bay is home to some of the best problems around. Well worth the walk.

porth ysgo: ARDAL 10

Bloc mawr sgwâr wedi ei leoli'n amlwg ochr bellaf bae porth Alwm yn gartref i rai o'r problemau gorau ar gael. Werth y daith.

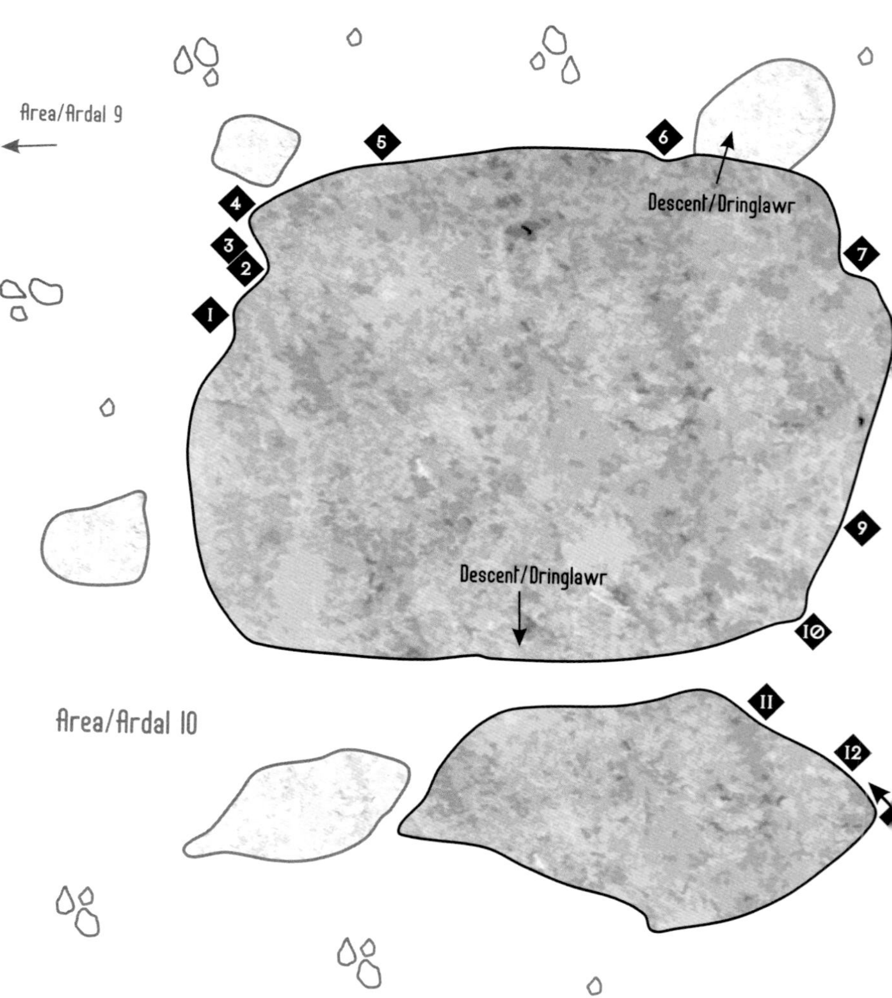

:. **V3** ✠ A minor sit down start problem.

:. Heaven Groove V2 ✠✠ The faint hanging roove.

:. Born In Gateshead Start V6 ✠✠ Start n the big flake, swing around the base of the rête and follow the diagonal crack into *MIH*. A uperb extension to the original classic.

:. Trons Brown V4 ✠✠✠ The majestic ighball arête proves to be quite nerve racking.

:. Made In Heaven V4 ✠✠✠ Gain the vider, more accommodating section of the agonal crack with a hard move, and continue teeply to the top. One of the best problems in orth Wales.

:. Fear Of God V5 ✠✠ The compelling thin lake line, slightly spoilt by the encroaching boulder nd the shallow pool at the base of the wall. Most eople bottle out left at the top, but the bold lip raverse into the top of *MIH* is gaining in opularity.

. Stairway... V1 ✠✠ The ramp line is an resistible feature that eases to delightful friction adding after the initial bulge.

:. The Prodigal Son E3 6a ✠✠ The termittent crack system.

. The cracks further left provide a worthwhile route.

0. This line is still a project from a proper sit own start, although it has been done at V7/8 om a 'low' start.

1. The Slot V7 ✠✠ The vertical finger tip ot (taken with your right hand) points the way this thin, desperate problem. Unfortunately the nding has deteriorated considerably since the rst ascent.

2. Blue Jam V1 ✠✠ The marvellous hanging rack.

3. The Genius Link V4/5 ✠ The low averse into *BJ* from the arête on the left.

1. V3 ✠ Problem dechreuad o'r eistedd bychan.

2. Heaven Groove V2 ✠✠ Y rhych crog annelwig.

3. Born In Gateshead Start V6 ✠✠ Dechrau ar y ffloch mawr, pendylwch o gwmpas gwaelod y crib a dilyn yr hollt lletraws i mewn i *MIH*. Ehangiad ardderchog i'r clasur gwreiddiol.

4. Trons Brown V4 ✠✠✠ Y crib uchelgeilliol mawreddog yn un dirdynnol braidd.

5. Made In Heaven V4 ✠✠✠ Cyrraedd yr darn lletach a hawsaf o'r hollt lletraws gyda un symudiad caled, ac ymlaen yn serth at y brig. Un o'r problemau gorau yng Ngogledd Cymru.

6. Fear of God V5 ✠✠ Y llinell caen tenau gorfodol, yn cael ei ddifetha braidd gan y clogfaen agos a'r pwll bas ar waelod y wal. Mae'r rhan fwyaf o bobl yn mynd i'r chwith tua'r brig, ond mae'r tramwyiad mentrus ar hyd y gwefus i mewn i *MIH* yn datblygu mewn poblogrwydd.

7. Stairway... V1 ✠✠ Mae'r llinell ramp yn nodwedd anorchfygol sy'n rhwyddhau i duthio braf ffrithiol ar ôl y chwydd cynnar.

8. The Prodigal Son E3 6a ✠✠ Y system hollt ysbeidiol.

9. Mae'r holltau ymhellach i'r chwith yn rhoi El o werth.

10. Mae'r llinell hwn dal yn brosiect gyda dechreuad o'r eistedd cywir, ond y mae wedi ei wneud fel V7/8 o ddechreuad 'isel'.

11. The Slot V7 ✠✠ Y rhicyn pen bys fertigol (gyda'ch llaw dde) dynodi'r problem tenau caled hwn. Yn anffodus mae'r glanfa wedi gwaethygu llawer ers y ddringfa cyntaf.

12. Blue Jam V1 ✠✠ Yr hollt crog ardderchog.

13. The Genius Link V4/5 ✠ Y tramwyiad isel i mewn i *BJ* o'r crib ar y chwith.

COASTAL ODDITIES

See map 22 on page 175.

Lleyn Peninsula: at low tide the bays just north of Porth Oer (Whistling Sands) (OS Ref. 166 310) offer some bouldering opportunities. The obvious right to left traverse in the main bay is known as *Slopey Tit Wank* V9. Just beyond a small cave gives 15 superb problems (V0-V6) with a sandy landing.

Borth y Gest (OS Ref. 563 371)/Black Rock Sands (OS Ref. 524 374)/Criccieth (OS Ref. 497 375): this collection of tidal crags does offer some steep bouldering with good landings (i.e. the beach). There are few well defined problems, although Paul Houghoughi has climbed a V10 called *G Swing* on the cleanest, steepest section of Borth y Gest and the sign post wall at Black Rock Sands is quite good, if a little limited. The pebble levels at Criccieth vary enormously (3-4 metres), resulting in endless variations on the pumpy traverses over subsequent visits.

Ynys Môn: a couple of minor venues that will entertain the transport limited local, or those looking for a quiet place to potter about. The Moelfre crag (OS Ref. 514 858) is a vertical limestone wall above a wave cut platform with some thin technical problems best appreciated with the comfort of a bouldering pad. It can be approached in a few minutes by following the edge of the bay out rightwards (facing out). The Benllech beach (OS Ref. 526 823) has some eliminate style problems above a soft sandy landing.

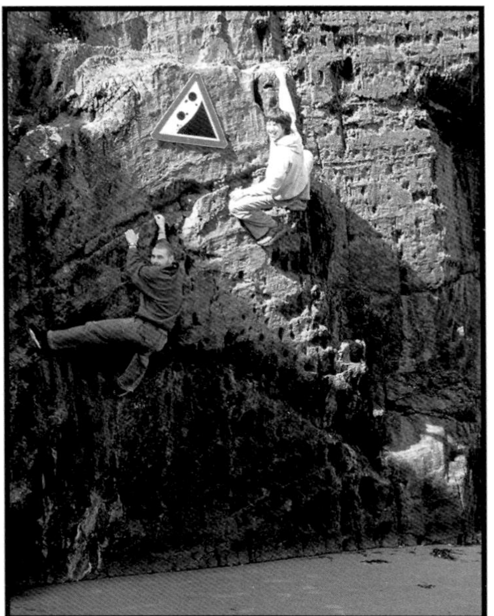

Mark Evans, Dave Rudkin, Black Rock/Craig Ddu, Photo/Ffoto: Mark Reeves

ASTRUSI ARFORDIROL

Gweler map 22 ar dudalen 175.

Pen Llyn: yn ystod distyll mae'r baeau ychydig i'r gogledd o Borth Oer (Whistling Sands) (Cyf. AS 166 310) yn rhoi cyfleoedd bowldro. Fe enwir y tramwyiad amlwg dde i'r chwith yn y prif fae yn *Slopey Tit Wank* V9. Ychydig heibio'r prif fae, mae ogof bychan yn rhoi 15 problem ardderchog (V0-V6) gyda glanfa tywodlyd.

Borth y Gest (Cyf. AS 563 371)/Craig Ddu (Cyf AS 524 374)/Criccieth (Cyf AS 497 375): casgliad o glogwyni llanwol sy'n rhoi ychydig o fowldro serth gyda glanfeydd da (h.y. y traeth). Ychydig o broblemau sydd â diffiniad eglur. Ond mae Paul Houghoughi wedi dringo V10 o'r enw *G Swing* ar y darn mwyaf serth a glân ym Mhorth y Gest a mae'r Mur Arwyddbost yng Nghraig Ddu yn dda er yn gyfyng braidd. Gall lefelau'r cerigynnau yng Nghriccieth amrywio llawer (3-4 metr), mae hyn yn arwain at amrywiadau di-ddiwedd i'r tramwyiadau pwmpiog.

Ynys Môn: cwpl o leoliadau isradd i ddifyrru lleolwyr cyfyng eu trafnidiaeth, neu'r rhai sy'n chwilio am fan distaw i chwarae o gwmpas. Calchfaen fertigol yw Moelfre (Cyf. AS 514 858) uwch llyfndir tonnau gyda phroblemau tenau sy'n well eu gwneud gyda chymorth pad bowldro. Mynediad mewn ychydig o funudau trwy ddilyn ymyl y bae i'r dde (wynebu allan). Mae Benllech (Cyf. AS 526 823) yn rhoi problemau dileol uwch ywod braf.

CAE DU

The location of this crag stretches the initial concept of giving coverage only to crags within a 1 hour drive of Llanberis. However the quality of the climbing justifies the bent rule; if Cae Du had a more Northern position on the coast it would be snowed under with eager boulderers. As it is, the only other people you are likely to meet are the local outdoor activity instructional groups.

This tidal venue offers superb powerful movement on clean, slopey rock. The landings are generally quite friendly, but most will appreciate a mat to take the sting out of the cobblestone landing. The pebble levels do shift a lot and each visit to the crag will feel different. The grades given are at best approximate, and on any given day the starting position of a problem will vary greatly.

Access: from Dolgellau take the A493 coast road through Friog and Llwyngwril until the road suddenly swings inland at Cae Du corner. On the apex of the bend a track leads down past a farmhouse and under a bridge to a popular campsite by the pebble beach (OS ref. 565 055).

Glyn and Gaynor Davies who live on the farm welcome climbers who drive carefully across their yard, pay the £1 parking fee and who shut the gate behind them.

Park beyond the bridge and walk along the top of the crag for 400 metres. Once opposite an old quarry a path slants down to the beach at the southern end of the crag (area 4). Alternatively, it is possible to reach the north end of the crag (area 1) by walking along the beach.

The crag is approximately 80 minutes drive from Llanberis, 90 minutes from Wrexham, 95 minutes from Shrewsbury or 60 minutes from Aberystwyth.

CAE DU

Clogwyn gyda lleoliad sy'n ymestyn syniad gwreiddiol yr arweinlyfr o ddisgrifio'r clogwyni o fewn awr o yrru o Lanberis. Ond, mae ansawdd y dringo yn cyfiawnhau plygiad y rheol; pe bai Cae Du ychydig ymhellach i'r Gogledd ar yr arfordir mi fyddai llu o fowldwyr yn y man. Fel mae pethau, yr unig bobl eraill yr ydych yn debygol o'u cyfarfod yw grwpiau gweithgareddau awyr agored.

Mae'r lleoliad llanwol hwn yn rhoi symudiadau pwerus ardderchog ar graig, gwyrol glân. Mae'r glanfeydd yn gyfeillgar ar y cyfan, ond fe fydd y mwyafrif yn gwerthfawrogi mat i leihau brath y tirfa cerrig crynion. Mae lefelau y cerrig yn amrywio llawer, ac y bydd pob ymweliad i'r clogwyn yn teimlo'n wahanol. Ar y gorau awgrymiad yw'r graddau a roddir oherwydd newidiadau dyddiol yn y safleoedd dechrau.

Mynediad: O Ddolgellau dilyn y ffordd arfordirol A493 drwy Ffriog a Lwyngwril nes iddo wyro'n sydyn i ffwrdd o'r arfordir yng nghornel Cae Du. Ar y troad mae lôn bach yn arwain i lawr heibio ty fferm ac o dan y bont rheilffordd i gyrraedd maes campio poblogaidd uwch y traeth (Cyf. AS 565 055).

Y mae Glyn a Gaynor Davies, sy'n berchen y fferm yn croesawu dringwyr sy'n gyrru'n ofalus drwy'r cwrt, yn talu'r £1 i barcio ac sy'n cau'r giat.

Parciwch heibio'r bont a cherddwch 400 metr ar hyd llwybr uwch y clogwyn. Gyferbyn a'r hen chwarel mae llwybr arall yn disgyn ar oleddf i lawr at y traeth i'r De o'r clogwyn (area 4). Neu, mae'n bosibl cyrraedd pen Ogleddol y clogwyn (ardal 1) drwy gerdded ar hyd y traeth.

Mae'r clogwyn o fewn 80 munud o yrru o Lanberis, 90 munud o Wrecsam, 95 munud o'r Amwythig neu 60 munud o Aberystwyth.

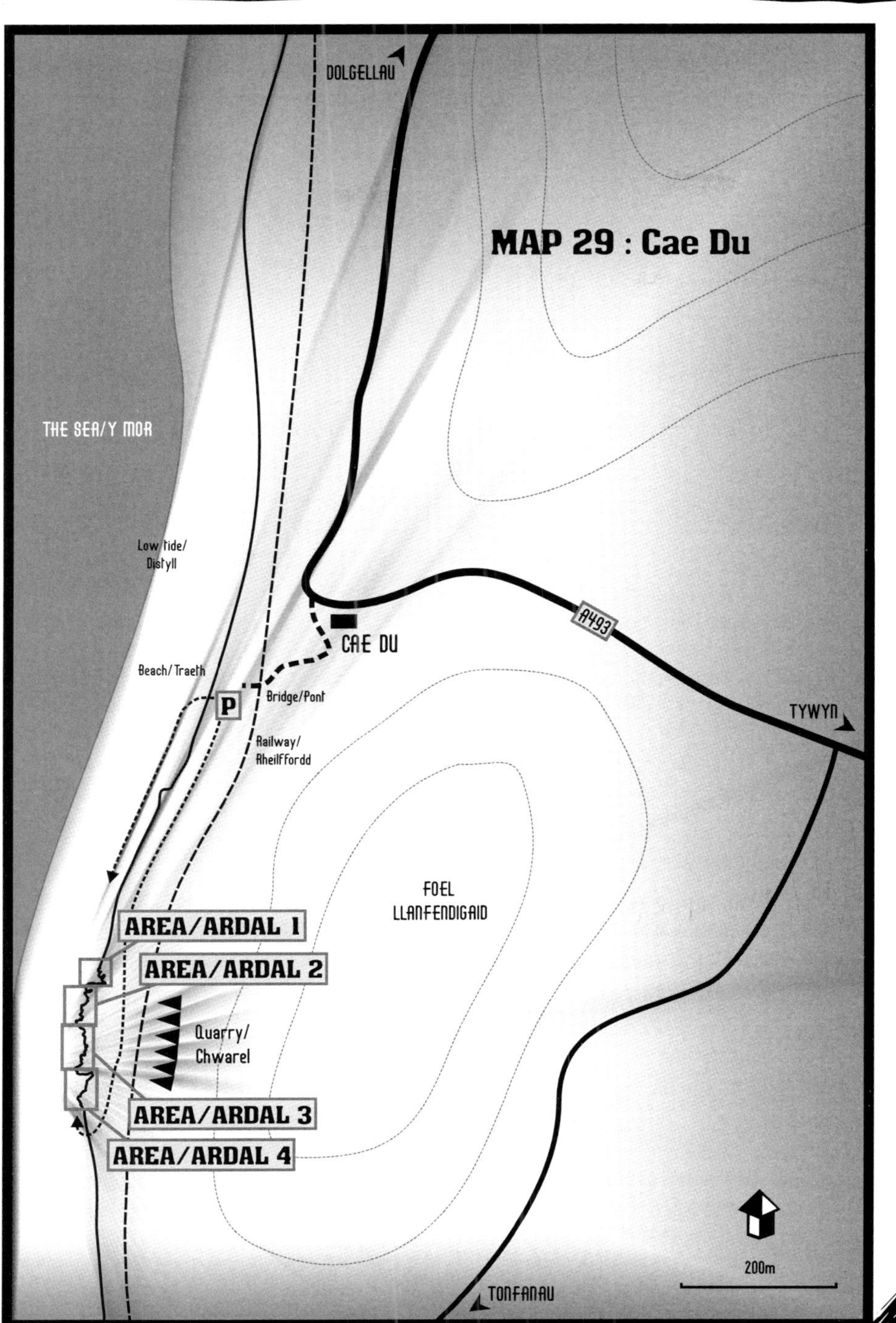
MAP 29 : Cae Du
DOLGELLAU
THE SEA/Y MOR
Low tide/
Distyll
Beach/Traeth
P
Bridge/Pont
CAE DU
A493
TYWYN
Railway/
Rheilffordd
FOEL
LLANFENDIGAID
AREA/ARDAL 1
AREA/ARDAL 2
Quarry/
Chwarel
AREA/ARDAL 3
AREA/ARDAL 4
200m
TONFANAU

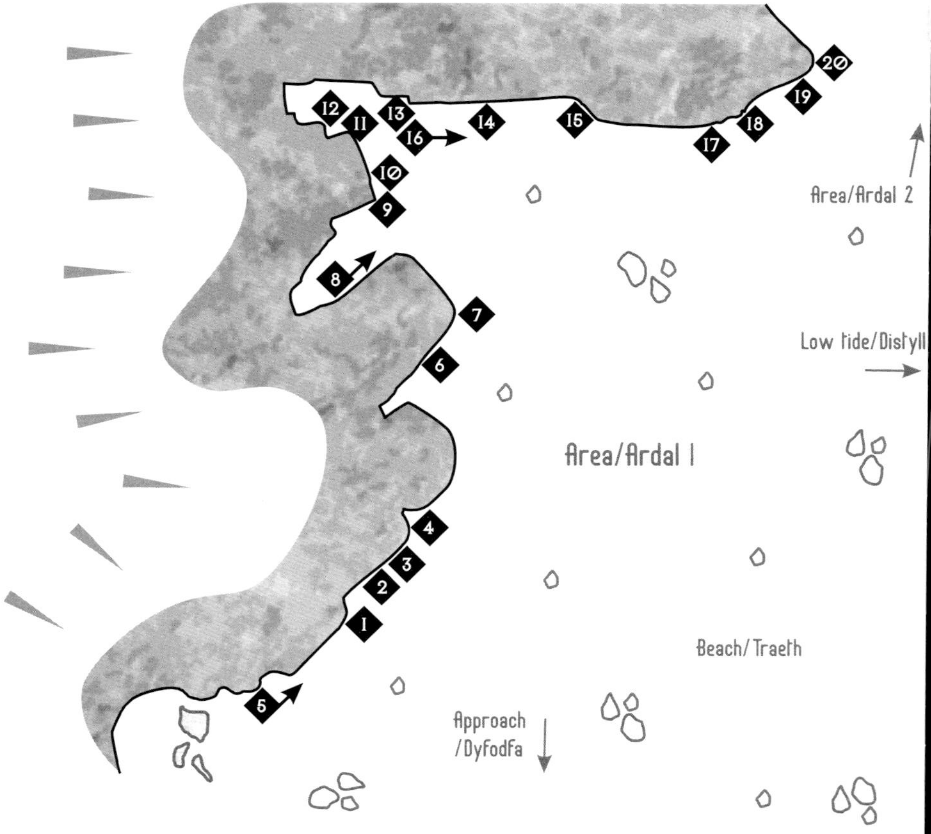

20
19
18
17
15
14
16
13
12
11
10
9
8
7
6
4
3
2
1
5
Area/Ardal 2
Low tide/Distyll
Area/Ardal 1
Beach/Traeth
Approach
/Dyfodfa

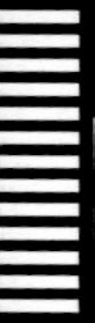

cae du: AREA 1

1. V0 ⌘ The hanging corner feature.

2. V0 ⌘ The cracked wall to the right.

3. V0– ⌘ Step up on polished pockets.

4. V0– ⌘ Squirm up the groove.

5. V1 ⌘ Traverse across the wall (left to right) following the easiest line.

6. V0 ⌘ Mantel onto the ledge on the wall left of the arete.

7. V0– ⌘ The juggy arête is a breeze.

8. V5 ⌘ Traverse left across the sloping shelf (from beneath the upper arête) moving around the arête and staying low on small slopey holds to gain *problem 7*. A harder start can be added further back in the zawn if the pebble level is low.

cae du: ARDAL 1

1. V0 ⌘ Y nod cornel grog.

2. V0 ⌘ Y pared hollt i'r dde.

3. V0– ⌘ Sefwch i fyny ar bocedi caboledig.

4. V0– ⌘ Gwingwch i fyny'r rhych.

5. V1 ⌘ Tramwywch ar draws wal (chwith i'r dde) yn dilyn y llinell haws.

6. V0 ⌘ Trawstiwch y sil ar y wal i'r chwith o'r crib.

7. V0– ⌘ Mae'r crib crafangol yn hawdd.

8. V5 ⌘ Tramwywch i'r chwith ar draws y silff gwyrol (dechrau o dan y crib uwch) symud o gwmpas y crib a chadw'n isel ar afaelion bychan i gyrraedd *problem 7*. Mae dechreuad caletach ar gael ymhellach yn ôl yn y cilan os yw lefel y cerrig yn isel.

cae du: AREA 1

9. V2 ⌘⌘ The hanging arête; descend the groove on the left.

10. V1 ⌘ The slanting groove just right of the arête.

11. V1 ⌘⌘ The undercut arête; descend the groove on the right.

12. V1 ⌘ The undercut arête just right of the descent groove.

13. V0 ⌘ The small, juggy groove; descend the easy groove to the left.

14. V1 ⌘⌘ Up through the bulge energetically to gain the juggy ledge.

15. V0 ⌘⌘ The slopey diagonal crack line.

16. V4 ⌘⌘ Traverse rightwards with hands above the lip of the bulge, moving up at the end to finish up the diagonal crack of *problem 15*. A pumpy extension **(Black to Black V6)** keeps going all the way along the low bulge, around the arête and into *problem 21*.

17. V0– ⌘ Up onto the shelf left of the arête.

18. V0 ⌘ The undercut juggy bulge into the groove.

19. V0– ⌘ The faint groove eases almost immediately.

20. V1 ⌘ Climb up onto the left side of the ledge as it meets the arête.

cae du: ARDAL 1

9. V2 ⌘⌘ Y crib crog; dringwch i lawr y rhych ar y chwith.

10. V1 ⌘ Y rhych lletgroes ychydig i'r dde o'r crib.

11. V1 ⌘⌘ Y crib tandor, dringwch i lawr y rhych ar y dde.

12. V1 ⌘ Y crib tandor ychydig i'r dde o'r rhych dringlawr.

13. V0 ⌘ Y rhych crafangol bychan; dringwch lawr y rhych hawdd ar y chwith.

14. V1 ⌘⌘ Yn egniol i fyny drwy'r chwydd i gyrraedd y sil crafangol.

15. V0 ⌘⌘ Y llinell hollt lletraws gwyrol.

16. V4 ⌘⌘ Tramwywch i'r dde gyda'ch dwylo uwch gwefus y chwydd, symud i fyny ar y diwedd i orffen i fyny hollt *problem 15*. Mae estyniad pwmpiog **(Black to Black V6)** yn mynd ymlaen yr holl ffordd ar hyd y chwydd isel o gwmpas y crib ac i mewn i *broblem 21*.

17. V0– ⌘ I fyny at y silff i'r chwith o'r crib.

18. V0 ⌘ Y chwydd tandor crafangol i mewn i'r rhych.

19. V0– ⌘ Mae'r rhych annelwig yn hawdd ar ôl dechrau.

20. V1 ⌘ Dringwch i fyny ochr chwith y sil ble mae'n cyrraedd y crib.

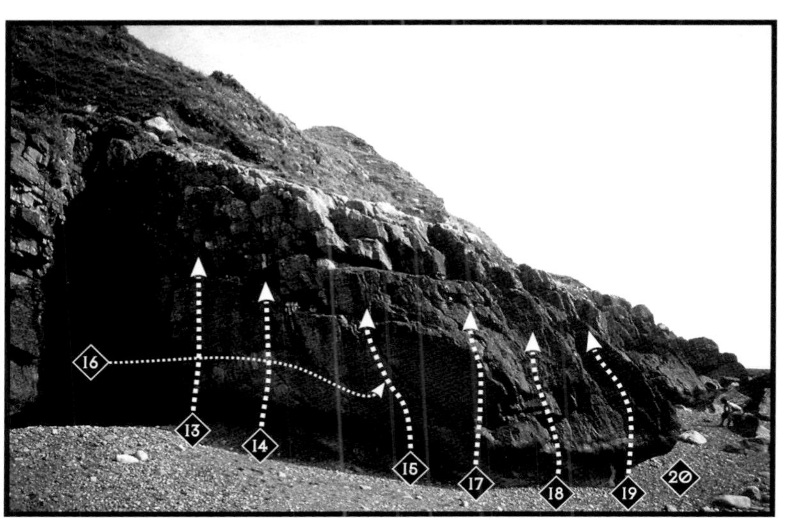

Area/Ardal 3
23
22
21
20
19
18
17
16
14
15
13
12
11
10
9
24
Low tide/Distyll
Area/Ardal 2
8
Beach/Traeth
7
6
5
4
3
2
1
Area/Ardal 1

cae du: AREA 2

1. V2 ✖✖ From a sit down start down and right, swing up left and rock up onto the right side of the ledge. A satisfying problem.

2. V0 ✖ Press up left from the layback flake to gain the slab.

3. V3 ✖✖ A steep, pumpy traverse coming out from jugs near the back of the tight little gully.

4. V0– ✖ The left side of the arête to the sloping shelf.

5. V1 Move awkwardly up to the sloping shelf right of the arête.

6. V2 ✖✖ Move up past diagonal breaks to gain the small 'V' groove at the top.

7. V2 ✖ Pull into the left side of the sloping niche.

8. V3 ✖✖ The hanging prow from a jumping start. (NB. There is an obvious low start project.)

9. V1 ✖✖ The left edge of the slab.

10. V1 ✖✖✖ The central line of the slab is very fine indeed.

11. V1 ✖✖ The small hanging groove on the right is tricky to start.

cae du: ARDAL 2

1. V2 ✖✖ O ddechreuad o'r eistedd i lawr ac i'r dde, pendylwch i fyny i'r chwith a throsiglwch i fyny at ochr dde y sil. Problem boddhaol.

2. V0 ✖ Pwyswch i fyny i'r chwith o'r caen ôl-wthiad i gyrraedd y llech.

3. V3 ✖✖ Tramwyiad serth pwmpiog yn dod o'r crafangau yng nghefn y rhigol cul.

4. V0– ✖ Ochr chwith y crib i'r silff gwyrol.

5. V1 Symudwch yn lletchwith i fyny at y silff gwyrol i'r dde o'r crib.

6. V2 ✖✖ Symudwch i fyny heibio toriadau lletgroes i gyrraedd y rhych 'V' bychan ger y brig.

7. V2 ✖ Tynnwch i mewn i ochr chwith y cilfach gwyrol.

8. V3 ✖✖ Y cribflaen crog ar ôl naid i ddechrau. Dechreuad prosiect isel amlwg.

9. V1 ✖✖ Ymyl chwith y llech.

10. V1 ✖✖✖ Mae llinell ganol y llech yn ardderchog.

11. V1 ✖✖ Y rhych bach crog ar y dde gyda dechreuad lletchwith.

Adam Wainwright, Problem 1 V2, Photo/Ffoto: Simon Panton

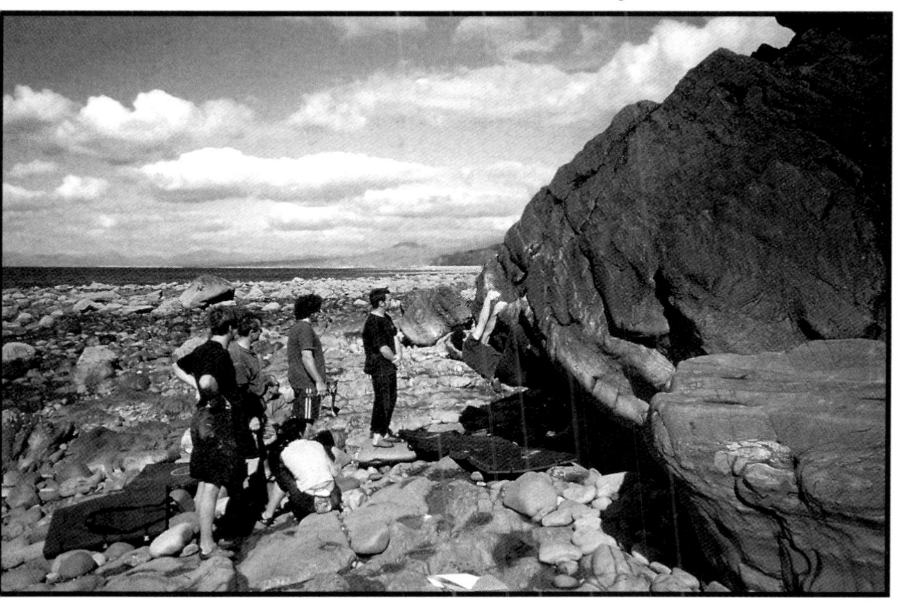

12. V5/6 ⌘⌘ The hanging arête is superb, but it has a very pebble height dependant grade.

13. V3 ⌘⌘ Layback the right edge of the bottomless groove and rock up left to the jug on the arête at the top of *problem 12*. The V6 direct finish up the steep arête is both wild and hard.

14. V6 ⌘⌘ Traverse the break line across the steep wall (somehow coping with the lack of footholds) out left from the corner to gain *problem 13*, and thus the front side of the arête as per *problem 12*.

15. V? A highball eliminate dyno can be done (assuming you have sufficient mats and spotters) from the top break to the distant crag top.

16. V2 An awkward line is possible just left of the corner offwidth.

17. V1 ⌘⌘⌘ Start at the back of the gully/offwidth; bridge and thrutch outwards and upwards. A good honest battle.

18. The thin line up the smooth bulging wall just right of the corner crack is still a project.

19. V1 ⌘⌘ The shallow groove feature also has a further good V3/4 variation eliminate **(The Boss)** breaking out left to gain the large pocket.

20. V0+ ⌘ The cracked wall above the bulge.

21. V0– ⌘ The groove and nose/shelf feature.

22. V1 ⌘ Up past the flake feature.

(A V2 sit down start following the low diagonal crack onto the shelf on the left is also worthwhile.)

23. V2 ⌘ Dyno up for the top from the obvious hold.

24. V3 ⌘ From a sit down start just left of the low prow (feet on low block at back) pull up and belly flop up in a 'Man from Atlantis' style. A full circuit of the block is also possible, starting at the left side of the seaward face and following the lip round - past a hands off rest in the slopey groove - with great difficulty (partly reduced by the use of the low block underneath for feet) on the last section, rocking out onto the slabby ramp that *problem 24* pulls onto.

12. V5/6 ⌘⌘ Y crib crog ardderchog, ond gradd sy'n ddibynnol ar uchder cerrig.

13. V3 ⌘⌘ Ôl-wthiwch ymyl dde y rhych di-waelod a throsiglwch i fyny i'r chwith at y crafanc ar y crib ar frig *problem 12*. Mae'r gorffeniad union V6 i fyny'r crib serth yn wyllt ac yn galed.

14. V6 ⌘⌘ Tramwywch y llinell toriad ar draws y wal serth (yn delio a'r diffyg troedleoedd rhyw ffordd) i'r chwith o'r gornel at *broblem 13* a felly blaen y crib fel *problem 12*.

15. V? Mae deino dileol uchelgeilliol yn bosibl (os oes gennych ddigonedd o fatiau a gwylwyr) o'r toriad uchaf at frig y clogwyn.

16. V2 Mae llinell lletchwith yn bosibl ychydig i'r chwith o'r gornel anlled.

17. V1 ⌘⌘⌘ Dechreuwch yng nghefn y rhigol/anlled; rhychwantwch a chwffiwch allan ac i fyny. Brwydr onest dda.

18. Mae'r llinell tenau i fyny'r wal llyfn chwydd ychydig i'r dde o'r hollt gornel dal yn brosiect.

19. V1 ⌘⌘ Y nodwedd rhych bas, sydd hefyd ag amrywiad dileol V3/4 da **(The Boss)** yn torri allan i'r chwith i gyrraedd poced mawr.

20. V0+ ⌘ Y mur hollt uwch y chwydd.

21. V0– ⌘ Y rhych a'r nodwedd trwyn/silff.

22. V1 ⌘ I fyny heibio'r nod caen.

(Hefyd, mae'r dechreuad o'r eistedd V2 yn dilyn y llinell lletraws isel at y silff ar y chwith yn dda.)

23. V2 ⌘ Deino i fyny at y brig o'r gafael amlwg.

24. V3 ⌘ O ddechreuad o'r eistedd ychydig i'r chwith o'r cribflaen isel (traed ar y bloc isel cefn) tynnwch i fyny a bol-laniwch i fyny modd 'Man from Atlantis'. Mae cylchdaith o'r bloc yn bosibl, dechrau ar yr ochr chwith y wyneb morol a dilyn y brig o amgylch - heibio gorffwys dwylo ffwrdd mewn rhych gwyrol - gyda llawer o anhawster (yn ychydig yn haws os yw'r bloc isel yn cael ei ddefnyddio) ar y darn gorffenedig, trosiglwch allan at y ramp llechog ble mae *problem 24* yn dechrau.

cae du: AREA 2

cae du: ARDAL 2

9
10
11
12
13
14
16

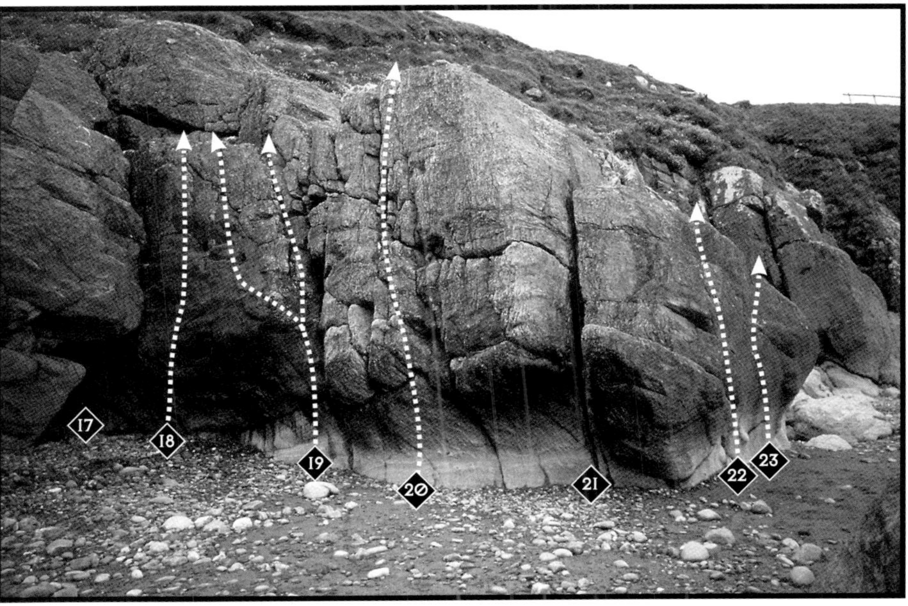

17
18
19
20
21
22
23

cae du: AREA 3

cae du: ARDAL 3

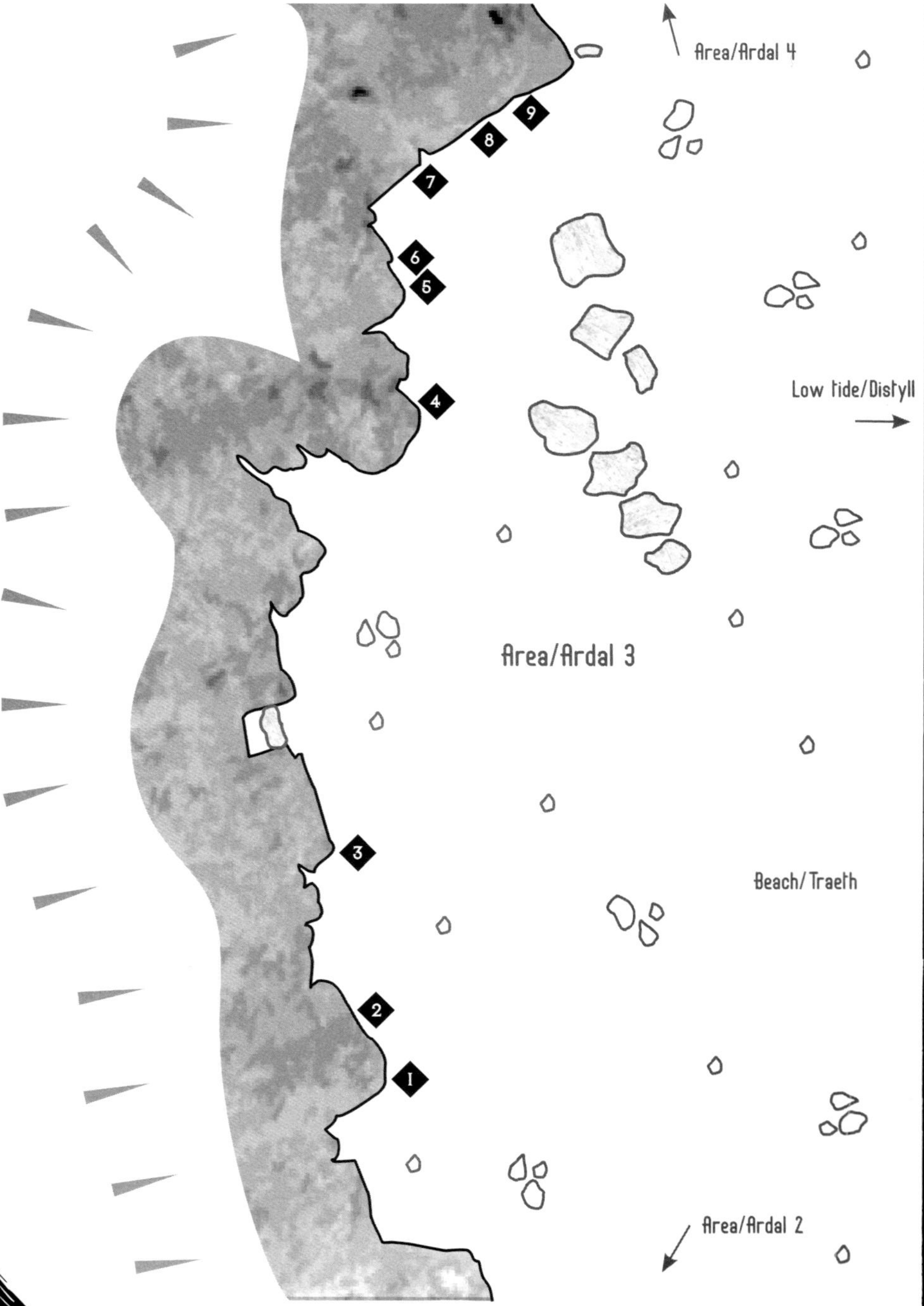

cae du: AREA 3

1. V2 ✠✠ The blunt, cracked arête also goes from a sit down start at V3.

2. V1 ✠ Move up left from the prominent layaway hold.

3. The high arête is an obvious project line.

4. V3 ✠✠ The rounded arête starting on the right.

5. V3 ✠✠✠ The immaculate hanging arête is the classic of the crag.

6. V3 ✠✠ The hanging groove is also a great problem. The sit down start (pulling on and utilising a handy heel-toe out left) is V7.

7. V1 ✠✠ Up the crack/ groove feature in the roof.

8. V2 ✠✠ The central section of the roof can actually be taken in a couple of places.

9. V0– ✠✠ A bold line through the notch in the right end of the roof.

Other easier up lines and traverses are also possible in this area.

cae du: ARDAL 3

1. V2 ✠✠ Y crib hollt di-awch hefyd yn bosibl fel cychwyniad llawr V3.

2. V1 ✠ Symudwch i fyny i'r chwith o'r gafael ochdyn amlwg.

3. Mae'r crib uchel yn llinell prosiect amlwg.

4. V3 ✠✠ Y crib crwm dechrau i'r dde.

5. V3 ✠✠✠ Y crib crog ardderchog yw clasur y clogwyn.

6. V3 ✠✠ Mae'r rhych crog yn broblem dda hefyd. Mae'r dechreuad o'r eistedd (tynnu ar a defnyddio bawd/sawdl hwylus allan i'r chwith) yn V7.

7. V1 ✠✠ I fyny'r nodwedd hollt/rhych yn y to.

8. V2 ✠✠ Gall dringo drwy'r darn canol o'r to mewn cwpl o leoedd.

9. V0– ✠✠ Llinell mentrus drwy'r rhic ar ochr dde y to.

Yn amlwg, mae tramwyiadau a llinellau i fyny haws yn bosibl yn yr ardal.

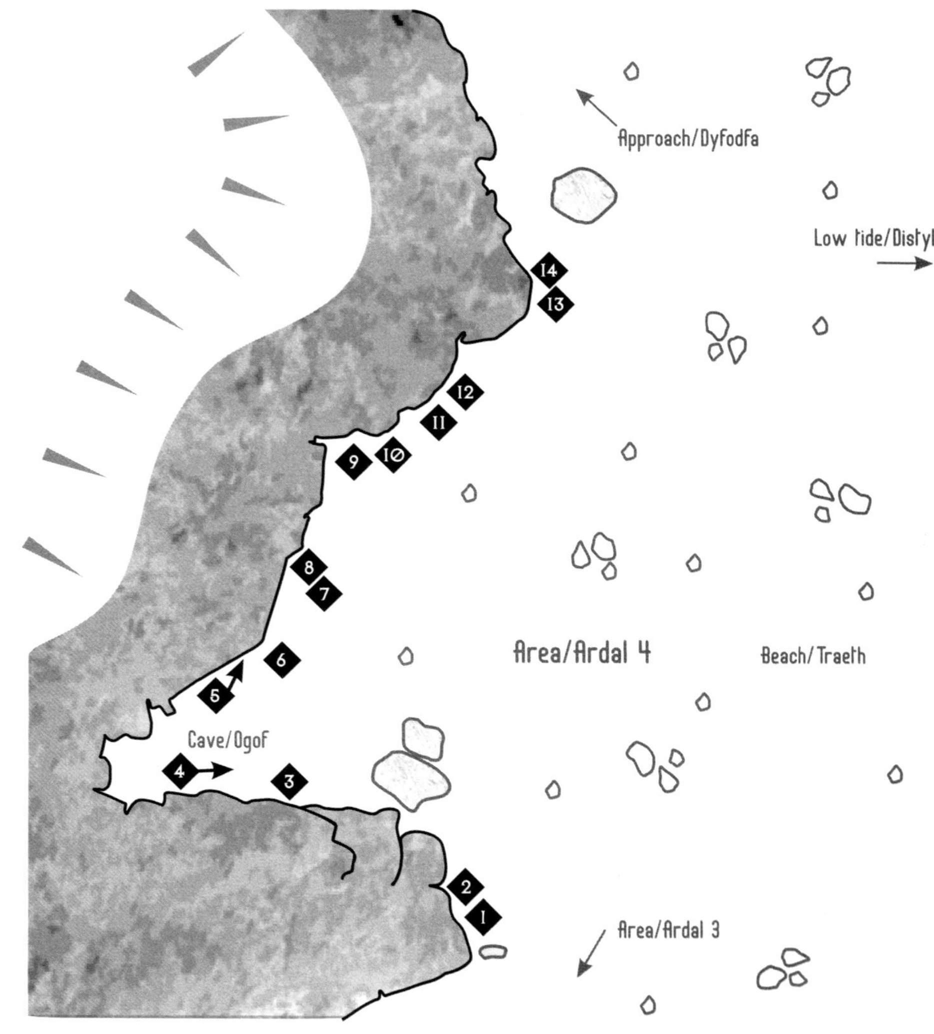

cae du: AREA 4

1. V1 ⌘ Follow the thin crack up past the shelf.

2. V3 ⌘⌘ Climb out from the back of the small cave beneath the attractive hand crack. (An obvious eliminate just using the vertical crack would be tricky.)

3. V3 ⌘⌘ The steep high crack is both difficult and intimidating.

4. V6 ⌘ A low level traverse (right to left) is possible on the left wall of the cave.

cae du: ARDAL 4

1. V1 ⌘ Dilynwch yr hollt tenau i fyny heibio'r silff.

2. V3 ⌘⌘ Dringwch allan o'r ogof bach o dan yr hollt llaw atyniadol. (Anodd iawn bu'r dilead amlwg o ddefnyddio'r hollt fertigol yn unig.)

3. V3 ⌘⌘ Mae'r hollt serth uchel yn anodd ac yn fygythiol.

4. V6 ⌘ Tramwyiad lefel isel (dde i'r chwith) yn bosibl ar hyd wal chwith yr ogof.

cae du: AREA 4

5. V1 ✠✠✠ The classic hanging ramp line is superb.

6. Cae Du Crack V3 ✠✠ Stand on the adjacent boulder and pull forcefully into the crack feature on the arête. The V7 sit down start following the steep diagonal finger crack is quite magnificent.

7. V3 ✠ Start up the polished groove, but move left across the slight ramp above the steep lower wall and climb boldly to the top.

8. V0/3 ✠ The polished groove has a very pebble height dependant grade.

9. V0/3 ✠ Another pebble height dependant line into the hanging groove.

10. V2 ✠ Mantel the hanging nose.

11. V2 ✠✠ Mantel/layback up onto the sloping shelf just right of the arête.

12. V6 ✠ Mantel desperately up from the big layaway hold.

13. V2 ✠✠ From a sit down start in the low niche move up left, then zig zag up to high ledges.

14. V1 Up past the jug to easy ground.

cae du: ARDAL 4

5. V1 ✠✠✠ Mae'r llinell ramp crog clasurol yn ardderchog.

6. Cae Du Crack V3 ✠✠ Sefwch ar y glogfaen cyfagos a thynnwch yn gryf i mewn i'r nod hollt yn y crib. Mae'r dechreuad o'r eistedd V7 yn dilyn yr hollt bys lletgroes serth yn ardderchog.

7. V3 ✠ Dechrau i fyny'r rhych caboledig, ond symud allan i'r chwith ar draws y ramp bychan uwch y wal is serth a dringwch yn fentrus at y brig.

8. V0/3 ✠ Y rhych caboledig gyda gradd sy'n ddibynnol ar uchder cerrig.

9. V0/3 ✠ Llinell uchder cerrig dibynnol eraill i mewn i'r rhych crog.

10. V2 ✠ Trawstiwch y trwyn crog.

11. V2 ✠✠ Trawst/ôl-wthiwch i fyny ar y silff gwyrol ychydig i'r dde o'r crib.

12. V6 ✠ Trawstiwch yn enbyd i fyny o'r ochdyn mawr.

13. V2 ✠✠ O ddechreuad o'r eistedd yn y cilfach isel symudwch i fyny i'r chwith, wedyn yn igam-ogam i fyny at siliau uchel.

14. V1 I fyny heibio'r crafanc at dir hawdd.

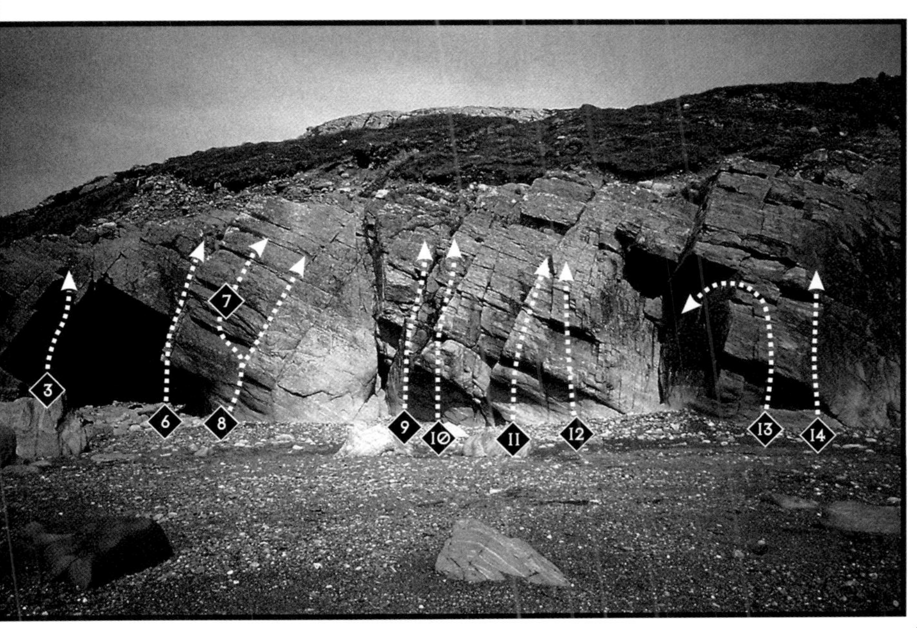

GRADED LIST

In keeping with the obsessive, list ticking, collector mentality endemic within all underground pursuits, here is the mother of all tick lists; a constant frame of reference for your explorations, and hopefully an inspiration for all to make that crucial leap of faith beyond the cosy, well trodden circuits. New ground is like cold water to the desert trapped man (essential) and I urge you to heed this list - as daunting as it might seem on first acquaintance - it will lead you to places that you never imagined to exist, to a nether world of problems so magical and leftfield that you may never wish to return to the roadside circus again.

RHESTR GRADDAU

I gadw gyda meddylfryd obsesiynol, ticio rhestr, casglwr sy'n endemig i bob gweithgaredd tanddaearol, dyma mam y rhestrau ticio; fframwaith cyfeirnodol cyson i'ch archwyliadau, ac yn obeithiol yn ysbrydoledig i bawb i wneyd y naid ffydd craidd y tu hwnt i'r cylchdeithiau sathredig cysurus. Mae tir newydd fel dwr oer i'r dyn caeth-ddiffeithdir (angenrheidiol) ac yr wyf yn eich annog i dalu sylw o'r rhestr hwn - mor frawychus a mae'n edrych ar gydnabyddiaeth cychwynnol - fe wneith eich arwain i lefydd y byddech byth wedi dychmygu, at isfyd o broblemau mor ddewinol a rhyfeddol y byddech byth am ddychwelyd i'r syrcas ochrffordd eto.

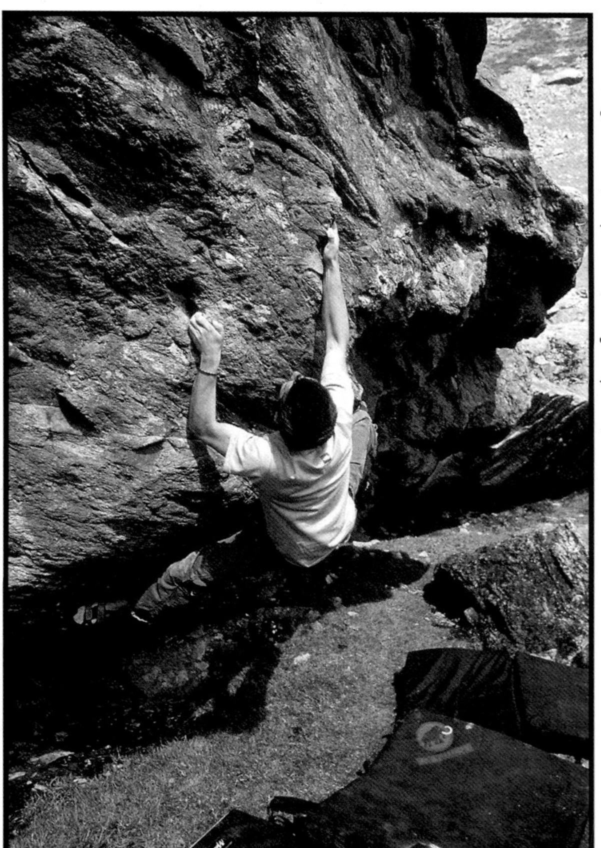

Dave Rudkin, Dog Shooter V4, Sheep Pen Boulders/Clogfaeni y Gorlan, Photo:/Ffoto: David Simmonite

V1

The Ramp (Cromlech: Roadside/Ochrffordd)
Problem 22 (Cromlech: Roadside/Ochrffordd)
Problem 43 (Cromlech: Roadside/Ochrffordd)
Problem 44 (Cromlech: Roadside/Ochrffordd)
Brown's Crack (Cromlech)
Problem 18 (Cromlech: Lefthand/Ochrchwith)
Flake Crack sds (Craig y Llwyfan)
Paul's Arete (Pieshop/Peisiop)
Scoop Arete (Wavelength/Tonfedd)
SP Wall (Wavelength/Tonfedd)
Split Rock Trav (L Satellites/Gosgorddion Is)
Supa Dupa Fly (Lower Satellites/Gosgorddion Is)
Sugar Chunk (Lower Satellites/Gosgorddion Is)
Meadow Groove sds (The Meadow/Y Ddôl)
Death Of An Idiot (The Dome/Y Cromen)
Domehead (The Dome/Y Cromen)
Nicotine Corner (Pass Oddities/Hynodion y Dyffryn)
Braichmelyn Arete (Braichmelyn)
Problem 5 (Idwal Cottage/Bwthyn Idwal)
Problem 11 (Idwal Cottage/Bwthyn Idwal)
Problem 13 (Idwal Cottage/Bwthyn Idwal)
Problem 4 (Clogwyn y Tarw: Righthand/Ochrdde)
Problem 11 (Clogwyn y Tarw: Righthand/Ochrdde)
Problem 14 (Clogwyn y Tarw: Rhand/Ochrdde)
Problem 9 (Caseg Fraith: Lower/Isaf)
Problem 6 (RAC)
Problem 8 (RAC)
Problem 9 (Cwm Dyli: 1st Boulders/Clogfaeni Cyntaf)
Problem 10 (Cwm Dyli: 1st Boulders/Clogfaeni Cyntaf)
Problem 8 (Cwm Dyli: Moose's Boulder/Clogfaen Moose)
Problem 11 (Cae Du: area/ardal 1)
Problem 14 (Cae Du: area/ardal 1)
Problem 9 (Cae Du: area/ardal 2)
Problem 10 (Cae Du: area/ardal 2)
Problem 11 (Cae Du: area/ardal 2)
Problem 17 (Cae Du: area/ardal 2)

V1

Problem 19 (Cae Du: area/ardal 2)
Problem 7 (Cae Du: area/ardal 3)
Problem 2 (Cae Du: area/ardal 4)
Problem 5 (Cae Du: area/ardal 4)
Problem 9 (Pigeon's Cave/Ogof Colomenod)
Problem 19 (Pigeon's Cave/Ogof Colomenod)
Truth (Porth Ysgo: area/ardal 2)
Justice (Porth Ysgo: area/ardal 2)
Problem 16 (Porth Ysgo: area/ardal 3)
PGs Slab (Porth Ysgo: area/ardal 3)
Problem 7 (Porth Ysgo: area/ardal 5)
Problem 8 (Porth Ysgo: area/ardal 5)
Ysgo Crack (Porth Ysgo: area/ardal 6)
Shredded Feet (Porth Ysgo: area/ardal 8)
Stairway (Porth Ysgo: area/ardal 10)
Blue Jam (Porth Ysgo: area/ardal 10)

V2

Roadside Rhand (Cromlech: Roadside/Ochrffordd)
Ramp Central (Cromlech: Roadside/Ochrffordd)
Ramp Lhand (Cromlech: Roadside/Ochrffordd)
Problem 19 (Cromlech: Roadside/Ochrffordd)
Problem 42 (Cromlech: Roadside/Ochrffordd)
Prow Righthand (Cromlech: Roadside/Ochrffordd)
Problem 2 (Cromlech: Lefthand/Ochrchwith)
Problem 17 (Cromlech: Lefthand/Ochrchwith)
Problem 22 (Cromlech: Lefthand/Ochrchwith)
Problem 5 (Pont y Gromlech)
The Dash (Ynys Ettws) - M Crook
The Groove (Utopia/Wtopia)
Wavelength Central (Wavelength/Tonfedd) - P Pritchard
The Ramp (Upper Satellites/Gosgorddion Uchaf) - S Panton
Meadow Crack (The Meadow/Y Ddôl)
Llyn Peris Arete (Pass Oddities/Hynodion y Dyffryn)
Electrocution Wall (Fachwen)
Perrin's Arete (Fachwen) - J Perrin
The Ramp (Braichmelyn)

V2

Problem 2 (Sheep Pen Boulders/Clogfaeni y Gorlan: First Blocks/Blociau Cyntaf)

Problem 3 (Sheep Pen Boulders/Clogfaeni y Gorlan: First Blocks/Blociau Cyntaf)

Really Beef (Clogwyn y Tarw)

Attack Ships (Orion Boulder/Clogfaen Orion)

Problem 3 (Caseg Fraith: Lower/Isaf)

Problem 7 (Caseg Fraith Lower/Isaf)

Problem 1 (Gallt yr Ogof)

Cost Of Living (Gallt yr Ogof) - R Wood

Problem 4 (Plas y Brenin) - P Hammond

Problem 3 (RAC)

Problem 25 (RAC)

Problem 15 (Cwm Dyli: First Boulders/ Clogfaeni Cyntaf)

Problem 17 (Cwm Dyli: First Boulders/ Clogfaeni Cyntaf)

Problem 7 (Cwm Dyli: Moose's Boulder/ Clogfaen Moose)

Problem 9 (Cwm Dyli: Moose's Boulder/ Clogfaen Moose)

Problem 11 (Cwm Dyli: Moose's Boulder/ Clogfaen Moose)

Problem 9 (Cae Du: area/ardal 1)

Problem 1 (Cae Du: area/ardal 2)

Problem 6 (Cae Du; area/ardal 2)

Problem 1 (Cae Du; area/ardal 3)

Problem 8 (Cae Du; area/ardal 3)

Problem 6 (Cae Du; area/ardal 4)

Problem 11 (Cae Du: area/ardal 4)

Problem 13 (Cae Du: area/ardal 4)

Problem 17 (Pigeon's Cave/Ogof Colomenod)

Bodafon Roof (Bodafon)

Undercut Problem (Angel Bay/Porth Dyniewyd)

Problem 4 (Angel Bay/Porth Dyniewyd: Boulders/Clogfaeni)

Problem 10 (Angel Bay/Porth Dyniewyd: Boulders/Clogfaeni)

Problem 14 (Angel Bay/Porth Dyniewyd: Boulders/Clogfaeni)

V2

Ysgo Flange (Porth Ysgo: area/ardal 2)

Joystick (Porth Ysgo: area/ardal 3)

Problem 19 (Porth Ysgo: area/ardal 3)

Perrin's Crack (Porth Ysgo: area/ardal 3) - J Perrin

Problem 1 (Porth Ysgo: area/ardal 5)

Smith Route (Porth Ysgo: area/ardal 6)

Spaz Boy (Porth Ysgo: area/ardal 9)

Heaven Groove (Porth Ysgo: area/ardal 10)

V3

Pocket Wall (Cromlech: Roadside/Ochrffordd)

Problem 9 (Cromlech: Roadside/Ochrffordd)

Pocket Trav (Cromlech: Roadside/Ochrffordd)

Problem 23 (Cromlech: Roadside/Ochrffordd)

The Slopes (Cromlech: Roadside/Ochrffordd)

The Prow (Cromlech: Roadside/Ochrffordd)

Problem 27 (Cromlech: Roadside/Ochrffordd)

Problem 39 (Cromlech: Roadside/Ochrffordd)

Problem 47 (Cromlech: Roadside/Ochrffordd)

Prow Lhand (Cromlech: Roadside/Ochrffordd)

Hidden Wall (Cromlech: Roadside/Ochrffordd)

Problem 1 (Cromlech: Lefthand/Ochrchwith)

Problem 21 (Cromlech: Lefthand/Ochrchwith)

Problem 6 (Pont y Gromlech)

The Seam (Pont y Gromlech)

Problem 5 (The Barrel/Y Gasgen)

Boysen's Roof (Ynys Ettws) - M Boysen

Problem 8 (Ynys Ettws)

Gettin' The Chop (Pieshop/Peisiop) - S Panton

Kebab Legs (Pieshop/Peisiop) - G Foster

The Pieman (Pieshop/Peisiop) - S Panton

The Shelf (Wavelength/ Tonfedd) - P Pritchard

Boysen's Groove (Grooves Boulder/Clogfaen Rhychau) - P Pritchard

Ice Hockey Haircut (Lower Satellites/ Gosgorddion Is) - S Panton

The Appauling Traverse (Lower Satellites/ Gosgorddion Is) - P Higginson

Sweetness (L Satellites/Gosgorddion I) - S Panton

V3

Problem 24 (Lower Satellites/Gosgorddion Is)
Gwion's Trav (The Meadow/Y Ddôl) - G Hughes
Welcome To Krell (The Meadow/Y Ddôl) - S Panton
Nicotine Wall (Pass Oddities/Hynodion y Dyffryn) - C Davies
Disorder (Pass Oddities/Hynodion y Dyffryn)
Shorter's Overhang (Fachwen) - C Shorter
Accomazzo's Wall (Fachwen) - A Accamazzo
Harris' Arete (Fachwen) - A Harris
Little Groover (Sheep Pen Boulders/Clogfaeni y Gorlan)
Sideshow (Idwal Cottage Crag/Clogwyn Bwythyn Idwal)
Cracker (Idwal Cottage Crag/Clogwyn Bwythyn Idwal)
Problem 9 (Idwal Cottage Crag/Clogwyn Bwythyn Idwal)
Problem 5 (Clogwyn y Tarw: RHand/Ochrdde)
Problem 22 (Clogwyn y Tarw: Lhand/Ochrchwith)
Mat's Problem (Clogwyn y Tarw) - M Tuck
Jez' Arete (Milestone Buttress/Bwtres Carreg-Filltir) - J Stephenson
Problem 3 (Caseg Fraith: Lower/Isaf)
Caseg Fraith Arete (Caseg Fraith: Lower/Isaf)
Problem 5 (Plas y Brenin) - P Hammond
Frontside Traverse (RAC)
Lefthand Gully Traverse (RAC)
Marsh Arete (RAC)
Problem 26 (RAC)
Teyrn Arete (Cwm Dyli) - N Craine
The Bassline (Cwm Dyli) - S Panton
Hylldrem Traverse (Carreg Hylldrem)
Problem 3 (Cae Du: area/ardal 2)
Problem 8 (Cae Du: area/ardal 2)
Problem 13 (Cae Du: area/ardal 2)
Problem 4 (Cae Du: area/ardal 3)
Problem 5 (Cae Du: area/ardal 3)
Problem 6 (Cae Du: area/ardal 3)
Problem 3 (Cae Du: area/ardal 4)

V3

Pillar Finish (Split Infinity/Hollt Anfeidredd)
Problem 10 (Pigeon's Cave/Ogof Colomenod)
Problem 11 (Pigeon's Cave/Ogof Colomenod)
The Ramp (Pigeon's Cave/Ogof Colomenod)
Rob's Wall (Pigeon's Cave/Ogof Colomenod) - R Wilson
HP Direct (Angel Bay/Porth Dyniewyd)
Problem 5 (Angel Bay/Porth Dyniewyd: Boulders/Clogfaeni)
Patch's Wall (Angel Bay/Porth Dyniewyd) - P Hammond
Floppy's Reach (Little Orme/Cyngreadur Bach) - C Davies
TISM (Porth Ysgo: area/ardal 3)
VG Central (Porth Ysgo: area/ardal 4)
Ysgo Flake (Porth Ysgo: area/ardal 4)
The Ramp (Porth Ysgo: area/ardal 5)
Unmarked Grave (Porth Ysgo: area/ardal 5)
Closer (Porth Ysgo: area/ardal 6)
Ugly Women (P Ysgo: area/ardal 7) - G Foster
Ding Dong's Wall (Porth Ysgo: area/ardal 9) - N Dyer

V4

Roadside Arete (Cromlech)
Scoop Lip Traverse (Cromlech)
Heel Hook Traverse (Cromlech)
Moose' Problem (Cromlech) - M Thomas
Problem 28 (Cromlech: Roadside/Ochrffordd)
Bog Traverse (Cromlech: Roadside/Ochrffordd)
The Blunt (Cromlech: Roadside/ Ochrffordd)
The Pump Trav (Cromlech: Roadside/Ochrffordd)
The Blunt (Cromlech: Roadside/Ochrffordd)
The Pump Traverse (Cromlech)
Problem 11 (Cromlech: Lefthand/Ochrchwith)
Problem 24 (Cromlech: Lefthand/Ochrchwith)
Middle Bluff Line (Pass Oddities/Hynodion y Dyffryn)
PYG Track Crack (Pen y Pass/Gorphwysfa)
Yee Ha (Pen y Pass/Gorphwysfa) - D Norton

Problem 2 (Pont y Gromlech)
Johnny's Problem (Pont y Gromlech) - J Dawes
Problem 6 (The Barrel/Y Gasgen)
Slapshot (Utopia/Wtopia) - S Panton
Utopia Central (Utopia/Wtopia)
Utopia Lefthand (Utopia/Wtopia)
Rampant Slapper (Pieshop/Peisiop) - S Panton
Chip Shop Slapper (Pieshop/Peisiop) - S Panton
The Nasty Pasty (Pieshop/Peisiop) - S Panton
The Groove (Wavelength/Tonfedd) - P Pritchard
Wedgie Lhand (Wavelength/Tonfedd) - P Pritchard
Wedgie Rhand (Wavelength/Tonfedd) - P Pritchard
Groove Righthand (Grooves Boulder/Clogfaen Rhychau) - P Pritchard
Paul's Bulge (Grooves Boulder/Clogfaen Rhychau) - P Pritchard
How's Yer Plummin' ? (Grooves Boulder/ Clogfaen Rhychau) - S Panton
The Ramp (Grooves Boulder/Clogfaen Rhychau)
Klem's Traverse (Lower Satellites/ Gosgorddion Is) - K Clemmow
Appauled (L Satellites/Gosgorddion I) - P Higginson
Mark's Gritty Sitter (Lower Satellites/ Gosgorddion Is) - M Evans
Trouty's Prow (Lower Satellites/Gosgorddion Is) - D Towse
In The Attic (Lower Satellites/Gosgorddion Is) - S Panton
Problem 32 (U Satellites/Gosgorddion Uchaf)
Problem 33 (U Satellites/Gosgorddion Uchaf)
Kris' Groove (Upper Satellites/Gosgorddion Uchaf) - K Clemmow
Meadow Roof (The Meadow/Y Ddôl) - S Panton
Lordy, Lordy (The Dome/Y Cromen) - N Craine
Tiger, Tiger (Beyond The Dome/Heibio'r Cromen) - G Foster
Slopes Of Hope (Beyond The Dome/Heibio'r Cromen)
Pritch's Traverse (Pass Oddities/Hynodion y Dyffryn) - P Pritchard

Klem's Arete (Sheep Pen Boulders/Clogfaeni y Gorlan) - K Clemmow
Mack The Knife (Sheep Pen Boulders/Clogfaeni y Gorlan) - K Clemmow
Location... (Idwal Cottage/Bwythyn Idwal) - M Evans
Problem 6 (Clogwyn y Tarw)
Seren (Orion Boulder/Clogfaen Orion) - T Shelmerdine
Problem 2 (Bogside Boulder/Clogfaen Ochrgors) - C Waddy
Problem 4 (Milestone Buttress/Bwtres Carreg-Filltir)
Ogwen Jazz (Caseg Fraith) - J Ratcliffe
Problem 2 (Gallt yr Ogof)
Problem 5 (Gallt yr Ogof)
Mondo's Traverse (Gallt Yr Ogof) - R Wood
Gap Of Rohan (Rhiw Goch) - S Cattell
The Pump Traverse (RAC)
Barking Direct (Mallory) - N Dyer
Teyrn Wall (Cwm Dyli)
Problem 11 (Cwm Dyli: First Boulders/ Clogfaeni Cyntaf)
Teyrn Roof Crack (Cwm Dyli) - N Craine
Gwion's Flake (Cwm Dyli) - G Hughes
Central Lefthand Start (Carreg Hylldrem)
Central Direct (Carreg Hylldrem)
Central Righthand Start (Carreg Hylldrem)
The Ramp (Carreg Hylldrem)
Problem 16 (Cae Du: area/ardal I)
Problem 15 (Parisella's Cave/Ogof Parisella)
Problem 22 High (Pigeon's Cave/Ogof Colomenod)
Travel Light (Angel Bay/Porth Dyniewyd)
The Bulge (Angel Bay/Porth Dyniewyd)
Pocket Wall (Angel Bay/Porth Dyniewyd)
Bridey Arete (Angel Bay/Porth Dyniewyd)
The Mantlepiece (Angel Bay/Porth Dyniewyd)
The Letterbox (Angel Bay/ Porth Dyniewyd)
Beep (Roadrunner)

V4

Grump Slap (Porth Ysgo: area/ardal 1)
Higginson Scar sds/doe (Porth Ysgo: area/ardal 2) - P Higginson
Ysbediau Heulog (Porth Ysgo: area/ardal 2) - S Panton
Throbbin's Arete (Porth Ysgo: area/ardal 4) - P Robins
Talking Dog (P Ysgo: area/ardal: 5) - S Panton
Johnny's Slab (P Ysgo: area/ardal: 6) - J Dawes
American Rafiki (Porth Ysgo: area/ardal: 9) - S Panton
Trons Brown (P Ysgo: area/ardal: 10) - S Panton
Made In Heaven (P Ysgo: area/ardal: 10) - G Foster

V5

The Edge Problem (Cromlech)
Throbbin's Wall (Cromlech) - P Robins
Pump Traverse Low (Cromlech)
Bull's Problem (Cromlech) - S Jones
Problem 5 (Cromlech: Lefthand/Ochrchwith)
Lefthand Trav (Cromlech: Lefthand/Ochrchwith)
Loose Canon (Cromlech) - C Davies
Back Trav (Cromlech: Lefthand/Ochrchwith)
Backshot (Cromlech) - S Panton
Wirebrush Crack (Cromlech) - M Crook
Cross Fader (Cromlech) - M Rose
Lower Bluff Seam Line (Pass Oddities/Hynodion y Dyffryn)
The Traverse (Pont y Gromlech)
Pete's Crack (Craig y Llwyfan) - P Robins
Looking Down... (The Barrel/Y Gasgen)
The Bogey (The Barrel/Y Gasgen) - R Wood
The Crook Roof (Ynys Ettws) - M Crook
Midget Gem (Utopia/Wtopia) - L Houlding
Utopia Righthand (Utopia/Wtopia)
Rampant Kebab (Pieshop/Peisiop) - K Clemmow
Deep Throat Donut (Grooves Boulder/Clogfaen Rhychau) - P Higginson

V5

Six Pack (Grooves Boulder/Clogfaen Rhychau) - S Panton
The (Appauling) Low Traverse (Lower Satellites/Gosgorddion Is) - S Panton
Cellar Swings (Lower Satellites/Gosgorddion Is) - S Panton
Northern Soul (Upper Satellites/Gosgorddion Is) - S Panton
Forcing The Rhubarb (Upper Satellites/Gosgorddion Uchaf) - P Higginson
Killer Weed (The Meadow/Y Ddôl) - M Crook
Nick's Arete (The Dome/Y Cromen) - N Dixon
The Wolf (Beyond the Dome/Heibio'r Cromen) - S Panton
Moose' Toothpaste (Cwm Glas Bach) - M Thomas
Thumb Boy (Cwm Glas Bach)
Pin Sharp (Pass Oddities/Hynodion y Dyffryn) - R Wood
Karma Sutra (Pac Man) - M Evans
Pac Man Arete (Pac Man) - D Rudkin
Moose' Wall (Cwm Dyli) - M Thomas
Gassy Boy Traverse (Cwm Dyli) - S Panton
Central Wall (Braichmelyn) - J Redhead
Top Caseg Traverse (Caseg)
Caseg Groove (Caseg) - J Redhead
Life In A Northern Town (Sheep Pen Boulders/Clogfaeni y Gorlan) - S Panton
Klem's Bulge (Sheep Pen Boulders/Clogfaeni y Gorlan) - K Clemmow
Toe Dragon (Sheep Pen Boulders/Clogfaeni y Gorlan) - K Clemmow
Dog Shooter (Sheep Pen Boulders/Clogfaeni y Gorlan) - K Clemmow
Weight Watcher (Sheep Pen/Clogfaeni y Gorlan) - S Panton
Shepherd's Warning (Clogwyn y Tarw) - S Panton
Marilyn Monroe (Milestone Buttress/Bwtres Carreg-Filltir) - S Panton
Bombshell (Milestone Buttress/Bwtres Carreg-Filltir) - S Panton

V5

Pit Start (Milestone Buttress/Bwtres Carreg-Filltir)
George's Crack (Ogwen Valley/Dyffryn Ogwen) - G Smith
Oh Yeah (Caseg Fraith: Lower/Isaf) - J Ratcliffe
The Ramp (Gallt yr Ogof) - N Dixon
The Hobbit (Plas y Brenin) - P Hammond
The Marsh Traverse (RAC)
Homage Traverse (Clogwyn y Bustach) - J Redhead
Fagin (Clogwyn y Bustach)
R. Wall Trav (Parisella's Cave/Ogof Parisella)
The Argument (Split Infinity/Hollt Anfeidredd) - S Panton
Plumbline Traverse (Marine Drive)
The Greek (Pill Box/Blwch Pils)
Problem 24 (Pigeon's Cave/Ogof Colomenod)
Attic Traverse (Bodafon) - S Panton
Chaos Emerald Crack (Angel Bay/Porth Dyniewyd) - P Hammond
Tony's T. T. (Angel Bay/Porth Dyniewyd) - T Shelmerdine
Problem 7 (Angel Bay/Porth Dyniewyd: Boulders/Clogfaeni) - N Harris
Ren–Arete (Angel Bay/Porth Dyniewyd) - I Renshaw
Alabaster Roof (Angel Bay/Porth Dyniewyd) - S Panton
Beep, Beep (Roadrunner) - S Panton
The Original Problem (Roadrunner)
Hogiau Llangefni (P Ysgo: area/ardal 1) - R Parry
Toys Rhand (P Ysgo: area/ardal 2) - C Davies
Beach Boys (P Ysgo: area/ardal 3) - M Smith
SB Traverse (P Ysgo: area/ardal 5) - P Higginson
Willy's Crack (P Ysgo: area/ardal 6) - W Perrin
Fast Cars (Porth Ysgo: area/ardal 7) - C Davies
Mutant Child (P Ysgo: area/ardal 7) - G Foster
Jawbreaker (Porth Ysgo: area/ardal 8) - S Panton
Fear Of God (Porth Ysgo: area/ardal 10) - S Panton

V6

Johnny's Wall (Cromlech) - J Dawes
Cave Route (Cromlech: Roadside/Ochrffordd)
Cromlech Roof Crack (Cromlech)
Problem 4 (Cromlech: Lefthand/Ochrchwith)
Pantonesque (Cromlech) - S Panton
Throbbin's Arete (Craig y Llwyfan) - P Robins
Envy (Craig y Llwyfan) - D Noden
The Minimum (The Barrel/Y Gasgen) - J Dawes
Bulling 747 (The Barrel/Y Gasgen) - G Smith
Got Me Over... (The Barrel/Y Gasgen)
Fear Of A Slopey Planet (Ynys Ettws) - S Panton
Utopia Traverse (Utopia/Wtopia)
The Pebble (Utopia/Wtopia) - M Lynden
Gav's Sitter (Wavelength/Tonfedd) - N Dyer
King Of Drunks (Wavelength/Tonfedd) - S Panton
K.O.D. Rhand (Wavelength/Tonfedd) - N Harris
Toxicity (L Satellites/Gosgorddion Is) - G Foster
Motor Away (Upper Satellites/Gosgorddion Uchaf) - S Panton
Arse Soul (Upper Satellites/Gosgorddion Uchaf) - K Clemmow
Monkey Magic (The Meadow/Y Ddôl) - S Panton
Sundowner (Pass Oddities/Hynodion y Dyffryn) - S Panton
Nodder's Dyno (Pass Oddities/Hynodion y Dyffryn) - D Noden
G–Spotting (Pac Man) - D Rudkin
Fish Skin Wall (Pass Oddities/Hynodion y Dyffryn) - K Clemmow
The Ramp (Pass Oddities/Hynodion y Dyffryn: Coed Doctor) - M Evans
Gav's Big Problem (The Barrel/Y Gasgen) - G Foster
Elephantitus (Llyn Gwynant) - D Norton
Braichmelyn Arete sds/doe (Braichmelyn) - C Davies
Kingdom Of Rain (Sheep Pen Boulders/Clogfaeni y Gorlan) - K Clemmow

V6

Gnasher (Sheep Pen/Clogfaeni y Gorlan) - M Katz
Idwal Arete (Idwal Cottage/Bwythyn Idwal)
Raging Bull (Clogwyn y Tarw) - S Panton
Here Comes Cadi (Clogwyn y Tarw) - S Panton
Monkey See (Milestone Buttress/Bwtres Carreg-Filltir) - J Welford
Monkey Do (Milestone Buttress/Bwtres Carreg-Filltir) - J Welford
King Creole (Milestone B/B Carreg-Filltir) - S Panton
Tormented Evaporation (Milestone Buttress/Bwtres Carreg-Filltir) - D Towse
Harvey Oswald (Milestone Buttress/Bwtres Carreg-Filltir) - M Katz
Skunk X (Caseg Fraith; Lower/Isaf) - C Davies
The Cutaway (RAC) - S Panton
Problem 12 (Cae Du: area/ardal 2)
Problem 14 (Cae Du: area/ardal 2)
Pillar Start (Parisella's Cave/Ogof Parisella)
Lipstick (Parisella's Cave/Ogof Parisella) - S Panton
Aardvark Start (Marine Drive/Cylchdro Pen y Gogarth) - P Pritchard
Norman Direct (Marine Drive/Cylchdro Pen y Gogarth)
Pill Box Original (Pill Box/Blwch Pils)
Problem 12 (Pigeon's Cave/Ogof Colomenod)
Problem 22 Low (Pigeon's Cave/Ogof Colomenod) - P Higginson
LRP (Pigeon's Cave/Ogof Colomenod) - D Norton
Pumpsville (Bodafon) - N Gresham
Jawa (Manor Crag/Craig Maenol)
Patch's Crack (Manor Crag/Craig Maenol) - P Hammond
Canal Street Horror Show (Manor Crag/Craig Maenol) - S Cattell
Pump Traverse (Angel Bay/Porth Dyniewyd)
Jonesy Locker (Angel Bay/Porth Dyniewyd) - S Jones
Breezeblock (L Orme/Cyngreadur B) - S Panton
Patch's Problem (Little Orme/Cyngreadur Bach) - P Hammond

V6

Blade Runner (Roadrunner) - G Foster
The Chauffeur (Roadrunner) - P Higginson
Really Cool Toys (Porth Ysgo: area/ardal 2) P Higginson
Higginson Scar RH (Porth Ysgo: area/ardal 2) - P Higginson
Lip Flip (Porth Ysgo: area/ardal 6) P Robins
TAM/11 O'clock Show (Porth Ysgo: area/ardal 7) - Higginson/Panton
Early Morning Wigwam (P. Ysgo: area/ardal 7) - P Higginson
Throbber (Porth Ysgo: area/ardal 7) - P Robins
Popcorn Party (Porth Ysgo: area/ardal 8) - P Higginson
Away From The Numbers (Porth Ysgo: area/ardal 9) - S Panton
Born in Gateshead (Porth Ysgo: area/ardal 10) - S Panton

V7

Elementary Traverse (Cromlech) - G Smith
Roadside Basic (Cromlech)
Problem 56 (Cromlech: Roadside/Ochrffordd)
Emyr's Arete (Craig y Llwyfan) - E Parry
Hot for teacher (The Barrel/Y Gasgen) - P Robins/P Barker
The Witch (Grooves Boulder/Clogfaen Rhychau) - T Emmett
True Playaz sds (Pass Oddities/Hynodion y Dyffryn) - J Welford
The Mallory Crack (Mallory Boulder/Clogfaen Mallory) - W Perrin
Spring Juice (Braichmelyn) - J Redhead
The Pinch (Sheep Pen Boulders/Clogfaeni y Gorlan) - C Davies
Saturn (Milestone Buttress/Bwtres Carreg-Filltir) - J Welford
Slappers (Gallt yr Ogof) - P Higginson
Moria (Rhiw Goch) - S Cattell
Eat The Meek (Plas y Brenin) - C Davies
Bingo Wings - P Houghoughi

V7

The Haston/McGinley Route (RAC) - S Haston/L McGinley
Rudder's Problem (Clogwyn y Bustach) - D Rudkin
Wonder Wall (Crafnant) - C Doyle
Left Wall Traverse (Parisella's Cave/Ogof Parisella)
Shothole Start (Parisella's Cave/Ogof Parisella)
Ring Of Fire (Parisella's Cave/Ogof Parisella) - J Corry
Flake Start (Parisella's Cave/Ogof Parisella)
Beaver Cleaver (Parisella's Cave/Ogof Parisella) - J Moffatt
Lickety Split (Split Infinity/Hollt Anfeidredd) - N Dyer
Mr Whippy (Pill Box/Blwch Pils)
Problem 13 (Pigeon's Cave/Ogof Colomenod)
Jimnastic (Pigeon's Cave/Ogof Colomenod) - J Corry
Bruce Lee (Angel Bay/Porth Dyniewyd) - D Noden
Problem 9 (Angel Bay/Porth Dyniewyd: Boulders/Clogfaeni) - N Harris
Limp Wrist (Angel Bay/Porth Dyniewyd) - K Clemmow
Truth About Samson (Angel Bay/Porth Dyniewyd) - S Panton
Spectrum (Angel Bay/Porth Dyniewyd) - C Davies
Rocket In A Pocket (Little Orme/Cyngreadur Bach) - K Clemmow
Problem 6 (Little Orme/Cyngreadur Bach: Cave Wall/Pared Ogof)
Rampant Rabbit (Little Orme/Cyngreadur Bach) - K Clemmow
Skoda Scenario (Roadrunner) - C Davies
The Traverse (Roadrunner)
TISM sds/doe (P Ysgo: area/ardal 3) - S Panton
Foam Party (P Ysgo: area/ardal 5) - S Jones
Howling Hound (P Ysgo: area/ardal 7) - S Panton
The Slot (Porth Ysgo: area/ardal 10) - J Dawes
Cae Du Crack sds/doe (Cae Du) - M Perrier

V8

Rampless (Cromlech)
Sleep Deprivation (Cromlech) - D Noden
The Sting (Cromlech) - C Davies
Superior Air (Cromlech) - J Dawes
Ultimate Retro Party (Cromlech) - D Noden
Arachnophobia (Cromlech) - K Clemmow
Mr, you're on fire Mr (Craig y Llwyfan) - S Panton
Cable Guy (Jerry's Roof/To Jerry) - Z Crunz
Wavelength (stand up/dechreuad o'r sefyll) (Wavelength/Tonfedd) - L Houlding
Witch's Knickers (Grooves Boulder/Clogfaen Rhychau) - C Davies
Message To Rudy (Upper Satellites/Gosgorddion Uchaf) - M Katz
The Confederate (Upper Satellites/Gosgorddion Uchaf) - K Clemmow
Willy 2 Goes (The Meadow/Y Ddôl) - W Perrin
5 Knuckle Shuffle (Beyond the Dome/Heibio'r Cromen) - K Clemmow
Jerry's Wall (Carreg Wastad) - J Moffatt
Nick's Sexual Problem (Cwm Glas Bach) - N Dixon
The Traverse (Braichmelyn) - J Redhead
The Gimp (Caseg) - N Dyer
DDT – Toe Dragon (Sheep Pen Boulders/Clogfaen y Gorlan)
Lily Savage (George's Crack/Hollt George) - N Harris
Boneyard (Caseg Fraith) - C Davies
Smackhead (Gallt yr Ogof) - P Higginson
Original Traverse (Plas y Brenin) - S Panton
The Prow (Clogwyn y Bustach) - B Pritchard
Clever Beaver (Parisella's Cave/Ogof Parisella) - T Freeman
Slim (Split Infinity/Hollt Anfeidredd) - C Davies
Nodder's Traverse (Split Infinity/Hollt Anfeidredd) - D Noden
Split–Youth link (Split Infinity/Hollt Anfeidredd) - N Dyer
Whisky Bitch (Pill Box/Blwch Pils) - C Davies

V8

OP–Whisky Bitch–Greek link (Pill Box/Blwch Pils) - C Doyle

Chocolate Wall (Pill Box/Blwch Pils) - K Clemmow

Drive By (Marine Drive/Cylchdro Pen y Gogarth) - P Hammond

Andromeda (Manor Crag/Craig Maenol) - D Redpath

Mussel Bound (Angel Bay/Porth Dyniewyd) - S Panton

Caveman (Little Orme/Cyngreadur Bach) - S Cattell

Too Pumpy For Grumpy (Little Orme/Cyngreadur Bach) - K Clemmow

Kung Fu (Roadrunner) - M Katz

Truth sds/doe (P Ysgo; a/a 2) - P Higginson

V8+

Scoop Traverse (Cromlech) - E Brown

Full Backside Traverse (Cromlech)

The Groove (The Barrel/Y Gasgen)

The Traverse (The Barrel/Y Gasgen) - J Moffatt

Problem 6 (Ynys Ettws) - M Evans

Wavelength sds (Wavelength/Tonfedd)

Zen Arcade (The Meadow/Y Ddôl) - M Katz

The Traverse (Pass Oddities/Hynodion y Dyffryn: Coed Doctor) - M Evans

Traverse–S J Link (Braichmelyn) - J Redhead

Don't Think, Feel (Caseg) - M Katz

DDT–Dog Shooter (Sheep Pen Boulders/Clogfaeni y Gorlan)

Animal Magnetism (Caseg Fraith) - S Catell

Ultimate Warrior (Cwm Pennant) - P Houghhoughi

The Organ Grinder (Split Infinity/Hollt Anfeidredd) - P Stubbins

Bellpig (Split Infinity/Hollt Anfeidredd) - P Robins

Problem 21 (Pigeon's Cave/Ogof Colomenod) - P Higginson

Mr Blonde (Manor Crag/Craig Maenol) - S Catell

Papa Big Punch (Angel Bay/Porth Dyniewyd) - A Harris

V8+

Sonic Boom (Angel Bay/Porth Dyniewyd) - S Panton

Wierdo (Little Orme/Cyngreadur Bach) - N Harris

Pet Sounds (Porth Ysgo: area/ardal 3) - P Robins

V9

Bus Stop (Jerry's Roof/To Jerry)

Full Roadside (Cromlech) - M Thomas

Lizard King Mid (Craig y Llwyfan)

Jerry's Roof - J Moffatt

DDT–KOR (Sheep Pen Boulders/Clogfaeni y Gorlan) - N Dyer

The Punk sds (Clogwyn y Tarw) - P Houghoughi

Beef Thief (Clogwyn y Tarw) - A Patterson

Pit Traverse (Milestone Buttress/Bwtres Carreg-Filltir) - D Rudkin

On One (RAC) - P Higginson

Sick Happy (Clogwyn y Bustach) - C Davies

Left Wall High Traverse (Parisella's Cave/Ogof Parisella) - N Carson

Rock Atrocity (Parisella's Cave/Ogof Parisella) - J Moffatt

Lickety Split–Youth Incomplete (Split Infinity/Hollt Anfeidredd) - N Harris

Millenium Drive (Pill Box/Blwch Pils) - K Clemmow

V10

Lizard King High (Craig y Llwyfan) - D Noden

Pythagoras (Pieshop/Peisiop) - M Katz

Love Pie (Pieshop/Peisiop) - P Higginson

Lotus (The Meadow/Y Ddôl) - M Katz

Spoon Machine (Pacman) - C Davies

Main Vein (Caseg) - M Katz

Jerry's Problem (Sheep Pen Boulders/Clogfaeni y Gorlan) - J Moffatt

The Spawn (George's Crack/Hollt George) - M Katz

Cosmic Wheels (Mallory Boulder/Clogfaen Mallory) - D Noden

Tusk (Llyn Gwynant) - D Noden

V10

Lou Ferrino (Parisella's Cave/Ogof Parisella) - C Davies

Diana Stand Up (Roadrunner) - C Davies

Tide Of Dreams (Porth Ysgo: area/ardal 5) - M Adams

Porn Makes Me Horny (Porth Ysgo: area/ardal 6) - P Higginson

V11

Diesel Power (Cromlech) - C Davies

Sub Society (Cromlech) - C Davies

Barrel Reverse–Groove link (The Barrel/Y Gasgen) - M Katz

Humble Pie Disorder (Pieshop/Peisiop) - C Davies

Caseg Groove sds/doe (Caseg) - M Katz

Sway On (Gallt yr Ogof) - C Davies

Cross Therapy (Llyn Gwynant) - D Noden

Crucial Times (Parisella's Cave/Ogof Parisella) - C Davies

V11

Incomplete Youth (Split Infinity/Hollt Anfeidredd) - N Dyer

Manchester Dogs (Angel Bay/Porth Dyniewyd) - P Higginson

V12

Pool Of Bethesda (Jerry's Roof/To Jerry) - P Higginson

Queens... (Pac Man) - C Davies

Downset sds/doe (Llyn Gwynant) - C Davies

Poppy's Reach (Rhiw Goch) - C Davies

Trigger Cut (Parisella's Cave/Ogof Parisella) - C Davies/S Cameron

Greenheart Connection (Parisella's Cave/Ogof Parisella) - N Dyer

Dan's Finish (Parisella's Cave/Ogof Parisella) - D Cattell

Diana–Ramp Start (Roadrunner) - C Davies

V13

Malc's Start (Jerry's Roof/To Jerry) - M Smith

Mark Katz, Don't Think, Feel V8+, Caseg Boulders/Clogfaeni Caseg, Photo/Ffoto: Ray Wood

Chris Davies, Pac Man Arete V5, Pac Man Boulders/Clogfaeni Pac Man. Photo/Ffoto: Ray Wood

John Gaskins, The Gimp V8, Caseg Boulders/Clogfaeni Caseg. Photo/Ffoto: Ray Wood

Chris Davies, Downpeat (sds/dde) V12, Elephantitus Cave/Ogof Elephantitus. Photo/Ffoto: Ray Wood

Mark Katz, Beach Boy's Arete V4, Porth Ysgo, Photo/Ffoto: Ray Wood

George Smith, George's Crack V5, Ogwen Valley/Dyffryn Ogwen, Photo/Ffoto: Ray Wood

Mark Katz, Caseg Groove Sit Down Start/Dechreuad O'r Eistedd VII, Caseg Boulders/Clogfaeni Caseg. Photo/Ffoto: Ray Wood

ris Davies, Gnasher V6, Sheep Pen Boulders/Clogfaeni Y Gorlan, Photo/Ffoto: David Simmonite

HISTORY

Some commentators have taken exception to the practice of recording the historical detail of bouldering in the UK. They would have this catalogue of events erased from memory. They might even tell you that it is not important to keep track of something so trivial.

Even in the traditional Pennine bouldering areas (Northumberland, Yorkshire and the Peak District), to date little emphasis has been placed upon documenting who did what, and when in the published guidebooks. Undoubtedly this information exists, retained as snippets of knowledge, stories regaled by hardcore activists and passed on at the crag. Yet as time passes our collective grip on the minutiae of crag development slips away and all we are left with is a foggy and uncertain image of the past.

In many respects the map of events for North Wales is much easier to see. Hard bouldering in North Wales was very much a minority interest until the mid 90s. The important problems prior to this are few in number and as such this capsule of history has been passed with ease from one generation to another. Whilst it is accepted that an element of mythologizing (read: bullshit) may cloud our view of the past, enough people have confirmed the main points that I intend to highlight, for me to believe that this is a reasonable account of what really happened over the years.

Another factor that helps the situation is that over 80% of the problems described in this guide were actually climbed after 1995, and thus with my trainspotting eye firmly locked on the ball ever since that fateful year, virtually all first ascent details are known.

There are a number of key (albeit sparse) landmarks throughout the last century that stand out, yet arguably it was Oscar Eckenstein in the late 1800s who first grasped the practical importance of bouldering as a skill base for the alpine art. Oscar was a great innovator, inventing the first known etriers and introducing the crampon to British climbing culture. He also wrote about balance theories for rock climbing, and more importantly demonstrated this in analytical

HANESYDDOL

Tra bod rhai esbonwyr wedi troi yn erbyn yr ymarfer o gofnodi manylion hanesyddol bowldro yn y D.U. Byddent hwy am dileu'r catalog o ddigwyddiadau o ein côf. Byddent hefyd yn dweud nad yw hi'n bwysig i gadw cofnodion o rhywbeth mor ddisylw.

Hyd yn oed yn yr ardaloedd bowldro traddodiadol y Penwynion (Northymbria, Swydd Efrog ac Ardal y Peak), hyd at heddiw nid oes llawer o bwyslais wedi ei roi ar gefndir pwy wnaeth beth, a phryd yn yr arweinlyfrau cyhoeddiedig. Y mae'n sicr bod y gwybodaeth ar gael, wedi cael eu cadw fel darnau o wybodaeth, storiau sy'n cael eu ailadrodd gan gweithgareddwyr o brofiad wrth y clogwyni. Ond ar ôl cyfnod y bydd ein côf cyfunol ar y manylion bach o ddatblygiad clogwyn yn llifo i ffwrdd a'r unig beth ar ôl yw delw ansicr niwlog o'r gorffennol.

Mewn sawl agwedd mae'r map o ddigwyddiadau yng Ngogledd Cymru yn un haws iw ddehongli. Diddordeb is-radd oedd bowldro caled yng Ngogledd Cymru nes canol y 90au. Ychydig iawn o broblemau pwysig oedd ar gael cyn y cyfnod a felly mae'r hanes wedi eu drosglwyddo'n hawdd o un cenhedlaeth i'r un nesaf. Rhaid derbyn y bod yna elfen o fytholegu (darllennwch: cachu rwtsh) yn cymylu ein dealltwriaeth o'r gorffennol, mae digon o bobl wedi cadarnhau y prif bwyntiau yr wyf am ganolbwyntio, i mi goelio y bod hyn yw beth a ddigwyddodd dros y blynyddoedd. Ffactor arall sy'n gymorth yn y sefyllfa yw bod 80% o'r problemau a ddisgrifir yn yr arweinlyfr wedi eu dringo ers 1995, felly gyda fy llygad gwylia trenau yng nghlwm i'r digwyddiadau ers y blwydd tynghedus hwn, y gwn manylion bron pob dringfa cyntaf.

Y mae sawl digwyddiad o nod, ond prin ar y cyfan, yn sefyll allan yn y ganrif diwethaf; ond y medrwn ddadlau mai Oscar Eckenstein yn hwyr yn y 1800 oedd y cyntaf i derbyn pwysigrwydd ymarferol bowldro fel sylfaen medr i'r celfydydd Alpaidd. Yr oedd Oscar yn newidwr mawr, yn dyfeisio'r etriers cyntaf a cyflwyno'r crampons i ddiwylliant dringo Prydeinig. Hefyd, ysgrifennodd llawer ynglyn a theori cydbwysedd a dringo

HISTORY

bouldering sessions. It has been noted (in climbing journals of the time) that in the 1880s he climbed on a large boulder below the old road between Pen y Pass (Gorffwysfa) and Pen y Gwryd. The precise location of Eckenstein's boulder is unknown, but a conspicuous block approximately 300 metres from the PYG junction is a possible candidate. There is little evidence of the heavy polishing that we now associate with long established rock climbs, but perhaps it quickly fell out of fashion and was neglected for the more obvious challenges of the Cromlech boulders. Whatever the truth, it does seem likely that Eckenstein invented the idea of the eliminate problem on this boulder; even judging by the relative standards of the day, an anything goes ascent of the block is very straightforward.

Another possible candidate lies across the other side of the Nant Gwynant road. Less than 100 metres from the road an attractive boulder (clearly visible from the hotel) that Martin Crook rediscovered a few years ago has several interesting problems in the lower grades. Perhaps this is where bouldering began in North Wales? If not here, then certainly the Cromlech boulders would have been the obvious playground for the Victorian gentleman to practice his art. Unfortunately there are no known records of early ascents here and all we are left with is uncertain speculation with regard to what happened during the late 1800s and the early 1900s.

Eckenstein was a regular attendee at the Easter parties held at Pen y Pass between 1900 and 1935. It was here that he met, and perhaps cast an influence upon John Menlove Edwards, undoubtedly the first climber to openly practice bouldering as a specific activity separate from the traditions of roped climbing. Edwards, along with George Leigh Mallory, was known to have climbed upon what is now dubbed The Mallory Boulder and around the Gwynant Crack by the shores of Llyn Gwynant. Much of this activity lacked the focus of modern bouldering, and it took the development of the clean boulder in the grounds of Helyg in the Ogwen Valley to really mark the mischievous vision of the

HANESYDDOL

creigiau, ond yn bwysicach fe ddangosodd ei fod yn yn coelio mewn sesiynau bowldro dadansoddol. Y mae'n nodedig (yng nghylchgronnau dringo'r cyfnod) ei fod yn yr 1880au, yn dringo ar glogfaen mawr o dan yr hen ffordd rhwng Gorffwysfa (Pen y Pass) a Phen y Gwryd. Nid ydym yn gwybod union man Clogfaen Eckenstein, ond fe all bloc amlwg 300 metr o gyffordd PYG fod yn ymgeisydd. Nid oes llawer o dystiolaeth o'r caboli trwm yr ydym yn disgwyl a sy'n gysylltiedig a dringfeydd sefydliedig, ond tybed os y cafodd ei ollwng yn gyflym o arfer a'i anwybyddu yn lle'r sialensau amlwg ar glogfaeni'r Cromlech. Beth bynnag a ddigwyddodd, y mae'n debygol y bod Eckenstein wedi dyfeisio'r syniad o broblem dilead ar y clogfaen hwn; hyd yn oed os ydym yn barnu gyda safonau cymharol y dydd, mae dringo'r bloc gyda unrhyw afael yn gymharol hawdd.

Mae ymgeisydd posibl arall yn gorwedd yr ochr arall i ffordd Nant Gwynant. Llai na 100 metr o'r ffordd mae clogfaen atyniadol (i'w weld yn glir o'r Gwesty) a cafodd ei ail ddarganfod gan Martin Crook rhai blynyddoedd yn ol gyda sawl problem diddorol yn y graddau is. Tybed mai dyma lle ddechreuodd bowldro yng Ngogledd Cymru? Os nid yma, y mae hi'n amlwg y bod clogfaeni'r Cromlech wedi cael defnydd fel maes chwarae er mwyn i'r bonheddwr Fictoriaidd ymarfer ei gelf. Yn anffodus nid oes cofnodion ar gael (o'r dringfeydd cynnar hyn ac yr unig beth sydd ar ôl yw'r dyfaliad ansicr ynglyn a'r digwyddiadau yn y 1800 hwyr a'r 1900 cynnar.

Yr oedd Eckenstein yn mynychy partiau Pasg Gorffwysfa (Pen y Pass) yn gyson rhwng 1900 a 1935. A dyma ble gyfarfododd, a hwyrach dylanwadu ar John Menlove Edwards, yn sicr y dringwr cyntaf i ymarfer bowldero fel gweithgaredd arbennig yn arwahan i draddodiadau dringo rhaffol. Gwyddom y bod Edwards a George Leigh Mallory wedi dringo beth sydd nawr yn cael ei enwi'n Clogfaen Mallory ac o gwmpas Hollt Gwynant ar lannau Llyn Gwynant. Yr oedd llawer a ddigwyddir heb y ffocws o bowldro cyfoes, ac yr oedd rhaid disgwyl datblygiad y clogfaen glân ar dir Helyg yn Nyffryn

HISTORY

man. During the lingering sunny afternoons of those care free days, Edwards took it upon himself to produce an undoubtedly tongue in cheek topo to the Helyg Boulder, documenting hold by hold eliminate problems. Edwards' biographer Jim Perrin stated that the level of difficulty of these problems rated a staggering technical grade of 6a/b (perhaps V3 in modern V grades)!

Records of climbing in the 40s make no reference at all to the pursuit of bouldering. Clearly the Second World War blighted this particular decade, but it has been suggested that other sociological influences began to dictate the chosen activity of the hill goer. The wealthy leisured classes that had dominated climbing culture prior to the war were to be superceded by a new working class breed. Free time was limited to weekend visits and the drive for results in the arena of roped climbs over rode any frivolous desire to boulder. The 1950s broke, heralding a golden era for British rock climbing, led by the vanguard of Joe Brown and Don Whillans. Despite the focus upon new routes, the sheer wave of energy that these two generational icons carried in their wake left behind a recognisable mark in the arena of bouldering. Along with key members of the legendary Rock and Ice club such as Ron Moseley they played hard, particulary on the roadside Cromlech boulders. If Edwards and his contemporaries had made exploratory movements on the steep and unforgiving walls of these huge blocks, then it is certain that Joe, Don and Ron would have climbed everything up to the grade of V2/3, leaving behind classic problems such as **Brown's Crack V1** and **Joe's Mantel V2**.

The competitive group instinct central to the Rock and Ice psyche was handed like a baton to the next generation of hot shots that arrived in the 60s. Pete Crew, Baz Ingle and Martin Boysen were perhaps the main men on the new route scene (indeed, **Boysen's Roof V3** located within the grounds of Ynys Ettws is a good measure of the skill levels prevalent at the time), but ultimately it was the anarchic approach of Al Harris that had the most lasting influence on the bouldering scene. Along with Jim Perrin, Ken Toms, Chris Bolton, Dave

HANESYDDOL

Ogwen i ddangos gweledigaeth maleisus y dyn. Yn ystod pnawniau heulog hir y dyddiau ysgafnfryd hyn, fe ddyfeisiodd Edwards topo eironig yn sicr o glogfaen Helyg, yn cofnodi problemau a dileuadau afael wrth afael. Mae cofiannydd Edwards, Jim Perrin yn awgrymu y bod y problemau yn cyrraedd level anhygoel o anhawster, tua gradd 6a/b (V3 yn y graddau V cyfoes)!

Nid yw cofnodion dringo'r 40au yn cyfeirio at fowldro. Difethodd yr Ail Rhyfel byd y degawd hwn yn glir, ond mae rhai yn awgrymu y bod dylanwadau cymdeithasol eraill yn cyfranu at ddewis gweithgaredd y mynyddwyr. Yr oedd y dosbarthiadau segur cyfoethog a ddominyddwyd diwylliant dringo cyn y rhyfel wedi eu disodli gan deulu newydd dosbarth gweithiol. Gyda amser rhydd yn brin a penwythnosau yn unig ar gael fe roedd egni yn mynd at canlyniadau yn y maes dringo rhaffol yn fwy nac unrhyw ofer penwan i fowldro. Gwawriodd y 1950au, gyda dechreuad cyfnod euraidd i ddringo Prydeinig gyda Joe Brown a Don Whillans ar y blaen.

Er gwaethaf canolbwyntiad ar ddringfeydd newydd, fe adawodd y ddau arwr cenhedlaethol nod a ellir ei adnabod yn y maes bowldro. Gyda sawl aelod o'r clwb chwedlonol y Rock and Ice, fel Ron Moseley, fe chwarewyd yn galed, enwedig ar glogfaeni ger ochrffordd y Gromlech. Os oedd Edwards a'i gyfoeswyr wedi gwneud symudiadau ymchwiliol ar y waliau serth ac anfaddeugar y blociau mawr hyn, mae hi'n sicr y bod Joe , Don a Ron wedi dringo popeth i fyny at radd o V2/3, yn gadael ar ôl problemau clasur fel **Brown's Crack V1** a **Joe's Mantel V2**.

Pasiwyd y greddf grwp cystadleuol y Rock and Ice i'r cenhedlaeth nesaf o boeth-arwyr i ddod i'r amlwg yn y 60au sef Pete Crew, Baz Ingle a Martin Boysen. Boysen oedd yr arwr ar y cyfan yn y 'byd' dringfeydd newydd (yn wir mae **Boysen's Roof V3** wedi ei leoli ar dir Ynys Ettws yn fesur da o lefelau medr ar y pryd), ond yn y diwedd hynt anneddfol Al Harris a gafodd y dylanwad hiraf ar y 'byd' bowldro. Gyda Jim Perrin, Ken Toms, Chris Bolton, Dave Potts a John Clements fe anwyd esthetig newydd: partio'n galed a chwarae'n galed. I rai graddau yr oedd y clic

HISTORY

Potts and John Clements a new aesthetic was born: party hard and play hard. To some extent this new social clique shunned the traditional new route arena, as it pandered to the whims of the emerging magazine culture, preferring instead to concentrate their efforts on the more underground aspects of the scene. Harris was a strong and technically gifted climber who, along with the aforementioned motley crew, developed the Fachwen hillside. The classic problems from this period in the late 60s and early 70s, are **Harris' Arete V3/4**, **Accomazzo's Wall V3** and **Perrin's Arete V2/3.**

This same team of free thinking activists spread their gaze quite naturally towards the coastal venues of Criccieth and Porth Ysgo: Criccieth providing the arm blasting pumpy traverses, whilst Porth Ysgo echoed the gritstone homelands of the Pennines. The tranquil setting and the perfect Gabbro rock of Porth Ysgo charmed the young Perrin and he left behind **Perrin's Crack V2** and **The Ramp V3** among other lines for future generations to rediscover.

HANESYDDOL

cymdeithasol newydd yn osgoi'r maes dringfeydd newydd traddodiadol, wrth iddynt anelu at fympwyon y diwylliant cylchgronol datblygol, yn dewis yn lle i ganolbwyntio eu hymdrechion ar yr agweddau mwy tanddeuarol y 'byd'. Yr oedd Harris yn ddringwr cryf â dawn technegol ac yng nghlwm a'r criw brith dywededig, datblygodd llethrau Fachwen. Y problem clasurol o'r cyfnod yn y 60au hwyr a'r 70au cynnar, yw **Harris' Arete V3/4**, **Accomazzo's Wall V3** a **Perrin's Arete V2/3**.

Yn naturiol, fe ehangwyd yr un criw o weithredwyr eu golwg tuag at y mannau arfordirol yng Nghriccieth a Phorth Ysgo: i Griccieth i ddarparu tramwyiadau braich ffrwydrol, tra bod Porth Ysgo yn efelychu cartrefdir y Penwynion. Fe gyfareddwyd y Perrin ifanc gan y graig Gabro perffaith ac awyrgylch tawel Porth Ysgo a fe adawodd **Perrin's Crack V2** a'r **The Ramp V3** ym mysg llinellau eraill i genhedlaethau eraill i'w hailddyfodi.

Carreg Hylldrem 1983, Photo/Ffoto: Gary Latter

Ray Wood, Edge Problem V5, Cromlech Roadside/Ochrffordd, Photo/Ffoto: Simon Panton

HISTORY

The next significant step came in the mid to late 70s, when Alec Sharp developed the super steep Carreg Hylldrem bouldering wall. This part of the crag stays dry in torrential rain and thus provided a perfect training ground for the increasingly steep and pumpy routes appearing on crags like the Main Cliff, Gogarth at the time. The main independent lines climbed during this period are powerful and unforgiving V4s, although it is likely that much harder eliminates were worked out. Alec was also instrumental in the development of the man made walls of the old University building in Bangor. A few years later, the Bangor University Mountaineering Society magazine, Clogwyn (1984) actually produced a photo topo guide to these fingery problems.

John Redhead, Photo/Ffoto: Ray Wood

Climbing standards were surging upwards at an unprecedented rate and one man led the way, both on the bold North Stack wall at Gogarth, but also in the less well known back water boulders surrounding Bethesda. John Redhead's ascent of the **Braichmelyn Traverse V8** in 1981 was a landmark for Welsh bouldering and a giant step forward in standards. John also made several other valuable contributions around this time; **The Caseg Groove V5** is now recognised as perhaps the best boulder problem in North Wales and **The Homage Traverse V5/6** at Clogwyn y Bustach is another classic addition from a man at the top of his form.

HANESYDDOL

Yng nghanol y 70au ddoth y camarwyddocaol nesaf, gyda Alec Sharp yn datblygu wal bowldro serth aruthrol Carreg Hylldrem. Mae'r rhan yma o'r clogwyn yn aros yn sych hyd yn oed mewn glaw trwm a felly'n creu safle hyfforddiant perffaith er mwyn y dringfeydd fwy fwy sertha pwmpiog yr oedd yn ymddangos ar clogwyni fel Prif Glogwyn, Gogarth ar y pryd. Mae'r prif linellau annibynnol a ddringwyd yn ystod y cyfnod yn V4au pwerus ac anfaddeugar, ond y tebygrwydd yw y bod dileuadau llawer caletach wedi eu dringo. Hefyd, yr oedd Alec yn gymorth i ddatblygiad waliau gwneuthuriedig hen adeilad y Brifysgol ym Mangor. Ychydig o flynyddoedd yn ddiweddarach, yng Nghylchgrawn y Cymdeithas Mynydda Prifysgol Bangor, Clogwyn (1984) fe gynhyrchwyd topo ffotograffaidd o'r problemau bysol hyn.

Yr oedd safonau dringo yn gwella'n nerthol ac un dyn oedd yn arwain, ar y wal mentrus Ynys Arw, Gogarth a hefyd ar y clogfaeni llai adnabyddus o gwmpas Bethesda. Wrth arwain **Braichmelyn Traverse V8** yn 1981 yr oedd John Redhead wedi creu tirnod i fowldro Cymraeg a naid anferth ymlaen mewn safonnau. Fe wnaeth John wneud sawl cyfraniad gwerthfawr yn y cyfnod yma hefyd; **The Caseg Groove V5** nawr yn cael ei gydnabod fel un o'r problemau bowldro gorau yng Ngogledd Cymru a **The Homage Traverse V5/6** yng Nghlogwyn y Bustach, clasur arall o ddyn a'r frig ei allu.

Dave Kendall, John Redhead, Prifysgol Bangor University, Photo/Ffoto: Ray Wood

HISTORY

Out on the coastal limestone crags around Llandudno a new way of thinking, and a new way of climbing had arrived. It was 1983 and the dole sponsored Sheffield crew had moved on masse to lay siege to the steep bolt protected crags above and below the Marine Drive. Young men like Jerry Moffatt (who was actually returning to his original stomping grounds), Tim Freeman and Ben Moon were chasing a ruthless vision of the future. Well protected sport routes and hard, physical bouldering were the stepping stones that would ultimately lead them to world domination. For a year or two Parisella's Cave became the melting pot for new ideas, and from these uncompromising times, future generations have been left a legacy of classic test pieces. The **Left Wall Traverse V7**, **Clever Beaver V7/8** and **Beaver Cleaver V7** are still sought after problems, however it is **Rock Atrocity V9** climbed by Moffatt a few years later in 1986 that really broke the mould. Paul Pritchard and George Smith drilled the line, as they practiced with a newly hired drill. The name derives from Chris Plant's reaction to the lad's handy work. Despite the dodgy ethics, this was a definite shift in standards.

HANESYDDOL

Allan ar y clogfaeni calchfaen arfordirol o gwmpas Llandudno fe ddoth ffordd newydd o ddringo, a ffordd arall feddwl. Ym 1983 symudwyd y criw dôl noddedig Sheffield i warchae'r clogwyni serth ddi-dor uwchben ac o dan Cylchdro Pen y Gogarth. Yr oedd dynion ifanc fel Jerry Moffat (a oedd yn dychwelyd i'w hen faes chwarae), Tim Freeman a Ben Moon yn dilyn gweledigaeth didostur o'r dyfodol. Dringfeydd sport nawdd da a bowldro ffisegol caled oedd y cerrig sarn i'w harwain at fyd-awdurdod. Ogof Parisella oedd y tawddlestr i syniadau newydd am cwpwl o flynyddoedd, ac o'r cyfnod cyndyn hwn, mae cenhedleuoedd eraill wedi derbyn rhodd o brofion clasurol. Tra bo **Left Wall Traverse V7**, **Clever Beaver V7/8** a **Beaver Cleaver V7** dal yn broblemau atyniadol, **Rock Atrocity V9**, a ddringwyd rhai blynyddoedd yn ddiweddarach ym 1986 wnaeth agor y bwlch. Tyllwyd Paul Pritchard a George Smith y llinell, wrth iddynt ymarfer a dril oeddynt newydd llogi. (NB. Mae'r enw yn cyfeirio at ymateb Chris Plant tuag at gweithgaredd yr hogiau.) Heblaw'r moeseg amheus, yr oedd yn symudiad safon syfrdanol.

Martin 'Basher' Atkinson, Parisella's Cave/Ogof Parisella 1983, Photo/Ffoto: Gary Latter

Jerry Moffatt, Barrel Traverse V8+, Photo/Ffoto: Ray Wood

HISTORY

The new route scene in North Wales boomed during the mid to late 80s, with the Dinorwig slate quarries and the cliffs of Gogarth being the focus of most energy. The bouldering scene took a back seat for a few years although the occasional noteworthy line filtered through. The Utopia boulder was developed with **The Pebble V5** being ascended by Mark Lynden in 1984 (N.B. The infamous pebble subsequently broke, pushing the grade up to V6). Johnny Dawes added a series of problems throughout the area, perhaps most important are **Johnny's Wall V6** and **Superior Air V8**, a wild eliminate dyno at the Cromlech and **The Minimum V6** on The Barrel. Nick Dixon made his mark with **Nick's Sexual Problem V8**, a desperate and tricky line just right of the modern classic, **Moose's Toothpaste V5** in Cwm Glas Bach. Nonetheless it was the return of Jerry Moffatt in 1989 that really shook things up again. Legend has it that Johnny took Jerry out and showed him a couple of his project lines, and Jerry showing devastating form, despatched both lines with relative ease. **Jerry's Roof V9** and **The Barrel Traverse V8+** represented a crucial shift away from the thin crimpy lines that had traditionally dominated bouldering on the mountain crags, towards the cult of the sloper and the modern gospel of power.

HANESYDDOL

Ymchwyddodd y 'byd' dringfeydd newydd yng nghanol i hwyr yn yr 80au, gyda chwareli llechi Dinorwig a chlogwyni Gogarth yn ffocws yr egni. Fe wnaeth bowldro cymeryd y sêt gefn am ychydig o flynyddoedd ond yr oedd ambell linell o nod yn hidlo drwy. Datblygwyd clogfaen Utopia gyda **The Pebble V5** yn cael ei ddringo gan Mark Lynden ym 1984 (NB. Yn hwyrach fe dorrodd y cerrigyn enwog, a codi'r gradd i V6). Cyfrannodd Johnny Dawes cyfres o broblemau o gwmpas yr ardal, y rhai pwysicaf yw **Johnny's Wall V6** a **Superior Air V8**, deino dileadol gwyllt ar y Gromlech a'r **The Minimum V6** ar Y Gasgen. Gadawodd Nick Dixon ei nod gyda **Nick's Sexual Problem V8**, llinell lletchwith enbyd ychydig i'r dde o'r clasur cyfoes, **Moose's Toothpaste V5** yng Nghwm Glas Bach. Ond dychweliad Jerry Moffat unawith eto ym 1989 a rhodd symbyliad. Yn ôl chwedl aeth Johnny a Jerry i ddangos cwpwl o'i linellau prosiect, ond yr oedd Jerry ar frig ei fedr, a gwnaeth y ddau linell yn gymharol hawdd. **Jerry's Roof V9** a'r **The Barrel Traverse V8+** yn dynodi symudiad craidd i ffwrdd o'r llinellau crychiog tenau a oedd yn tueddu dominyddu bowldro ar y clogwyni mynyddig, tuag at addoliad yr wyrafael a'r efengyl cyfoes o bwer.

Roadruner Cave/Ogof Roadrunner, Photo/Ffoto: Martin Crook

HISTORY

In the early 90s local climbers such as Martin Crook, George Smith, Adam Wainwright, Mike Thomas and Ben Pritchard embraced the new ethic and started developing new crags such as the steep and radical Roadrunner Cave. Ben Pritchard climbed **The Prow V8** at Clogwyn y Bustach and Ed Brown powered his way across the **Scoop Traverse V8+** at the Cromlech Boulders and Mike Thomas climbed the **Full Roadside Traverse V9** (again at the Cromlech Boulders).

Ben Moon almost climbed the **Big Link** in Parisella's Cave, making it to the jugs below *Beaver Cleaver*, but failing on the final lip moves. Clearly he could have taken the easier option along the *Right Wall Traverse V5* and victory would have been assured. The link to the jug on *Beaver Cleaver* must be worth V13, and despite the final outcome this is an outstanding effort that ranked with the hardest climbing achievements in the world at the time. Neil Carson climbed the neglected but superb high level **Left Wall Traverse** of the cave at **V9** around this time.

Neil Gresham and Mat Smythe developed the Pumpsville buttress at Bodafon, and a traverse of the left wall of Angel Bay around 94/95, but crucially they still viewed bouldering as no more than a training aid for roped climbs.

HANESYDDOL

Yn y 90au cynnar yr manteisiodd dringwyr lleol fel Martin Crook, George Smith, Adam Wainwright, Mike Thomas a Ben Pritchard ar y cyfle i dderbyn yr ethig newydd a dechrau datblygu clogfaeni newydd fel yr ogof radical a serth Roadrunner. Dringodd Ben Pritchard **The Prow V8** yng Nghlogwyn y Bustach a pwerodd Ed Brown ei ffordd ar draws y **Scoop Traverse V8+** ar Clogfaeni'r Gromlech tra bod Mike Thomas yn dringo'r **Full Roadside Traverse V9** (eto ar Glogfaeni'r Cromlech).

Bron i Ben Moon ddringo'r **Big Link** yn Ogof Parisella, yn gwneud hi at y crafangau o dan *Beaver Cleaver*, ond yn methu ar y symudiadau gwefus diweddglo. Yr oedd y dewis haws ar gael ar hyd y *Right Wall Traverse V5* i sicrhau llwyddiant. Rhaid i'r cysylltiad at y crafangau ar *Beaver Cleaver* fod yn V13, ac heb os am y methiant mae hwn yn ymdrech aruthrol a roedd yn cymharu gyda'r cyflawniadau dringo caleta'r byd yn y cyfnod. Tya'r un pryd fe ddringodd Neil Carson yn uchel i greu yr arddechog ond diymgeledd **Left Wall Traverse V9** o'r ogof.

Datblygodd Neil Gresham a Mat Smythe bwtres Pumpsville, Bodafon a tramwyiad wal chwith Porth Dyniewyd o gwmpas 94/95, ond yn craidd oeddynt dal yn derbyn bowldro fel cymorth hyfforddol at ddringo gyda rhaffau.

Patch Hammond, Photo/Ffoto: Simon Panton

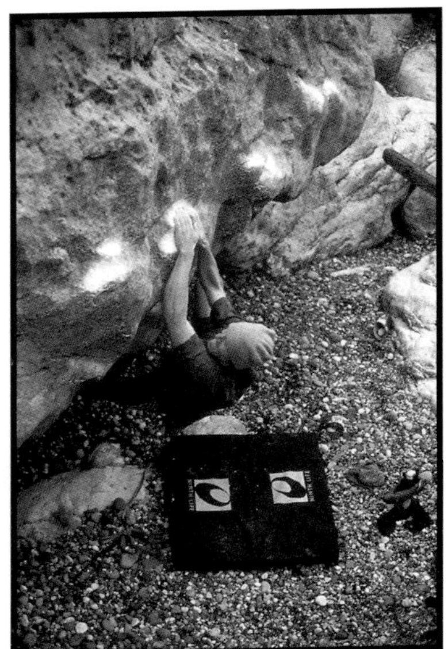

Simon Panton, Sonic Boom V8+, Photo/Ffoto: Adrian Parsons

HISTORY

In the winter of 96/97 everything was set to change. Llandudno local, Chris Davies had taken to hanging out in Parisella's Cave, quickly gaining strength and working out desperate eliminate problems such as the **Flip Flop Extension V8** and other more independent lines, such as **Slim V8**. He wrote a small bouldering section in Karl Smith's Limestone Supplement (1995) and began exploring the Ormes for further bouldering opportunities. With Patch Hammond (also a Llandudno local) the development of Angel Bay began. At the same time Simon Panton arrived on the scene. Panton had moved to Llanberis at the start of the summer of 96, but was disappointed with the apathy amongst the Llanberis climbers towards winter bouldering. Out on the coastal crags of Llandudno he found kindred spirits in Davies and Hammond, and between them they climbed the majority of lines at Angel Bay. The surprising quality of problems such as **Chaos Emerald Crack V5** and **The Limpet V6** (both by Hammond), and **The Holding Principle V6** and **Sonic Boom V8+** (both by Panton) was an inspiration that truly kick started the new wave of bouldering.

HANESYDDOL

Yng Ngaeaf 96/97 yr oedd popeth yn barod i newid. Yr oedd Chris Davies, lleolwr Llandudno wedi dechrau byw yn Ogof Parisella, yn enill nerth yn gyflym ac yn gweithio allan sawl problem dileol enbyd fel y **Flip Flop Extension V8** a llinellau mwy annibynnol fel **Slim V8**. Fe ysgrifennodd darn bowldro bach yn Limestone Supplement (1995) Karl Smith a dechreuodd crwydro'r Cyngreadurau yn chwilio am gyfleoedd bowldro. Gyda Patch Hammond (hefyd yn leolwr Llandudno) fe wnaeth datblygiad o Phorth Dyniewyd ddechrau. Ar yr un cyfnod fe gyrrhaeddodd Simon Panton ar y 'byd'. Yr oedd Panton wedi symud i Lanberis ar ddechrau'r haf yn 96, ond oedd yn siomedig braidd gyda difrawder dringwyr Llanberis tuag at bowldro gaeafol. Allan ar greigiau'r arfordir fe ddoth ar draws eneidion hoff gytŷn yn Davies a Hammond, a rhyngddyn hwy fe ddringwyd y rhan fwyaf o linellau ym Mhorth Dyniewyd. Ansawdd syfrdanol y problemau fel **Chaos Emerald Crack V5** a **The Limpet V6** (y ddau gan Hammond), a'r **The Holding Principle V6** a **Sonic Boom V8+** (y ddau gan Panton) oedd yn awen a roddodd hwb i'r wedd newydd o fowldro.

HISTORY

In the spring of 97 an old school crew, consisting of Paul Pritchard, Gwion Hughes and Noel Craine descended upon the quiet pastures of Nantmor and a phase of frantic development yielded numerous new problems, although it should be recognised that Martin Crook had been making regular visits to the area for many years previous. So if you find anything fresh in these parts, it's a fair bet that it has already been fingered by Martin.

The big event of the year was undoubtedly the exploration and development of the Wavelength hillside (named thus, because of a distinctive vein feature found on one of the main boulders). During a manic fortnight of activity, Pritchard and Panton spearheaded a frantic campaign during which many of the best problems were ascended. **Boysen's Groove V3/4** and the **Wavelength Groove V4** from Pritchard and **King Of Drunks V6** from Panton were instant classics, complemented by the desperate **Wavelength V8** from a young Leo Houlding.

Later in the year as the dust settled the big numbers finally arrived, predictably in Parisella's Cave and at Angel Bay. Chris Davies' intensive cave apprenticeship payed off when he climbed **Lou Ferrino V10** and Paul Higginson battled against fickle, tidal conditions to finally break the back of **Manchester Dogs V11**, a roof problem on the Angel Bay boulders. Davies also nipped in and climbed **The Sting V8** at the Cromlech Boulders.

HANESYDDOL

Yng Ngwanwyn 97 fe wnaeth criw 'hen garfan', yn cynnwys Paul Pritchard, Gwion Hughes a Noel Craine lanio ar ddolau tawel Nantmor a dechrau cyfnod o ddatblygiad gorffwyl i roi llawer o broblemau newydd; ond fe ddylwn nodi y bod Martin Crook wedi gwneud ymweliadau cyson i'r ardal dros sawl blwydd gynt. Felly, os ydych yn darganfod rhywbeth crai yn yr ardal, mae'n bron yn sicr ei fod wedi ei wneud gan Martin.

Yn sicr digwyddiad mawr y flwyddyn oedd archwiliad a datblygiad llethrau Tonfedd (wedi ei enwi'n hyn oherwydd nodwedd amlwg ar un o'r prif glogfaeni). Yn ystod pythefnos manig o weithgaredd, arweiniodd Pritchard a Panton ymgyrch lloerig pryd a dringwyd llawer o'r problemau gorau. **Boysen's Groove V3/4** a'r **Wavelength Groove V4** gan Pritchard a **King of Drunks V6** gan Panton yn glasuron di-oed, yn cael eu cyflawni gyda enbydol **Wavelength V8** gan yr ifanc Leo Houlding.

Hwyrach yn y flwyddyn, ar ôl i bethau dawelu, fe ddoth y rhifau mawr, yn ddisgwyliadwy ym Mhorth Dyniewyd ac Ogof Parisella. Llwyddodd prentisiaeth drylwyr ogof Chris Davies pan ddringodd **Lou Ferrino V10** a cwffiodd Paul Higginson yn erbyn cyflyrau newidiol, llanwol i dorri asgwrn cefn **Manchester Dogs V11** o'r diwedd, problem tô ar glogfaeni Porth Dyniewyd. Hefyd, neidiodd Davies i mewn i ddringo **The Sting V8** ar Glogfaeni'r Cromlech.

Paul Higginson, Photo/Ffoto: Ray Wood

Paul Higginson, Manchester Dogs VII, Photo/Ffoto: Ray Wood

HISTORY

Panton, Davies, Higginson and a young Gav Foster formed a tight knit team, jokingly referring to themselves as the Llanberis Bouldering Mafia and keenly adopting the party/play ethos that Harris had embodied, yet holding strong a relentless quest for steep rock and slopers. Their first big success came with the re-discovery of Porth Ysgo during the winter of 97/98. Although visited on occasion by Al Hughes and Paul Harrison, this magical boulder field had remained largely untouched since Perrin's early explorations. Over the winter months a catalogue of brilliant new lines were climbed, including **TISM sit down start V7/8** and **Jawbreaker V5** from Panton, **Truth sit down start V8** and **Popcorn Party V6** from Higginson, **Made In Heaven V4** from Foster and **Fast Cars V5** from Davies.

Inspired by the events of the previous 18 months, and to some extent kicking against the poorly recieved bouldering section in the North Wales Limestone guide (Rockfax 1997), Panton took it upon himself to produce a punk style fanzine, named Northern Soul that mixed articles and stories from North Wales climbers with hand drawn topos documenting the new wave of boulder problems. The first edition came out in the spring of 98, but increasing demand and a rapidly growing number of new problems forced the production of a further Coastal Crags special (spring 1999) and a Mountain Crags special (spring 2000). These scruffy, small circulation publications provided both an energising boost, and a critical illumination of the scene as it lurched forwards from underground obscurity to mainstream acceptance.

HANESYDDOL

Yr oedd Panton, Davies, Higginson a Gav Foster ifanc yn ffurfio tim agos, yn cyfeirio at eu hynan mewn hwyl fel Maffia Bowldro Llanberis, ac yn ddigon parod i fabwysiadu'r ethos partïo/chwarae yr oedd Harris wedi corffori, ond dal i ddilyn archwiliad cryf am greigiau serth a wyrafaelion. Eu llwyddiant mawr cyntaf oedd ail-ddarganfyddiad Porth Ysgo yn ystod gaeaf 97/98. Tra bod Al Hughes a Paul Harrison wedi ymweld a'r man ar adegau, yr oedd y maes clogfaen anhygoel hwn heb ei gyffwrdd ar y cyfan ers archwiliadau cynnar Perrin. Yn ystod misoedd y gaeaf fe ddringwyd llwyth o linellau newydd ardderchog, yn cynnwys **cychwyniad llawr TISM V7/8** a **Jawbreaker V5** gan Panton, **cychwyniad llawr Truth V8** a **Popcorn Party V6** gan Higginson, **Made In Heaven V4** gan Foster a **Fast Cars V5** gan Davies.

Oherwydd ysbrydolaeth yr 18 mis gynt ac yn ymladd yn erbyn effaith y darn bowldro gwael yn y llyfr North Wales Limestone (Rockfax 1997), dechreuodd Panton i gynhyrchu ffanlyfr steil punk, o'r enw Northern Soul. Cymysgiad o storiau ac erthyglau gan ddringwyr Gogledd Cymru gyda diagramau syml yn cofnodi datblygiad y ton newydd o broblemau bowldro. Y Ddoth y cyfres gyntaf allan yng Ngwanwyn 98, ond yr oedd twf galwad a ehangiad niferoedd o broblemau yn gorfodi cynhyrchiad o Coastal Crags special (Gwanwyn 1999) a Mountain Crags special (Gwanwyn 2000). Rhoddodd y cyhoeddiadau bler, cylchrediad bychan hyn hwb nerthol, a golau beirniadol ar y 'byd' wrth iddo honcian ymlaen o dywyllwch tanddaearol at dderbyniad prif-ffrwd.

HISTORY

1998 saw Davies further consolidate his presence when he climbed **Crucial Times V11** in Parisella's Cave, the stand up version of **Diana V10** in Roadrunner Cave and the popular problem, **The Pinch V7** at the Sheep Pen Boulders. Moffatt returned and climbed two important lines: **Jerry's Wall V8** opposite the Ynys Ettws entrance and **Jerry's Problem V10** on the Sheep Pen Boulders. During this period Kristian Clemmow climbed a series of new lines (**The Confederate V8**, **Fish Skin Wall V7**, **Rampant Rabbit V7**, **5 Knuckle Shuffle V8** and **Kingdom Of Rain V6** perhaps being the most significant), yet his greatest contribution was **Millenium Drive V9** a powerful and pumpy extension to Chris Davies' superb **Whisky Bitch V8** problem on the Pill Box Wall climbed in the closing months of 99. In the same year Neil Dyer cleaned up an old project in Split Infinity when he pieced together **Incomplete Youth V10/11** and Paul Higginson climbed **Love Pie V10** on the Wavelength hillside. Chris Davies added a low start to **Diana** at **V12** in Roadrunner Cave and **Sub Society V11** at the Cromlech Boulders.

Chris Davies, Sway On VII, Photo/Ffoto: Simon Panton

The year 2000 dawned and new boy Mark Katz quickly made a name for himself cleaning up a series of neglected projects in the Llanberis Pass: **Zen Arcade V8+**, **Lotus V10**, **Mr Fantastic V11** and the line of least resistance out of the left side of the Pie Shop roof, **Pythagoras V10**. Davies was also busy with **Diesel Power V11** on the Cromlech Roadside face, **Sway On V11** at Gallt yr Ogof and micro problem, **Queens... V12** on the Pac Man boulders.

M. Katz, Lotus, Photo/Ffoto: S. Panton

HANESYDDOL

Yn 1998 cadarnhaodd Davies ei urddas pan ddringodd **Crucial Times V11** yn Ogof Parisella, y fersiwn o'r sefyll **Diana V10** yn Ogof Roadrunner a'r problem poblogaidd **The Pinch V7** yng Nghlogfaeni y Gorlan. Fe ddoth Moffat yn ôl a dringo dau linell pwysig: **Jerry's Wall V8** cyferbyn a mynediad Ynys Ettws a **Jerry's Problem V10** ar Clogfaeni y Gorlan. Yn ystod y cyfnod hwn dringodd Kristian Clemmow cyfres o linellau newydd (**The Confederate V8**, **Fish Skin Wall V7**, **Rampant Rabbit V7**, **5 Knuckle Shuffle V8** tra **Kingdom Of Rain V6** oedd yr un pwysicaf), ond ei gyfraniad gorau oedd **Millenium Drive V9** estyniad pwerus a pwmpiog i'r problem ardderchog **Whisky Bitch V8** gan Chris Davies ar y Mur Blwch Pils a ddringwyd ar ddiwedd 1999. Yn yr un blwydd gorffennodd Neil Dyer hen brosiect yn yr Hollt Anfeidredd pan gasglodd at ei gilydd **Incomplete Youth V10/11** a Paul Higginson yn dringo **Love Pie V10** ar lethrau Tonfedd. Cyfrannodd Chris Davies ddechreuad isel i **Diana** i roi **V12** yn Ogof Roadrunner a **Sub Society V11** yng Nghlogfaeni'r Cromlech.

Gwawriodd y flwydd 2000 gyda Mark Katz yn gwneud enw i'w hyn yn gyflym drwy orffen cyfres o brosiectau diymgeledd yn Nyffryn Llanberis. **Zen Arcade V8+**, **Lotus V10**, **Mr Fantastic V11** a'r llinell o anhawster lleiaf allan o ochr chwith to'r Peisiop: **Pythagorus V10**. Yr oedd Davies hefyd yn brysur gyda **Diesel Power V11** ar wyneb Cromlech Ochrffordd, **Sway On V11** yng Ngallt yr Ogof a problem micro **Queens... V12** ar Clogfaeni Pac Man.

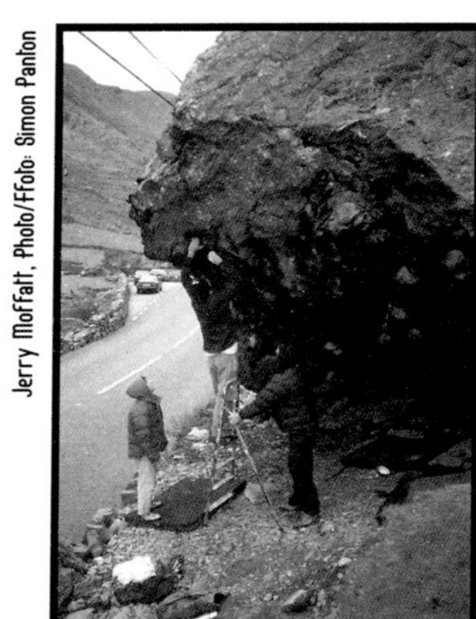

Jerry Moffatt, Photo/Ffoto: Simon Panton

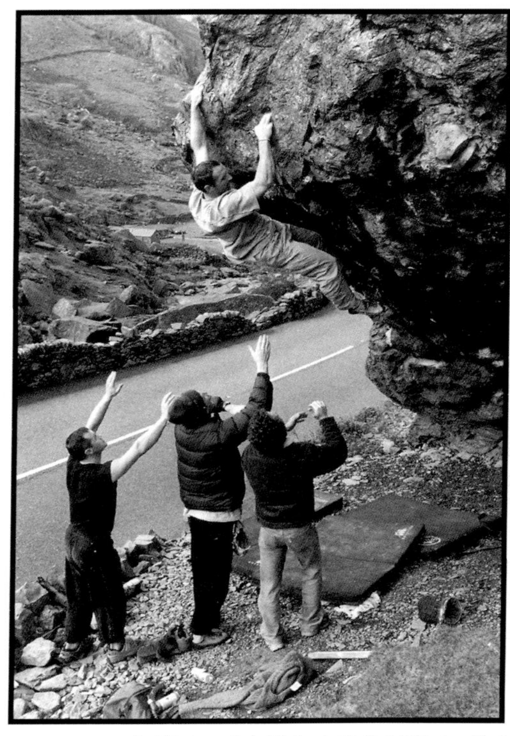

Paul Higginson, Pool of Bethesda V12, Photo/Ffoto: Ray Wood

Malcolm Smith, Photo/Ffoto: Ray Wood

HISTORY

Higginson kept up the pressure by solving the tricky sit down start to *Brian Spray* at Porth Ysgo **(Porn Makes Me Horny V10)**, yet towards the end of the year he found himself sucked into a stand off competition with Jerry Moffatt for the first ascent of the infamous porthole project on Jerry's Roof. Despite Moffatt's persistant trips over from Sheffield the line eventually fell to Higginson in January 2001. **Pool Of Bethesda V12** is an outstanding problem that has really put the North Wales scene on the map. The following summer Malcolm Smith made a lightning visit repeating many of the harder problems in the area and adding a low start to *Pool Of Bethesda*. **Malc's Start V13** is a contender for the hardest problem in North Wales.

HANESYDDOL

Cadwyd y pwysau i fyny gan Higginson drwy ddatrys y dechreuad o'r eistedd cyfrwys i *Brian Spray* **(Porn Makes Me Horny V10)** ym Mhorth Ysgo, ond tuag at diwedd y flwyddyn fe welodd ei hyn wedi ei sugno i fewn i gystadleuaeth gyda Jerry Moffatt am y dringfa cyntaf o'r prosiect portwll enwog ar Tô Jerry. Er gwaethaf ymweliadau cyson Moffatt drosodd o Sheffield fe aeth y llinell i Higginson yn y diwedd yn Ionawr 2001. **Pool Of Bethesda V12** problem neilltuol sydd wedi rhoi'r 'byd' Gogledd Cymru ar y map. Yn yr Haf canlynol fe wnaeth Malcom Smith ymweliad cyflym ac ailddringo llawer o'r problemau caletach yn yr ardal ac ychwanegu dechreuad isel i *Pool Of Bethesda*. **Malc's Start V13** yn gystadleuydd fel un o'r problemau caletaf yng Ngogledd Cymru.

HISTORY

Beyond the shady confines of Jerry's Roof the general pace of development had not slowed; the flow of quality problems continued unabated. Pete Robins styled his way up **Pet Sounds V8+** at Porth Ysgo, Will Perrin nipped up **The Mallory Crack V7** and played a crafty game to nab the first ascent of the immaculate slab line, **Willy 2 Goes V8** from Dave Noden, and Nige Harris cranked his way up the superb **Wierdo V8+** on Little Orme. Paul Houghoughi nailed himself to the crimps on **Ultimate Warrior V8+** in Cwm Pennant, and Panton cranked out a steady stream of mid grade problems (such as **PYB Original Traverse V8**, **Monkey Magic V6**, **Sundowner V6**, **Raging Bull V6**, **King Creole V6**, **Breezeblock V6**, **Here Comes Cadi V6** and **Pantonesque V6**) at crags all over the area.

Katz headed back to the Caseg Boulder, firstly to glide (somehow) up the obscenely powerful sit down start to the central groove line at VII, then a few months later to work out the tricky, bulging rib to the right. **Main Vein V10** was another instant classic. He followed this with **The Spawn**, a steep V10 just right of **George's Crack**, a hideous off width crack (rather comically graded V5!) in the Ogwen Valley, whilst Nige Harris grabbed the stunning **Lily Savage V8** on the same hillside.

Dave Noden started to make a name for himself, repeating many of the harder problems in the area and ultimately producing a few of his own. **Ultimate Retro Party V8** and **Lizard King V10** (via the original line) showed much promise, but Dave's legendary stamina bouts in Roadrunner Cave left a series of new link ups in the V8-10 range.

Late 2001 saw Chris Davies back in Parisella's Cave, tussling with a line rumoured to have been climbed by Stuart Cameron in the early 90s. Stuart was contacted, and he admitted that he couldn't really remember what he had done. Thus when Chris finally succeeded, he decided to rename the problem: **Trigger Cut V12**. Shortly after this Neil Dyer completed another brutal power-stamina project; **The Green Heart Connection V12**

HANESYDDOL

Y ty draw i gyffiniau cysgodol To Jerry nid oedd cyflymdra datblygiad cyffredinol wedi lleihau; yr oedd llif o broblemau ansawdd da yn parhau. Aeth Pete Robins i fyny **Pet Sounds V8+** ym Mhorth Ysgo, bachodd Will Perrin **The Mallory Crack V7** a chwarae gêm ystrywgar i gipio ddringfa gyntaf o'r llinell llech trwsiadus **Willy 2 Goes V8** oddi ar Dave Noden, tra granciodd Nige Harris ei ffordd i fyny y **Wierdo V8+** ar y Cyngreadur Bach. Hoeliodd Paul Houghoughi ar y crychion ar **Ultimate Warrior** yng Nghwm Pennant a cranciodd Panton llif cyson o broblemau canol radd (fel **PYB Original Traverse V8**, **Monkey Magic V6**, **Sundowner V6**, **Raging Bull V6**, **King Creole V6**, **Breezeblock V6**, **Here Comes Cadi V6** a **Pantonesque V6**) ar glogwyni o gwmpas yr ardal.

Aeth Katz yn ôl at Clogfaen Caseg, yn gyntaf i ehedu (rhywsut) i fyny'r dechreuad o'r eistedd ofnadwy o bwerus i'r llinell rhych canol VII, wedyn ychydig o fisoedd yn hwyrach i ddatrus yr asen chwydd cyfrwys i'r dde. Yr oedd **Main Vein V10** yn glasur yn syth. Fe ddilynodd hwn gyda **The Spawn V10** serth ychydig i'r dde o **George's Crack**, hollt all-lled erchyll (gyda gradd doniol V5!) yn Nyffryn Ogwen, tra gafodd Nige Harris **Lily Savage V8** syfrdannol ar yr un llethr.

Dechreuodd Dave Noden i wneyd enw dros ei hyn, yn ail ddringo llawer o'r problemau caletaf yn yr ardal ac yn y diwedd cynhyrchu rhai o'i hynan. **Ultimate Retro Party V8** a **Lizard King V10** (gyda'r llinell gwreiddiol) yn addawol iawn, ond oherwydd ei ornestau stamina chwedlonol yn Ogof Roadrunner fe adawodd Dave cyfres o gysylltiadau newydd yn yr amrediad V8-10.

Yn hwyr yn 2001 fe welodd Ogof Parisella Chris Davies yn ôl, yn cwffio gyda llinell y bu sôn bod Stuart Cameron wedi ei ddringo yn gynnar yn y 90au. Cysylltwyd a Stuart, a fe gydnabyddodd nad oedd yn cofio'n iawn beth yn union yr oedd wedi gwneyd. Felly pan lwyddodd Chris o'r diwedd, fe benderfynnodd ail-enwi'r problem: **Trigger Cut V12**. Ychydig yn hwyrach llwyddodd Niel Dyer i gwbwlhau prosiect pwer-stamina brwnt arall;

Neil Dyer
Photo/Ffoto: Simon Panton

HISTORY

links *Lou Ferrino* into *The Big Link-Beaver Cleaver* finish.

Young Sam Cattell broke on to the scene, producing a series of innovative problems (**Caveman V8**, Little Orme, **Mr Blonde V8+**, Manor Crag, and **Animal Magnetism V8+**, Caseg Fraith Upper) culminating in **Ride The Wild Smurf V10**, an utterly desperate cellar-style eliminate problem located on the steep ramparts of Fron Goch. Chris Davies found an outrageous line at the same crag that suited his basic power style: **Poppy's Reach V12** is a shocking and dynamic problem.

Mark Katz succeeded where many had failed when he reversed the *Barrel Traverse* into the V8+ groove at the righthand end. A grade of V11 has been suggested for this sustained link. In the autumn of 2002 Dave Noden climbed the obvious sit down start to *Barking Direct* on the Mallory Boulder. **Cosmic Wheels V9/10** is the first of three possible hard links on this impressive block of stone.

Mick Adams stole a plum line from right under the noses of the locals when he ascended the obvious sit down start to *Unmarked Grave* at Porth Ysgo. Ironically **Tide Of Dreams V10/11** was repeated immediately by Katz and Higginson.

Two days before Christmas 2002 Pete Robins solved the last major line in Split Infinity with the astonishingly good, **Bellpig V8+**.

HANESYDDOL

The Green Heart Connection V12 yn cysylltu *Lou Ferrino* i mewn i *The Big Link-Beaver Cleaver* finish.

Fe dorwyd Sam Cattel ifanc i mewn i'r 'byd', yn cynhyrchu cyfres o broblemau dyfeisgar (**Caveman V8**, Cyngreadur Bach, **Mr Blonde V8+**, Craig Maenol, ac **Animal Magnetism V8+**, Caseg Fraith Uwch) a gorffen gyda **Ride The Wild Smurf V10**, problem enbyd steil selar wedi ei leoli ar lethrau serth Fron Goch. Darganfododd Chris Davies linell serth aruthrol ar yr un clogwyn yn addas i'w steil pwer sylfaenol: **Poppy's Reach V12** yn broblem deinamig erchyll.

Llwyddodd Mark Katz ble roedd llawer wedi methu pan wnaeth *Barrel Traverse* yn wrthol i mewn i'r rhych V8+ ar yr ochr dde. Y mae gradd o V11 wedi cael ei awgrynu i'r cysylltiad parhaol hwn. Yn hydref 2002 dringodd Dave Noden y dechreuad o'r eistedd amlwg i *Barking Direct* ar Glogfaen Mallory. **Cosmic Wheels V9/10** yw'r cyntaf o dri cysylltiad caled sy'n bosibl ar y bloc o graig aruthrol hwn.

Fe gipiodd Mick Adams llinell dethol reit o dan drwyn y lleolwyr pan ddringodd y dechreuad o'r eistedd amlwg i *Unmarked Grave* ym Mhorth Ysgo. Yn eironig fe ail-ddringwyd Katz a Higginson y **Tide Of Dreams V10/11** yn syth.

Datrysodd Pete Robins y llinell olaf mawr yn Hollt Anfeidredd gyda'r llinell ardderchog **Bellpig V8+** dau ddiwrnod cyn Nadolig 2002.

HISTORY

The extended dry period at the start of 2003 brought yet more hard lines in the mountains. Down at the Elephantitus Cave, Nant Gwynant Chris Davies extended his original problem **Downset** with a more logical sit down start to give a fierce and dynamic V12. In the same cave Dave Noden added the desperate **Tusk V10**, then extended it with a hideously sustained link from *Elephantitus* to produce **Cross Therapy V11**.

The big numbers continued to fall in Parisella's Cave when young Dan Cattell (17 years at the time of the ascent!) added an alternative finish to *The Greenheart Connection*: **Dan's Finish V12.**

Finally, old man Panton dragged his not inconsiderable beer belly to the finishing holds of the instantly popular **Mr. you're on fire Mr V8** on the newly in vogue Craig Y Llwyfan.

To be continued...

Simon Panton
(with historical research from Mark Katz)

HANESYDDOL

Ar ddechrau 2003 fe ddoth cyfnod sych estyniedig llawer o linellau caled i'r mynyddoedd. I lawr yn Ogof Elephantitus, Nant Gwynant estynodd Chris Davies ei broblem **Downset** gyda dechreuad o'r eistedd rhesymegol i roi V12 deinamig a ffyrnig. Yn yr un ogof ychwanegodd Dave Noden yr enbyd **Tusk V10**, a wedyn ei ymestyn gyda cysylltiad parhaol lletchwith o *Elephantitus* i gynhyrchu **Cross Therapy V11**.

Yn Ogof Parisella yr oedd y rhifau mawr dal yn dod pan ychwanegodd Dan Catell ifanc (17 mlwydd pan wnaeth y ddringfa!) gorffeniad amrywiol i'r *The Greenheart Connection*: **Dan's Finish V12**.

Yn derfynol, llusgodd hen ddyn Panton ei fol cwrw sylweddol at afaelion gorffenedig y syth poblogaidd **Mr. you're on fire Mr V8** ar y diweddar ffasiynol Craig y Llwyfan.

I'w barhau...

Simon Panton
(gyda ymchwil hanesyddol gan Mark Katz)

Dave Noden, Cross Therapy V11, Photo/Ffoto: Chris Davies

BEHIND THE SCENES

I'd like to thank the following people variously for their help, inspiration, advice:

YN Y DIRGEL

Hoffwn ddiolch y canlynol yn amrywiol am eu cymorth, ysbrydoliaeth, cyngor:

Chris Davies, Gav Foster, Mark Katz, Dave Noden, Rhys Parry, Noel Craine, George Smith, Crispin Waddy, Mike Thomas, Nige Harris, Fay Edwards, Mark Reeves, Dave Rudkin, Mark Evans, Mat Perrier, Jude Spancken, Neil Dyer, Patch Hammond, Emyr Parry, Jon Ratcliffe, John Welford, Richard Simpson, Tony Shelmerdine, Rob Wilson, Martin Crook, Tony Loxton, Paul Houghoughi, Sam Cattell, Danny Cattell, Chris Doyle, Ryan McConnell, Gruff Owen, Ray Wood, Leigh McGinley, Pete Robins, Terry Taylor, Adam Wainwright, Llion Morris, Paul Pritchard, Gwion Hughes, Will Perrin, Chris Naylor, Miles Perkin, Dave Norton, Mark Lynden, Dave Towse, Wynne Rees, John Redhead, Jim Corry, Ian Smith, Bob Moulton, Niall Grimes, Iwan Arfon Jones, Mat Smith, Geoff Turner, Kristian Clemmow, Richie Patterson, Al Leary, Katie Haston, Barbara Jones (CCW/CCGC), Barbara Jones (SNPA/APCE), Al Williams, Ben Pritchard, Mike Annesley, Bernard Newman, Toby Keep, Dave Simmonite, Adrian Parsons, Gary Latter, Mat Tuck, Stuart Woodward, John Gaskins, Andy Newton, Alun Sion Gwilym...

...and finally, Alan James for giving permission to use RockFax maps as a reference point.

I also owe an enormous debt of lost time and attention to my long-suffering family, Clare, Cadi and Charlie. I hope you think it was worth all the grief? (Don't answer that one.)

... i orffen, Alan James am roi'r hawl i ddefnyddio mapiau RockFax fel pwynt cyfeirnod.

Y mae gennyf dyled enfawr o amser a sylw at y teulu, Clare, Cadi a Charlie. Yr wyf yn gobeithio eich bod yn meddwl bod yr holl waith yn werth y strach? (Na, peidiwch ag ateb.)

The Author : Simon Panton

Simon started climbing in 1983 and to this day he is still a keen activist, particularly within the disciplines of bouldering, sea cliff trad climbing and winter climbing. He moved to Llanberis in 1996, having worked in the climbing wall manufacturing industry for the first half of the 90s. He managed the Outside shop in Llanberis until the end of 2002 when he started working part time for Snowdonia-Active. He writes regular articles for the climbing/outdoor press and has organised and performed at numerous climbing culture events. He is a co-director of V12 Outdoor; the new specialist outdoor shop in Llanberis. He is also a Welsh learner.

Simon Panton,
Photo/Ffoto: Ray Wood

Yr Awdur : Simon Panton

Hyd yn oed i Simon ddechrau ei yrfa dringo ym 1983 y mae'n dal i fod yn weithredwr brwd yn dringo clogwyni arfordirol traddodiadol, rhew ac eira a bowldro. Symudodd i Lanberis ym 1996, ar ôl gweithio yn y diwydiant waliau dringo yn ystod hanner gyntaf y 90au. Hyd at ddiwedd 2002 yr oedd yn rheoli siop Outside, Llanberis; Fe adawodd i weithio rhan amser i Eryri-Bywiol. Y mae'n ysgrifennu erthyglau i'r wasg dringo/awyr-agored yn gyson a mae wedi trefnu a chwarae rhan mewn sawl digwyddiad diwylliant dringo.

Y mae'n un o gydgyfarwyddwr V12 Outdoor; y siop arbenigol awyr-agored newydd yn Llanberis. Hefyd, y mae'n dysgu Cymraeg.

BOULDERING TERMS/TERMAU BOWLDRO

arete.....crib
block.....bloc, blocyn (ll. blociau)
boss.....bwl, bwlyn (ll. bylau)
boulder.....clogfaen (ll. clogfaeni)
break.....toriad (-au)
bulge.....chwydd, bol
chicken head.....crofen, croben
continuation.....parhad
corner.....congl, cornel
crack.....hollt (-au)
crevasse.....agendor (-au)
crevice.....agen (-au)
crimp.....crych (ion)
crossover.....trawsgroesi
crossthrough.....trwygroesi
dead point.....mar(w)nod, marnod.
descend.....dringlawr
diagonal.....lletraws, lletgroes, croeslin
dimple.....pannwl (ll. panylau)
dink.....dinc
dish.....dysgl
drop knee.....glingost
dyno.....deino
edge.....cyr
egyptian.....heirogliff
eliminate.....dilead
fin.....asgell
flake.....caen, ffloch
flash.....fflach (b. fflachio)
flatty.....llorafael
foothold.....troedle (-oedd)
friction.....ffrithiant
groove.....rhych (-au),
gully.....rhigol
heel hook.....bachsodli
hold.....gafael (ll. gafaelion)
landing.....glanfa, tirfa
layaway.....gorffwrdd
lay-back.....ôl-wthio
ledge.....sil
link-up.....cyswllt
lip.....gwefus, min
jam.....clo
jug.....crafanc (ll.crafangau)
jutting.....tafliedig
mantel.....trawstio

BOULDERING TERMS/TERMAU BOWLDRO

match.....cydrannu, cyma
mono.....mono (-i)
nubbin.....cnepyn (ll. cnepynnau)
offwidth.....anlled
outside edge.....allymyl
overhang.....bargod (-ion), gordo (-eau)
overlap.....gorlech
palm.....palfu
pillar.....piler (-i)
plnch.....pinsiad, gwasgfa
pebble.....cerrigyn
pocket.....poced
prow.....cribflaen
ramp.....ramp
recess.....cilan
rib.....asen (-au)
rockover.....trosiglo
roof.....to (ll. Toeau)
rose.....tanfraich
scoop.....cafn (-au)
sequence.....dilyniad (-au)
share.....rhannu
side hold.....ochafael (-ion)
side pull.....ochdyn (-nau)
sit down start.....dechrau o'r eistedd/ cychwyniad llawr
slab.....llech
slabby.....llechog
slap.....slap
sloper.....gwyrafael (-ion)
slot.....rhic, rhicyn (ll. rhiciau)
smear.....rhug (b. rhuglo)
snatch.....cip, cipio
spike.....pigyn
spotter.....gwyliwr (ll. gwylwyr)
sprag.....clo bawd, sbrogen
steep.....serth
sustained.....parhaol, cynaledig
swing.....siglo, pendilio
thin.....tenau
top.....brig
topo.....topo (-i)
tracking.....dilynol
traverse.....tramwyo, trawsfynd, trawsio
undercut.....tandor (-iadau)
wall.....wal, mur, pared
yard.....llathenu